DATE DUE

Erika Spiegel
Neue Städte / New Towns in Israel

Erika Spiegel

New Towns in Israel

**Urban and regional planning
and development**

**with a preface
by Rudolf Hillebrecht
and Edgar Salin**

FREDERICK A. PRAEGER
Publishers
New York · Washington

Translated into English
by Annelie Rookwood

110 Illustrations
30 Tables
1 colored map of the State of Israel scale 1:500 000

▬ ▬ • ▬	State boundary
▬ ••▬ •••	District boundary
▬ •••▬ •••	Sub-district boundary
▬ ▬ ▬ ▬	Regional Council boundary
⊙	Settlements not represented in the Regional Council
x x x	Seat of district administration
x x x	Seat of sub-district administration
x x x	Seat of Regional Council
～～	Main road
━ ━ ━	Main road, projected
～	Secondary road
┼┼┼┼	Railway
+ + + +	Railway, projected
◯	Urban settlement

gegründet 1948
vor / nach · founded before / after 1948

◆	◇	Kibbutz
▲	△	Moshav
●	○	Village
▮		Non-Jewish village
◉		Rural centre
✹		Mountain
⬡		Hill
⬭		Lake
▬		Marsh, nature reserve
⌇		River, wadi
╱		Canal
╱		Water and oil pipes
○○○		Citrus groves
━ ━ ⌇		Lakhish Region boundary

1 km = 0,6214 statute mile / 1 statute mile = 1,609 km
1 m = 1,094 yard = 3,281 feet

BOOKS THAT MATTER
Published in the United States of America in 1967
by Frederick A. Praeger, Inc., Publishers
111 Fourth Avenue, New York, N.Y. 10003
All rights reserved
© Karl Krämer Verlag Stuttgart 1966
Library of Congress Catalog Card Number: 67–16678
Printed in Germany

Vorwort

Israel ist eines der wenigen Länder, die nach dem letzten Kriege planmäßig und in größerem Umfang neue Städte gegründet haben. Unter schwierigen Umständen und mit beschränkten Mitteln hat hier vor Jahren schon ein kleines Land eine Aufgabe auf sich genommen, die in weit reicher und großzügiger ausgestatteten westlichen Industriestaaten nur zögernd und gegen mancherlei Widerstände in Gang kam. Der Mut, der damit bezeugt, und die Leistung, die vollbracht wurde, erregen und verdienen unser aller Bewunderung und Sympathie. Der Beschränktheit der Mittel steht in Israel eine Un-Beschränktheit des Denkens und der Tatkraft gegenüber, von der viel zu lernen ist.

Lernen müssen und können wir aber auch von den Erfahrungen, die gemacht wurden. Die Planung und Entwicklung neuer Städte ist — auch wenn sie sich zunächst vor allem auf dem Reißbrett niederschlägt — ein umfassender Prozeß, in dem vielfältige ideelle, soziale und wirtschaftliche Kräfte zum Ausdruck kommen. Mehr noch als für andere Länder gilt dies für Israel, für das die Schaffung einer neuen Siedlungsstruktur Bestandteil des staatlichen Aufbaus selbst ist. Eine kritische Analyse dieses Prozesses sollte daher nicht nur für den Stadt- und Regionalplaner von Nutzen sein und auch nicht nur für den an Israel Interessierten. Sie führt vielmehr zu einer Reihe von Ergebnissen, die ganz allgemein für die planerische und sozialwissenschaftliche Arbeit der nächsten Zukunft Bedeutung besitzen. Weil uns ein nachdrücklicher Hinweis darauf angezeigt erscheint, daß das vorliegende Werk eine solche Analyse gibt und neue Ergebnisse von grundsätzlicher Bedeutung vermittelt, schreiben wir dieses Vorwort. Es sei dazu gestattet, einige Gesichtspunkte hervorzuheben, in denen sich der Städteplaner mit dem Ökonomen-Soziologen verbunden weiß.

1. In den letzten Jahren haben wir alle gelernt, daß die Aufteilung de. Wissenschaften in Grundfächer nun den umgekehrten Prozeß einer interdisziplinären Arbeit unerläßlich macht. Interdisziplinär — das will in diesem Fall heißen, daß bei jeder Stadt- wie Regionalplanung von Anfang an die Mitwirkung verantwortlicher Ökonomen und Soziologen gesichert werden sollte. Es liegt uns fern, dabei zu verkennen, daß die oft vorhandenen statistischen Abteilungen wertvolles Grundmaterial zu bieten haben. Aber es wird immer nötig sein, neue Mitarbeiter mit neuen Fragen zu gewinnen, die sich — neben der Weiterführung der Tradition — der Berücksichtigung von abweichenden, oft revolutionären Prognosen nicht verschließen.

2. Die vorliegende Arbeit ist Teil und zugleich krönender Abschluß eines Programms der List Gesellschaft, in dem die Frage untersucht werden sollte, wie weit Israel als Modellfall für Entwicklungsländer gelten kann. Das Ergebnis ist zumindest nicht eindeutig. Es ist negativ in dem Sinne, daß in Israel in ungewöhnlich hohem Maße qualifizierte Menschen aus europäischen Ländern zusammentrafen und eine tragfähige Grundlage für eine moderne Wirtschafts- und Gesellschaftsstruktur geschaffen haben, wie sie die meisten Entwicklungsländer noch entbehren; auch die Schwierigkeiten, die sich aus dem Zusammentreffen mit Einwanderern aus anderen Erdteilen und Kulturkreisen ergeben haben, stellen vorerst eine singuläre Erscheinung dar. Das Ergebnis ist aber auch positiv, insofern nämlich, als viele Entwicklungsländer sich ebenfalls vor der Aufgabe sehen, eine unzureichende oder veraltete Siedlungsstruktur zu erneuern und zu ergänzen; in diesem Sinn ist Israel vielleicht nicht Modell, aber Vorläufer, dessen Erfahrungen und Erkenntnisse Beachtung verdienen.

Preface

Israel is one of the few countries which systematically and extensively founded new cities after the war. Here, already many years ago, under difficult circumstances and with limited means a small country took upon itself a task which was initiated only hesitantly and against some resistance in much richer and generously endowed western industrial states. The courage shown by this fact and the achievement attained excites and deserves the wonder and sympathy of us all. The limitation of means in Israel contrasts directly with its unbounded thinking and vigour — a fact from which there is much to learn.

We should and can learn from their experience. The planning and development of new cities — even though it first takes shape on the drafting boards — is an extensive process in which numerous ideological, social and economic forces are voiced. This applies more to Israel than to other lands, for in Israel the creation of a new structure of settlement is an element of the building of the State. A critical analysis of this process should therefore not only be useful for the city and regional planner and also not only for those interested in Israel. It leads toward a series of results which have a general significance for the planning and sociological work of the near future. It is because we strongly feel that the following work gives such an analysis and relates findings of fundamental importance that we are writing this preface. We are taking the liberty of pointing out several views in which the city planner feels himself related with the economic sociologist.

1. During the past years, we have all come to realize that the specialization of the sciences has made just the opposite, namely interdisciplinary cooperation, indispensible. Interdisciplinary means in this case that there should be a guarantee of the participation of responsible economists and sociologists for every city as well as regional planning from the start. We are far from underestimating the valuable basic material offered by the statistical departments often on hand. But it will still be necessary to enlist new men with new questions who — alongside of the continuation of tradition — do not close their minds to the consideration of different and often revolutionary ideas.

2. The following work is a part and at the same time the crowning finish of a program of the List Gesellschaft in which the question of how far Israel could serve as a model for underdeveloped countries was to be examined. The result was not in the least unequivocal. It is negative in the sense that to an unusually high degree qualified people from European countries gathered in Israel and created a solid basis for a modern economic and social structure which most underdeveloped countries still lack. Also the difficulties arising from the encounter of immigrants from other continents and different cultural milieus present a singular phenomenon for the time being. The result, however, is also positive insofar as many underdeveloped countries also have the problem of renewing and supplementing a structure of settlement which has become insufficient and obsolete. In this sense, perhaps, is Israel not a model but a pioneer whose experiences and knowledge merit our attention.

3. Israel differs from other industrial countries in the fact that it has nearly no mineral resources. Unlike Switzerland, it cannot even contribute its own share of waterpower to modern growth. Amid all these negative consequences arising from such lacks and which demand maximum utilization of all practical, intellectual and creative abilities, there apparently lies a rare chance for the planner. Since there is no material with a high rate of weight loss such as coal which forces localized pro-

3. Israel unterscheidet sich dadurch von den meisten Industriestaaten, daß es nahezu keine Bodenschätze besitzt; das Land kann nicht einmal wie die Schweiz eigene Wasserkräfte als Mitgift in das moderne Wachstum mitbringen. Bei allen negativen Konsequenzen, die sich aus einer solchen Mangellage ergeben und die zu einer maximalen Ausbildung aller handwerklichen, aller geistigen, aller schöpferischen Fähigkeiten zwingen, liegt hierin für den Planer anscheinend eine ganz seltene Chance. Da es keine Materialien mit hohem Gewichtsverlust wie die Kohle gibt, die die Produktion an ihren Standort zwingen und dadurch standortbildend wirken, kann grosso modo jede Planung von einer relativ gleichen Qualität bzw. Nicht-Qualität der natürlichen Voraussetzungen ausgehen; sie kann daher im Prinzip neue Dörfer, neue Städte und neue Industrien so vielfältig über das ganze Land hin streuen, wie dies in Europa vor dem Anbruch des Hochkapitalismus generell geschehen war. Aber gerade hier zeigt die soziologische Betrachtung, daß das prinzipiell oder, wie man heute lieber sagt, das modellmäßig Mögliche noch keineswegs das real Durchführbare ist — jedenfalls nicht in einer Wirtschaft und in einem Staat, in dem neoliberales Gedankengut eine Zwangsansiedlung und einen Zwangswohnsitz verhindert. Der Zug in die Großstadt und in die der Großstadt nahen Gebiete, der uns in Europa schreckt und den wir lange Zeit und vergeblich durch sogenannte Entballungsmaßnahmen bekämpfen zu können erhofften, stellt offenbar in der heutigen Generation einen Standortfaktor ersten Ranges dar. Wird ihm nicht Rechnung getragen, so besteht die Gefahr, daß noch so gut geplante neue Städte von den arbeitswilligen Generationen verlassen und zu einem Sammelbecken von Alters- und Bevölkerungsgruppen werden, die der ökonomischen und sozialen Entwicklung nur am Rande zu folgen vermögen.

Die Problematik, die hier anklingt, zeigt deutlich genug, daß der vorliegende Bericht zum Nachdenken und zur Weiterarbeit auf den verschiedensten Gebieten anregen sollte. Es wäre uns eine Freude, wenn sich hieraus weitere Untersuchungen ergeben würden — unserer Betreuung und unserer Mithilfe könnten sie sicher sein.

Basel / Hannover, im Juli 1966

Dr. Edgar Salin, Professor
an der Universität Basel
Schriftführer der List Gesellschaft

Dr.-Ing. E. h. Rudolf Hillebrecht, Honorar-Professor
an der Technischen Hochschule Hannover
Stadtbaurat der Landeshauptstadt Hannover

duction and thus acts formatively in the creation of cities around these localities, all planning can start out grosso modo from a relatively equal quality or non-quality of the natural conditions; it can, therefore, in principle, spread out new towns, new cities and new industries all over the entire country as generally occured in Europe before the outbreak of capitalism. But it is just here that the sociological view shows that what is possible in principle or, as we rather say today, what is possible on paper, is still a long way from being feasible — at least not in an economy and state where neo-liberal thought prohibits government control of communities and private residence. Urban and ex-urban migration which so alarms us in Europe and which we futilely hoped to control through so-called de-massing measures, obviously presents for today's generation a prime location factor. If this is not taken into consideration, there is a danger that even the most well-planned new cities will be deserted by an industrious generation and will become a receptacle for the old and for those groups capable of keeping up only marginally with the economic and social progress.

The problems sounded here show clearly that the following work should be a stimulus to thought and continued work in the different areas. It would give us great pleasure if further study resulted from it and this would receive our careful attention and cooperation.

Basel/Hannover July, 1966

Dr. Edgar Salin, Professor
at the University of Basel
Schriftführer der List Gesellschaft

Dr.-Ing. E. h. Rudolf Hillebrecht, Honorary Professor
at the Hannover Technical Institute
Stadtbaurat der Landeshauptstadt Hannover

Inhalt

Einleitung 9

Die Landespläne zur Bevölkerungsverteilung 12

Die Verteilung der Bevölkerung bei der Staatsgründung 12

Erratum

Die Legende zu Tafel XXXV unten muß richtig lauten:
Arad – Ansicht des ersten Wohnviertels von Nordosten

The caption of plate XXXV bottom should read:
Arad – the first sub-unit from north-east

Die Wachstumsfaktoren 29
Die demographische Struktur 33
Beschäftigung und Industrie 41
Pläne und Prognosen 41
Die ersten Jahre 42
Das Arbeitskräftepotential 45
Die Beschäftigungslage 46
Die Beschäftigungsstruktur 49
Die Industrie 50
Die zukünftige Entwicklung 54
Die städtebauliche Entwicklung 56
Die Gartenstadt 56
Gegenbewegung und neuere Entwicklung 60
Die Flächennutzung 65
Der Wohnungsbau 67
Der Wohnungsbau für Neueinwanderer 68
Wohnungen für junge Ehepaare 72
Das öffentliche Bausparprogramm 72
Der private Wohnungsbau 73
Finanzierung und Verwaltung 73
Die Finanzierung 73
Die kommunale Selbstverwaltung 75

Stadt und Region 77

Verwaltung 77
Wirtschaft 78
Kultur und Gesellschaft 83

Der gesetzliche und institutionelle Rahmen der Planung 90

Beispiele der Planung und Entwicklung 97

Qiryat Shemona 97
Afula 109
Qiryat Gat 120
Beer Sheva 132
Ashdod 150
Elat 158
Arad 168
Karmiel 173

Schlußfolgerungen 179

Quellennachweis 189
Jahrbücher und statistische Quellenwerke 190
Aussprache der wichtigsten Ortsnamen 192

Contents

Introduction 9

Population Distribution 13

Population Distribution in 1948 13
Population Distribution Plans 15

New Towns for the Hinterland 19

The Model 19
Location Factors 21
Thirty New Towns 22

The Population 25
The Immigration 26
Growth Factors 29
The Demographic Structure 33
Employment and Industry 41
Plans and Prognoses 41
The First Years 42
The Labour Force 45
The Employment Situation 46
The Employment Structure 49
Industry 50
Future Development 54
Land Use and Layout 56
The Garden City 56
Counter Movement and Recent Development 60
Land Use 65
Housing Construction 67
Housing for New Immigrants 69
Housing for Young Couples 72
The "Saving for Housing" Scheme 72
Private Housing 73
Financing and Administration 73
Financing 73
Municipal Self Government 75

Town and Region 77

Administration 77
The Economy 78
Education and Culture 83

The Legal and Institutional Framework of Planning 90

Examples of Planning and Development 97

Qiryat Shemona 97
Afula 109
Qiryat Gat 120
Beer Sheva 132
Ashdod 150
Elat 158
Arad 168
Karmiel 173

Conclusion 179

Bibliography 189
Yearbooks and Statistics 190
Pronunciation of Place Names 192

Es ist kaum möglich, den großen Dank zum Ausdruck zu bringen, den die Verfasserin allen denen schuldet, die zum Entstehen dieses Buches beigetragen, es überhaupt erst möglich gemacht haben. In Deutschland wie in Israel sind ihr von vielen Seiten freundschaftlicher Rat und uneigennützige Hilfe zuteil geworden, oft weit über das Erbetene und Erwartete hinaus. Als Gast in dem zunächst fremden Land hat sie vom ersten Tage an Vertrauen und Verständnis, Hilfsbereitschaft und unvoreingenommene Menschlichkeit erfahren, die sie tief beeindruckt und ihr jede Wiederkehr zur Freude gemacht haben.

Die Zahl derer, die durch Mitteilung von Tatsachen und Überlassung von Material, durch Hinweise, Empfehlungen oder persönliche Begleitung durch das Land, nicht zuletzt durch Anregung und Kritik geholfen haben, ist so groß, daß nicht jedem einzelnen an dieser Stelle gedankt werden kann. Ihre Namen sind dem Quellennachweis angeschlossen. Gleichsam stellvertretend seien nur die Personen und Institutionen besonders genannt, die die vorliegende Arbeit in allen ihren Phasen entscheidend beeinflußt und gefördert haben: an erster Stelle die List Gesellschaft und ihr Schriftführer, Prof. Edgar Salin, die die Anregung zu den Israel-Studien der List Gesellschaft, in deren Rahmen auch dieses Buch gehört, gegeben und die finanziellen Voraussetzungen zu ihrer Verwirklichung geschaffen haben; das List Institut und sein Leiter, Prof. H. W. Zimmermann, die die organisatorische Durchführung und Betreuung in Händen hatten; vor allem aber Prof. Rudolf Hillebrecht, dessen stets greifbarer sachverständiger Rat und dessen tatkräftige praktische Hilfe manche Schwierigkeiten überwinden halfen. In Israel selbst waren es vor allem Dr. Yaacov Bach und der der List Gesellschaft verbundene „Advisory Board for the Israel Economic and Sociological Research Project", die unermüdlich Wege ebneten und Verbindungen herstellten, und Architekt H. Mertens, der, mit dem israelischen Städtebau von Anbeginn an vertraut, in selbstloser Freundschaft immer wieder Fragen beantwortete, Anregungen gab und sich zu klärenden Gesprächen und Diskussionen bereit fand. Ihm und seiner Vermittlung sind auch ein großer Teil der Pläne und Photographien zu danken, die hier zum Abdruck gekommen sind.

Die Regionalskizzen zeichnete Frau Marianne Karmon (Jerusalem), die Flächennutzungspläne der Beispielstädte Frau Alina Yaron (Tel Aviv). Ein Teil der Bebauungspläne und Grundrisse wurden für den Druck bearbeitet von Fräulein Christa Wrobel im Büro von Dr. Albert Maria Lehr (Freiburg), dessen uneigennützige Hilfe eine große Stütze war.

Unter den Genannten haben Prof. Hillebrecht, Dr. Bach und Herr Mertens die Freundlichkeit gehabt, das Manuskript zu lesen und wertvolle Anregungen und Kritik zu geben. Für Fehler und Irrtümer, die trotzdem unterlaufen sein mögen, trifft sie jedoch keine Verantwortung.

Der Dank der Verfasserin gilt schließlich, und dies nicht zuletzt, der seltenen Gunst einer schönen und in hohem Maße fesselnden Aufgabe.

Hannover, im Juli 1966   Erika Spiegel

It is scarcely possible to give expression to the deep gratitude which the author owes all those who have contributed to the production of this book, who have in fact made it possible. In Germany as well as in Israel friendly advice and generous assistance have been bestowed upon her from many quarters, often far surpassing all requests and expectations. As guest in the at first foreign country she experienced from the first day onwards confidence and understanding, helpfulness and humanity which deeply impressed her and made every return a pleasure.

The number of those who have helped by communicating facts and providing material, by guidance, introductions or personal accompaniment through the country, and not least by encouragement and criticism is so large that each cannot be individually thanked in this place. Their names have been appended to the list of references. Representative as it were, only the persons and institutions which have decisively influenced and advanced the work in all its phases are given particular mention: in the first place the List Gesellschaft and ist Secretary, Prof. Edgar Salin, who instigated the Israel studies of the List Gesellschaft, in the scope of which this book belongs, and who arranged the financial requisites for its realization; the List Institute and its Director, Prof. H. W. Zimmermann, who looked after organizational and executive matters; before all, however, Prof. Rudolf Hillebrecht whose expert advice and whose practical assistance were of invaluable aid in overcoming many an obstacle. In Israel before all it were Dr. Yaacov Bach and the Advisory Board for the Israel Economic and Sociological Research Project in co-operation with the List Gesellschaft, who untiringly paved ways and established connexions, and Mr. H. Mertens who, well acquainted with Israeli town planning from the beginning, in unselfish friendship answered questions, offered suggestions and found time for elucidating talks and discussions. He and his good offices are also to be thanked for a large part of the plans and photographs which are reproduced here.

The regional sketches were drawn by Mrs. Marianne Karmon (Jerusalem), the land use plans of the model towns by Mrs. Alina Yaron (Tel Aviv). A part of the other layouts and groundplans were prepared for print by Miss Christa Wrobel in the office of Dr. Albert Maria Lehr (Freiburg),whose generous assistance was a great support.

Of those mentioned, Prof. Hillebrecht, Dr. Bach and Mr. Mertens were kind enough to read the manuscript and give valuable suggestions and criticism. For m'stakes and errors which might nevertheless have crept in they are not responsible.

The author is indebted finally, and this not least, to the rare favour of a beautiful and highly captivating task.

Hannover, July 1966   Erika Spiegel

Einleitung

Die Mehrzahl der neuen Städte, die seit Ende des letzten Krieges in der alten wie in der neuen Welt entstanden sind, verdankt ihr Dasein dem einen, beherrschenden Zweck: der Entlastung der großen alten Metropolen von einer immer drückenderen Bürde an Menschen, Büros, Industrie, Verkehr. Wo, jenseits solcher Ziele, neue Hauptstädte, Industriestädte oder auch regionale Zentren für neugewonnenes Land gebaut wurden, handelt es sich — wie gewaltig das Projekt oder wie sorgfältig die Planung auch immer sein mochte — um Einzelfälle, die den Rahmen eines bestehenden Siedlungsgefüges ergänzten, erweiterten, krönten, aber keinesfalls sprengten.

Die Gesichtspunkte, die den Staat Israel bewogen, schon unmittelbar nach seiner Gründung im Mai 1948 mit der Planung und dem Bau einer großen Anzahl neuer Städte zu beginnen, waren anderer Art. Hier sah sich ein Land durch Vorgeschichte und Umstände seiner Entstehung selbst einer geographischen und strukturellen Verteilung seiner Bevölkerung gegenüber, die in ihrer Polarität von Großstadt und Dorf, von dichtbevölkerter Küste und spärlich besiedeltem Hinterland weder den herkömmlichen Vorstellungen von einer wohlabgewogenen, hierarchisch gegliederten und funktional geordneten Siedlungsstruktur noch seinem Bedürfnis nach politischer und militärischer Sicherheit entsprach. Nicht einzelne Städte, ein ganzes System von Städten sollte geschaffen werden.

Ein solcher Versuch stellt in vieler Hinsicht ein einmaliges Experiment dar. Zwar waren und sind die Prinzipien, an denen er ausgerichtet ist, weder revolutionär noch reformerisch, sondern in hohem Grade konservativ, nämlich an den in vergangenen Jahrhunderten herangewachsenen europäischen Stadtsystemen orientiert, oder höchstens in dem Sinne revolutionär oder reformerisch, als sie sich bewußt und entschieden den bisherigen Tendenzen der jüdischen Siedlung in Palästina — und auch der in fast allen Ländern der Welt in Gang gekommenen Wanderung auf die großen Zentren zu — entgegensetzen. Um so mehr stellt sich die Frage, ob und in welchem Ausmaß diese Systeme auch dort, wo sie nicht durch Gewohnheiten, Traditionen, Institutionen aus einer früheren, in jeder Beziehung kleinräumigeren Zeit verankert und gehalten sind, planmäßig eingebürgert werden können. Besonders gilt dies für die Länder und Völker, denen eben die schrittweisen Übergänge von der mehr oder weniger selbstgenügsamen Lebens- und Arbeitswelt des Dorfes zu den hochgradig interdependenten, kommunikationsbedürftigen und in jeder Hinsicht auf Konzentration zustrebenden Wirtschafts- und Gesellschaftsformen der modernen Industriestaaten versagt bleiben, während derer die Mehrzahl unserer eigenen Städte ihre Grundlegung erfuhr; die sich daher auch relativ unvorbereitet vor der Aufgabe sehen, eine massenweise freigesetzte und sich selbst freisetzende, überdies rapide wachsende ländliche Bevölkerung daran zu hindern, zu Hunderttausenden, wenn nicht Millionen, in die wenigen großen Agglomerationen zu strömen und sie mit einem Gürtel von Elendshütten aus Blech oder Lehm, Lumpen oder Blättern zu umgeben. Neben das Interesse an Technik, Organisation und Verlauf der Planung und des Aufbaus der Neugründungen als solcher tritt das Interesse an ihrer funktionalen Verankerung im wirtschaftlichen und sozialen Gefüge des neuen Staates.

Seit Beginn der ersten israelischen Stadtgründungen sind rund 17 Jahre verstrichen, die Mehrzahl der neuen Städte hat das erste Jahrzehnt hinter sich — Zeit genug offenbar, um Erfahrungen zu sammeln, Konzepte zu überprüfen, zukünftige Tendenzen und Entwicklungen jedenfalls in ihren Umrissen zu erkennen. Trotzdem kann die Antwort gerade auf diese

Introduction

The majority of the new towns created since the end of the last war in both the old and the new worlds, owe their existence to one predominant purpose: to relieve the inflated old metropolis from an ever increasing burden of people, offices, industry and traffic. Where, apart from such aims, new capitals, industrial towns or regional centres for new territories were developed, it was more a question of isolated individual cases. However imposing the project or however careful the planning, these cases completed, expanded or crowned an existing pattern of settlement but in no way undermined it.

The motives were quite different which persuaded the State of Israel to begin the planning and construction of a large number of new towns almost immediately after the foundation of the State in May, 1948. As a result of its history and its very birth, the country was faced with a geographical and structural distribution of its population which, in its polarity of city and village, of densely settled coast and sparsely (if at all) settled hinterland, did not correspond either to the traditional ideas of a well-balanced settlement structure or to the need for military and political security. Not individual towns, but a whole system of new towns was to be created.

In many ways such an attempt represents a unique experiment. The principles, however, by which this experiment was guided were neither revolutionary nor reformatory, but highly conservative, carefully following the lines of the European system of towns with its gradual growth over the centuries. They were revolutionary or reformatory only in the sense that they were definitely and decisively opposed to the previous trends of Jewish settlement in Palestine, and to the contemporary influx into big cities in general, noticeable nearly all over the world. This raises the question whether and to what extent these systems can be deliberately introduced if they are not anchored in the customs, traditions and institutions of an earlier and in every way lesser era. This applies in particular to those countries and peoples who are denied the gradual transitions from the more or less self-sufficient way of life in the village to the highly interdependent socio-economic structure of the modern industrial state during which the majority of our own towns struck roots; who therefore are relatively unprepared for the ever growing difficulty to prevent an emancipated and rapidly increasing rural population from streaming in their hundreds of thousands, if not in their millions, into the few large agglomerations, surrounding them with a belt of poverty stricken huts made out of tins or clay, rags or paper. Thus apart from the interest in techniques of organization and the progress of planning and development of the Israeli new towns as such, there is also the interest in their functional basis in the economic and social system of the new State.

Since the first new towns in Israel were started, 17 years have passed and the majority of them have completed their first decade — time enough it would seem for collecting experiences, reappraising concepts, and recognizing future trends and developments at least in outline. Nevertheless, the answer to this decisive question can only be incomplete and every judgement provisional. Ten or fifteen years, thanks to the power and influence of planning authorities and modern technical resources, may be sufficient to form the outer shape, the shell of a town; they are not sufficient, either in the positive or in the negative sense, to allow conclusions about the stability and viability of these towns over a longer period, especially when initial support and assistance are missing.

entscheidende Frage nur unvollkommen und jedes Urteil nur vorläufig sein. Zehn oder fünfzehn Jahre mögen — dank Macht und Einfluß planender Instanzen, dank auch der Mittel der modernen Technik — genügen, um die äußere Gestalt, das Gehäuse einer Stadt herzustellen; sie genügen nicht, weder im positiven noch im negativen Sinne, um über Bestand und Lebensfähigkeit dieser Stadt auf längere Sicht und ohne die Stützen und Gerüste des Beginns zu entscheiden.

Dies gilt auch für Israel; obwohl oder gerade weil die spezifische Dynamik der israelischen Entwicklung viele Prozesse in einem Ausmaß beschleunigt, das auch das Aufbautempo mancher Nachkriegsjahre weit in den Schatten stellt. Diese Dynamik ist nicht nur die Dynamik aller jungen Völker, die erst vor kurzem staatliche Unabhängigkeit erlangt haben. Es ist zunächst und vor allem die Dynamik eines Einwanderungslandes im weitesten und umfassendsten Sinne, eines Landes, das in den wenigen Jahren seines Bestehens seine Bevölkerung verdreifacht hat, dessen Bewohner zu mehr als 60% noch nicht im Lande geboren, die aus den verschiedensten Kulturstufen, Sprachräumen, Lebensbereichen zusammengeströmt sind. Wie können sie in einem Land, dem sie zwar durch Religion und Überlieferung auf das innigste verbunden waren, dessen heutige Wirklichkeit aber fremd und ungewohnt und selbst noch in ständigem Wandel begriffen ist, ihren Ort, ihre Stadt schon gefunden haben? Indem sie dort leben, ändern sie sich und ändern sie das Land. Weit mehr ändern es ihre Kinder, die erste Generation, die erst dort in die Welt getreten und ohne Erinnerung ist, und werden es die Einwanderer ändern, die nach ihnen kommen und jede eben gewonnene Struktur und Ordnung stets erneut in Frage stellen werden.

Es ist weiter die Dynamik eines Staates, oder jedenfalls einer Führungsschicht, deren Grundhaltung essentiell voluntaristisch ist. Wie jede einzelne Einwanderung, wie die Gründung jeder Siedlung, die Trockenlegung oder Bewässerung jedes Stück Landes, wie schließlich Staat und Volk der Juden selber, wie sie heute in Israel Gestalt angenommen haben, als Bewährung und Bestätigung der Macht des Wollens gegenüber der Macht der Umstände, gegenüber einem offenbar unentrinnbaren historischen Schicksal empfunden werden mußten, so scheint es, nachdem sich einmal das Unmögliche als möglich erwiesen hat, nichts mehr zu geben, was diesem Wollen Widerstand leisten könnte. Seine Waffe im Kampf der politischen und sozialen Kräfte sind nicht Argumente, sondern vollendete Tatsachen, die dadurch, daß sie gesetzt werden, Maßnahmen erzwingen oder verhindern, die mit Argumenten nie zu erzwingen oder zu verhindern gewesen wären, die alte Probleme umgehen, indem sie neue schaffen, die das Feld in ständiger Bewegung halten. Im Rahmen eines sich institutionalisierenden Staatswesens, im internationalen Geflecht wirtschaftlicher und sozialer Gesetzmäßigkeiten mag solche Haltung immer häufiger auf Grenzen stoßen; dort, wo ihr Räume und Freiheiten geblieben sind, setzt sie sich stets wieder durch — nicht zuletzt in Gründung und Aufbau neuer Städte, und immer weiterer neuer Städte, selbst.

Die Darstellung vermag dieser Dynamik nur begrenzt zu folgen, vor allem dort, wo sie in die Zukunft hineinweist. Sie muß sich daher auf eine Chronik der Vergangenheit und eine Analyse der Gegenwart, das heißt hier: der Gegenwart der Jahre 1964/65, beschränken. Sofern Chronik und Analyse zu Urteilen und Prognosen Anlaß geben, so nur unter der Voraussetzung, daß Entwicklungslinien und -tendenzen, wie sie heute sichtbar sind, weder durch äußere Ereignisse, etwa eine neue Masseneinwanderung oder auch das Aufhören jeder

This is true, too, for Israel; although, or perhaps just because, the specific dynamic power of Israeli development accelerates many processes to such an extent that even the speed of reconstruction of many post-war years is overshadowed. This dynamic force is not only the force of all young countries which have only recently acquired independence; it is above all the force of an immigrant country in the widest and most comprehensive sense, a country that has trebled its population in the few years of its existence, 60% of whose inhabitants have not been born in the country, and who have come from the most varied cultural levels, language groups and ways of life. How, in spite of all religious and traditional bonds, can they have found their place, their town, in a country whose present-day reality is strange and unfamiliar, and is still constantly changing? While living in the country they themselves change, and they change the country. Even more the country will be changed by their children, the first generation which has been born there and which is without memories. And it will continue to be changed by the immigrants coming after them. Each time the structure and order already achieved will be questioned anew.

Moreover, it is the dynamic force of a state, or at least an elite, whose basic attitude is essentially voluntary. From the very outset, every individual immigration, every foundation of a new settlement, the drainage and irrigation of every piece of land, even, finally, the State and the Jews themselves as they have taken shape in Israel today, must have been conceived as a victory of the force of free will over the force of circumstances, over the apparently unavoidable historical fate. Thus, once the impossible has proved possible, there does not seem to be anything which can resist this will. Its weapons in the fight with political and social powers are not arguments, but complete facts. These facts, once they have been achieved, are apt to force or prevent measures which it would never be possible to force or prevent with arguments; to bypass old problems by creating new ones, by keeping everything constantly mobile. Such an attitude may increasingly reach its limits within the framework of a state bound to establish itself within the overall international system of economic and social laws. Wherever it has room and freedom, it will constantly reaffirm itself — not least in the foundation and construction of new towns, and ever more new towns.

The present work can trace this dynamic force only to a limited extent, especially regarding the future. It has to confine itself rather to a chronicle of the past and an analysis of the present — in this instance the present of the years 1964/65. Insofar as the chronicle and the analysis give rise to judgements and prognoses, it can only be on the assumption that lines and trends of development, as they appear today, are neither changed nor stopped as a result of external events, such as a new mass immigration or the ceasing of all immigration, or other unforeseeable political decisions.

In any case it seemed expedient to complete the systematic historical account of the general principles, aims and procedures of town and country planning — insofar as they affect the new towns — and the overall analysis of their social and economic reality by describing individual places. If anything, this may help to replace first-hand experience. The choice (which had to be made) may meet with criticism, as must every choice. It comprises primarily towns which, on the basis of geographical position, could potentially be central places and therefore could indicate the extent and capacity of regional functions (such as had supported the European system of

Einwanderung, noch durch unvorhersehbare innere Aktionen umgeleitet oder abgebrochen werden.

In jedem Falle schien es zweckmäßig, die historisch-systematische Darstellung der allgemeinen Grundsätze und Ziele und des bisherigen Verlaufs der Stadt- und Landesplanung — sofern sie die neuen Städte betreffen — und die Analyse ihrer sozialen und wirtschaftlichen Wirklichkeit zu ergänzen durch eingehende Einzelschilderungen. Wenn überhaupt etwas, so vermögen sie allein die unmittelbare Anschauung zu ersetzen. Die Auswahl, die getroffen werden mußte, mag, wie jede Auswahl, auf Widerspruch stoßen. Sie umfaßt zunächst solche Städte, die aufgrund ihrer geographischen Lage jedenfalls potentiell als zentrale Orte in Frage kommen und daher Aufschluß über Ausmaß und Tragfähigkeit regionaler Funktionen, wie sie die europäischen Stadtsysteme weitgehend getragen hatten, in Israel geben können: Qiryat Shemona, Afula, Qiryat Gat, vor allem aber Beer Sheva; sie umfaßt weiter die beiden neuen Häfen, Ashdod und Elat, deren Bedeutung für Außenwirtschaft und Export ihnen eine Sonderstellung einräumt und in deren Spannungsfeld ein großer Teil der Siedlungs- und Wirtschaftätigkeit im Negev zu sehen ist; sie mochte schließlich auf die beiden neuesten Gründungen, Arad und Karmiel, nicht verzichten, die vor allem in städtebaulicher Hinsicht die endgültige und konsequente Abkehr von den gartenstädtischen Prinzipien und Vorstellungen zum Ausdruck bringen, die fast alle früheren Entwürfe gekennzeichnet hatten. Der größte Mangel mag darin gesehen werden, daß keine der kleineren, zurückgebliebeneren, besonders häufig der Kritik ausgesetzten Städte einbezogen und in ihren spezifischen Schwierigkeiten und Schwächen deutlich gemacht wurde. Im allgemeinen sind die Unterschiede jedoch eher quantitativer als qualitativer Natur. Auch erwies es sich, daß es, gerade wegen des niedrigen Entwicklungsstandes dieser Orte, fast unmöglich war, ohne eingehende und langwierige Felduntersuchungen einwandfreies Material zu erhalten. Was verfügbar war, wurde in die generelle Darstellung eingeschlossen.

Während Unterlagen über die Planung als solche relativ reichlich vorhanden sind, hat es die Analyse der städtischen Wirklichkeit schwerer. Zwar stehen in den demographischen Angaben des „Central Bureau of Statistics", insbesondere in den Ergebnissen der Volkszählung von 1961, zuverlässige Daten bereit, die sogar örtlich aufgegliedert sind und somit ein detailliertes Bild der Bevölkerungsstruktur in jeder einzelnen Gemeinde vermitteln. Die Tatsache, daß diese Daten einige Jahre alt sind, dürfte in den meisten Fällen nicht ins Gewicht fallen; die grundsätzliche Situation hat sich seither kaum geändert. Empfindlich spürbar dagegen ist der Mangel an entsprechend eindeutigen wirtschaftlichen Größen, etwa über Arbeitskräftepotential, Beschäftigungslage und -struktur, Höhe und Art der Investitionen, Kapitalstock und ähnliches. Diese sind im allgemeinen nur global, selten regional, fast nie auf lokaler Ebene erhältlich. Die Stadtverwaltungen, selbst erst wenige Jahre alt und weder personell noch finanziell dafür ausgerüstet, sind in den wenigsten Fällen in der Lage, selbständig Einzelerhebungen, oder auch nur eine Bestandsaufnahme durchzuführen. Es muß daher oft auf unbefriedigende Umwege, Hypothesen und Schätzungen ausgewichen werden, auch Lücken lassen sich kaum vermeiden. Angesichts der entscheidenden Bedeutung, die der wirtschaftlichen Konsolidierung für die Entwicklung der Neugründungen zukommt, scheinen eingehendere Untersuchungen und damit eine Ergänzung und Erweiterung der vorliegenden Arbeit gerade auf diesem Gebiet notwendig.

towns): Qiryat Shemona, Afula, Qiryat Gat and, above all, Beer Sheva. In addition it includes the two new ports, Ashdod and Elat, whose importance for foreign trade and export gives them a special place, and in whose sphere of influence a large number of the economic and settlement projects in the Negev are taking place. Lastly, it embraces the two newest settlements, Arad and Karmiel, as examples of the definite and final negation of the garden city principle typical of all earlier designs. The greatest drawback of this choice may be that none of the smaller more backward towns particularly subject to criticism have been included and their specific difficulties and weaknesses truly pinpointed. In general, however, the differences are of a quantitative rather than a qualitative nature. Moreover, it very soon became clear that just because of the low standard of development of these places it was almost impossible without exhaustive and lengthy field surveys to present clear and sufficient material. Whatever data were at hand have been included in the general discussion.

Whereas material concerning planning in general is relatively abundant, the analysis of the urban reality is difficult. Reliable data are available in the demographic statistics of the Central Bureau of Statistics, especially in the results of the Housing and Population Census of 1961. These results have been published in great detail and therefore give an accurate picture of the population structure of every single community. The fact that these data are a few years old is not of great importance in most cases; the fundamental situation has hardly changed since. Very noticeable, however, is the lack of adequate data concerning the potential labour force and the employment situation, the structure, size and type of investments, the capital stock etc. These can usually only be obtained on a national basis, rarely regional and hardly ever on a local level. The attempt to overcome this lack by gathering information in the places themselves has not always been successful. The town administrations are only a few years old, and they rarely have enough personnel and finance to make their own calculations, let alone to conduct their own surveys. Very often, therefore, devious and unsatisfactory means, hypotheses and estimates had to be adopted, and even so gaps could hardly be avoided. In view of the crucial importance of economic consolidation for the development of the new towns this sphere in particular deserves further intensive research and a completion and expansion of the rudimentary analysis presented here.

Die Landespläne
zur Bevölkerungsverteilung

Die verschiedenen jüdischen Einwanderungswellen, die seit den letzten Jahrzehnten des 19. Jahrhunderts bis zur Proklamation des Staates Israel am 14. 5. 1948 nach Palästina geflossen waren — allein bis zum Ausbruch des zweiten Weltkrieges zählt man fünf „Aliyot"[1] —, hatten sich durchaus nicht gleichmäßig über das Land verteilt. Zwei Tendenzen herrschten vor: erstens die Bevorzugung der Küstenzone zwischen Tel Aviv und Haifa, mit einigen südlichen Ausläufern etwa bis zu der kleinen Landstadt Gedera, 35 km südlich Tel Aviv, und einem nördlichen bis zu der im Zuge der deutschen Einwanderung gegründeten Kolonie Nahariyya, 30 km nördlich Haifa; zweitens die Konzentration in den drei großen Städten Tel Aviv / Jaffa, Haifa und Jerusalem und ihren Vorstädten. Zwar stand gerade diese Tendenz im Gegensatz zu bestimmten Wesenszügen der zionistischen Ideologie, die vor allem in der Rückkehr auf das Land, in der Wiederaufnahme bäuerlicher Arbeit und bäuerlichen Lebens das entscheidende Mittel der Erlösung aus der seelischen und geistigen Not der Diaspora gesehen hatte, doch vermochte sich die Mehrzahl der Einwanderer nicht aus den gewohnten Daseinsformen zu lösen und zog die Niederlassung in den großen Städten vor. Nicht immer konnten auch landwirtschaftliche Böden in ausreichender Menge erworben werden. Auch wenn das politische, ideelle und menschliche Gewicht der ländlichen Siedlungen für die Kolonisation des Landes gar nicht zu überschätzen ist — rein zahlenmäßig fielen sie im Rahmen der jüdischen Gesamtbevölkerung nur wenig ins Gewicht.

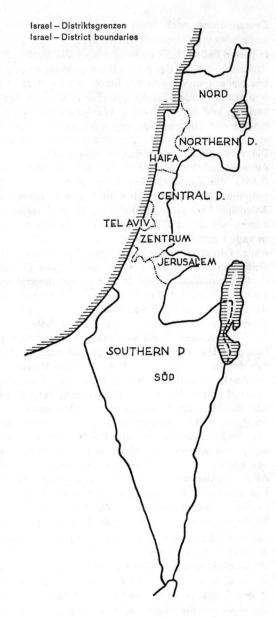

Israel – Distriktsgrenzen
Israel – District boundaries

Die Verteilung der Bevölkerung bei der Staatsgründung

Bei der ersten Bestandsaufnahme nach der Staatsgründung, am 11. November 1948, wurde daher deutlich, daß mehr als drei Viertel (77,5 %) der jüdischen Bevölkerung des neuen Staates auf nur 11,1 % seiner Fläche konzentriert waren, auf die Distrikte Haifa, Zentrum und Tel Aviv, wobei allein auf den Distrikt Tel Aviv 42,1 % entfielen. Auf die beiden flächenmäßig größten Distrikte, Nord und Süd, kamen zusammen nur 8,3 %, auf den Süddistrikt allein, der fast 70 % des Staatsgebiets bedeckt, weniger als 1 %. Die nichtjüdische Bevölkerung, vorwiegend mohammedanische und christliche

[1] sing. Aliya = Einwanderung

Tabelle 1 / *Table 1*
Regionale Verteilung der Bevölkerung am 8. 11. 1948 / *Regional Distribution of Population on 8 November 1948*

Distrikt District	Landfläche Land Area			Bevölkerung Population						Bevölkerungsdichte Density of Population					
	abs./No.		%	Insgesamt Total		Juden Jews		Nichtjuden Non-Jews		Insgesamt Total		Juden Jews		Nichtjuden Non-Jews	
	qkm	sq.mi.		abs./No.	%	abs./No.	%	abs./No.	%	qkm	sq.mi.	qkm	sq.mi.	qkm	sq.mi.
Nord Northern	3 325	1 284	16.4	144 010	16.5	53 410	7.5	90 600	58.0	43.3	112.1	16.1	41.7	27.2	70.4
Haifa Haifa	854	330	4.2	175 128	20.1	147 728	20.6	27 400	17.6	205.1	531.2	173.0	448.1	32.1	83.1
Zentrum Central	1 242	479	6.1	122 290	14.0	106 190	14.8	16 100	10.3	98.5	255.1	85.5	221.4	13.0	33.7
Tel Aviv Tel Aviv	170	66	0.8	305 650	35.0	302 050	42.1	3 600	2.3	1798.0	4656.8	1776.8	4601.9	21.2	54.9
Jerusalem Jerusalem	557	215	2.8	87 101	10.0	84 201	11.8	2 900	1.9	156.4	405.1	151.2	391.6	5.2	13.5
Süd Southern	14 107	5 447	69.7	21 367	2.4	5 967	0.8	15 400	9.9	1.5	3.9	0.4	1.0	1.1	2.9
Unbekannt Unknown	—	—	—	17 132	2.0	17 132	2.4	—	—	—	—	—	—	—	—
Insgesamt Total	20 255	7 821	100	872 678	100	716 678	100	156 000	100	43.1	111.6	35.4	91.7	7.7	19.9

Quelle/Source: State of Israel — Central Bureau of Statistics: Demographic Characteristics of the Population, Part I, Jerusalem 1962, pp. 38—41

Araber und Drusen, war demgegenüber zu fast 60% im Norden ansässig, und auch im Süden standen knapp 6000 Juden mehr als 15 000 Nichtjuden, meist Beduinen, gegenüber.[1] Entsprechend ungleich waren die Bevölkerungsdichten, die, Juden und Nichtjuden zusammengenommen, von 1,5 Einwohnern je km² im Süddistrikt bis zu fast 1800 Einwohnern je km² im Distrikt Tel Aviv reichten. Auch wenn man in Rechnung stellt, daß der Süden zum großen Teil aus ariden und schwer zu besiedelnden Wüstengebieten besteht und auch im Norden landwirtschaftlich nutzbare Böden dünn gesät sind, mußte eine derart ungleiche Streuung der Bevölkerungsteile über das Staatsgebiet, die vielfach einer völligen Leere weiter Räume gleichkam, sowohl aus bevölkerungspolitischen wie aus Sicherheitsgründen starke Bedenken hervorrufen.

Die Verteilung der Bevölkerung auf die verschiedenen Siedlungstypen zeigte ein ähnlich unausgewogenes Bild. Auffällig war hier vor allem zweierlei: einmal die Konzentration von 57,6% der jüdischen Staatsbürger in den drei großen Städten Tel Aviv, Haifa, Jerusalem, die sich noch akzentuiert, wenn man Tel Aviv die unmittelbar anschließenden Schwesterstädte Ramat Gan, Giv'atayim, Bene Beraq, Bat Yam und Holon mit einer Gesamteinwohnerzahl von damals 48 000 zurechnet;[2] unter diesen Voraussetzungen erhöht sich der Anteil

[1] Unter der Bezeichnung „Nichtjuden" werden hier, dem Gebrauch des israelischen Statistischen Amtes folgend, alle die Minoritäten zusammengefaßt, die einer anderen als der jüdischen Religionsgemeinschaft angehören, vorwiegend also Mohammedaner (70%), Christen (20%), Drusen (9%), sowie Mitglieder verschiedener Sekten (Samaritaner, Karäer, Bahai, weniger als 1%).

[2] Um in der nichthebräischen Literatur häufig auftretende Unstimmigkeiten zu vermeiden, wird bei allen Ortsnamen und -bezeichnungen grundsätzlich die vom israelischen Namensgebungskomitee festgelegte Transkription verwandt. Diese weicht gelegentlich von der bisherigen, vor allem in der angelsächsischen Literatur gebräuchlichen ab, wird aber zunehmend benutzt und erweist sich gegenüber den mancherlei Versuchen jedes Autors, der Aussprache der oft schwierigen hebräischen Namen in einer anderen Sprache gerecht zu werden, als Fortschritt. Durchgehend gilt, daß kh = ch (Kehllaut), sh = sch, y = j und b und w oft fast identisch gesprochen werden. Schwierigkeiten ergeben sich durch das Verschlucken mancher Vokale und durch die wechselnde Aussprache von h, das einmal wie deutsches h, dann wieder als ch (Kehllaut) gesprochen wird. Um dem Leser allzugroße Aussprachefehler zu ersparen, wird am Schluß des Bandes die Aussprache der wichtigsten vorkommenden Namen phonetisch wiedergegeben.

Tabelle 2 / Table 2

Verteilung der Bevölkerung auf verschiedene Siedlungstypen am 8. 11. 1948
Distribution of Population on 8 November 1948, by Type of Settlement

Siedlungstyp Type of Settlement	Insgesamt Total abs./No.	%	Juden Jews abs./No.	%	Nichtjuden Non-Jews abs./No.	%
Städtische Siedlungen Urban Types of Settlement	613 021	70.2	576 207	80.4	36 814	23.6
Tel Aviv/Jaffa	248 261	28.4	244 614	34.1	3 647	2.3
Haifa	97 544	11.2	85 564	11.9	11 980	7.7
Jerusalem	83 984	9.6	82 924	11.6	1 060	0.7
And. städt. Siedlungen Other Towns and Urban Settlements	183 232	21.0	163 105	22.8	20 127	12.9
Ländliche Siedlungen[1] Rural Types of Settlement	242 540	27.8	123 354	17.2	119 186[2]	76.4
Unbekannt Unknown	17 117	2.0	17 117	2.4	—	—
Insgesamt Total	872 678	100	716 678	100	156 000	100

From the last decades of the nineteenth century up to the proclamation of the State of Israel on May 14th, 1948, Jewish immigrants entered Palestine in a series of waves ("Aliyot"),[1] five of them prior to the outbreak of the Second World War. These waves were not distributed evenly throughout the country.

There were two main trends: first, the preference for the coastal zone between Tel Aviv and Haifa, with a few extensions to the south roughly as far as the little country town of Gedera, 22 miles south of Tel Aviv, and one extension north as far as the colony of Nahariya, 19 miles north of Haifa, founded in the course of the German immigration; second, the concentration in the three big cities, Tel Aviv/Jaffa, Haifa and Jerusalem and their suburbs. This second trend was in direct opposition to certain fundamental tenets of Zionist ideology which saw in the return to work and life on the land the decisive means of redemption from the afflictions of soul and mind during the Diaspora. The majority of the immigrants, however, were incapable of detaching themselves from their accustomed way of life and preferred to settle in the big towns. Agricultural land, moreover, was not always available in sufficient quantity. Nevertheless, although the rural settlements were numerically small relative to the Jewish population as a whole, their political, ideological and human importance in the colonization of the country can hardly be over-estimated.

Population Distribution in 1948

The first registration after the establishment of the State, taken on November 11th, 1948, revealed that, in accordance with these trends, more than three quarters (77.5%) of the Jewish population was concentrated on only 11.1% of its area, in the Haifa, Tel Aviv and Central Districts. The latter district alone accounted for 42.1%. The two districts with the greatest area, the Northern and Southern Districts, came only to 8.3%, the Southern Districts alone, covering almost 70% of the total area of the State, only to 1% of the Jewish population. Of the non-Jewish population, predominantly Mohammedan and Christian Arabs and Druze, 60% were settled in the north, and also in the south there were 15 000 non-Jews, mostly Bedouin, compared with only 6000 Jews.[2] Similarly uneven was the density of population. Taking Jews and non-Jews together, it came to 7.6 inhabitants per square mile in the Southern District, as contrasted with nearly 5000 inhabitants per square mile in the District of Tel Aviv. Even allowing for the fact that large parts of the south consist of desert land, arid and difficult to settle, and that productive agricultural land is also rare in the north, such an uneven population distribution, resulting in vast empty spaces throughout the State, must have caused serious doubts on demographic and security grounds.

[1] Singular Aliya = immigration

[2] The classification "non-Jews" is used in accordance with the Israeli Central Bureau of Statistics. It includes all minorities belonging to other than the Jewish religion: Mohammedans (70%), Christians (20%), Druzes (9%) and members of various sects, such as Samaritans, Karaites, Bahai (less than 1%).

[1] Einschließlich der Übergangslager für Neueinwanderer
[2] Darunter 19 260 Beduinen
Quelle: Demographic Characteristics of the Population, a. a. O., Part I, S. 84/85. Da die nichtjüdischen Einwohner der städtischen Siedlungstypen dort nicht im einzelnen angegeben sind, wurden sie aus der Differenz errechnet.

[1] Incl. immigrants' reception centres
[2] Incl. 19.260 Bedouins
Source: Demographic Characteristics of the Population, op. cit., Part I, pp. 84/85. As the 1948 registration does not specify the number of non-Jewish inhabitants in urban types of settlement, it was calculated by subtraction.

der drei großen Städte auf 64,4 %, der der anderen städtischen Siedlungen sinkt auf 16,1 %; zum anderen das Fehlen mittlerer Städte zwischen 20 000 und 80 000 Einwohnern. Statt dessen herrschten Kleinstädte vor. Mehr als 10 000 Einwohner hatten, außer der Schwesterstadt von Tel Aviv, Ramat Gan, mit 17 162 Einwohnern, überhaupt nur fünf Orte, alle in der Küstenzone gelegen, und zwar Petah Tiqwa (21 879), Rehovot (12 522), Netanya (11 589), Hadera (11 811) und Rishon Leziyyon (10 433). Außerhalb der Küstenzone fehlten städtische Kristallisationskerne fast ganz. Im gesamten Hinterland gab es im Augenblick der Staatsgründung nur drei jüdische Siedlungen mit mehr als 2000 Einwohnern, Tiberias mit 5555, Zefat mit 2317 und Afula mit 2504 Einwohnern, alle auf den Norden beschränkt. Während es sich bei Tiberias und Zefat um sehr alte Siedlungen handelt, in denen sich durch die Jahrhunderte hindurch neben der arabischen Bevölkerung stets eine jüdische Gemeinde gehalten hatte, stellte Afula, 1925 begonnen, den einzigen Versuch einer jüdischen Neugründung im Landesinnern dar, dem jedoch, wie die geringe Einwohnerzahl beweist, in den damals 23 Jahren seines Bestehens kein durchschlagender Erfolg beschieden war.

Die nichtjüdische Bevölkerung dagegen war nur zu knapp einem Viertel in Städten, und zwar gerade in mittleren und kleinen, ansässig und zu mehr als drei Vierteln auf dem Lande. Bei einem Anteil an der Gesamtbevölkerung von nur 17,9 % stellte sie fast die Hälfte (49,1 %) der Landbevölkerung. Während von den Küstenstädten nur Haifa einen nennenswerten nichtjüdischen Bevölkerungsteil aufwies, hatten sich im Landesinnern zwei rein arabische Städte gehalten, Nazareth mit rund 15 000 und Shefar'am mit 4000 Einwohnern. Zwei andere arabische Städte des Hinterlandes, Bet She'an und Beer Sheva, waren ebenso wie die arabischen Stadtteile von Tiberias und Zefat und die nahe der Küste gelegenen Städte Majdal (Ashqelon) und Yavne während des Unabhängigkeitskrieges von ihren Bewohnern verlassen worden und akzentuierten nur das jenseits des Küstenstreifens bestehende Vakuum.[1]

Die Bevölkerungsverteilungspläne

Als sich unmittelbar nach der Proklamation des Staates der Regierungsapparat konstituierte, wurde daher auch sehr bald, schon im Juli 1948, ein Nationales Planungsamt ins Leben gerufen, dem im Rahmen einer umfassenden Landesplanung vor allem die Aufstellung eines detaillierten Bevölkerungsverteilungsplanes oblag. Idee und Ziele eines solchen Planes waren schon länger diskutiert worden, jetzt ergab sich die Möglichkeit, sie in die Tat umzusetzen. Hauptanliegen war, eben die beiden vorherrschenden Tendenzen der bisherigen

[1] Eine detaillierte Gegenüberstellung dieser Verhältnisse mit denen der Mandatszeit, die siedlungsgeographisch und -historisch von großem Interesse ist, ist insofern schwierig, als die Grenzen der Verwaltungsbezirke, für die allein statistische Daten zur Verfügung stehen, sich seither verschoben haben. Trotzdem zeigt auch der notwendig rohe Vergleich, der mit Hilfe einiger Schätzungen und Zusammenfassungen möglich ist, daß sich hinsichtlich der regionalen Verteilung der Bevölkerung auf dem Gebiet des heutigen Staates Israel schon während der Mandatszeit ein Übergewicht der Küstengebiete auf Kosten der nördlichen und südlichen Landesteile, aber auch des Bezirkes Jerusalem abzuzeichnen begann. So erhöhte sich der Anteil der Bezirke Haifa, Tulkarm, Lod und Jaffa (heute etwa Haifa, Zentrum und Tel Aviv) von 1922 bis 1944 von 38,0 % auf 57,5 %. Zum größeren Teil wurde diese Entwicklung durch die jüdische Einwanderung bewirkt, die sich vorzugsweise in diesen Gebieten ansiedelte, als die jüdische Bevölkerung im gleichen Zeitraum von 200 000 auf 800 000 anschwellen ließ, zum Teil aber auch durch den Zustrom arabischer Arbeitskräfte vor allem aus dem Hauran (Syrien). Diesem raschen Wachstum gegenüber verloren die traditionellen jüdischen Schwerpunkte in Jerusalem und in Galiläa (Zefat, Tiberias) schnell an Gewicht.

(Fortsetzung S. 15)

The distribution of population in the different types of settlement gives a similarly unbalanced picture. Two striking characteristics emerge. Firstly, the concentration of 57.6 % of the Jewish citizens in the three cities, Tel Aviv, Haifa and Jerusalem. This concentration is further accentuated if one adds to Tel Aviv its neighbouring towns, Ramat Gan, Giv'atayim, Bene Beraq, Bat Yam, and Holon, with a total population of 48 000 in 1948.[1] With these included, the share of the three big cities rises to 64.4 %, that of the other settlements sinks to 16.1 %. Secondly, the predominance of small and a lack of medium-sized towns of 20 000 to 80 000 population. Apart from Ramat Gan with a population of 17 162 there were only five towns with more than 10 000 inhabitants, all situated near the coast: Petah Tiqwa (21 879), Rehovot (12 522), Netanya (11 589), Hadera (11 811) and Rishon Leziyyon (10 043). Away from the coastal zone, urban concentrations were missing almost completely. In all the hinterland there were only three Jewish settlements with more than 2000 inhabitants, Tiberias with 5555, Zefat with 2317 and Afula with 2504, all of them in the north. Whereas Tiberias and Zefat were very old settlements where throughout history a Jewish community had survived side by side with the Arab population, Afula, started in 1925, represents the only attempt to establish a new Jewish town in the interior of the country. As the small number of inhabitants shows, the 23 years of its existence had not been outstandingly successful.

In comparison, only a quarter of the non-Jewish population lived in towns, mainly in medium and small-sized ones, while more than three quarters lived on the land. Constituting only 17.9 % of the total population they accounted for almost half (49.1 %) of the rural population. Whereas of the coastal towns only Haifa had a significant non-Jewish population, in the interior two purely Arab towns had remained, Nazareth with 15 000 and Shefar'am with 4000 inhabitants. During the war of independence two other Arab towns of the hinterland, Bet She'an and Beer Sheva, had been abandoned by their inhabitants, and so had been the Arab quarters of Tiberias and Zefat and, near the coast, the towns of Majdal (Ashqelon) and Yavne. This accentuated the vacuum prevailing behind the coastal strip.[2]

[1] In order to avoid misunderstandings which are frequently to be found in non-Hebrew literature, the transcriptions of the Israel Committee for Nomenclature will be used throughout. These transcriptions differ occasionally from earlier ones, especially those used in Anglo-Saxon literature. They are being used more and more, however, and have proved preferable to the varied attempts of authors to do justice in their different languages to pronunciation of difficult Hebrew names. In general, the sound kh equals the "ch" in the Scottish word "loch", and the consonants "b" and "v" are often almost identical. Many difficulties arise because some of the vowels are not pronounced and the consonant "h" is sometimes used as an ordinary "h", sometimes as "ch". To save the reader from too many mistakes in pronunciation the most important names are given phonetically at the end of the book.

[2] Detailed comparisons of these conditions with those existing during the period of the Mandate are of great interest, but are difficult to obtain as the boundaries of the administrative districts for which statistics are available have changed considerably. A crude comparison is possible, however, using some estimates and some amalgamations of data. This shows that already during the Mandate a considerable overloading of population in the coastal zone was under way, at the cost both of the northern ond southern parts of the country and of Jerusalem. Thus, the Districts of Haifa, Tulkarm, Lod and Jaffa (known today as Haifa, Central and Tel Aviv Districts) accounted for 38 % of the population in 1922, and for 57.5 % by 1944. This development was caused partly by the Jewish immigrants who preferred to settle in these areas, increasing their population from 200 000 to 800 000 between 1922 and 1944, partly by the influx of Arab workers from the Hauran (Syria). Compared with this very fast growth the traditional Jewish centres in Galilee (Zefat, Tiberias) and Jerusalem soon declined in importance.

(continued p. 15)

Tabelle 3 / *Table 3*

Regionale und strukturelle Verteilung der Bevölkerung des heutigen israelischen Staatsgebiets während der Mandatszeit (in 1000)
Distribution of Population of the Present Area of the State of Israel during the Period of the Mandate, by District and Type of Settlement (thousands)

Jahr Year	Insgesamt Total		Nord Northern		Haifa Haifa		Zentrum Tel Aviv Central Tel Aviv		Jerusalem Jerusalem		Süd Southern		Städtische Siedlungen Urban Types of Settlement		Ländliche Siedlungen Rural Types of Settlement	
	abs./No.	%	abs./No.	%	abs./No.	%	abs./No.	%	abs./No.	%	abs./No.	%	abs./No.	%	abs./No.	%
	Insgesamt/Total															
1922	503	100.0	112	22.3	56	11.1	146	29.0	63	12.5	126	25.1	163	32.4	340	67.6
1931	719	100.0	155	21.6	96	13.3	257	35.7	94	13.1	117	16.3	295	41.0	424	59.0
1944	1 332	100.0	231	17.3	225	16.9	576	43.3	155	11.6	145	10.9	643	48.3	689	51.7
	Juden/Jews															
1922	83	100.0	12	14.5	9	10.8	28	33.7	34	41.0	0[2]	0.0	68	81.9	15	18.1
1931	174	100.0	17	9.8	23	13.2	79	45.4	55	31.6	0	0.0	128	73.6	46	26.4
1944	553	100.0	37	6.7	105	19.0	308	55.7	100	18.1	3	0.5	415	75.0	138	25.0
	Nichtjuden/Non-Jews															
1922	420	100.0	100	23.8	47	11.2	118	28.1	29	6.9	126	30.0	95	22.6	325	77.4
1931	545	100.0	138	25.3	73	13.4	178	32.6	39	7.2	117	21.5	167	30.6	378	69.4
1944	779	100.0	194	24.9	120	15.4	268	34.4	55	7.1	142	18.2	228	29.3	551	70.7

[1] Ehemalige Bezirke: Nord: Nazareth, Bet She'an, Tiberias, Akko, Zefat; Haifa: Haifa; Zentrum/Tel Aviv: Tulkarm (ohne die Stadt Tulkarm selbst, die durch die Grenzziehung an Jordanien gefallen ist), Ramla, Jaffa; Jerusalem: Jerusalem, jedoch ohne die arabische Bevölkerung der Stadt Jerusalem (die 1922 noch getrennten, seit 1931 zusammengefaßten Bezirke Jerusalem, Jericho und Bethlehem wurden wieder aufgegliedert); Süd: Gaza, Beer Sheva (ohne die Städte Gaza und Khan Yunis, die heute unter ägyptischer Verwaltung stehen)
[2] 1922: 400, 1931: 200
Quelle: Statistical Abstract of Palestine 1944—45, 8th ed. 1946, S. 23; Department of Statistics, Palestine Government: Vital Statistics Tables 1922—1945, Jerusalem 1947, S. 4 und 7. Zum Teil wurde das dort mitgeteilte Zahlenmaterial, auf 1000 abgerundet, direkt übernommen, zum Teil durch eigene Berechnungen ergänzt.

[1] Former Sub-Districts: Northern D.: Nazareth, Bet She'an, Tiberias, Akko, Zefat; Haifa D.: Haifa; Central/Tel Aviv D.: Tulkarm (excl. the town of Tulkram itself which fell to Jordan after 1948), Ramla, Jaffa; Jerusalem D.: Jerusalem, excl. the Arab population of the town of Jerusalem (the Sub-Districts Jerusalem, Jericho and Bethlehem, separate in 1922 but united since 1931, were separated again); Southern D.: Gaza, Beer Sheva (excl. the towns of Gaza and Khan Yunis which are under Egyptian administration today)
[2] 1922: 400, 1931: 200
Source: Statistical Abstract of Palestine 1944—45, 8th ed. 1946, p. 23; Department of Statistics, Palestine Government: Vital Statistics Tables 1922—1945, Jerusalem 1947, pp. 4 and 7. Partly data (rounded to the nearest 1000) were taken directly from these sources, partly supplemented by author's calculations.

Entwicklung — Bevorzugung der Küstenzone und der großen Städte unter Vernachlässigung der nördlichen und südlichen Landesteile — zu mildern, auszugleichen, ja, in ihr Gegenteil zu verkehren. In der Praxis bedeutete dies: planmäßige Lenkung der Bevölkerungsströme in die bisher kaum oder nur dünn besiedelten Gebiete, Ausbau und Neugründung kleiner bis mittlerer städtischer Zentren im Landesinneren. Das von dem Planungsamt vorgelegte Programm wurde, in Erkenntnis der weittragenden politischen Bedeutung einer solchen Umschichtung, die noch dazu den kolonisatorischen Idealen und Vorstellungen der zionistischen Führungsschicht entgegenkam, zum offiziellen Bestandteil der Regierungspolitik erklärt. In der Regierungserklärung vom Herbst 1955 etwa heißt es: "The concentration of industry and a majority of the population in the central coastal strip is fraught with serious danger, from the point of view of security and economy of the country, and the government sees the dispersal of popu-

Population Distribution Plans

When, immediately after the proclamation of the State, the first Government was constituted, a National Planning Office was created very soon, in July 1948. Within the framework of a comprehensive national plan, the drawing-up of a detailed population distribution plan was of primary importance. The ideas and objectives underlying such a plan had been discussed for some time. Now came an opportunity to put them into effect. A principal aim was to reverse the two predominant tendencies of the previous development, the preference for the coastal zone and the large cities and the resultant neglect of the northern and southern parts of the country. In practice, this meant systematically guiding the population movements into the hitherto sparsely settled areas, extending the smaller and middle-sized towns in the interior, founding new ones. Recognizing the far-reaching political significance of such a redistribution — which, at the same time, was in accordance with

Aus ähnlichen Gründen wuchs gleichzeitig der Anteil des städtischen Sektors gegenüber dem ländlichen, und zwar in erster Linie durch die rapide Ausdehnung der großen Städte, die ebenfalls durch die jüdische Einwanderung, dann aber wiederum auch durch den Zuzug arabischer Arbeitskräfte vom Lande bedingt war, die in der expandierenden Wirtschaft der Städte ein besseres Auskommen zu finden hofften. Durch die Abwanderung eines großen Teils der nichtjüdischen Bevölkerung im Laufe des Unabhängigkeitskrieges hat sich das Bild also zwar akzentuiert, aber nicht grundsätzlich verschoben.
An Städten waren im Jahre 1944 vorhanden (jüdische Bevölkerung in Klammern):

Nazareth	14 200	(—)	Jerusalem	157 080	(97 000)
Afula	2 310	(2 300)	Rehovot	10 020	(10 000)
Bet She'an	5 180	(—)	Rishon Leziyyon	8 100	(8 100)
Tiberias	11 310	(6 000)	Lod	16 780	(20)
Akko	12 360	(50)	Ramla	15 160	(—)
Zefat	11 930	(2 400)	Petah Tiqwa	17 250	(17 100)
Shefar'am	3 640	(10)	Tel Aviv	166 660	(166 000)
Haifa	128 800	(66 000)	Jaffa	94 310	(28 000)
Hadera	7 520	(7 500)	Majdal	9 910	(—)
Netanya	4 900	(4 900)	Beer Sheva	5 570	(—)

For similar reasons, the share of the urban relative to the rural sectors grew quickly too, primarily through the rapid expansion of the big cities caused by Jewish immigration and, again, by the influx of Arab workers from the land, hoping to find a better living in the expanding economy of the towns. Thus, the emigration of a large part of the non-Jewish population during the war of independence accentuated the situation but did not fundamentally change it. In 1944 the following towns existed (Jewish population in brackets):

Nazareth	14 200	(—)	Jerusalem	157 080	(97 000)
Afula	2 310	(2 300)	Rehovot	10 020	(10 000)
Bet She'an	5 180	(—)	Rishon Leziyyon	8 100	(8 100)
Tiberias	11 310	(6 000)	Lod	16 780	(20)
Akko	12 360	(50)	Ramla	15,160	(—)
Zefat	11 930	(2 400)	Petah Tiqwa	17 250	(17 100)
Shefar'am	3 640	(10)	Tel Aviv	166 660	(166 000)
Haifa	128 800	(66 000)	Jaffa	94 310	(28 000)
Hadera	7 520	(7 500)	Majdal	9 910	(—)
Netanya	4 900	(4 900)	Beer Sheva	5 570	(—)

Cf.: Department of Statistics, Palestine Government: Vital Statistics Tables 1922–1945, Jerusalem 1945

lation and industry throughout the country as essential to her existence." [1]

Einer der ersten der in diesem Sinne ausgearbeiteten Bevölkerungsverteilungspläne wurde nach gründlicher Bestandsaufnahme im Jahre 1951 veröffentlicht und war auf eine Gesamtbevölkerung von 2 650 000 Einwohnern, mehr als das Dreifache der Anfangsbevölkerung, berechnet.[2] Er sah vor allem eine Verdichtung der jüdischen Besiedlung im Norden und im Süden vor, der Anteil des Norddistrikts sollte von 16,8 % auf 22,7 %, der des Süddistrikts von 2,5 % auf 14,4 % angehoben werden.[3] Auch dem Zentraldistrikt war noch ein gewisses prozentuales Wachstum zugebilligt, dagegen sollte der Großraum Tel Aviv aus seiner bisherigen dominierenden

[1] Ähnliche Äußerungen tauchen seither regelmäßig in fast allen öffentlichen Verlautbarungen der beteiligten Ministerien auf, so zum Beispiel in einer programmatischen Rede des damaligen Finanz- und Wirtschaftsministers Pinhas Sapir vom Herbst 1963, der als eines der Ziele seines Amtes bezeichnete "a more even distribution of the population between the coastal belt stretching from Nahariyya to Gedera and the country's outlying districts and a corresponding distribution of economic development between these areas." Jerusalem Post vom 5. November 1963.
[2] A. Sharon: Physical Planning in Israel, Tel Aviv 1951. Das Buch stellt einen zusammenfassenden Überblick über die Grundsätze und Absichten des Nationalen Planungsamtes in den ersten Jahren seiner Tätigkeit dar.
[3] Eine Aufgliederung nach Juden und Nichtjuden steht leider nicht zur Verfügung. Da jedoch allein die jüdische Bevölkerung einer aktiven Bevölkerungspolitik unterliegen konnte und sollte, konnte die Verlagerung der Gewichte auch nur durch diese bewirkt werden.

the pioneering ideals and visions of the Zionist leadership — the programme put forward by the Planning Office was pronounced an official part of government policy. The proclamation of the government in the autumn of 1955, for instance, runs as follows: "The concentration of industry and the majority of the population in the central coastal strip is fraught with serious danger, from the point of view of security and economy of the country, and the government sees the dispersal of population and industry throughout the country as essential to her existence." [1]

After a careful analysis of the available data, one of the first detailed plans was published in 1951, providing for a total population of 2 650 000, more than three times the initial population.[2] A special objective of the plan was to concentrate more of the Jewish settlement in the north and in the south. The proportion in the Northern District was to rise from 16.8 % to

[1] Similar comments still appear regularly in nearly all public statements of the various ministries. In a speech made in the autumn of 1963, for instance, the Finance and Economics Minister, Pinhas Sapir, emphasized that one of his major aims was "a more even distribution of the population between the coastal belt stretching from Nahariyya to Gedera and the country's outlying districts and a corresponding distribution of economic development between these areas". Jerusalem Post, 5. 11. 1963.
[2] A. Sharon: Physical Planning in Israel. Tel Aviv, 1951. This book gives a comprehensive review of the principles and aims of the National Planning Office in the first few years of its activity.

Tabelle 4 / Table 4
Regionale Verteilung der Bevölkerung nach den Plänen von 1951, 1957 und 1963 (in 1000)
Regional Distribution of Population according to Plans of 1951, 1957 and 1963 (thousands)

| Distrikt District | Geplante Bevölkerung[1]/Population according to Plans of | | | | | | Tatsächliche Bevölkerung/Actual Population | | | | | | | |
| | 1951[2] | | 1957 | | 1963 | | 1948[3] | | 1951 | | 1957 | | 1963 | |
	abs./No.	%	abs./No.	%	abs./No.	%	abs./No.	%	abs./No.	%	abs./No.	%	abs./No.	%
						Gesamtbevölkerung/Total Population								
Nord Northern	602	22.7	582	17.9	682	17.1	144	16.8	262	16.6	308	15.6	382	15.7
Haifa Haifa	460	17.4	526	16.2	642	16.0	175	20.5	284	18.0	343	17.3	404	16.6
Zentrum Central	481	18.1	593	18.3	734	18.4	122	14.3	321	20.4	391	19.7	442	18.2
Tel Aviv Tel Aviv	450	17.0	809	24.9	1 076	26.9	306	35.7	493	31.3	624	31.6	755	31.1
Jerusalem Jerusalem	275	10.4	261	8.0	309	7.7	87	10.2	154	9.6	174	8.9	209	8.6
Süd Southern	382	14.4	479	14.7	557	13.9	22	2.5	64	4.1	136	6.9	238	9.8
Insgesamt Total	2 650	100.0	3 250	100.0	4 000	100.0	856[4]	100.0	1 578	100.0	1 976	100.0	2 430	100.0
						Jüdische Bevölkerung/Jewish Population								
Nord Northern			423	14.1	418	12.0	54	7.6	148	10.5	181	10.3	224	10.4
Haifa Haifa			464	15.5	529	15.2	148	21.1	266	18.9	304	17.2	350	16.2
Zentrum Central			573	19.1	665	19.1	106	15.2	302	21.5	368	20.8	412	19.1
Tel Aviv Tel Aviv			811	27.0	1 051	30.2	302	43.2	488	34.8	617	35.0	748	34.7
Jerusalem Jerusalem			261	8.7	300	8.6	84	12.0	150	10.7	171	9.7	204	9.5
Süd Southern			468	15.6	517	14.9	6	0.9	50	3.6	122	7.0	218	10.1
Insgesamt / Total			3 000	100.0	3 480	100.0	700[4]	100.0	1 404	100.0	1 763	100.0	2 156	100.0

[1] Da die Distriktsgrenzen nicht immer mit den Grenzen der Planungsregionen übereinstimmen, mußten in einigen Fällen Schätzungen vorgenommen werden.
[2] Für den Plan von 1951 steht keine Aufgliederung nach Juden und Nichtjuden zur Verfügung.
[3] 8. 11. 1948, sonst jeweils zum Jahresende
[4] Ohne die Juden, deren Wohnsitz unbekannt war
Quelle: Plan von 1951: A. Sharon, a. a. O., S. 13; Pläne von 1957 und 1963: Ministry of Interior, Planning Department; Statistical Abstract 1957/58 (9), S. 12; 1964 (15), S. 15 ff

[1] As the District boundaries do not always coincide with the boundaries of the Planning Regions, the original data had to be adjusted in a few cases.
[2] The Plan of 1951 does not give separate figures for Jews and non-Jews.
[3] As at 8 November 1948, otherwise at the end of the year
[4] Excl. those Jews whose place of residence was unknown
Source: Plan of 1951: A. Sharon, op. cit., p. 13; Plans of 1957 and 1963: Ministry of Interior, Planning Department; Statistical Abstract 1957/58 (9), p. 12; 1964 (15), pp. 15—18

Stellung verdrängt und in seinem Anteil auf knapp die Hälfte, 17,0 %, reduziert werden. Auch Haifa würde seine Stellung nur knapp behaupten. Schon in diesem Plan wird jedoch deutlich, daß den auch bisher schon dicht besiedelten Küstengebieten noch weiterer Zuwachs zugestanden werden mußte, nur sollte er im Verhältnis zu dem der Randbezirke, die damit offiziell zu Entwicklungsgebieten erklärt wurden, zurückbleiben. Trotzdem scheinen im Verlauf der tatsächlichen Bevölkerungsbewegungen der folgenden Jahre Zweifel an der Durchführbarkeit dieser immer noch sehr radikalen Wendung aufgetaucht zu sein. Jedenfalls zeigt ein späterer Plan, 1957 datiert und auf 3 250 000 Einwohner (davon 3 000 000 Juden) zugeschnitten, wieder eine Annäherung an die ursprüngliche Verteilung. Der Anteil des Norddistrikts ist auf 17,9 % zurückgenommen, der von Tel Aviv auf 24,9 % erhöht. Nur an der Vervielfachung der Bevölkerung im Süden wurde konsequent festgehalten. Eine 1963 erfolgte Erweiterung auf 4 000 000 Einwohner (davon 3 480 000 Juden) berücksichtigt stärker das erhebliche natürliche Wachstum der nichtjüdischen Bevölkerung, sieht aber in bezug auf die Verteilung im großen kaum noch Änderungen vor; nur der Anteil von Tel Aviv ist auf Kosten aller übrigen Distrikte noch einmal um 2 % erhöht.[1] Im Tel Aviver Bereich zeigt ein Vergleich der Pläne mit den tatsächlichen Verhältnissen auch immer noch die stärksten Abweichungen. Alle übrigen Distrikte haben sich, teils durch die Anpassung der Vorschläge, teils durch die wirkliche Verlagerung der Bevölkerung, etwa angeglichen. Am bemerkenswertesten ist die Entwicklung des Südens, der sein Planziel zwar noch nicht erreicht, aber relativ die größten Fortschritte gemacht hat, am schwächsten die des Nordens, der seit geraumer Zeit stagniert.

Gleichzeitig mit der geographischen Umschichtung strebte die Planung auch eine Abschwächung der zweiten vorherr-

22.7 %, that in the Southern District from 2.5 % to 14.4 %.[1] Also the Central District was allowed some growth. On the other hand, the Tel Aviv area was to be displaced from its hitherto dominant position, and its share to be reduced by half to 17 %. Haifa, too, would barely keep its rank. Already in this plan, however, it became apparent that the densely settled coastal areas would still have to be conceded some growth, but their growth was to be slowed down in comparison with the marginal districts which were officially designated as development regions. The actual population movements of the following years, however, produced some doubt as to whether such a radical change could really be executed. A later plan, dated 1957, providing for 3 250 000 inhabitants (of which 3 000 000 were to be Jews) resembled more closely the original distribution. The share of the Northern District was reduced to 17.9 %, that of Tel Aviv raised to 24.9 %. Only the extensive increase of population in the south was rigidly held to. In 1963, the target population was augmented once more to 4 000 000, of which 3 480 000 were to be Jews. This higher figure makes greater allowance for the considerable natural increase of the non-Jewish population, but makes almost no change in respect to the overall distribution, except that the share of Tel Aviv has again been raised by 2 %, at the expense of all the other districts.[2] Even so, a comparison of the plans with reality shows the greatest divergencies still in this area. All other districts have conformed, partly by adapting the plans, partly by an actual shift in population. Most noteworthy is the development in the south. Although it has not yet reached the target set by the plans, relatively it has made the greatest progress.

[1] A breakdown as to Jews and non-Jews is not available. As, however, only the Jewish people were subject to an active population distribution policy only they could contribute to altering the balance.
[2] A revision of the plan in May, 1965, shows only minor alterations. The share of the Northern District is increased from 17.1 % to 17.5 %, that of the Haifa District from 16.0 % to 16.3 % — both alterations at the expense of the Central District.

[1] Auch eine Überarbeitung dieses Plans im Mai 1965 brachte nur geringfügige Änderungen, so eine Erhöhung der Anteile des Norddistrikts von 17,1 % auf 17,5 % und des Haifa-Distrikts von 16,0 % auf 16,3 %, im wesentlichen zu Lasten des Zentraldistrikts.

Tabelle 5 / Table 5
Verteilung der Bevölkerung auf verschiedene Siedlungstypen nach den Plänen von 1951, 1957 und 1963 (in 1000)
Distribution of Population, by Type of Settlement, according to Plans of 1951, 1957 and 1963 (thousands)

Siedlungstyp Type of Settlement	Geplante Bevölkerung Population according to Plans of						Tatsächliche Bevölkerung Actual Population							
	1951		1957		1963		1948[1]		1951		1957		1963	
	abs./No.	%	abs./No.	%	abs./No.	%	abs./No.	%	abs./No.	%	abs./No.	%	abs./No.	%
Gesamtbevölkerung / Total Population														
Großstädte[2] Cities	930	35.1	1 205	37.1	1 515	37.9	479	56.0	733	46.5	880	44.5	1 062	43.6
Mittel- und Kleinstädte Other Towns and Urban Settlements	1 120	42.3	1 545	47.5	1 963	49.1	134	15.7	433	27.5	616	31.2	876	36.1
Ländliche Siedlungen Rural Settlements	600	22.6	500	15.4	522	13.0	243	28.3	412	26.0	480	24.3	492	20.3
Insgesamt Total	2 650	100.0	3 250	100.0	4 000	100.0	856[3]	100.0	1 578	100.0	1 976	100.0	2 430	100.0
Jüdische Bevölkerung / Jewish Population														
Großstädte[2] Cities					1 455	41.8	577	82.4	1 067	76.0	1 441	81.7	1 867	86.6
Mittel- und Kleinstädte Other Towns and Urban Settlements					1 707	49.0								
Ländliche Siedlungen Rural Settlements					318	9.2	123	17.6	337	24.0	322	18.3	288	13.4
Insgesamt / Total					3 480	100.0	700[3]	100.0	1 404	100.0	1 763	100.0	2 155	100.0

[1] 8. 11. 1948, sonst jeweils Jahresende
[2] Groß-Tel Aviv, Haifa, Jerusalem
[3] Ohne die Einwohner, deren Wohnsitz unbekannt war

Quelle: Pläne: 1951: A. Sharon, op. cit., S. 5; 1957, 1963: Ministry of Interior, Planning Department. Tatsächliche Bevölkerung: Statistical Abstract 1957/58 (9), S. 16; 1963 (14), S. 25 ff.; 1964 (15), S. 21; Central Bureau of Statistics: The Settlements of Israel, Part I, Jerusalem 1963, passim; Demographic Characteristics of the Population, Part I, S. 84/85

[1] As at 8 November 1948, otherwise at the end of the year
[2] Greater Tel Aviv, Haifa, Jerusalem
[3] Excl. those inhabitants whose place of residence was unknown

Source: Plans: 1951: A. Sharon, op. cit., p. 5; 1957, 1963: Ministry of Interior, Planning Department. Actual Population: Statistical Abstract 1957/58 (9), p. 16; 1963 (14), pp. 25, 30, 31; 1964 (15), p. 21; Central Bureau of Statistics: The Settlements of Israel, Part I, Jerusalem 1963, passim; Demographic Characteristics of the Population, Part I, pp. 84/85

schenden Tendenz der früheren Jahrzehnte an, der Konzentration in den großen Städten. Schon der Plan von 1951 zielt auf eine drastische Erhöhung des Anteils der klein- und mittelstädtischen Bevölkerung von 15,7% auf 42,3% ab, und zwar im wesentlichen auf Kosten der Großstädte mit ihren Vor- und Schwesterstädten. Wenn auch der ländliche Sektor eine — relative — Verringerung seines Gewichtes hinnehmen mußte, so aus der praktischen Erkenntnis heraus, daß er allein durch die Knappheit an nutzbarem Boden und Wasser in seinem Fassungsvermögen von vornherein begrenzt war. Diese Erkenntnis tritt in dem Plan von 1957 verstärkt zutage. Das Planziel für die ländliche Bevölkerung mußte aufgrund der immer deutlicher werdenden Schranken der Entwicklungsmöglichkeiten der Landwirtschaft sowohl absolut wie relativ von 600 000 auf 500 000 bzw. von 22,6% auf 15,4% zurückgenommen werden. Die Differenz sollte wieder überwiegend dem klein- bis mittelstädtischen, nur wenig dem großstädtischen Sektor zugute kommen. Bei einer Bevölkerung von 4 Millionen mußte erst recht mit einer weiteren, zumindest relativen Schrumpfung des ländlichen Bereichs gerechnet werden, bei entsprechender Ausdehnung des städtischen.

Gerade diese Rechnung, mehr Prognose als Programm, begegnet, obgleich sie nur die von den Industrienationen der ganzen Welt gemachten Erfahrungen vorwegnimmt, im Lande selbst starkem Widerspruch, und zwar vor allem in den landwirtschaftlichen und der zionistischen Kolonisation verbundenen Kreisen, die aus ideellen wie politischen Gründen eine Schwächung der ländlichen Gebiete unbedingt vermeiden möchten. Wenn auch dort kaum bestritten werden kann, daß die Zahl der in der Landwirtschaft tätigen Personen nicht künstlich über deren ökonomisch vertretbaren Produktions- und Beschäftigungsmöglichkeiten gehalten werden kann, so möchte man doch die Zahl der auf dem Lande und in ländlichen Gemeinschaften lebenden mit allen Mitteln wieder anheben, und zwar möglichst auf 25%. Dieses Ziel soll nicht zuletzt durch eine Industrialisierung des flachen Landes selbst erreicht werden, weniger jedoch durch vermehrte Eröffnung von Betrieben in den einzelnen Siedlungen als durch Errichtung regionaler Industriezonen, in die die Landbewohner täglich zur Arbeit fahren (vgl. S. 82 ff.).

Die tatsächliche Entwicklung hat bisher jedoch der Planung recht gegeben. Wenn sich die jüdische ländliche Siedlerschaft auch gerade in den ersten Jahren nach der Staatsgründung beträchtlich, fast auf das Dreifache, vermehrt und damit Wesentliches zu einer breiteren Streuung der Bevölkerung beigetragen hat, so ist ihre Zahl doch seither absolut wie relativ wieder im Sinken. Das geringfügige absolute Wachstum, das die ländliche Gesamtbevölkerung zeigt, beruht allein auf dem Wachstum des nichtjüdischen Sektors, in dem jedoch ebenfalls gewisse Abwanderungstendenzen zu erkennen sind, vor allem auf Haifa zu, dessen arabische Bevölkerung sich von 1948 bis 1963 mehr als verdoppelt hat. Die gleiche Entwicklung zeigt aber vor allem bemerkenswerte Erfolge hinsichtlich der Vermehrung der klein- bis mittelstädtischen Bevölkerung, die sich bis 1957 bereits verdoppelt hatte, von 15,7% auf 31,2%, und seither weiter auf 36,1% angewachsen ist. Angesichts der begrenzten Aufnahmefähigkeit der Landwirtschaft, die, bei Erschließung zusätzlicher Bewässerungsmöglichkeiten, höchstens im Negev noch nennenswerte Expansionsmöglichkeiten hat, ist es vor allem dieser Sektor, der, in Zukunft mehr noch als bisher, das Schwergewicht der Bevölkerungsverteilungspolitik zu tragen hat.

The weakest area still is the north which has been stagnating for some time.

Simultaneously with the main geographical redistribution, the plans aimed at reducing the second predominant tendency of the earlier decades, the concentration in the major cities. The plan of 1951 proposed a drastic increase in the share of the small and medium-sized towns from 15.7% to 42.3%, mainly at the expense of the large cities including their suburbs and neighbouring towns. If the rural areas, too, had to accept a relative reduction of their importance, it was for the practical reason that right from the outset the shortage of productive soil and water limited their potential for further settlement. Acknowledgement of this fact is more apparent in the plan of 1957, when the target for the rural population had to be reduced absolutely as well as relatively, from 600 000 (22.6%) to 500 000 (15.4%), as the limitations of agricultural development became increasingly clear. This reduction was intended to be mainly for the benefit of the small and medium-sized towns and as little as possible for the benefit of the large urban centres. With the total population raised to 4 000 000 it was even more necessary to allow for at least a further relative shrinking of the rural and a corresponding expansion of the urban areas.

Although the trend as such is common to all industrial nations, this readjustment, more prognosis than programme, has met with strong opposition. Criticism has come especially from those circles connected with the Zionist agricultural colonization who for idealistic as well as political reasons are opposed to the weakening of the rural areas. Although even in these circles it could hardly be denied that the agricultural labour force cannot be artificially held above the level of employment possibilities, they nevertheless wanted by all means to raise the number of people living on the land to a total of 25%. This aim was to be realized by an industrialization of the rural areas, not so much by increased industrial activity in the various settlements themselves, as by establishing regional industrial centres to which rural settlers could go daily for their work.[1]

Up to the present, however, the actual development has proved the plans to be right. The number of Jewish rural settlers, especially in the first years after the foundation of the State, increased nearly threefold and thus added considerably to the wide dispersal of population throughout the country. Meanwhile their numbers are both absolutely and relatively decreasing again. The barely significant absolute growth in the rural population rests mainly on the growth of the non-Jewish sector. Even here, there are tendencies for migration away from the land, especially to Haifa, the Arab population of which more than doubled between 1948 and 1963. On the other hand, development has been particularly successful in increasing the share of the small and medium-sized towns the population of which had already doubled by 1957, from 15.7% to 31.2%, and has subsequently grown to 36.1%. In view of the limited possibilities for absorbing more people in agriculture, which in any case can expand only in the Negev and then only if further irrigation becomes possible, it is mainly this sector which will bear the brunt of the population distribution policy in the future even more than in the past.

[1] Cf. p. 82 ff.

Neue Städte für das Hinterland

Für die Verwirklichung ihrer Ziele hatten der Planung theoretisch drei Möglichkeiten zur Verfügung gestanden: die Erweiterung bestehender ländlicher Siedlungen auf städtischen Umfang, die Vergrößerung der vorhandenen Klein- und Mittelstädte, schließlich die Gründung neuer Städte. Die erste Möglichkeit fiel von vornherein dadurch aus, daß für die Mehrzahl der ländlichen Siedlungen aus ideologischen wie aus praktischen Gründen eine Verstädterung nicht in Frage kam — die kollektivistische oder genossenschaftliche Organisationsform läßt keine beliebige Vermehrung der Mitglieder zu; die zweite wurde in der Tat verwirklicht — und hat sich auch von selbst verwirklicht —, konnte aber wegen der Seltenheit geeigneter Stadtkerne im Landesinnern nicht gleichzeitig die erwünschte regionale Umschichtung mit sich bringen. Für diese blieb nur die dritte Möglichkeit, die Gründung neuer Städte. Dieser wandte sich die Planung denn auch mit Nachdruck zu.

Das Modell

Die hierarchische Ordnung, von der dabei ausgegangen wurde, umfaßte, vom Dorf bis zur Großstadt, fünf Stufen. Sie sollte die „polare" Struktur Israels, in der nur die beiden Extreme, Dorf (in welcher Form auch immer) und Großstadt, vertreten waren, ablösen und im einzelnen etwa folgendem Modell entsprechen:

A-Zentrum: Dorf, auch Kibbutz oder Moshav[1]   500 E.
B-Zentrum: Ländliches Zentrum   2000 E.
C-Zentrum: Ländlich-städtisches Zentrum   6000 bis 12000 E.
D-Zentrum: Mittelstadt   40000 bis 60000 E.
E-Zentrum: Großstadt   100000 E. u. mehr[2]

Funktional gesehen sind, vom ländlichen Zentrum angefangen, alle diese Stufen als „zentrale Orte" verschiedener Ordnung aufgefaßt.[3] Immer wieder ist von regionalen Funktionen und regionalen Diensten die Rede: "In each case the size, character and function of the town are determined by the economic and physical data of the region."[4] Und zwar sollten die ländlichen Zentren (B) jeweis 3 bis 5 Dörfern oder Moshavim als wirtschaftliche, soziale und kulturelle Mittelpunkte dienen, also neben Schulen, Ambulatorien, Säuglingsberatungsstellen und kulturellen Einrichtungen auch größere Läden, Handwerksbetriebe, Garagen und Reparaturwerkstätten für landwirtschaftliche Maschinen, Kühl- und Vorratshäuser enthalten. Schon damals und auf dieser Ebene mußten allerdings die Kibbutzim aus dem Schema ausgeklammert werden, da sie aufgrund ihrer kollektivistischen und supraregionalen Organisationsform weitgehend autark waren bzw. Güter und Dienste, die sie nicht selbst produzieren konnten, auf anderer Ebene

New Towns for the Hinterland

In order to realize the aims of the population distribution plans, theoretically there were three possibilities: the development of existing rural settlements into urban centres, the expansion of small and medium-sized towns, and the founding of new towns. The first possibility was unworkable from the outset as for idealistic and practical reasons the majority of the rural settlements were not suitable for urbanization — their collective or co-operative form of organization does not allow for a great extension of membership. The second possibility was in fact realized — almost by itself — but, because of the relative scarcity of urban nuclei in the interior, could not result in the desired regional redistribution. The only possibility left was the third one, the founding of new towns, and very soon planning was concentrated on the creation of such towns.

The Model

The hierarchical structure on which the plans were based was to have five levels, from village to large city. It was designed to alter the "polar" structure of Israel in which only the two extremes were represented: village (in whatever form it appeared) and major city. The following model was envisaged:

A-centre: village, also Kibbutz or Moshav[1]   500 inhabitants
B-centre: rural centre   2000 inhabitants
C-centre: rural-urban centre   6000 to 12000 inhabitants
D-centre: medium-sized town   40000 to 60000 inhabitants
E-centre: large city   100000 or more inhabitants.[2]

Starting with the rural centres, the various levels were to act as central places of different rank.[3] Regional functions and regional services are repeatedly discussed: "In each case the size, character and function of the town are determined by the economic and physical data of the region."[4] In accordance with this concept, the rural centres (B) were to serve as economic, social and cultural centres for three to five villages or Moshavim. Apart from schools, clinics, infants advisory clinics and cultural institutions they should also provide larger shops, small workshops, repair and service stations for agricultural machinery, refrigerator and storage plants. Already at this level the Kibbutzim had to be excluded from the scheme because, as a result of their collective and supraregional organization, they were largely autonomous; goods and services which they could not supply for themselves were obtained from other sources.[5] The rural-urban centres (C) were to serve approximately 30 villages with a total of about 15000 inhabitants within a diameter of 7 to 12 miles. Apart from some administrative functions they should have secondary and vocational schools, more advanced crafts and service industry, and

---

[1] Im Kibbutz sind Produktion und Konsum ausschließlich kollektivistisch organisiert. Im Moshav wird der Ein- und Verkauf landwirtschaftlicher Ausstattung und Produkte genossenschaftlich gehandhabt, es wird aber individuell konsumiert und größtenteils auch produziert. In der Zwischenform des Moshav Shitufi wird individuell konsumiert, aber kollektiv produziert und verkauft.
[2] A. Sharon, a. a. O., engl. Zusammenfassung, S. 7; E. Brutzkus: Report on Problems of Geographical Distribution of Population in Israel. Unveröffentl. Manuskript, S. 2 ff. Brutzkus veranschlagt die mittleren Zentren vielfach noch kleiner, die B-Zentren nur mit 500 bis 1000, die C-Zentren mit 3000 bis 8000 und die D-Zentren schon ab 10000 Einwohnern.
[3] Die geistige Herkunft des Schemas aus den in jahrhundertelanger Entwicklung gewachsenen europäischen Verhältnissen ist deutlich. Gelegentlich wird auch, vor allem von Brutzkus, der wesentlich an der Ausarbeitung beteiligt war, ausdrücklich auf Christaller und seine Arbeiten hingewiesen; dazu und auf Erfahrungen aus der Zeit der Weltwirtschaftskrise, die die Großstädte wesentlich härter getroffen hatte als gemischtwirtschaftliche Klein- und Mittelstädte.
[4] A. Sharon, a. a. O., engl. Zusammenfassung, S. 7

[1] In the Kibbutz production and consumption is entirely on a collective basis. In a Moshav, the buying and selling of agricultural equipment and produce is handled co-operatively, but consumption is individual and so is production to a very large extent. In the intermediate form, the Moshav Shitufi, consumption is individual but production and selling is collective.
[2] A. Sharon, op. cit., English Summary, p. 7. E. Brutzkus: Report on the Problems of Geographical Distribution of Population in Israel. Unpublished MS, p. 2 ff. Brutzkus suggests intermediate centres still smaller: B-centres with only 500 to 1000, C-centres with 3000 to 8000 and D-centres from 10000 population.
[3] The intellectual origin of such a scheme clearly rests in the European pattern with its centuries-long history. Reference is made to Christaller and his work especially by Brutzkus who played a leading part in the development of this concept. Also important was the experience of the Great Depression which hit the major cities to a greater extent than the smaller and medium-sized towns with a mixed economy.
[4] A. Sharon, op. cit., English Summary, p. 7
[5] Cf. pp. 79/80

bezogen.[1] Die ländlich-städtischen Zentren (C), für die Versorgung von etwa 30 Dörfern mit rund 15 000 Einwohnern und einem Durchmesser von 12 bis 20 km bestimmt, sollten darüber hinaus bereits einige administrative Aufgaben übernehmen, dazu allgemein- und berufsbildende höhere Schulen, gehobene Handwerks- und Dienstleistungsbetriebe und eine gewisse, auf regionalen Produkten oder Bodenschätzen basierende Industrie. Sie, und nicht etwa die ländlichen Zentren, sollten aber auch die etwa in der Landwirtschaft der Umgebung benötigten Lohnarbeiter beherbergen, die wegen deren genossenschaftlicher Struktur nicht in den Siedlungen selbst unterkommen konnten. Mittelstädte schließlich (D), als Hauptorte und Schwerpunkte regionaler Zusammenschlüsse gedacht, sollten höhere Regierungsbehörden und -dienststellen, Banken, Krankenhäuser und alle übrigen wirtschaftlichen, sozialen und kulturellen Einrichtungen höherer Ordnung aufnehmen, weiter aber auch, und dies wurde besonders betont, diejenigen unter den nationalen Industrien, die, relativ standortungebunden, die Großstädte nur belasteten und, wie man glaubte, in den großzügigeren räumlichen Möglichkeiten, billigeren Arbeitskräften und besseren Dienstleistungen der neuen Städte günstigere Wachstumsbedingungen finden würden. Bei der Verwirklichung dieses Modells sollte, da die rasche und plangerechte Unterbringung der unmittelbar nach der Staatsgründung einsetzenden Masseneinwanderung drängte, jedoch nicht — in systematischer oder historischer Reihenfolge — von „unten", mit den ländlichen Zentren, begonnen werden, sondern von „oben", mit den Mittelstädten oder regionalen Zentren höchster Ordnung.

Auch wenn diese Konzeption seither von verschiedenen Seiten der Kritik ausgesetzt und gelegentlich modifiziert worden ist, hat sie die Gründungen der ersten Jahre in einem derartigen Ausmaß beeinflußt, daß sie dem Lande, im positiven wie im negativen Sinne, auf absehbare Zeit hinaus ihren Stempel aufgedrückt hat. Die Kritik richtete sich dabei in erster Linie auf die vorgesehenen Stadtgrößen, die sowohl für ein ausreichendes Angebot an qualifizierten Dienstleistungen wie für die Erzielung einer echt städtischen Atmosphäre als zu gering erachtet wurden.[2] Auch wenn die Diskussion um die „optimale Stadtgröße" durchaus noch nicht abgeschlossen ist, ist doch seit einigen Jahren eine Entwicklung zu höheren Planzielen im Gange, die auch durch die tatsächlich wachsende Bevölkerung gefördert wird. Während nach dem Plan von 1951 nur 7 Neugründungen mehr als 30 000 Einwohner haben sollten, waren es 1957 bereits 9, 1963 12. Vielfach wird aber auch schon eine Einwohnerzahl von 30 000 als untere Grenze für die Lebensfähigkeit und Anziehungskraft von Städten angesehen, die überhaupt mit den Küstenzentren konkurrieren können. An dieser Frage entzündet sich auch die Diskussion, ob noch weitere neue Städte gegründet oder die bestehenden stärker aufgefüllt und konsequenter gefördert werden sollen.

Die Standortfaktoren

Wie auch immer ihre endgültige Größe sein sollte, war die Wahl des Standortes der neuen Städte bereits durch ihre Hauptaufgaben — geographische Neuverteilung der Bevölkerung, Erfüllung regionaler Zentralfunktionen — im wesentlichen vorbestimmt. Nur in wenigen Fällen würden andere Aufgaben diese ersetzen bzw. ergänzen, etwa bei den beiden Hafen-

[1] Vgl. S. 79/80
[2] In diesem Sinne vor allem: Israel Association of Engineers and Architects — Technical Council: The Size and Location of Development Towns. Tel Aviv 1963 (Hebräisch)

certain other industries based on regional produce or mineral wealth. In addition, these rather than the rural centres were to house the agricultural workers needed in the surrounding settlements who, because of the co-operative structure of most of these settlements, could not be placed there. The medium-sized towns (D) were meant to act as main centres and focal points for regional integration, and should contain higher government offices, banks, hospitals and all other economic, social and cultural institutions of a higher order; also, and this was especially emphasized, those national industries which were not tied to definite locations and which would only overload the big cities. In the new centres, it was believed, they would find more favourable conditions for growth, more space, cheaper labour and better services. In view of the pressure to settle quickly and systematically the vast masses of people streaming into the country immediately after the foundation of the State, it was decided to start at the "top", with the medium-sized towns or regional centres of highest rank, and not from the "bottom" with the rural centres, as would have been the traditional and logical sequence.

Although this concept has since been criticized for a number of reasons and has at times been modified, it influenced the settlements built in the first few years to such an extent that, both in a positive and in a negative sense, the country will bear its mark for the foreseeable future. Criticism was directed primarily against the suggested sizes of the towns, which were considered too small to provide both sufficient qualified services and a real urban atmosphere.[1] Even though the discussion concerning the "optimum size" of towns is by no means finished, the last years show a definite tendency towards larger towns, a tendency which is encouraged by the rapid increase in population. Whereas the plan of 1951 aimed at only 7 new towns with more than 30 000 inhabitants, by 1957 there were already 9 such towns and by 1963 12. Now it is commonly felt that 30 000 inhabitants is the minimum number for towns, if they are to offer the vitality and attraction necessary to compete with the big old centres. Closely connected with this discussion is the issue whether additional new towns are desirable or whether further expansion and filling up of existing towns should be encouraged instead.

[1] Cf. also: Israel Association of Engineers and Architects — Technical Council: The Size and Location of Development Towns, Tel Aviv 1963 (in Hebrew)

Tabelle 6 / *Table 6*
Planziele neuer Städte nach den Bevölkerungsverteilungsplänen von 1951, 1957 und 1963
Population Targets for New Towns according to Plans of 1951, 1957 and 1963

Planziel (Einwohner) *Population Target*	1951 2 650 000 Einw./Inh.	1957 3 360 000 Einw./Inh.	1963 4 000 000 Einw./Inh.
— 9 999	4	5	1
10 000—19 999	3	7	11
20 000—29 999	3	3	4
30 000—39 999	3	3	7
40 000—49 999	3	3	1
50 000 +	1	3	4
Insgesamt[1] *Total*	17	24	28

[1] Jeweils bestehende oder begonnene Städte, jedoch ohne die Orte, die nicht aus dem Zusammenhang mit einer Nachbarsiedlung herausgelöst werden konnten Quelle/Source: Ministry of Interior, Planning Department
[1] Towns existing or established in the given year, excluding places however the targets of which could not be separated from those of neighbouring settlements

städten Ashdod und Elat, deren Ort von vornherein durch ihre Funktion als Exporthäfen für die Ausfuhrgüter des Negev vorgezeichnet war. An reine Industriestädte etwa zur Verarbeitung örtlicher Bodenschätze, wie sie im Süden unter Umständen sinnvoll sein können, war am Anfang um so weniger gedacht, als diese Bodenschätze in der Mehrzahl überhaupt noch nicht bekannt waren.

Unter diesen Voraussetzungen hatte die Planung jedoch relativ freie Hand. Die aus der Mandatszeit übernommene Infrastruktur war, obgleich ergänzungsbedürftig, doch so weit entwickelt, daß die wichtigsten Versorgungsstränge ohne allzu großen Aufwand an alle überhaupt in Frage kommenden Standorte herangeführt werden konnten. Mit Ausnahme des Negev, für den andere Gesetze galten, spielten Entfernungen angesichts der Kleinheit des Landes eine untergeordnete Rolle. Auch war das Straßennetz soweit ausgebaut, daß höchstens kurze Zufahrtstraßen hinzugefügt werden mußten. Die Eisenbahnstrecken waren durch die neuen Grenzen zwar vielfach zerschnitten und stillgelegt, doch hatte der jüdische Sektor sich von jeher fast ausschließlich auf die Benutzung der Straßen beschränkt und sich auch für den Gütertransport weitgehend auf Lastkraftwagenverkehr eingestellt. Die Wasserversorgung, von überragender Bedeutung für die Siedlungsmöglichkeiten, für die landwirtschaftliche Produktion, ja, für die Aufnahmekapazität des Landes im großen, mußte so bald wie möglich von örtlichen oder regionalen Netzen auf ein nationales Verteilungssystem umgestellt werden, das alle verfügbaren Vorräte sammelte und weiterleitete. In diesem Rahmen würde dort, wo keine ausreichenden Quellen am Ort vorhanden waren, eine zusätzliche Abzweigung kaum ins Gewicht fallen. Ähnliches galt für die Stromzufuhr. Da das Land ohne Kohle und Wasserkraft ist, kommt als Energieträger nur Öl in Frage, das zu mehr als 90 % importiert wird. Die wenigen Großkraftwerke, die benötigt werden, waren und wären auch in Zukunft am besten in unmittelbarer Nähe der großen Ballungsräume, d. h. der Küste, angesiedelt; von dort waren Leitungen landeinwärts in jedem Falle erforderlich.[1] Im Negev wiederum, wo alle diese Faktoren, Entfernungen, Straßen, Wasser- und Stromversorgung, zum Problem werden konnten, würde die Standortwahl in derartigem Ausmaß von übergeordneten Zielen, Ausbeutung von Bodenschätzen, Errichtung von Verkehrsstützpunkten, nationaler Sicherheit, bestimmt sein, daß die Versorgungsleitungen ihnen zwangsläufig zu folgen hätten.

Im allgemeinen konnten für die Ortsbestimmung im einzelnen also natürliche Gesichtspunkte wie Topographie, Klima und landschaftliche Qualitäten den Ausschlag geben. In dem vielfach hügeligen galiläischen oder judäischen Hinterland sprachen diese in der Regel für die Wahl flacher Hänge, die topographisch noch keine allzu großen Schwierigkeiten, dafür aber klimatisch und landschaftlich den Niederungen gegenüber entscheidende Vorteile boten. Von den acht völlig neuen Städten, die im Norden und im Zentrum gebaut wurden und werden, folgen denn auch sieben diesen Gesichtspunkten, und auch dort, wo Stadterweiterungen größeren Stils vorgesehen waren wie in Tiberias, Afula, ursprünglich auch in Bet She'an, nahm man unter Umständen erhebliche Entfernungen in Kauf, um die Neustädte in die Höhe verlegen zu können.

Diese Tendenz kam auch einer der wenigen, aber entscheidenden Beschränkungen entgegen, denen die Terrainwahl von

Location Factors

The location of the new towns, whatever their final size was to be, was predetermined by their main functions, that is, to further the geographical dispersal of the population and to provide regional centres. Only in a few cases were other tasks substituted for or added to these primary functions. The location of the two new ports of Ashdod and Elat, for instance, was determined by their function as export centres for goods from the Negev. As little was then known about the mineral wealth of the country, pure industrial towns for processing local raw materials — as might be feasible in the south — were not envisaged.

Subject to these provisions, however, the planners had a relatively free hand. The infrastructure taken over from the period of the Mandate (although in need of supplementing) was sufficiently developed to be extended to all localities worthy of consideration. With the exception of the Negev, where other considerations prevailed, distances were of minor importance — the country, though irregular in shape, is small. The road network, if not complete, was reasonably efficient, usually only short approach roads had to be added. The railway system, on the other hand, as a result of the new boundaries, was fragmented and many lines were disused. The Jewish sector, however, had always preferred road transport, even for most goods traffic. The water supply, more than everything else, was of crucial importance for any overall settlement programme, for agricultural production, even for the capacity of the country as a whole for absorbing any further immigration; thus, to collect and redistribute all available supplies, the local or regional networks had to be changed into a national distribution system at the earliest possible moment. Within such a national system additional branch lines to places with insufficient local sources would be relatively easy to lay. Similar factors affected the distribution of power. As the country is without coal and water power, the only source of energy comes from oil, of which more than 90 % is imported. The few large power stations which are needed were, and should be, sited near the large agglomerations, that is, near the coast. From there power lines into the interior would in any case be necessary.[1] On the other hand, in the Negev, where all these factors — distances, roads, water and power supply — could become a major problem, the location of towns depended to such an extent on other overriding objectives, for instance, the exploitation of minerals, the establishment of communication centres, and national security, that utilities would have to follow anyhow.

Most decisions for locating new towns, therefore, could be based on natural factors such as topography, climate and the qualities of the landscape. In the often hilly hinterlands of Galilee and Judah these natural factors generally favoured the choice of flatter slopes which topographically presented no great difficulties and were preferable to the valleys for reasons of climate and scenery. Of the eight completely new towns built, or being built, in the north and in the centre, seven follow this concept. Where large-scale extensions were proposed, as around Tiberias, Afula and originally Bet She'an, considerable distances were accepted so that they could be built upon the heights.

This approach fulfilled with one of the major limitations with which any choice of sites had to comply: the absolute necessity to preserve productive agricultural land. In relation to its total

[1] Vgl. G. F i s c h l e r : Energiewirtschaft in Israel. Veröffentlichungen der List Gesellschaft Bd. 42, Basel/Tübingen 1965

[1] Cf. G. F i s c h l e r : Energiewirtschaft in Israel. Veröffentlichungen der List Gesellschaft Bd. 42, Basel/Tübingen 1965

vornherein unterworfen war: der unbedingten Schonung landwirtschaftlich nutzbarer Böden. An diesen ist das Land, im Verhältnis zu seiner Fläche und Bevölkerung, arm, und ihrer Bewahrung wird solche Bedeutung beigemessen, daß bereits im Jahre 1953 ein spezielles „Committee for the Preservation of Agricultural Land" ins Leben gerufen und mit erheblichen Vollmachten ausgestattet wurde. Wenn dieses Komitee auch seine drängendsten Aufgaben in den Küstengebieten fand, wo der uferlosen Ausdehnung der Städte in den Citrusgürtel hinein, der den größten landwirtschaftlichen Reichtum des Landes beherbergt, Einhalt geboten werden mußte, so wurden damit doch auch für die Standortwahl von Stadterweiterungen oder neuen Städten ganz allgemein verbindliche Regeln gesetzt. Für die Praxis bedeutete dies: Vermeidung der fruchtbaren Täler und Ebenen, Ausweichen auf nur begrenzt nutzbare Hügelgebiete oder, im Küstenbereich, auf die Dünenstreifen unmittelbar am Meer. Wenn irgendwelche, so wurden diese Regeln gewissenhaft eingehalten.

Eine weitere Beschränkung, die der Planung in anderen Ländern empfindliche Engpässe auferlegt, gab es in Israel kaum: die Schwierigkeit, zusammenhängendes Bauland in ausreichender Menge zu erwerben. 92% des Staatsgebietes befindet sich im Besitz der öffentlichen Hand und wird von einer einzigen Behörde, der „Land Authority", verwaltet.[1] Von wenigen, und sehr umstrittenen, Ausnahmen abgesehen, gibt diese Land nur in Pachtverträgen mit 49jähriger Laufzeit ab. Wenn auch gerade die restlichen 8%, die fast ausschließlich in den großen Städten und an der Küste konzentriert sind, zeitweilig zu erheblichen Bodenspekulationen und schwindelnden Baulandpreisen Anlaß geben — die Entwicklungsgebiete und die neuen Städte werden davon kaum berührt. Wo, wie bei Orten mit altem Kern häufig, in früheren Stadtzentren Parzellen in privatem Besitz und nicht käuflich waren, konnte im allgemeinen um so leichter an die Peripherie ausgewichen werden, als für die Neuplanung die alten Innenstädte bis auf wenige Ausnahmen (Akko, Zefat) nicht nur quantitativ, sondern auch qualitativ nur eine geringe Rolle spielten. In den meisten Fällen genügte es, eine bestimmte Fläche abzustecken und sie durch den hierfür zuständigen Innenminister zum Stadtplanungsgebiet erklären zu lassen.

Dreißig neue Städte

In den 17 Jahren seit der Staatsgründung wurden auf diese Weise nicht weniger als 30 neue Städte gegründet.[2] Mehr als

area and population the country is poor in good agricultural land and its preservation is considered of such importance that as early as 1953 a special "Committee for the Preservation of Agricultural Land" was created and vested with considerable power. From the very outset the most urgent task for this Committee was to check the uncontrolled expansion of towns in the coastal area into the citrus belt which constitutes one of the greatest agricultural riches of the country. Simultaneously, generally binding rules for the location of new and the extension of old towns were set up. In practice, this meant avoiding fertile valleys and plains and using land of only marginal value, such as hilly areas or the belt of dunes next to the sea. If any rules were rigidly adhered to it was these.

A further limitation which restricts planning decisively in many other countries is almost non-existent in Israel: the problem of finding continuous stretches of building land in sufficient quantity. 92% of the land is in public ownership and is administered by one single authority, the "Land Authority".[1] Apart from some much disputed cases the Land Authority grants only leases of 49 years. Although the remaining 8%, located almost exclusively in the big cities and along the coast, has temporarily given rise to considerable land speculation and inflationary prices, this rarely affects the development areas and the new towns. Where, as in some towns with old cores, parcels were in private ownership and not on the market, it was easily possible to resort to peripheral areas, particularly since, with very few exceptions (Akko, Zefat), both quantitatively and qualitatively, the old cores were of minor importance. In most cases it was sufficient to stake out an area and ask the Minister of the Interior to declare it a Town Planning Area, a future town.

Thirty New Towns

In the 17 years since the foundation of the State as many as 30 new towns have thus been founded.[2] More than half of these, eighteen, were built in the period up to 1951 when mass immigration and the housing of hundreds of thousands of newcomers demanded rapid action. Between 1952 and 1957 a further ten towns were built; the pause which followed was

---

[1] Der öffentliche Landbesitz in Israel speist sich aus drei Quellen: den Böden der PICA (Palestine Jewish Colonisation Association), die größtenteils bereits zu Ende des 19. Jahrhunderts mit Hilfe Rothschildscher Stiftungen gekauft worden waren; dem Besitz des Jewish National Fund, der seit seiner Gründung im Jahre 1901 Grund und Boden grundsätzlich nur als „unveräußerliches Eigentum des Jüdischen Volkes" erworben hatte; schließlich der treuhänderischen Verwaltung verlassenen arabischen Eigentums.

[2] Die Kennzeichnung als „Neue Stadt" folgt dabei der offiziellen Terminologie, wie sie durch die meisten israelischen Regierungsdienststellen angewandt wird. Sie ist definiert durch einen gewissen bevorzugten Status, der sich einmal aus der tatsächlichen „Neuheit", dann aber auch aus der Lage in den Entwicklungsgebieten oder in entwicklungsbedürftigen Zonen des Küstenstreifens ergibt. Sie ist n i c h t identisch mit der vom Statistischen Amt angewandten Terminologie, die als neue Städte oder neue städtische Siedlungen zwar auch alle die Orte bezeichnet, die erst nach der Staatsgründung entstanden oder in ihren Einwohnerzahlen um ein Vielfaches gewachsen sind, aber u n a b h ä n g i g v o n i h r e r L a g e, also etwa auch das 1883 gegründete Nes Ziyyona oder Bat Yam, die Schwesterstadt von Tel Aviv. Diese Diskrepanz ist so lange ohne Bedeutung, als man sich darüber im klaren ist, daß a u c h i n d e n K ü s t e n g e b i e t e n eine ganze Reihe neuer Orte entstanden sind und zu ihrer weiteren Verdichtung beigetragen haben, ohne jedoch offiziell den Status einer „Neuen Stadt" erhalten zu haben. Auf der anderen Seite rangie-

[1] Public ownership of land in Israel stems from three sources: firstly, the land of the PICA (Palestine Jewish Colonization Association) which was largely bought before the end of the 19th century with the help of the Rothshilds' funds; secondly, the property of the Jewish National Fund, which ever since its foundation in 1901, on principle bought land only as "inalienable property of the Jewish people"; thirdly, relinquished Arab property under trusteeship.

[2] The classification as "new town" is in accordance with official terminology as used by most Israeli government offices. It is defined by a preferential status resulting from real newness and from location in development areas or in coastal zones needing development. It is n o t identical with the terminology used by the Central Bureau of Statistics, which designates as new town or new urban settlement all those places which have been created since the foundation of the State or which have increased their population very considerably, q u i t e i n d e p e n d e n t o f t h e i r l o c a t i o n, including for instance the neighbouring town of Tel Aviv, Bat Yam, or Nes Ziyyona, near Rehovot, founded in 1883. This discrepancy is of no importance as long as it is clear that, i n t h e c o a s t a l a r e a t o o, a whole batch of new towns have sprung up, without officially getting the status of a "new town". On the other hand, in the official statistics several new towns are still classified as villages. For the calculation of the tables the new towns have been taken collectively and those which statistically qualify as villages, have been subtracted from the other villages.

die Hälfte davon (18) entfielen auf die Zeit bis 1951, als die Massenimmigration rasches Handeln und die Unterbringung Hunderttausender von Neueinwanderern erforderte. Von 1952 bis 1957 kamen noch einmal 10 Städte hinzu, dann tritt eine Pause ein, die erst 1962 bzw. 1964 mit dem Beginn zweier weiterer Städte unterbrochen wurde.[1]

Die Not der Zeit brachte es dabei mit sich, daß die ersten Städte fast ausschließlich im Anschluß an ganz oder größtenteils verlassene arabische Stadtkerne angelegt wurden (Bet She'an, Akko, Lod, Ramla, Yavne, Ashqelon, Beer Sheva) oder als Erweiterungen gemischter Siedlungen (Zefat, Tiberias) oder schließlich als Neustadt der einzigen rein jüdischen Stadt im Landesinneren, Afula. Hier war wenigstens ein Mindestmaß an sanitären Anlagen, Straßen, Versorgungsleitungen vorhanden, ohne die auch die überall aus dem Boden schießenden riesigen „Ma'abarot"[2] nicht auskommen konnten.

In die gleichen Jahre fallen aber auch bereits die ersten Ansätze zu völlig neuen Städten (Qiryat Shemona, Shlomi, Or

broken only in 1962 when a start was made on two more towns.[1]

On account of the difficulties of the period most of the first towns were built adjacent to entirely or partly deserted Arab centres (Bet She'an, Akko, Lod, Ramla, Yavne, Ashqelon, Beer Sheva), to former mixed settlements (Zefat, Tiberias) and to the only purely Jewish town in the interior, Afula. Such centres offered at least a minimum of sanitary facilities, roads and utilities, without which even the fastgrowing "Ma'abarot"[2] could not manage.

Already in the same period, however, fall the beginnings of completely new towns (Qiryat Shemona, Shlomi, Or Aqiva, Bet Shemesh, Qiryat Malakhi, Sederot, Yeroham, Elat) whose locations — wherever building could not start immediately — were predetermined by the siting of transitional camps. Since 1952 only actual new towns have been founded, if not on "green pastures" at least on open fields or bare hillsides, with the sole exception of the new Nazareth, Nazerat Illit, whose first houses were built in 1955 on a slope adjacent to the old Arab town.

If the impression is gained that the wave of foundations started in the north, gradually moving southwards, this is mostly be-

ren in der amtlichen Statistik manche der neuen Städte noch als „Dörfer". Für die tabellarische Darstellung wurden die neuen Städte hier stets zusammengefaßt und die statistisch noch als Dörfer geltenden von den übrigen Dörfern abgezogen.

[1] Als Gründungsdatum wird hier in der Regel das Jahr des Einzugs der ersten jüdischen Bewohner angenommen. Gelegentlich ergeben sich dabei Abweichungen gegenüber dem eigentlichen Baubeginn, der bei den früheren Neugründungen meist n a c h der ersten jüdischen Besiedlung — vorhandene Stadtkerne oder Übergangslager —, bei den späteren aber d a v o r liegt — Einzug der Bewohner erst nach Fertigstellung der Wohnungen. Beide Daten sind nicht voll befriedigend. Einerseits ist das Vorhandensein eines Bevölkerungskerns schon vor Baubeginn für die Entwicklung einer Stadt durchaus bedeutsam, andererseits kann diese Entwicklung erst wirklich voranschreiten, wenn mit einem Bestand und der laufenden Ergänzung fester Häuser die Voraussetzungen für den Zuzug weiterer Bewohner gegeben sind. Trotzdem haben wir uns im Hinblick auf unsere Fragestellung und auf die besonderen israelischen Umstände an das Datum der ersten Besiedlung gehalten, da für diese ein Kern von Menschen wichtiger schien als der Baubeginn.

[2] sing. Ma'abara = Übergangslager

[1] As a rule the date of arrival of the first Jewish settlers is taken as the date of foundation. Sometimes this brings about discrepancies as to the date of the actual beginning of building. In the earlier new towns building generally started only after the first (Jewish) people had moved into existing cores or transitional camps; in the later towns people only arrived after the first housing was actually completed. Neither date is entirely satisfactory. On the one hand, the presence of a core of people when building starts can be of great significance in the development of a town; on the other hand, this development can only make real progress when housing is available and continues to be built, ensuring that more people can move in. For the purposes of this book, however, and in view of the rather special Israeli circumstances the date of arrival of the first Jewish settlers has been chosen — a core of people seemed more relevant than the beginning of actual building.

[2] Singular Ma'abara = transitional camp

Tabelle 7 / Table 7
Neue Städte nach dem Jahr der ersten jüdischen Besiedlung, dem Distrikt und dem Vorhandensein eines alten Stadtkerns
New Towns, by Year of First Jewish Settlement, District and Existence of an Old Town Core

Jahr Year	Nord North Kern Core	ohne Kern no Core	Mitte[1] Centre Kern Core	ohne Kern no Core	Süd South Kern Core	ohne Kern no Core	Insgesamt Total Kern Core	o. Kern no Core
vor 1948 *before*	Tiberias Zefat, Afula						3	
1948	Bet She'an Akko		Lod, Ramla		Beer Sheva Ashqelon		6	
1949			Yavne				1	
1950		Qir. Shemona Shlomi	Bet Shemesh					3
1951			Or Aqiva			Qir. Malakhi Yeroham Sederot, Elat		5
1952		Migdal HaEmeq						1
1953		Hazor						1
1954						Mizpe Ramon Qir. Gat		2
1955						Ofaqim, Dimona Ashdod		3
1956						Netivot		1
1957	Nazerat Illit	Ma'alot					1	1
1962						Arad		1
1964		Karmiel						1
Insgesamt Total	6	6	3	2	2	11	11	19

[1] Haifa, Zentrum, Jerusalem
[1] Haifa, Central, Jerusalem Districts

Aqiva, Bet Shemesh, Qiryat Malakhi, Sederot, Yeroham, Elat), deren Standort — wenn auch oft noch nicht gleich mit dem Bau begonnen werden konnte — durch die Anlage von Übergangslagern schon vorbestimmt wurde. Seit 1952 folgen nur noch wirkliche Neugründungen, wenn nicht „auf der grünen Wiese", so doch auf freiem Felde oder an kahlen Hängen, mit der einzigen Ausnahme des neuen Nazareth, Nazerat Illit, dessen erste Wohnviertel 1955 auf einem der alten arabischen Stadt benachbarten Hügel begonnen wurden.

Wenn sich der Eindruck ergibt, daß die Gründungswelle zeitlich von Norden nach Süden vorgedrungen ist, so zunächst deswegen, weil die Mehrzahl der alten Stadtkerne im Norden und in der Mitte des Landes gelegen waren, während im Süden nur das frühere arabische Majdal (Ashqelon) und die dürftigen und fernen Überreste von Beer Sheva zur Verfügung standen und auch die weitere verkehrsmäßige und wirtschaftliche Erschließung, ohne die an Stadtgründungen nicht zu denken war, erst Mitte der fünfziger Jahre in Gang kam. Dann zeigt aber auch die Entwicklung der Planziele der neuen Städte im Norden seit geraumer Zeit eine gewisse Stagnation, während der Süden, auch unabhängig von den jeweils hinzugekommenen Neugründungen, von Periode zu Periode mit höheren Zahlen vertreten ist. Das Schwergewicht der Bevölkerungsverteilungspolitik hat sich also in der Tat deutlich nach Süden verlagert.

Neben den zur Zeit bestehenden oder im Bau befindlichen Städten wird verschiedentlich noch an einige weitere Neugründungen gedacht, vor allem wieder im Negev, aber auch in den überwiegend arabisch besiedelten Teilen des Mittleren Galiläa. Vor allem die Pläne für Besor, eine Stadt im nördlichen Negev, die, ähnlich Qiryat Gat, als regionaler Mittelpunkt eines neu zu erschließenden Landwirtschaftsgebietes vorgesehen ist, haben auf dem Reißbrett auch bereits Gestalt angenommen, sind jedoch, ebenso wie die anderen Projekte, vorerst zurückgestellt und einer ferneren Zukunft vorbehalten, deren Gewißheit oder Ungewißheit, neben dem verfügbaren Bevölkerungspotential, auch vom Ausgang der Diskussion um

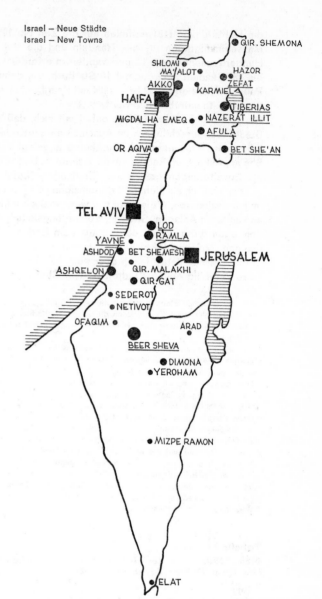

Israel — Neue Städte
Israel — New Towns

Tabelle 8 / Table 8
Planziele neuer Städte nach den Bevölkerungsverteilungsplänen von 1951, 1957 und 1963 und Distrikten
Population Targets for New Towns according to Plans of 1951, 1957 and 1963, by District

Distrikt *District*	1951 2 650 000 Einw./Inh.	1957 3 360 000 Einw./Inh.	1963 4 000 000 Einw./Inh.
Nord[1] *Northern*	179 000	174 000 + 8 000[3]	181 000 + 12 000 + 15 000[4]
Haifa, Zentrum[2], Jerusalem *Haifa, Central[2], Jerusalem*	90 000	107 000	124 000
Süd *Southern*	113 500	190 000 +142 000	224 000 +191 000 + 15 000

[1] Ohne Hazor, Ma'alot, Nazerat Illit, die nicht aus dem Zusammenhang mit Nachbarsiedlungen herausgelöst werden konnten
[2] Ohne Or Aqiva, für das das gleiche gilt
[3] Die Planziele für die seit den vorhergehenden Plänen hinzugekommenen Städte sind jeweils gesondert ausgewiesen.
[4] Obgleich erst 1964 besiedelt, wurde Karmiel hier bereits berücksichtigt.
Quelle/Source: Ministry of Interior, Planning Department
[1] Excl. Hazor, Ma'alot, Nazerat Illit, the population targets of which could not be separated from those of neighbouring places
[2] Excl. Or Aqiva for which the same applies
[3] The targets for towns established since the previous plan are indicated separately.
[4] Although settled only in 1964, Karmiel is already considered here.

cause the majority of the old town cores were situated in the north and in the centre of the country, whereas in the south only the former Arab Majdal (Ashqelon) and the few poor relics of Beer Sheva had remained. Moreover, communications and economic projects leading to the opening up of the south only started in the middle of the fifties, and without these the foundation of new towns was unthinkable. On the other hand, however, also the trend of the population targets for the new towns for some time already shows a certain neglect of the north, whereas in the south the target figures (quite apart from additional new towns) have been increased from period to period. There is little doubt that the emphasis of the population redistribution has shifted towards the south.

Apart from the thirty new towns created or still under construction, plans are being made for several more. Some of these are to be in the Negev, others in those central parts of Galilee which are predominantly inhabited by Arabs. These towns, however, are planned for a distant future, the certainties and uncertainties of which (quite apart from the available population potential) depend not least on the conclusions being reached as to the advantages or disadvantages of further scattering the strength and the reserves of the country. Even

die Vor- und Nachteile einer weiteren Streuung der Kräfte und Reserven abhängt.

Für eine erste Auswertung der bei der Planung und Entwicklung der Neugründungen gemachten Erfahrungen kommen in jedem Falle nur die Städte in Frage, deren Aufbau zwar noch nicht abgeschlossen, aber doch so weit fortgeschritten ist, daß an eine kritische Analyse der Bevölkerungsentwicklung und -struktur, der wirtschaftlichen Grundlagen und der städtebaulichen Konzeption, nicht zuletzt auch der Eingliederung in das bestehende Siedlungsgefüge des Staates insgesamt überhaupt gedacht werden kann.

the plans for Besor, a town in the northern Negev which, like Qiryat Gat, was to serve as a regional centre for a new agricultural area and which was already on the drawing board, have been set aside for the moment.

In any event, for a first evaluation of the experience gained by the planning and development of the new towns, only those places can be considered which — though perhaps not complete — have reached a stage of development which allows a critical analysis of population structure and growth, economic conditions, town-planning concepts and, not least, their functional basis within the existing settlement pattern.

Die Bevölkerung

Zu der Zeit, als die für die Gründung und Verteilung der neuen Städte ausschlaggebenden Pläne für eine geographische und strukturelle Verlagerung der Bevölkerung ausgearbeitet wurden, bestand noch kaum eine konkrete Vorstellung davon, wer die Bewohner dieser Städte sein und ob und inwiefern sie sich von denen der alten Siedlungen unterscheiden würden. In den Erläuterungen und Kommentaren zu den ersten Landes- und Bevölkerungsverteilungsplänen finden sich zwar Hinweise darauf, daß die erwünschte Verschiebung der Gewichte weniger durch die Umsiedlung vorhandener als durch die Ansiedlung neuer Bevölkerungsgruppen erfolgen sollte — woher und in welchem Rhythmus diese kommen, wo und wie schnell sie im Lande Fuß fassen würden, das war um so weniger vorauszusehen, als Höhe und Gewalt der bereits unmittelbar nach der Staatsgründung hereinbrechenden Einwanderungswellen zunächst jeder geordneten Registrierung oder gar planmäßigen Lenkung Widerstand leisteten. Gerade

The Population

At the time when the first plans for the geographical and structural redistribution of the population were being prepared — plans which were vital for the establishment and location of the new towns — hardly any firm concept existed as to who the inhabitants of these towns would be, and whether or to what extent they would differ from those of the older settlements. Wherever in the explanations of and commentaries on these plans references can be found, they indicate that the intended shifting of the balance should be achieved less by the transfer of existing than by the settling of new population groups. From where and in what sequence these groups were to come, and where and how quickly they would find a footing in the country, could in no way be foreseen; the extent and force of the waves of immigrants inundating the country immediately after the establishment of the State resisted any orderly registration and any planned distribution. It was just those waves of immigrants, however, who made the quick start

Tabelle 9 / Table 9
Die Einwanderung nach Israel vor und nach der Staatsgründung / *Immigration to Israel before and after the Establishment of the State*

Jahr Year	Insgesamt[2] Total	je 1000 jüd. Einw. per 1000 Jewish Inh.	davon aus/coming from								
			Europa Europe		Amerika/ Ozeanien America/ Oceania		Asien Asia		Afrika Africa		Unbekannt Unknown
			abs./No.	%	abs./No.	%	abs./No.	%	abs./No.	%	abs./No.
1882—1914[1]	55—70 000										
1919—14. 5. 1948	482 857	—	377 487	87,8	7 579	1.8	40 776	9.5	4 033	0.9	22 283
15. 5. 1948—31. 12. 1948	101 828	177	76 554	85.1	478	0.5	4 739	5.3	8 192	9.1	11 856
1949	239 576	266	121 753	52.1	1 344	0.6	71 624	30.6	39 156	16.7	5 199
1950	170 249	154	83 632	49.8	1 006	0.6	57 771	34.4	25 525	15.2	1 471
1951	175 095	132	49 533	28.5	671	0.4	103 326	59.5	20 123	11.6	248
1952	24 369	17	6 131	26.2	516	2.2	6 701	28.7	10 024	42.9	3
1953	11 326	8	2 025	19.6	549	5.3	2 871	27.8	4 889	47.3	13
1954	18 370	12	1 325	7.6	641	3.7	3 305	18.9	12 188	69.8	12
1955	37 478	24	1 942	5.4	620	1.7	1 323	3.6	32 413	89.3	5
1956	56 234	35	6 674	12.2	631	1.1	2 739	5.0	44 878	81.7	3
1957	71 224	41	38 889	56.2	874	1.3	5 249	7.6	24 112	34.9	609
1958	27 082	15	13 626	52.6	802	3.1	7 597	29.3	3 893	15.0	1
1959	23 895	13	15 348	66.8			7 635	33.2			4
1960	24 510	13	15 648	71.0			6 801	29.0			2
1961	47 638	25	24 564	52.7			22 004	47.3			3
1962	61 328	30	12 793	21.5			46 677	78.5			3
1963[3]	64 364	30									
1964	54 716	25									

[1] Rohe Schätzung
[2] Einschließlich der Touristen, die sich in Israel dauernd niedergelassen haben. Diese sind in der Aufgliederung nach Herkunftsländern jedoch nicht enthalten. Die Prozentuierung bezieht sich, wie in der israelischen Statistik häufig, nur auf die Summe der bekannten Fälle.
[3] Seit 1963 werden keine Angaben über die Herkunft der Einwanderer mehr veröffentlicht.
Quelle/Source: Statistical Abstract 1962 (13), p. 98; 1963 (14), pp. 109/110; 1965 (16), p. 95

[1] Rough estimate
[2] Incl. tourists settling permanently in Israel; these however are not included in the breakdown according to countries of origin. Percentages refer, as often in Israeli statistics, to the sum total of known cases only.
[3] Since 1963 no data on countries of origin of immigrants have been published.

diese Einwanderungswellen waren es jedoch, die die rasche Gründung der neuen Städte überhaupt ermöglichten, ihr Gesicht aber auch so entscheidend prägten, daß sie im täglichen Sprachgebrauch oft nur als „Einwandererstädte" bezeichnet werden.

Die Einwanderung

Im Vergleich zu den früheren „Aliyot" und auch im Verhältnis zu der 1948 ansässigen Bevölkerung zeichnete sich die nachstaatliche Einwanderung zunächst und vor allem durch ihren Umfang aus. Allein in den 7¹/₂ Monaten vom 15. Mai bis zum 31. Dezember 1948, als der junge Staat weder über äußere Sicherheit — die Kämpfe mit den arabischen Nachbarländern zogen sich mit kurzen Unterbrechungen bis zum Ende des Jahres 1948 hin — noch über eine konsolidierte Verwaltung oder eine leistungsfähige Wirtschaft verfügte, strömten mehr als 100 000 Menschen in das Land. Im nächsten Jahr, als zwar Waffenruhe, aber sonst kaum bessere Verhältnisse herrschten, waren es mehr als doppelt so viel. Bis zum Ende des Jahres 1951, als der erste große Strom deutlich abflaute, war die Gesamtzahl der Einwanderer auf fast 700 000 angestiegen, auf jeden 1948 ansässigen Israeli kam mehr als ein Neueinwanderer. In den folgenden Jahren nahm die Immigration zunächst erheblich ab, stieg wieder an, nahm wieder ab, je nach den politischen und wirtschaftlichen Verhältnissen in den wichtigsten Emigrationsländern. In den drei Jahren von 1952 bis 1954 wanderten nur 54 000 Personen ein, von 1955 bis 1957 waren es 165 000, von 1958 bis 1960 nur 75 000, von 1961 bis 1963 wieder 173 000, auch 1964 wurden noch einmal fast 55 000 Ankömmlinge registriert; seither scheint sich der Fluß wieder zu verlangsamen. Zwar blieben nicht alle diese Einwanderer im Land; die Gesamtzahl derer, die, zum großen Teil nach Westeuropa, Nord-, auch Südamerika, weiterwanderten, wird für die Zeit von 1948 bis 1964 auf knapp 150 000 geschätzt. Trotzdem hat sich, einschließlich des natürlichen Zuwachses, für den ebenfalls Wohnungen und Arbeitsplätze bereitgestellt werden mußten, allein die jüdische Bevölkerung des Staates in den knapp 17 Jahren von Mai 1948 bis Ende 1964 von 650 000 um 1 590 000 auf 2 240 000 erhöht.

Die nachstaatliche Einwanderung hob sich jedoch nicht nur durch ihren Umfang von der vorstaatlichen ab, mehr noch durch ihre biologische und soziale Struktur und ihre geographische Herkunft. Während vor der Staatsgründung in der Hauptsache Erwachsene der jüngeren Altersgruppen, einzelne oder Ehepaare am Beginn ihrer beruflichen Laufbahn, ins Land gekommen waren, als ländliche Siedler oder zionistische Pioniere, die sich jenseits des Druckes und der Enge der Diaspora ein neues Leben aufbauen wollten, kamen seither ganze Familien, vom wenige Tage alten Säugling bis zum 80jährigen Familienoberhaupt. Und diese Familien waren groß. Hatte früher der Anteil der Kinder und Jugendlichen bis zu 14 Jahren nur 17,3 % betragen, so betrug er nun 30,7 %, hatten Familien mit fünf und mehr Personen nur 11,3 % ausgemacht, so jetzt 20,8 %. Der Anteil der Einzelpersonen dagegen verminderte sich fast auf die Hälfte, von 37,3 % auf 19,3 %.[1] Dies bedeutete aber auch, daß die Quote der Einwanderer im entscheidend arbeits- und aufbaufähigen Alter zurückgegangen war, daß auf jedes Familienoberhaupt eine weit größere Zahl von unterhaltsbedürftigen Familienmitgliedern entfiel, daß im ganzen ein kleinerer Teil an Erwerbsfähigen die Last des Unterhalts der Gesamtbevölkerung zu tragen haben würde.

[1] Statistical Abstract 1963 (14), S. 112

on the new towns possible and, in a decisive way, gave them their character; so much so that in everyday language they are often called "immigrant towns".

The Immigration

In comparison with the earlier "Aliyot" and also in relation to the existing population, the immigration following the establishment of the State was characterized mainly by its vastness. During the first 7¹/₂ months, from May 15th to December 31st, 1948 more than 100 000 immigrants streamed into the country — at a time when the new State afforded neither external security (the fighting with the Arab countries dragged on to the end of 1948) nor a consolidated administration nor an efficient economy. More than twice as many people arrived in the course of the following year, when conditions were hardly any better except for the cessation of hostilities. By the time when the first great stream had abated, at the end of 1951, the total number of immigrants had risen to nearly 700 000; for every Israeli living in the country in 1948 more than one new immigrant. In the following years the immigration at first declined considerably, then rose again, and declined again, in accordance with the political and economic conditions in the main countries of emigration. In the three years from 1952 to 1954 only 54 000 people came into the country, from 1955 to 1957 there were 165 000, from 1958 to 1960 only 75 000, from 1961 to 1963 again 173 000, and in 1964 another 55 000 new arrivals were registered; since then the flood seems to have abated. Not all of these immigrants stayed in the country, for the period 1948 to 1964 an estimated number of 150 000 moved onwards, partly to West Europe, partly to North and South America. Nevertheless, including natural increase, the Jewish population of the State alone rose from 650 000 to 2 240 000 between May 1948 and December 1964, in 17 years an increase of 1 590 000, and for all of these work and housing had to be found.

Not only the volume, even more the biological and social structure, and the geographical origin, of the new "Aliya" differed greatly from the earlier waves. Before the creation of the State, it was mostly adults of the younger age groups, single people or young couples at the beginning of their careers, who came to the country as agricultural settlers and Zionist pioneers, to begin a new life away from the pressure and narrowness of the Diaspora. After 1948 whole families came, from infants a few days old right up to the 80-year-old heads of the families. And these families were big. Previously, 17.3 % of the immigrants were children up to 14 years of age, now the figure was 30.7 %; 11.3 % of the families had five people or more, now the percentage had risen to 20.8 %. The proportion of single persons, on the other hand, was reduced by almost half, from 37.3 % to 19.3 %.[1] All this meant that the proportion of immigrants of working age, able to build up the country, had considerably decreased; that every head of family had far more people to keep; and that altogether a smaller proportion of economically active people had to support the population as a whole.

[1] Statistical Abstract, 1963 (14), p. 112

Stärker noch machten sich ethnische Unterschiede, die nicht zuletzt für diese Veränderung verantwortlich zeichneten, bemerkbar. Die vorstaatliche Einwanderung war zu mehr als 85% aus Europa gekommen, meist aus Osteuropa, aus Rußland und Polen, nur in den Jahren nach 1933 auch stärker aus Deutschland und Österreich.[1] Auch 1948, als die Auflösung der britischen Internierungslager und der DP-Camps die Reste des europäischen Judentums freisetzte, kam noch einmal eine größere Zahl von Russen und Polen, Rumänen und Ungarn ins Land. In der folgenden Zeit büßt die europäische Einwanderung ihre beherrschende Stellung ein, 1955 erreicht sie mit 5,4% einen absoluten Tiefstand. Seither ist sie zunächst wieder kräftig gestiegen, dann wieder gefallen, neuerdings steigt sie wieder, je nach dem Ausmaß, in dem vor allem die kommunistischen Staaten auf dem Balkan Ausreisegenehmigungen erteilen.[2]

Gerade in den für die meisten Stadtgründungen entscheidenden Jahren bis 1956 macht ihr jedoch — ausgelöst durch den politischen und wirtschaftlichen Druck, dem sich die Juden in den arabischen Ländern nach dem Unabhängigkeitskrieg ausgesetzt sahen — die Immigration zunächst aus Nordafrika, dann aus dem Vorderen Orient den Rang streitig; erstere erreichte 1951 mit fast 60% aller Einwanderer, letztere 1955 mit fast 90% ihren Höhepunkt. Der Kinderreichtum dieser Familien, ihre starke Bindung an die Großfamilie, den Clan, die große (sephardische) Religiosität, die orientalischen Lebensgewohnheiten sind nur Bruchteile eines Gesamtbildes, das sich vielfach durch kulturelle Eigenständigkeit, aber auch durch einen beträchtlichen Abstand vom bisherigen Charakter des Landes auszeichnet. Einwanderer aus dem Atlas, die seit Jahrhunderten in Höhlen gelebt hatten, Bergbauern aus dem Yemen, die gelassen und gottergeben Flugzeuge, die sie noch nie gesehen hatten, bestiegen, in dem Glauben, dies seien die „Adlerschwingen", die ihnen die Bibel als Mittel der Rückkehr in das Gelobte Land verheißen hatte, stellen extreme Erscheinungen eines generellen und nur langsam zu überbrückenden zivilisatorischen Gefälles dar, mit dem sich der neue Staat auseinanderzusetzen hat.[3]

Dieses Gefälle wird erst dann in allen seinen Konsequenzen deutlich, wenn man sich die objektive und subjektive Bedeutung zeitlicher Priorität und ethnischer Unterschiede für die israelische Sozialhierarchie — wie für die Sozialhierarchie der meisten Einwanderungsländer — vor Augen hält. Objektiv ist der „Vatiq", der alte Pionier, in der Tat derjenige, der den ersten entscheidenden Beitrag zur Urbarmachung und Kolonisierung weiter Strecken des Landes, zur Trockenlegung der

[1] Unter „Europa", „Asien", „Afrika" werden in der Terminologie des Statistischen Amtes immer nur die sogenannten Hauptgeburtsländer in diesen Kontinenten verstanden, in Europa Rußland, Polen, Ungarn, Rumänien, Bulgarien, Griechenland, die Tschechoslowakei, Deutschland und Österreich; in Asien die Türkei, Iran, Irak, Yemen und Aden; in Afrika Marokko, Algier, Tunis, Ägypten und Lybien. Alle übrigen Geburtsländer sind unter „andere Länder" zusammengefaßt, so etwa auch die kleine, aber wirtschaftlich und sozial einflußreiche Gruppe der südafrikanischen Einwanderer.
[2] Die amerikanische Einwanderung, der europäischen in demographischer und kultureller Hinsicht verwandt, aber weitgehend unabhängig von ihren Schwankungen, fällt demgegenüber zahlenmäßig kaum ins Gewicht. Sie kam früher überwiegend aus den USA und Canada, neuerdings auch mehr aus Lateinamerika, wo unsichere wirtschaftliche und politische Verhältnisse die Juden zur Auswanderung anregen — nur wenige allerdings nach Israel.
[3] Über die Integration der Neueinwanderer und ihre Probleme vor allem S. N. Eisenstadt: The Absorption of Immigrants. London 1954, und Judith T. Shuval: Immigrants on the Threshold. New York 1963. Neuerdings auch verschiedene Untersuchungen der Hebräischen Universität, deren Ergebnisse erst zum Teil veröffentlicht sind. Vgl. The Eliezer Kaplan School of Economics and Social Science. The Hebrew University. Department of Sociology: Third Research Report 1959–1963. Jerusalem 1964 (ed. D. Weintraub).

Ethnic differences were even more obvious, and to a large extent they were responsible for these changes. Before the establishment of the State the immigration had been 85% of European origin, mostly from Eastern Europe, from Russia and Poland, and only in the years after 1933 in greater numbers from Germany and Austria.[1] In 1948, when the British internment camps and the DP camps were dissolved, setting free the rest of European Jewry, another wave of Russians, Poles, Rumanians and Hungarians came into the country. In the following period, European immigration lost its lead and in 1955 reached an all-time low with only 5.4%. Since then it has first grown again, then dropped again; recently, it is on the upward swing once more — in accordance with the extent to which Communist States mainly in the Balkans are willing to grant emigrant visas.[2]

In the years up to 1956, however, which were decisive for the establishment of most of the new towns, it was by far outweighed by immigration first from North Africa, later from the Middle East, a direct result of the political and economic pressure to which Jews in Arab countries were subject after the War of Independence. North African immigration reached its peak in 1951 with 60% of all immigrants, Middle Eastern in 1955 with 90%. The large number of children in these families, their strong clan ties, their low cultural level, their deep (Sephardic) religiousness, not least their altogether oriental way of life, are only part of an overall picture, which is distinguished not only by a certain cultural independence but by considerable differences from the former character of the country. Immigrants from the Atlas mountains who had lived in caves for centuries; mountain peasants from the Yemen who, calmly and full of awe, entered aeroplanes which they had never seen before, believing that these were the "Eagle's Wings" promised them by the Bible as the means of returning to the Promised Land, are only extremes in the general differences in civilization with which the new State has to wrestle.[3] These differences and their consequences only become fully evident when on remembers the objective and subjective significance of priorities of time and ethnic origin in the social hierarchy of Israel, as of most immigrant countries. Objectively the "Vatiq", the old pioneer, is indeed he who made the first decisive contributions to opening up and colonizing wide stretches of land, who drained marshes and fought malaria,

[1] The terminology of the Central Bureau of Statistics understands by "Europe", "Asia", "Africa" only the main countries of birth in these continents; in Europe: Russia, Poland, Hungary, Rumania, Bulgaria, Greece, Czechoslovakia, Germany and Austria; in Asia: Turkey, Iran, Iraq, Yemen and Aden; in Africa: Morocco, Algiers, Tunis, Egypt and Lybia. All other countries of birth are summed up as "other countries". These include, for instance, the small, but economically and socially important group of South African immigrants.
[2] American immigration, demographically and culturally similar to the European one, is quite independent of these fluctuations but numerically does hardly count. Formerly it came mostly from the United States and Canada, recently more from Latin America where insecure economic and political conditions persuade the Jews to emigrate, although few of them to Israel.
[3] As to the integration of new immigrants and their problems cf. especially S. N. Eisenstadt: The Absorption of Immigrants, London 1954, and Judith Shuval: Immigrants on the Threshold, New York 1963. Recently also several research projects of the Hebrew University, only partly published. Cf. The Eliezer Kaplan School of Economics and Social Science, The Hebrew University, Department of Sociology: Third Research Report, 1959–1963, Jerusalem (ed. D. Weintraub).

Sümpfe und Bekämpfung der Malaria, zur Pflanzung der Wälder und zur Bewässerung der Wüste geleistet hat;[1] der, von religiöser Inbrunst und zionistischen Idealen durchdrungen, ein kaum vorstellbares Maß an Entsagung, Arbeit und gläubiger Askese auf sich genommen hat; der auch heute noch entweder selbst der ideologischen und politischen Führungsschicht angehört oder sie zumindest von gemeinsamen Aufbau- und Kampftagen her persönlich kennt; für den das Land vertraut, überschaubar, in vielem das Werk seiner Hände ist. Subjektiv wird ihm in seinen eigenen wie in den Wertvorstellungen der Späteren dieser Vorrang auch kaum streitig gemacht. Er hat seinen Platz in den Anekdoten und Legenden, in den Schulbüchern und Gedenkstätten der Nation. Der später, und gar erst nach der Staatsgründung, Hinzugekommene ist dagegen der Neuling, das „Greenhorn", der Unerfahrene und Unvertraute, der noch dazu — wie elend sein Gepäck und wie bescheiden sein Lebensstil auch immer sein mag — von der Arbeit der Alten profitiert, sich an den gedeckten Tisch setzt, in das gemachte Bett legt. Auch wenn der tatsächliche Abstand zwischen solchen Maßstäben und Tugenden und den heutigen Problemen und Bedürfnissen des Staates laufend wächst und sich langsam andere Kriterien, nicht zuletzt wirtschaftlicher Einfluß und beruflicher Erfolg, geltend machen, ist das politische und ideelle Gewicht dieser Traditionen nicht zu gering einzuschätzen. Vorläufig bestimmen sie noch die offizielle Hierarchie.

Ethnische Unterschiede als Kriterien der sozialen Differenzierung, mit den zeitlichen schon dadurch eng verbunden, daß die frühen Siedler fast ausschließlich europäischen Ursprungs waren, haben erst seit der Staatsgründung wachsende Bedeutung erlangt. Einerseits eben durch die „Neuheit" der meisten orientalischen Einwanderer, andererseits durch ihre unleugbare wirtschaftliche und zivilisatorische Unterlegenheit, ihre Unbeholfenheit, ihre mangelnde Orientierung im komplizierten, aus ihnen fremden Quellen geborenen politischen, ökonomischen und sozialen Gefüge ihrer neuen Heimat. Unterschiedliche religiöse Traditionen kommen hinzu: die Orientalen gehören größtenteils sephardischen, die Europäer ashkenasischen Gemeinden an. Das Gefälle ist vielfach so groß, daß es die, zeitlich früheren, Gegensätze zwischen „alt" und „neu" überflutet. Erst wenige Jahre im Lande lebende Einwanderer europäischer Herkunft entwickeln engere Bande zu den „Vatiqim", und diese zu ihnen, als zu ihren orientalischen Mitankömmlingen, mit denen sie wenig mehr gemeinsam haben als die Grundzüge ihres Glaubens und eine ferne Geschichte.

Auch wenn von allen ethnischen Gruppen anerkannt wird, daß eine offizielle Diskriminierung nicht besteht, der Staat vielmehr das Menschenmögliche tut, die Unterschiede auszugleichen und vor allem den Kindern der Benachteiligten die gleichen Bildungs- und Ausbildungschancen einzuräumen wie denen der durch lange Ansässigkeit oder Herkunft Privilegierten — Gleichheit in dieser Generation kann er nicht herbeiführen. So ist kaum zu vermeiden, daß sich der niedrigere Status und das gefährdete Selbstgefühl der orientalischen Neueinwanderer auch auf sozialen Status und Selbstgefühl der Gemeinschaften, ob Stadt, Stadtteil oder Dorf, auswirken, in denen sie in der Überzahl sind.

who planted forests and brought water to the desert.[1] Full of religious fervour and Zionist ideals, he achieved single-handed an almost unbelievable amount of work, self-denial and devout asceticism. Still today he belongs to the ideological and political leaders of the country or at least knows them personally from the old pioneering days and from fighting jointly. For him the country is familiar, and in many ways it is the work of his own hands. Subjectively, this priority is questioned neither by himself nor by those succeeding him. He has his place in the anecdotes and the legends, the schoolbooks and the memorials of the nation. Those coming later, especially after the foundation of the State, are the newcomers, the "Greenhorns", unfamiliar and inexperienced and profiting from the work of the old ones, sitting down to a laid table, lying down in a made bed, however poor their luggage and however modest their way of life may be. In spite of the continually growing gap between such values and virtues and the present problems and needs of the State, the political and ideological weight of such traditions must not be underestimated. Slowly other criteria appear, such as economic influence and successful careers. At the moment, however, the old values still hold the field.

Ethnic origin as a criterion of social differentiation has only gained importance since the formation of the State, partly as a result of the actual newness of most of the Oriental immigrants, partly influenced by their undeniable economic and cultural inferiority, their helplessness and lack of orientation in the complicated social and political system of their new home, a system sprung from sources unfamiliar to them. Added to this were distinctions in religious tradition: most of the Oriental Jews belong to Sephardic, the Europeans to Ashkenasic communities. These distinctions are often so prevalent that they override the former contrasts of "old" and "new". Settlers of European origin, though only a few years in the country, develop closer bonds with "Vatiqim" than with Oriental immigrants who arrived simultaneously but with whom they have little more in common than the most basic concepts of their beliefs and their early history.

It is recognized by all ethnic groups that there is nothing like official discrimination and that the State does its utmost to bridge the gap and, above all, to give the children of the handicapped the same cultural and educational opportunities as the children of those privileged by time and origin. Nevertheless, equality in this generation cannot possibly be achieved. Thus it is hardly avoidable that the lower status and the endangered self-esteem of the new Oriental immigrants influences the social status and the self-esteem of those communities, in town or village, where they are in the majority.

---

[1] Als „Vatiq" (plur. Vatiqim) wird der Einwanderer bezeichnet, der, im Gegensatz zum Neueinwanderer, dem „Ole" (plur. Olim), bereits vor der Staatsgründung ins Land gekommen ist, also zur Stammbevölkerung, dem „Yishuv", gehört. Der im Lande Geborene dagegen ist der „Sabra". Diese Bezeichnungen sind für das Land so typisch und so gebräuchlich, daß sie auch in die fremdsprachige Literatur Eingang gefunden haben.

[1] The term "Vatiq" (plural Vatiqim) is applied to the immigrant who, in contrast to the new immigrant, the "Ole" (plural Olim), came to the country before the foundation of the State. He belongs to the original stock, the "Yishuv". People actually born in the country are "Sabras". These designations are so typical for the country and used so often, that they have even found their way into foreign literature.

Die Wachstumsfaktoren

Wenn auch nur ein Teil der nachstaatlichen Einwanderung in die neuen Städte geflossen ist, so hat sie doch, da Umsiedler aus der bereits vorhandenen Bevölkerung nur sehr langsam und auch erst in den letzten Jahren folgten, ihre Zahl, ihr Wachstum und ihr Bild entscheidend bestimmt. Mit einer gewissen Verzögerung, die durch die vorläufige Unterbringung in Übergangslagern bedingt war, folgt die jeweilige Zahl der Neugründungen, mehr noch der jährliche Zuwachs ihrer Einwohnerschaft, dem Auf und Ab der Einwanderung. Den entscheidenden Anstoß gab die Masseneinwanderung bis 1951, als teils in verlassenen arabischen Stadtkernen, teils im Anschluß an bestehende Siedlungen, teils aber auch schon auf freiem Felde die Grundlagen zu 18 neuen Städten mit zusammen rund 120000 Einwohnern gelegt wurden. Während des Rückgangs der Einwanderung, zwischen 1952 und 1954, kamen zwar noch einmal vier kleinere Orte hinzu, die Gesamteinwohnerzahl erhöhte sich aber nur um 22000. Dem Wiederansteigen der Immigration bis 1957 entsprach eine neue Gründungswelle vor allem im Süden, die die Zahl der neuen Städte auf 28 und die ihrer Einwohner auf 225000 brachte. Von 1958 bis 1960 zeigen sowohl Einwanderung wie Städtewachstum wieder sinkende Tendenz. Wenn inzwischen die Städte überproportional gewachsen sind, so nicht zuletzt deswegen, weil mit der Konsolidierung der Verhältnisse und dem Nachholen des Wohnungsbaus eine immer größere Zahl von Immigranten sofort dorthin gewiesen werden kann — eine willkommene und sicher nicht unbeabsichtigte Nebenwirkung der Aktion „Vom Schiff auf's Dorf" (de facto immer mehr „in die Stadt"), mit der die weitgehende Liquidierung der Übergangslager und die sofortige Unterbringung in bleibenden Wohnungen angekündigt wurde. Trotz dieser periodischen Schwankungen hat sich der Anteil der in neuen Städten lebenden Bevölkerung an der Gesamtbevölkerung des Landes stetig von 7,5% Ende des Jahres 1951 über 11,4% Ende 1957 auf 15,9% am 31. Dezember 1964 erhöht, und zwar einerseits auf Kosten der Großstädte, deren Ausdehnung es auf jeden Fall zu beschneiden galt, andererseits aber auch auf Kosten der ländlichen Siedlungen, deren begrenzte Aufnahmefähigkeit sich auch in diesem Rahmen immer stärker bemerkbar macht. Die Bevölkerung der übrigen Klein- und Mittelstädte hat dagegen ihren Anteil etwa gehalten.

Growth Factors

Even though only a certain proportion of the new "Aliyot" could be directed into the new towns, they influenced the number, growth and character of these towns decisively, especially as the transfer of existing population followed very slowly and only in the last few years. With a slight lag, caused by the temporary accomodation of new immigrants in transitional camps, the number of new towns established and even more their yearly increase in population follows the rise and decline in immigration. The most decisive impact came from the mass influx up to 1951 when 18 new towns with approximately 120000 inhabitants were built, partly around deserted Arab centres or existing settlements, partly already in the open country. During the recession of immigration between 1952 and 1954 only four small places were added and the total population rose by only 22000. The renewed influx of immigrants

Tabelle 10 / *Table 10*

Einwanderung und Bevölkerungszuwachs der neuen Städte 1948—1964 (in 1000)
Immigration and Population Increase in New Towns 1948—1964 (thousands)

	Einwanderung *Immigration*	Zuwachs neue Städte *Increase in New Towns*	
		abs./No.	⌀ p. a. %
1948—1951	686.7	108.3	
1952—1954	54.1	22.4	6.3
1955—1957	164.9	84.9	20.1
1958—1961[1]	94.5	50.3	6.7
1961—1964[2]	209.0	124.3	12.5

[1] Bis 22. 5. 1961 (Volkszählung). Die Einwanderung 1. 1.—22. 5. 1961 wurde mit 40% der Gesamteinwanderung von 1961 geschätzt.
[2] Ab 22. 5. 1961
Quelle/Source: Statistical Abstract 1965 (16), p. 95; The Settlements of Israel, Part I, passim
[1] Up to 22 May 1961 (Population Census). The immigration from 1 January to 22 May 1961 was estimated at 40% of the total immigration of 1961.
[2] From 22 May 1961

resulted in a further spate of new towns mainly in the south which, up to 1957, brought their total number to 28, and the number of their inhabitants to 225000. The period from 1958 to 1960 shows another decline both in immigration and in population increase. Since then the towns have grown somewhat faster than immigration, partly at least the result of conditions consolidating, partly because housing construction caught up with the backlog, enabling a larger number of immigrants to be directed right away to the new towns — a welcome and probably not accidental side-effect of the campaign "From Ship to Village" (de facto increasingly "from ship to town") with which the elimination of transitional camps and the immediate housing of new immigrants in permanent homes was announced. Despite these periodical fluctuations, the proportion of the total population living in new towns has risen steadily from 7.5% at the end of 1951 to 11.4% by 1957 and 15.9% on December 31st, 1964, at the cost both of the major cities whose expansion was to be restricted anyhow and the

Tabelle 11 / *Table 11*

Bevölkerungsentwicklung der neuen Städte und anderer Siedlungstypen 1951—1964 (in 1000)
Population Growth of New Towns and other Types of Settlement 1951—1964 (thousands)

Jahr *Year*	Großstädte[1] *Cities*		And. Städte[2] *Other Towns*		Neue Städte *New Towns*		Ländl. Siedlungen[3] *Rural Settlements*		Insgesamt *Total*	
	abs./No.	%	abs./No.	%	abs./No.	%	abs./No.	%	abs./No.	%
1951	733	46.5	354	22.4	119	7.5	372	23.6	1 578	100.0
1954	794	46.2	382	22.2	141	8.2	401	23.4	1 718	100.0
1957	880	44.5	438	22.2	226	11.4	432	21.9	1 976	100.0
1961[4]	986	45.3	467	21.4	276	12.7	450	20.6	2 179	100.0
1964	1 090	43.1	544	21.6	401	15.9	491	19.4	2 526	100.0

[1] Groß-Tel Aviv, Haifa, Jerusalem
[2] Alle übrigen Orte, die am 22. 5. 1961 als Städte oder städtische Siedlungen galten, mit Ausnahme der neuen Städte
[3] Der gegenüber Tabelle 5 geringere Anteil der ländlichen Siedlungen ergibt sich dadurch, daß die neuen Städte, die statistisch noch als Dörfer gelten, hier ausgeklammert sind, ebenso einige „andere Städte", die vor 1961 ebenfalls noch als Dörfer gezählt wurden.
[4] 22. 5. 1961, sonst jeweils Jahresende
Quelle: Eigene Berechnung auf Grund von: The Settlements of Israel, Part I, passim; Statistical Abstract 1965 (16), S. 34/35; Central Bureau of Statistics: List of Settlements, Their Population and Codes (Data for 31 XII 1964, Hebrew), passim

[1] Greater Tel Aviv, Haifa, Jerusalem
[2] All other places qualified as towns or urban settlements on 22 May 1961, with the exception of the new towns
[3] The smaller proportion of rural settlements as compared with Table 5 results from the exclusion of new towns statistically qualified as villages and of some „other towns" equally qualified as villages before 1961.
[4] As at 22 May 1961, otherwise at the end of the year
Source: Author's calculations based on data from: The Settlements of Israel, Part I, passim; Statistical Abstract 1965 (16), pp. 34/35; Central Bureau of Statistics: List of Settlements, Their Population and Codes (Data for 31 XII 1964, Hebrew), passim

Von eindeutigen und unmittelbaren Zusammenhängen zwischen der Höhe der Einwanderung und den Wachstumschancen der Neugründungen kann allerdings nur mit Einschränkungen die Rede sein. Auf der einen Seite fließt jeweils nur ein gewisser und von einer Reihe schwer kontrollierbarer Faktoren — ethnische Herkunft, Ausbildungsstand, Vorhandensein eigener Mittel, Möglichkeit der Aufnahme bei Verwandten — abhängiger Teil der Einwanderung den neuen Städten zu. Von der Gesamtheit der zwischen dem 15. Mai 1948 und dem 22. Mai 1961 Eingewanderten in Höhe von rund 1 Mill. lebten am Tage der Volkszählung nur 17,5 % in den neuen Städten, von den Europäern 10,5 %, von den Orientalen 23,0 %.[1] Die unterschiedliche Manipulierbarkeit der einzelnen Wellen kommt auch darin zum Ausdruck, daß von den zwischen 1948 und 1951 Gekommenen nur 11,1 % in den Neugründungen lebten, von den zwischen 1952 und 1957 Gekommenen aber 32,6 %, von den späteren — mehr Europäer — wieder etwas weniger. Neuere Daten stehen nicht zur Verfügung, doch scheint ein Anteil von 25 bis 30 % auch in Zukunft schwer zu überschreiten zu sein, besonders dann nicht, wenn die Immigration aus den orientalischen Ländern, in denen nur noch begrenzte Reserven vorhanden sind, auslaufen und man überwiegend auf die anspruchsvollere europäisch/amerikanische Einwanderung angewiesen sein sollte.[2]

Auf der anderen Seite gewinnt mit der Zunahme der Einwohnerzahl auch das natürliche Wachstum an Bedeutung. Dies kann heute im Norden und in der Mitte mit 2,5 %, im Süden mit 3 % jährlich veranschlagt werden.[3] Der für eine Beurteilung der Lebens- und Anziehungskraft der neuen Städte jedoch bei weitem interessanteste Faktor, die Binnenwanderung, ist statistisch nur unzureichend erfaßt und auch, jedenfalls in seiner eindeutig spontanen Komponente, kaum erfaßbar. Die bei der Volkszählung gewonnenen Daten, die sich jedoch auf Städte mit (1961) mehr als 5000 Einwohnern und auf solche Personen beschränken, die zwischen den Jahren 1956 und 1961 ihren Wohnsitz gewechselt hatten, zeigen lediglich an, daß von der Gesamtheit der bereits 1956 ansässigen Bevölkerung bis zum Jahre 1961 16 % verzogen waren, allerdings mit beträchtlichen Schwankungen von Ort zu Ort: in Bet She'an zum Beispiel lag die Abwanderungsquote bei 29,1 %, in Beer Sheva nur bei 8,6 %. Aufschlußreicher ist eine Analyse der Distrikte, in die der Wohnsitz verlegt wurde: 75 % der Abwandernden zogen in die Küstendistrikte, davon 40,2 % in den Tel Aviver Distrikt, 17,2 % nach Haifa, 17,6 % in den Zentraldistrikt; in den eigentlichen Entwicklungsdistrikten blieben nur 19,1 %.[4]

Weitere Anhaltspunkte für das Ausmaß der Abwanderung ergeben sich aus einer Gegenüberstellung des potentiellen Wachstums — definiert als Summe aus dem natürlichen Zu-

rural settlements whose limited absorption capacity became more and more obvious. The remaining small and medium-sized towns kept their share.

Clear-cut connections, however, or direct relationships between the volume of immigration and the growth of the new towns can be established only with reservations. On the one hand, only a certain proportion of the immigrants can be directed towards the new towns, and this proportion depends on factors difficult to control, such as ethnic origin and degree of education, existence of private means and possibilities of living with relatives. Between May 15th, 1948 and May 22nd, 1961 a total of 1 million immigrants came into the country, but at the time of the population census only 17.5 % of these lived

[1] Fast alle detaillierten Daten, die zur Verfügung stehen, stammen aus dieser Volkszählung, deren Ergebnisse zum größten Teil veröffentlicht sind (vgl. Literaturverzeichnis S. 189/190). Sie wurde in zwei Stufen durchgeführt, einer Vollerhebung, die sämtliche, und einer (Zufalls)Stichprobenerhebung, die 20 % aller Haushalte erfaßte und deren Resultate später hochgerechnet wurden.
[2] Über die z. Zt. noch vorhandenen Einwanderungsreserven in den verschiedenen Ländern vgl. R. Frey: Strukturwandlungen der Israelischen Volkswirtschaft — Global und Regional — 1948 bis 1975. Veröffentlichungen der List Gesellschaft Bd. 39, Basel/Tübingen 1965, S. 26
[3] Vgl. Statistical Abstract 1962 (13), S. 64 ff., 1965 (16), S. 55/56. Die Gesamtrate für Israel betrug 1964 1,9 %, für die jüdische Bevölkerung allein 1,6 %, doch ist die Zuwachsrate in den Städten, in denen Neueinwanderer überwiegen, fast doppelt so hoch wie in den übrigen und sogar dreimal so hoch wie in den Großstädten.
[4] State of Israel — Central Bureau of Statistics: Internal Migration — Part I, Jerusalem 1964, S. 25/26

Tabelle 12 / *Table 12*

Anteil der neuen Städte an der Einwanderung 1948—1961 (in 1000)
Share of New Towns in Immigration 1948—1961 (thousands)

Einwanderungs-datum und Herkunftsland *Period of Immigration and Countries of Origin*	Eingewanderte / *Immigrants*		
	Insgesamt *Total*	in neuen Städten lebend *living in new towns* abs./No.	%
1948—1961[1]	1 000.3	175.5	17.5
1948—1951	686.7	76.2	11.1
1952—1957	219.0	71.5	32.6
1958—1961[1]	94.5	27.8	29.4
Europa *Europe*	441.7[2]	46.5	10.5
Asien/Afrika *Asia/Africa*	515.9	118.8	23.0
Andere Länder *Other Countries*	42.7	10.2	23.9

[1] 22. 5. 1961
[2] Schätzung, vgl. Tab. 9, S. 25
Quelle/Source: Statistical Abstract 1963 (14), S. 109/110; The Settlements of Israel, Part III, passim
[1] 22 May 1961
[2] Estimates, see Table 9, p. 25

in the new towns, of European immigrants 10.5 %, of Orientals 23 %.[1] The varying amount of manipulation that was possible with the different waves is demonstrated by the fact that of all the immigrants having entered the country between 1948 and 1951 only 11 % were living in the new towns, but of those having come between 1952 and 1957, 32.6 %; later, with the arrival of more Europeans, the percentage was again somewhat less. More recent data are not available. A proportion of 25 % to 30 %, however, will be difficult to exceed even in the future, especially if the immigration from Oriental countries (where there are only limited reserves) should cease, making the country largely dependent on more demanding immigrants from Europe and America.[2]

On the other hand, with the growth in total population natural increase gains in importance: in the northern and central areas, it can be estimated at 2.5 %, in the south at 3 %.[3] The most

[1] Nearly all detailed data available come from this census the results of which are mostly published (cf. Bibliography pp. 189/190). The census was done in two steps, one a full count and the other a 20 % sample survey.
[2] For the reserve of immigrants still available in the various countries see R. Frey: Strukturwandlungen der Israelischen Volkswirtschaft — Global und Regional — 1948 bis 1975. Veröffentlichungen der List Gesellschaft Bd. 39, Basel/Tübingen 1965, p. 26
[3] Cf. Statistical Abstracts: 1962 (13), pp. 64 ff.; 1965 (16), pp. 55/56. The total rate for Israel in 1964 was 1.9 %, for the Jewish population alone 1.6 %. The rate of growth in the towns, however, where new immigrants predominate, is almost twice as high as in the other towns and even three times as high as in the cities.

wachs einer bestimmten Periode und der Zahl der in dieser Periode erst ins Land gekommenen Bewohner — mit dem tatsächlichen Wachstum. Anhand des vorhandenen Materials ist eine solche Gegenüberstellung wieder nur für die Zeit vom 1. 1. 1958 bis zum 22. 5. 1961 möglich. Für die Gesamtheit der neuen Städte ergibt sich auch hier zunächst nur ein leichtes Zurückbleiben des tatsächlichen gegenüber dem potentiellen Wachstum, ausgedrückt in einem Binnenwanderungsindex von 97.[1] Da jedoch mit einiger Sicherheit im gleichen Zeitraum auch noch vor dieser Periode Eingewanderte eingewiesen wurden bzw. zugewandert sind, der potentielle Zuwachs also im Grunde höher zu veranschlagen ist, dürfte auch die tatsächliche Abwanderung höher liegen.[2]

Genaueren Einblick in die wirklichen Verhältnisse ergeben erst weitere Aufgliederungen. Weder das Wachstum allgemein noch die jährliche Zuwachsrate noch die Binnenwanderung sind auch nur annähernd gleichmäßig über alle Neugründungen verteilt. Je nach der Gründungszeit, je nach der geographischen Lage, je nach der Größe, je aber auch nach den jeweiligen Richtlinien und Tendenzen der Siedlungspolitik sind die Unterschiede von Stadt zu Stadt beträchtlich. Eindeutigen Vorrang hat jedoch der Unterschied zwischen Nord und Süd. Im Rahmen der Gesamtbevölkerung der neuen Städte hat sich

Tabelle 13 / *Table 13*

Bevölkerungsentwicklung der neuen Städte 1951—1964 nach Distrikten (in 1000)
Population Growth of New Towns 1951—1964, by District (thousands)

Jahr Year	Nord Northern abs./No.	%	Mitte[1] Centre abs./No.	%	Süd Southern abs./No.	%	Insgesamt Total abs./No.	%
1951	56.1	47.3	35.1	29.6	27.5	23.1	118.7	100.0
1954	62.9	44.6	44.3	31.4	33.8	24.0	141.0	100.0
1957	95.3	42.2	52.4	23.2	78.2	34.6	225.9	100.0
1961[2]	108.3	39.2	57.4	20.8	110.5	40.0	276.2	100.0
1964	139.7	34.9	72.3	18.1	188.5	47.0	400.5	100.0

[1] Haifa, Zentrum, Jerusalem
[2] 22. 5. 1961, sonst jeweils zum Jahresende
Quelle: The Settlements of Israel, Part I, passim; Statistical Abstract 1965 (16), S. 34/35; Angaben des Statistischen Amtes

[1] Haifa, Central, Jerusalem Districts
[2] As at 22 May 1961, otherwise at the end of the year
Source: The Settlements of Israel, Part I, passim; Statistical Abstract 1965 (16), pp. 34/35; Data from the Central Bureau of Statistics

der Anteil des Nordens und der Mitte zwischen 1951 und 1964 von 76,9% auf 53% verringert, der des Südens von 23,1% auf 47%, also auf mehr als das Doppelte, erhöht. Diese Verlagerung ist nur zum Teil durch die anfängliche Auffüllung der alten Stadtkerne im Norden und der Mitte und die zeitlich spätere Erschließung des Südens zu erklären. Zwar wachsen, wie ein Vergleich der Zuwachsraten in den Perioden 1. 1. 1958

interesting factor for assessing the vigour and attraction of the new towns, however, is internal migration. Comprehensive and detailed material about this factor is not readily available and, at least regarding its clearly spontaneous elements, is hardly to be expected. The census data concerning people who changed their domicile between 1956 and 1961 (which is restricted to towns with more than 5000 inhabitants in 1961) indicate that 16% of the population resident in the country in 1956 had moved by 1961. Conditions vary considerably from place to place, however. In Bet She'an, for instance, the proportion of people having moved was 29.1%, in Beer Sheva only 8.6%. Further information can be gained from an analysis of the districts to which the migrants moved: 75% went to the coastal districts (40.2% to Tel Aviv, 17.2% to Haifa, 17.6% to the Central District); only 19.1% remained in the actual development districts.[1]

Further clues to the extent of internal migration can be derived from a comparison of the potential growth — defined as the sum of the natural increase in a definite period and the number of inhabitants who have only entered the country during this period — with the actual growth. The material at hand allows such a comparison only for the period from January 1st, 1958 to May 22nd, 1961. For all the new towns together, it shows only a slight lag of the actual as compared with the potential growth, which is expressed in an internal migration index of 97.[2] As it is reasonably certain, however, that during this same period immigrants who arrived at an earlier time have also been directed to the new towns, the potential growth must in fact be somewhat higher and, therefore, the actual emigration somewhat higher, too.[3]

More detailed analysis of the figures gives a more exact picture of the true situation. Neither the general rate of growth nor the annual increase nor the internal migration are the same for all the new towns. Variations from town to town are considerable, depending on the time of foundation, geographical position, size and, not least, the prevailing tendencies and objectives of the official settlement policy. Most obvious is the difference between north and south. In relation to the total population of the new towns, the proportion of the northern and central areas declined from 76.9% to 53% between 1951 and 1964, whereas that of the south increased from 23.1% to 47% — in fact more than doubled. This shift can be explained only partly by the initial filling in of the old centres in the northern and central areas and the somewhat later opening up of the south. A detailed analysis which is only possible for the periods from January 1st, 1958 to May 22nd, 1961, and from May 22nd, 1961 to December 31st, 1963 shows that indeed the towns founded up to 1951 have grown markedly more slowly than the towns founded later. In both groups and periods, how-

---

[1] Der Binnenwanderungsindex erfaßt das Verhältnis potentieller Zuwachs:tatsächlicher Zuwachs; < 100 = Abwanderung, 100 > = Zuwanderung. Vgl. Tab. 15, S. 32
[2] In den Städten selbst (deren Überblick allerdings oft sehr begrenzt ist) wird die Rückwanderung neueingewiesener „Olim" mit 15% bis 30% angegeben, wobei die nördlichen Städte mit ihren Angaben etwa an der oberen, die südlichen an der unteren Grenze liegen. — Zu erstaunlich hohen Zahlen kommt das Arbeitsministerium in einer Untersuchung über das Arbeitskräftepotential in 21 Neugründungen. Hier werden für die beiden Jahre von Ende 1961 bis Ende 1963 sogar Wanderungsverluste von mindestens 48 000 Personen angezeigt, d. h. einer Neuzuweisung von 108 000 Personen stand nur ein tatsächliches Wachstum von 60 000 Personen gegenüber. Stichproben in einzelnen Städten zeigten darüber hinaus, daß Einwanderer europäischer oder amerikanischer Herkunft die neuen Städte weit eher und häufiger wieder verließen als Einwanderer orientalischer Herkunft. Ministry of Labour, Manpower Planning Authority: Manpower in Development Towns, December 1964, S. 6

[1] State of Israel — Central Bureau of Statistics: Internal Migration, Part I, Jerusalem 1964, pp. 25/26
[2] The internal migration index indicates the relationship of potential growth to actual growth; < 100 = emigration, > 100 = immigration. Cf. Table 15, p. 32
[3] In the towns themselves (where survey material is somewhat scarce) the emigration of the newly placed "Olim" is estimated at 15% to 30%, with the northern towns somewhat near the upper and the southern towns near the lower limit. The Ministry of Labour indicates surprisingly high figures gained from a survey on the employment potential in 21 new towns. For the two years from the end of 1961 to the end of 1963 losses by emigration are said to be as high as 48 000. With 108 000 people newly directed to the towns, there was an actual growth of only 60 000. Sample surveys in individual towns have shown that immigrants of European or American origin leave much more frequently than immigrants of Oriental origin. Ministry of Labour, Manpower Planning Authority: Manpower in Development Towns, December 1964, p. 6

Tabelle 14 / Table 14

Durchschnittliche jährliche Zuwachsrate der neuen Städte nach Distrikten, Gründungsjahr und Einwohnerzahl 1958—1964 (% p.a.)
Average Yearly Rate of Population Increase in New Towns 1958—1964, by District, Year of Establishment and Number of Inhabitants (% p. a.)

| | Neue Städte insgesamt New Towns Total | Distrikt/District Nord/Northern | | | Mitte/Centre[1] | Süd/Southern | | | Einwohner[2] Inhabitants | |
	Total	insgesamt total	gegründet established —1951	1952+	insgesamt total	insgesamt total	gegründet established —1951	1952+	—9 999	10 000+
1. 1. 1958—22. 5. 1961	6.7	4.0	2.6	17.0	3.4	12.1	8.7	26.8	13.8	4.1
22. 5. 1961—31. 12. 1964	12.5	8.1	6.0	20.9	7.2	19.6	13.6	37.4	24.4	8.1

[1] Haifa, Zentrum, Jerusalem; dort keine Städte nach 1951 gegründet
[2] Stand am 31. 12. 1957 bzw. am 22. 5. 1961
Quelle: Eigene Berechnung auf Grund von: The Settlements of Israel, Part I, passim; Statistical Abstract 1965 (16), S. 34/35; Angaben des Statistischen Amtes

[1] Haifa, Central, Jerusalem Districts; no new towns established after 1951
[2] As from 31 December 1957 and 22 May 1961 resp.
Source: Calculated on the bais of data from: The Settlements of Israel, Part I, passim; Statistical Abstract 1965 (16), pp. 34/35; List of Settlements, Their Population and Codes, passim

bis 22. 5. 1961 und 22. 5. 1961 bis 31. 12. 1964, die allein bereits eine detaillierte Analyse gestatten, zeigt, in der Tat die bis 1951 gegründeten Städte wesentlich langsamer als die späteren; vor allem aber stehen in beiden Gruppen und Perioden die nördlichen und mittleren Städte weit hinter den südlichen zurück.

Ein Vergleich zwischen dem potentiellen und dem tatsächlichen Wachstum unterstreicht das Gefälle. Für sämtliche Städte des Nordens und der Mitte, und zwar für jede einzelne, mit der einzigen Ausnahme des neuen Nazareth, das eine Sonderstellung einnimmt, zeigt er eine erhebliche Abwanderung, die in 8 von 16 Fällen (Zefat, Tiberias, Bet She'an, Afula, Migdal HaEmeq, Shlomi, Lod, Ramla) sogar die Zuweisung von Neueinwanderern übertrifft.[1] Im Süden liegen die Dinge genau umgekehrt. Hier geht das tatsächliche Wachstum weit über das potentielle hinaus. Da jedoch auch dort kaum mit einer wirk-

ever, the northern and central towns clearly lag behind the southern ones.

A comparison of the potential and the actual growth stresses the difference. For every single town of the north and the centre, with the sole exception of the new Nazareth which occupies a special position, it shows a marked exodus. In 8 out of 16 cases (Zefat, Tiberias, Bet She'an, Afula, Migdal HaEmeq, Shlomi, Lod and Ramla) the loss exceeds the allocation of new immigrants.[1] In the south the exact reverse is found. Here the actual growth far exceeds the potential growth. Spontaneous immigration to such an extent, however, can hardly be possible even in the south, particularly not in the smaller and newer places where there is neither housing nor work to attract "Vatiqim". Thus reserves from transitional camps and provisional housing must have been sent there. In any case, it remains uncertain whether and to what extent here, too, this

[1] Zu ähnlichen Ergebnissen — auf den gesamten Norddistrikt bezogen — kommt R. Frey, a. a. O., S. 38 ff. Auch das Statistische Jahrbuch, das 1965 erstmals Angaben über Wanderungsbewegungen enthält, weist für die beiden Jahre 1963 und 1964 Wanderungsverluste des Norddistrikts von 5682 bzw. 7057 Personen aus, die hier jedoch vor allem dem Tel Aviver Distrikt zugute kommen (Statistical Abstract 1965 [16], S. 37). Dessen Anziehungskraft erklärt auch die starke Abwanderung aus den größeren Städten des Zentrums (Lod, Ramla), die, vor den Toren der Metropole gelegen, ihrem Sog besonders ausgesetzt sind.

[1] R. Frey (op. cit., p. 38 ff.) comes to similar conclusions for the whole of the Northern District. In 1965 for the first time the Statistical Abstract gives figures concerning internal migrations. These indicate that for the two years 1963 and 1964 there were losses through emigration in the Northern District of 5682 and 7057 persons, mostly to the Tel Aviv District. (Statistical Abstract 1965 (16), p. 37). The considerable attraction of the Tel Aviv District also explains the remarkable exodus from the bigger towns of the centre (Lod, Ramla), which lie at the gates of the metropolis and are particularly subject to its magnetism.

Tabelle 15 / Table 15

Schätzung der Binnenwanderung nach bzw. von den neuen Städten vom 1. 1. 1958—22. 5. 1961 nach Distrikten, Einwohnerzahl und Gründungsdatum (in 1000)
Estimate of Internal Migration to and from New Towns between 1 January 1958 and 22 May 1961, by District, Number of Inhabitants and Year of Establishment (thousands)

| | Bevölkerung/Population | | Mittlere Bevölk. Mean Pop'n. | Potentieller Zuwachs Potential Increase Natürl.[1] Natural | Eingewandert Immigrated 1. 1. 58— 22. 5. 61 | Insges. Total | Tatsächl. Zuwachs Actual Increase | Differenz Balance | Binnenwanderungsindex[2] Index of Internal Migration |
	31. 12. 1957	22. 5. 1961							
Insgesamt/Total	225.9	276.2	251.0	24.0	27.8	51.8	50.3	—1.5	97
Nord/Northern	95.3	108.3	101.8	9.2	10.9	20.1	13.0	—7.1	65
—9999	20.3	26.0	23.1	2.1	6.0	8.1	5.7	—2.4	70
10000+	75.0	82.3	78.7	7.1	4.9	12.0	7.3	—4.7	61
Mitte/Centre[3]	52.4	57.4	54.9	4.9	3.6	8.5	5.0	—3.5	59
—9999	12.6	15.5	14.0	1.2	2.8	4.0	3.0	—1.0	75
10000+	39.8	41.9	40.9	3.7	0.8	4.5	2.0	—2.5	44
Süd/Southern	78.2	110.5	94.3	9.9	13.3	23.2	32.3	+9.1	139
—9999	24.5	42.7	33.6	3.5	7.4	10.9	18.2	+7.3	167
10000+	53.7	67.8	60.7	6.4	5.9	12.3	14.1	+1.8	115
—9999	57.4	84.2	70.7	6.9	16.2	23.1	26.9	+3.8	116
10000+	168.5	192.0	180.3	17.1	11.6	28.7	23.4	—5.3	82
—1951	202.2	234.1	218.0	20.7	17.1	37.8	31.9	—5.9	84
1952+	23.7	42.1	32.9	3.3	10.7	14.0	18.4	+4.4	131

[1] Berechnet auf der Basis von 2.5% p. a. im Norden und in der Mitte und 3% im Süden
[2] Potentieller Zuwachs: Tatsächlicher Zuwachs
[3] Haifa, Zentrum, Jerusalem

[1] Calculated on the basis of 2.5% in the North and in the Centre, 3% in the South
[2] Potential Increase: Actual Increase
[3] Haifa, Central, Jerusalem Districts

lich spontanen Zuwanderung in derartigem Ausmaß gerechnet werden kann — vor allem nicht in die neueren und kleineren Städte, die für „Vatiqim" weder Arbeitsplätze noch Wohnungen noch sonst irgendwelche Anziehungspunkte zu bieten haben —, müssen Reserven aus den restlichen Übergangslagern und provisorischen Unterkünften dort hingelenkt worden sein, wobei unklar bleibt, ob und in welchem Ausmaß dem ebenfalls eine spontane Abwanderung vorausgegangen ist. Es bestätigt sich also die aus den Plänen erinnerliche Verlagerung der Bevölkerungsverteilungspolitik nach dem Süden, die ergänzt und unterstützt wird durch die gleichzeitige spontane Abwanderung aus der Mitte und dem Norden. Zusätzliche Unterschiede der Wachstumsraten und des Binnenwanderungsindex zwischen größeren und kleineren Orten zeugen dagegen von dem verständlichen Bemühen, zunächst die kleineren Orte, die in jeder Beziehung am schwersten zu kämpfen haben, auf ein Niveau zu bringen, das jedenfalls die bescheidensten Dienstleistungen garantiert.

Neben Abwanderung und Zuwanderung, ob spontan oder gelenkt, deuten alle vorhandenen Daten aber auch auf eine beträchtliche Fluktuation. Da kaum anzunehmen ist, daß etwa in manchen Städten des Nordens in einer gegebenen Periode sämtliche Neueingewiesenen die Stadt wieder verlassen, müssen also auch noch laufend früher Gekommene wieder abwandern, ein Prozeß, der nur durch immer neue Zuweisung von Neueinwanderern ausgeglichen werden kann und bisher auch wurde. Weit mehr als auf ihren natürlichen Zuwachs ist die Mehrzahl der Neugründungen also für ihre Erhaltung, vollends aber für ihre weitere Entwicklung auf ein Fortbestehen der Einwanderung angewiesen.[1]

Die demographische Struktur

Angesichts der engen Zusammenhänge zwischen der Entstehung und dem Wachstum der neuen Städte und der Einwanderung nimmt es kaum wunder, wenn auch die demographische Struktur dieser Städte, einzeln wie insgesamt, weitgehend durch die Struktur der Einwanderung bedingt ist, und zwar vor allem jener ethnischen Gruppen, die aufgrund ihres wirtschaftlichen, sozialen und zivilisatorischen Handicaps nicht zum selbständigen Aufbau einer Existenz an einem selbstgewählten Ort in der Lage und damit in jeder Beziehung auf staatliche Hilfe und Unterstützung angewiesen waren. Diese Hilfe und Unterstützung wurde ihnen aber vor allem dort zuteil, wo nationales Interesse und öffentliche Initiative Wohnungs- und Beschäftigungsmöglichkeiten zur Verfügung stellten: in den Entwicklungsgebieten bzw. in den neuen Städten.[2]

[1] Mit einem Zuzug nichtjüdischer Bevölkerungsgruppen ist vorerst kaum zu rechnen. Zwar beträgt der Anteil an Moslems, Drusen und Christen an der Gesamteinwohnerzahl der neuen Städte 4,1%, doch entfallen hiervon mehr als neun Zehntel auf Akko, Lod und Ramla, Städte also, die einen nichtjüdischen Bevölkerungskern über den Unabhängigkeitskrieg herüber behalten hatten. In 24 von 28 neuen Städten sind Nichtjuden dagegen zu weniger als 1% vertreten, in 17 zu weniger als 0,5%. Auch in den in unmittelbarer Nachbarschaft arabischer Siedlungsgebiete gelegenen galiläischen Städten Migdal HaEmeq, Ma'alot und Shlomi leben, die zusammen 7320 Einwohnern, nur 8 Nichtjuden. Wenn auch in der nichtjüdischen Bevölkerung ein langsamer Verstädterungsprozeß einsetzt — und die Anzeichen sprechen dafür —, so richtet er sich zur Zeit jedenfalls auf die traditionellen Zentren, mehr allerdings noch auf Haifa.

[2] Im allgemeinen müssen sich Einwanderer, die auf Kosten der Jewish Agency ins Land kommen, schon vor ihrer Einreise verpflichten, an jeden Ort zu gehen, an den sie von der Agency gewiesen werden. Da im Lande selbst völlige Freizügigkeit herrscht, kann der Einwanderer in dem Augenblick, in dem er aus eigener Kraft (oder mit Hilfe von Verwandten oder Bekannten) in der Lage ist, an einer anderen Stelle Wohnung und Arbeitsplatz zu finden, diesen Ort jedoch wieder verlassen. Auch werden mittellosen, aber beruflich besonders qualifizierten Einwanderern eher Freiheiten in der Wahl ihres ersten Wohnortes zugestanden.

was preceded by a spontaneous exodus. All the same, the southward trend of the population dispersal policy, known from the plans, seems to be confirmed, supplemented and supported by a spontaneous emigration from the central and northern parts of the country. Additional differences in growth rates and in the internal migration index between the smaller and the larger places are only evidence of the endeavour to help the smaller places — which have to fight harder anyway — to reach a level guaranteeing at least most basic services. Apart from emigrations and immigrations, whether spontaneous or guided, all available data show considerable fluctuations. As it is hardly likely that in some of the northern towns, during a given period, all newcomers left again, it must be assumed that earlier arrivals have been moving onwards, too, a process which as a rule can only be and in fact has been balanced by the allocation of new immigrants. Both to survive and to develop the new towns depend on the continuous arrival of new immigrants far more than on natural increase.[1]

The Demographic Structure

In view of the close connection between the creation and growth of the new towns and the rate of immigration, it is hardly surprising that the demographic structure of these towns, singly and in total, is decisively influenced by the structure of the immigration; in particular by the structure of those ethnic groups which, as a result of their economic, social and cultural handicaps, are incapable of creating a living by themselves in a location of their own choice, and thus in every way possible depend on the Government for help and support. Such help and support is granted them primarily in those areas where national interest and public initiative offer housing and work, that is, in the development areas, especially in the new towns.[2]

This becomes obvious at once if one compares the date of immigration and the countries of origin of the inhabitants of the new towns with those of the inhabitants of other settlements, both urban ones (with which they have to compete) and rural ones (with whose self-sufficiency they have to wrestle). On the day of the census, of the 183 000 inhabitants of the new towns not yet born in the country, more than 175 000 (96%) had arrived only after 1948, and of those 54% only after 1951, after the first big wave of immigration had run its course. In 12 of the 28 towns the proportion of "Olim" is even more than 99%, and only rarely is it less than 95%. In the other small and medium-sized towns the figure is 80.9% and in the big cities 62.6%. In comparison with the rural settlements marked differences appear as to whether the settlements

[1] Reinforcement by non-Jewish groups is hardly to be expected. Although the share of Moslems, Druzes and Christians is 4.1% of the total population of the new towns, more than nine-tenths of these are found in Akko, Lod and Ramla, towns with a non-Jewish population core prior to the War of Independence. In 24 of 28 towns there are less than 1% non-Jews and in 17 less than 0.5%. Even in the Galilean towns Migdal HaEmeq, Ma'alot and Shlomi, situated in immediate proximity to Arab settlements, out of a total population of 7320 only 8 are non-Jews. If amongst the non-Jewish population, too, there has started a gradual process of urbanization, at the moment at least it is still directed towards their traditional centres and, increasingly, towards Haifa.

[2] In general, immigrants coming at the expense of the Jewish Agency, have to agree before their arrival to accept any location to which they are sent. As there is complete freedom of movement in the country itself, however, as soon as an immigrant has sufficient means or can get help from relatives or friends, he can move to any other place where he can find home and work. Furthermore, anybody without means but with special professional qualifications has greater freedom in choosing his first home.

Tabelle 16 / Table 16

Bevölkerungsentwicklung und wichtigste demographische Merkmale der neuen Städte (22. 5. 1961)
Population Growth and Main Demographic Characteristics of New Towns (22 May 1961)

| | Bevölkerung (in 1000) Population (thousands) | | | | | | Binnenwanderungsindex² Index of Internal Migration | Nichtjuden Non-Jews | in Israel geb. Israel-born | Demographische Merkmale (in %) Demographic Characteristics (percentages) Eingewandert/Immigrated aus/from | | | Europa Europe | Asien Afrika Asia Africa | -14 Jahre alt Age Group 0-14 | Ø Haushaltgröße Ø Household Size |
	1948[1]	1951	1954	1957	1961[1]	1964				-1947	1948—51	1952+				
Qiryat Shemona	—	3.8	3.7	10.1	11.8	15.0	72	0.2	27.8	2.1	26.7	71.2	19.4	72.2	46.0	4.7
Hazor	—	—	1.1	3.6	4.5	5.2	70	—	25.2	0.5	11.0	88.5	2.6	84.2	50.4	5.1
Zefat	2.3	7.0	8.1	10.1	10.7	12.7	41	0.3	38.6	5.4	43.6	51.0	41.0	54.7	40.6	3.9
Tiberias	5.5	16.0	16.5	19.2	20.8	23.4	63	0.7	49.3	8.3	61.8	29.9	20.1	75.1	43.3	4.4
Afula	2.5	9.6	10.0	13.0	13.8	16.6	38	0.2	33.7	11.7	55.4	32.9	40.8	52.8	41.0	4.1
Bet She'an	—	3.7	4.6	9.3	9.7	12.8	22	0.2	29.6	1.0	32.0	67.0	14.2	82.4	47.9	4.3
Nazerat Illit	—	—	—	1.0	4.3	9.9	114	0.6	12.7	4.4	7.7	87.9	89.1	7.9	31.2	3.3
Migdal HaEmeq	—	—	1.7	3.6	4.0	7.3	54	0.2	26.4	0.5	33.9	65.6	20.0	75.5	45.4	4.4
Ma'alot	—	—	—	1.0	1.7	3.2	69	—	14.3	0.4	3.1	96.5	2.7	92.8	48.3	5.0
Shlomi	—	0.3	0.2	1.7	1.7	1.9	—[3]	0.1	23.1	0.4	6.8	92.8	1.3	92.3	47.7	4.7
Akko	4.1	15.7	17.0	22.7	25.2	31.7	77	26.0	27.3	5.0	53.6	41.4	42.9	53.5	40.5	4.2
Or Aqiva	—	1.3	1.7	2.3	3.2	5.4	76	0.5	21.0	0.4	38.4	61.2	27.1	67.2	41.1	4.1
Lod	1.1	12.6	17.1	17.9	19.0	23.4	51	8.8	30.7	2.1	70.2	27.7	36.4	57.4	41.4	4.4
Ramla	1.5	17.2	21.0	21.9	22.9	26.6	41	9.5	31.4	2.4	73.2	24.4	35.4	61.3	42.0	4.3
Yavne	—	1.4	2.0	4.7	5.4	7.4	61	0.6	30.1	0.5	40.4	59.1	15.3	82.1	47.8	4.8
Bet Shemesh	—	2.6	2.5	5.6	7.0	9.6	77	0.4	24.0	0.8	74.9	24.3	12.5	81.9	46.8	4.9
Ashdod	—	—	—	1.9	4.6	19.4	183	1.7	20.8	2.2	9.4	88.4	19.4	73.1	41.0	4.3
Ashqelon	—	11.2	14.4	21.5	24.3	35.0	75	0.2	34.1	4.4	60.5	35.1	31.1	64.8	43.7	4.3
Qirya Malakhi	—	1.8	1.8	4.3	4.6	6.8	59	0.6	28.6	0.9	35.8	63.3	5.4	90.1	46.6	5.2
Qiryatt Gat	—	—	—	4.4	10.1	14.7	167	0.8	21.5	3.2	7.7	89.1	30.9	63.6	43.4	4.3
Netivot	—	—	—	2.4	2.9	4.1	121	—	21.4	0.3	3.8	95.9	0.4	98.1	47.0	5.2
Sederot	—	0.2	0.4	2.9	3.6	6.2	123	0.1	26.1	0.6	12.5	86.9	4.7	91.1	48.8	5.2
Ofaqim	—	—	—	2.9	4.6	8.3	130	0.1	21.1	0.9	5.4	93.7	2.6	88.4	46.7	5.0
Beer Sheva	—	13.5	16.3	32.2	43.6	62.2	133	0.7	31.6	5.5	39.8	54.7	30.9	60.9	42.8	4.3
Dimona	—	—	—	2.7	5.0	16.9	172	0.3	23.7	1.8	6.9	92.3	14.1	78.5	45.7	4.6
Yeroham	—	0.3	0.4	0.9	1.6	4.5	85	0.4	18.4	0.8	9.8	89.4	13.0	57.8	47.6	4.8
Mizpe Ramon	—	—		0.1	0.3	1.4	734	—	54.7	18.0	44.7	37.3	39.3	50.0	45.0	3.5
Elat	—	0.5	0.5	2.0	5.3	8.9	320	2.8	38.7	16.5	30.8	52.7	44.6	43.2	37.2	3.4
Insgesamt/Total	17.0	118.7	141.0	225.9	276.2	400.5	97	4.1	30.9	4.0	41.7	54.3	28.5	65.6	43.1	4.4

[1] 8. 11. 1948; 22. 5. 1961; sonst jeweils zum Jahresende
[2] Vgl. S. 30
[3] Berechnung nicht möglich, da kein tatsächliches Wachstum
Quelle/Source: The Settlements of Israel, Part. I, II, III passim; Statistical Abstract 1965 (16), pp. 34/35

[1] As at 8 November 1948 and 22 May 1961 resp.; otherwise at the end of the year
[2] See pp. 30/31
[3] Calculation not possible as no actual growth

Dies wird sofort deutlich, wenn man das Datum der Einwanderung und die Herkunftsländer ihrer Bewohner mit denen der Bewohner der übrigen Siedlungen vergleicht, und zwar sowohl der städtischen, mit deren Konkurrenz, wie der ländlichen, mit deren Eigenständigkeit sie sich auseinanderzusetzen haben. Am Tage der Volkszählung waren von den rund 183 000 Einwohnern der neuen Städte, die noch nicht im Lande geboren waren, mehr als 175 000, das sind 96%, erst nach 1948 ins Land gekommen, darunter 54% erst nach 1951, nach dem Abflauen der ersten großen Einwanderungswelle. In 12 von 28 Städten beträgt der Anteil der „Olim" sogar mehr als 99%, nur selten weniger als 95%. Dem stehen in den übrigen Klein- und Mittelstädten 80,9%, in den Großstädten 62,6% Neueinwanderer gegenüber. Im Vergleich zu den ländlichen Siedlungen ergeben sich deutliche Unterschiede danach, ob diese selbst schon vor oder erst nach 1948 gegründet wurden. In den nach 1948 gegründeten Dörfern ist der Anteil der Neueinwanderer mit 96,1% etwa ebenso groß, in den neueren Moshavim mit 93,1% immer noch fast so groß wie in den neuen Städten. Die nachstaatlichen Kibbutzim dagegen wurden nur zum Teil durch Neueinwanderer gegründet und besiedelt, oft entstanden sie als Tochter- oder Patenkolonien früherer Kollektivsiedlungen, deren Söhne und Töchter eine ebenbürtige Aufgabe suchten. Weitaus am größten ist der Abstand zwi-

Tabelle 17 / Table 17

Wichtigste demographische Merkmale der neuen Städte und anderer Siedlungstypen (22. 5. 1961, in %)¹

Main Demographic Characteristics of New Towns and other Types of Settlement (22 May 1961, percentages)¹

	Städte/Towns and Urban Settlements			Ländliche Siedlungen/Rural Settlements						Israel insgesamt Israel Total
	Großstädte² Cities	and. Städte Other Towns and Urban Settlements	neue Städte New Towns	Dörfer Villages		Moshavim Moshavim		Kibbutzim Kibbutzim		
				—1948	1948+³	—1948	1948+	—1948	1948+	
Einwohner insgesamt (in 1000) *Total Population (thousands)*	985.9	434.4	276.2	29.8	25.0	33.8	90.7	60.8	16.3	2 179.5
Nichtjuden/Non-Jews	1.9	0.4	4.1	0.6	0.3	0.4	0.3	0.2	0.4	11.3
Juden/Jews										
in Israel geboren/Born in Israel	39.2	35.4	30.9	40.6	31.2	47.2	40.5	51.0	52.6	37.8
Eingewandert/Immigrated										
—1947	37.4	19.1	4.0	19.0	3.9	50.3	5.9	57.7	24.7	26.7
1948—1951	47.2	56.6	41.7	56.6	65.8	34.7	58.2	21.1	36.9	49.4
1952+	15.4	24.3	54.3	24.4	30.3	15.0	34.9	21.2	38.4	23.9
aus/from:										
Europa/Europe	63.8	47.2	28.5	36.9	18.8	71.4	47.1	74.7	46.2	52.8
Asien/Afrika/Asia/Africa	28.8	41.1	65.6	57.1	76.5	19.5	64.9	10.6	19.8	40.0
And. Länder/Other Countries	7.4	11.7	5.9	6.0	4.7	9.1	8.0	14.7	34.0	7.2
Alter/Age										
—14	30.5	35.8	43.1	39.9	42.9	34.6	49.2	33.3	36.5	36.1
15—44	40.6	38.9	39.0	37.4	34.4	38.7	36.5	45.3	58.8	39.8
45—64	22.9	19.7	14.2	17.7	13.9	22.0	11.8	18.9	3.5	18.9
65+	6.0	5.6	3.7	5.0	8.8	4.7	2.5	2.5	1.2	5.2
Durchschnittl. Haushaltgröße *Average Size of Household*	3.4	3.8	4.4	4.1	4.6	3.8	5.0	—	—	3.8
Dauer der Schul- und Ausbildung⁴/*Number of Years of Study*										
0 Jahre/years	9.0	14.7	23.4	19.4	38.1	4.4	26.6	0.3	0.2	16.1
1—8 Jahre/years	41.4	47.2	49.8	44.0	43.7	32.9	47.1	22.2	22.4	42.7
9—12 Jahre/years	37.0	31.0	21.9	30.5	15.0	52.4	22.1	66.2	63.0	32.1
13 + Jahre/years	12.6	7.1	4.9	6.1	3.2	10.3	4.2	11.3	14.4	9.1
Kenntnis des Hebräischen⁵ *Knowledge of Hebrew*	89.2	86.1	82.4	87.1	77.8	93.3	84.3	98.5	98.3	87.4

¹ Nur Orte mit überwiegend jüdischer Bevölkerung
² Groß-Tel Aviv, Haifa, Jerusalem
³ Ohne die neuen Städte, die statistisch noch als Dörfer galten
⁴ In % der Einwohner von 14+ Jahren
⁵ In % der Einwohner von 2+ Jahren
⁴ und ⁵ Bei den Städten nur Orte mit 5000 + Einwohnern
Quelle/Source: The Settlements of Israel, Part I, II, III, IV passim; Demographic Characteristics of the Population, Part I, II passim

¹ Places with predominantly Jewish population only
² Greater Tel Aviv, Haifa, Jerusalem
³ Excl. new towns statistically qualified as villages
⁴ % of population aged 14 and over
⁵ % of population aged 2 and over
⁴ and ⁵ Among the towns only places with 5000 or more inhabitants

schen den neuen Städten und den alten Kibbutzim, in denen der Anteil der Neusiedler nur 42,3 %, und den alten Moshavim, in denen er 49,7 % beträgt, weniger noch als in den Großstädten. In der Gesamtheit der Siedlungen liegen die neuen Städte hinsichtlich ihres Anteils an Neueinwanderern also — zusammen mit den neuen Dörfern und Moshavim — an der oberen Grenze, während die Großstädte auf der einen, mehr noch die alten Kibbutzim auf der anderen Seite, den entgegengesetzten Pol bilden.

Genau das gleiche Gefälle ergibt sich hinsichtlich der Herkunftsländer. Auch hier bilden die neuen Städte — wieder zusammen mit den neuen Dörfern und Moshavim — mit einem Anteil an nordafrikanischen und vorderasiatischen Einwanderern von 65,6 % den einen, die Großstädte, vor allem aber die alten Kibbutzim, mit nur 10,6 % den anderen Pol. Die Unterschiede der Alters- und Familienstruktur ergeben sich hiernach fast von selbst. Die große Zahl der Kinder und Jugendlichen in den neuen Städten, rund 43 %, bedeutet dabei vor allem, daß der Anteil der erwerbsfähigen Altersgruppen entsprechend niedriger und die ihnen zufallende Unterhaltslast größer ist. Dies kommt auch in der durchschnittlichen Haushaltsgröße zum Ausdruck, die in den neuen Städten 4,4 Personen, in den übrigen dagegen nur 3,8, in den Großstädten überhaupt nur 3,4 Personen beträgt. Wenn auch die neueren

were established before or after 1948. The villages founded after 1948 have an even higher proportion of new immigrants, 96.1 %, and the more recent Moshavim, with 93.1 %, almost as high as the new towns. On the other hand, the Kibbutzim built after the creation of the State were founded and settled only partly by new immigrants; in many cases they started as affiliated colonies of earlier collective settlements whose sons and daughters were looking for tasks of equal standing. By far the greatest differences are found between the new towns and the old Kibbutzim with only 42.3 % new immigrants, and the old Moshavim with 49.7 %, less than in the big cities. Altogether, the new towns, side by side with the new villages and Moshavim, have the greatest number of new immigrants, whereas the big cities and even more so the old Kibbutzim lie at the other end of the scale.

An analysis of the countries of origin shows exactly the same pattern. With a total of 65.6 % North African and Middle Eastern immigrants, here, too, the new towns (together with the new villages and Moshavim) hold the one end of the scale, the big cities and the old Kibbutzim with only 10.6 % the other one. Differences in age and family structure follow almost automatically. The large number of children and adolescents in the new towns, approximately 43 %, imply again that the proportion of people of working age is correspondingly lower and greater

ländlichen Siedlungen mit einer großen, oft noch größeren, Kinderzahl und vielköpfigen Haushalten belastet sind, so fallen diese dort doch wegen der von jeher auf dem Lande üblichen und möglichen Mithilfe sämtlicher Familienmitglieder sozial und wirtschaftlich weniger ins Gewicht. Die Belastung durch nicht mehr arbeitsfähige Jahrgänge ist überall vorerst noch sehr gering.

Die jeweilige Quote der bereits im Lande geborenen Einwohner ist insofern von geringerer Aussagekraft, als sie zwei sehr unterschiedliche Gruppen vereinigt: einmal die in der Tat „eingeborenen" Nachfahren der frühen Kolonisten, die inzwischen großgeworden und ohne Zweifel zu einer neuen Generation mit einem eigenständigen nationalen Gesicht und einer ursprünglichen Vertrautheit mit dem Lande herangewachsen sind; zum anderen aber auch die zahlreiche Nachkommenschaft der orientalischen Neueinwanderer, die erst in den Kinderjahren steht und durch enge Familienbande oft noch stark in den kulturellen und religiösen Traditionen der Sippe wurzelt.[1] Im allgemeinen kann davon ausgegangen werden, daß es sich in Siedlungen, in denen Orientalen und Neueinwanderer überwiegen, eher um Kinder handelt, in Siedlungen, in denen „Vatiqim" vorherrschen, eher um erwachsene „Sabras". Trotzdem folgt auch diese Quote dem gewohnten Trend, der die neuen Städte an das eine, die alten Kibbutzim an das andere Ende der Skala verweist. Abweichungen, etwa bei den neuen Moshavim, ergeben sich aus der zahlreichen Kinderschar gerade der jüngeren ländlichen Siedlungen.

Bedeutsamer noch als die ethnischen und biologischen Unterschiede an sich scheinen die zivilisatorischen, die sie mit sich bringen. Auch hinsichtlich der Länge ihrer Schul- und Ausbildung und der Kenntnis der Umgangssprache ihrer neuen Heimat, des Hebräischen, sind die Einwohner der Neugründungen denen der älteren Städte und sogar auch denen der meisten ländlichen Siedlungen gegenüber im Nachteil. Selbst in den größeren Orten mit 5000 und mehr Einwohnern, für die allein genaue Daten zur Verfügung stehen, betrug der Anteil der Analphabeten unter der mehr als 14 Jahre alten Bevölkerung 23,4 %, in den übrigen Städten nur 14,7 %, in den Großstädten sogar nur 9 %. Eine noch über die üblichen höheren Schulen hinausgehende Ausbildung, gleich welcher Art, von 13 und mehr Jahren wurde überhaupt nur bei 4,9 % aller Einwohner ermittelt, in den Großstädten bei 12,6 %.[2] Die Schwierigkeiten, die sich hieraus auch noch für die nächste Generation, die zwar bereits der israelischen Schulpflicht unterliegt, im Elternhaus aber weder Hilfe noch Anregung erwarten kann, ergeben, sind offensichtlich. Eine Wiederholung des Unterrichtsstoffes in den Nachmittagsstunden durch reguläre Lehrkräfte und Hilfe bei den Hausaufgaben sollen hier Abhilfe schaffen, ebenso eine Verlängerung des Schuljahres in die Ferien hinein. Aus den gleichen Gründen wird in den neuen Städten zunehmend auch für die sonst recht kostspieligen höheren Schulen Schulgeldfreiheit gewährt.

Alle diese Maßnahmen ändern jedoch vorerst nur wenig an der hier noch mehr als auf allen anderen Gebieten sichtbaren eindeutigen kulturellen Überlegenheit der Kibbutzim, in denen es Analphabeten praktisch nicht gibt, während trotz der Ab-

their responsibility. This is also illustrated by the average size of household, 4.4 persons in the new towns, 3.8 persons in the other towns, and only 3.4 persons in the big cities. Although the newer rural settlements are often burdened with an even larger number of children and very large households too, the rural tradition of all the family helping together gives this burden less economic and social weight. The load of supporting age groups no longer capable of work is as yet a light one everywhere.

The number of people already born in the country is of comparatively little significance, as it combines two completely different groups. In the first place, the truly "indigenous" descendants of the earliest colonists, who in the meantime have grown up and who without doubt form a new generation with an independent national character and an imbred familiarity with the country; on the other hand the numerous offspring of the more recent Oriental immigrants, who are as yet children and who, a result of strong family ties, are still rooted in the cultural and religious traditions of their clans.[1] In general it can be assumed that in the settlements where new Oriental immigrants are predominant, those born in the country are mostly children, in the settlements where "Vatiqim" prevail, grown-up "Sabras". All the same the figures follow the usual pattern, leaving the new towns at one end of the list and the old Kibbutzim at the other. Exceptions, for instance in the new Moshavim, result from the vast number of children in the younger rural settlements.

Side by side with the ethnic and biological differences go cultural distinctions which are even more important. Compared with the older places and even with most of the rural settlements, the inhabitants of the new towns are at a disadvantage both regarding the length of their schooling and education, and their knowledge of Hebrew, the language of their new home. Exact data are available only for towns with 5000 or more inhabitants, but even in these the proportion of illiterates amongst the population older than 14 is 23.4 %, whereas in the other towns it is only 14.7 % and in the big cities hardly 9 %. Higher education of any sort, going beyond the usual secondary schools, was achieved only by 4.9 % of all inhabitants, but by 12.6 % in the big cities.[2] Considerable difficulties even for the next generation, which is subject to Israeli schooling but which gets neither help nor stimulus from home, can hardly be avoided. They are to be overcome partly by repeating the morning lessons in the afternoon with the help of the regular teachers, partly by refresher courses during the holidays. In addition, scholarships and free places for the usually rather expensive secondary schools are provided more generously than anywhere else.

All these measures, however, can hardly question the undoubted cultural superiority of the Kibbutzim, more obvious in this field than in any other. Illiterates are almost non-existent, and despite their remoteness and the scarcity of means, even in the new collective settlements secondary education is more frequent than in the big cities. Knowledge of Hebrew, too, varies quite definitely according to the structure and the date of foundation of the various settlements, but even in the

---

[1] Unter den gebürtigen Israelis waren 1961 56 % noch keine 10, 72 % noch keine 15 Jahre alt, nur 19 % 20 Jahre und älter. Demographic Characteristics of the Population, Part I, S. 16

[2] Die höheren Schulen sind dabei nicht immer mit den europäischen Gymnasien gleichzusetzen. Eine große Rolle spielen die sogenannten „Comprehensive Schools", die theoretischen und praktischen Unterricht vereinen, dann die verschiedensten Fortbildungsklassen, Berufs- und Berufsfachschulen, vor allem aber die Landwirtschaftsschulen, die sich großen Ansehens erfreuen.

---

[1] In 1961 amongst those born in Israel 56 % were not yet 10 years old, 72 % not yet 15 years old ond only 19 % 20 years or more. Demographic Characteristics of the Population, Part I, p. 16

[2] Secondary schools cannot always be compared with European secondary schools. "Comprehensive schools", combining theoretical and vocational classes, play a most important part, and so do a great variety of continuation classes and highly reputed agricultural schools.

gelegenheit und trotz der beschränkten Mittel gerade der neueren Siedlungen eine weiterführende Ausbildung noch häufiger ist als in den Großstädten. Die Kenntnis des Hebräischen variiert zwar ebenfalls deutlich mit der Zusammensetzung und dem Gründungsdatum der einzelnen Siedlungstypen, fehlt aber auch in den Großstädten noch zu 10,8 %. Hier macht sich bemerkbar, daß sich auch in den älteren Siedlungen stets eine Gruppe von Einwanderern, vor allem Frauen, gehalten hat, die im Kreis der überall vorhandenen früheren Landsleute weiter mit ihrer Muttersprache ausgekommen sind oder aber neben dieser nur Jiddisch sprechen, die lingua franca der meisten osteuropäischen Gemeinschaften.

Stünden noch weitere statistische Daten zur Verfügung, sie würden das Bild vielleicht ergänzen, keinesfalls aber ändern. In bezug auf die beiden grundlegenden Kriterien, das Datum der Einwanderung und die ethnische Herkunft, ist es gekennzeichnet durch die Stellung der Neugründungen am unteren Ende der städtischen und jedenfalls nahe des unteren Endes auch der ländlichen Rangskala. Die größten zeitlichen, ethnischen und zivilisatorischen Unterschiede ergeben sich dabei auf der einen Seite zwischen den neuen Städten und den Großstädten, auf der anderen zwischen den neuen Städten und den alten Kibbutzim und Moshavim. Wie in den neuen Städten die „Olim", teilweise auch die Einwanderer verschiedener ethnischer Herkunft, weitgehend unter sich sind, haben auch die älteren ländlichen Siedlungen ihren Bevölkerungskern bewahrt und nur in Ausnahmefällen Neueinwanderer oder Einwanderer aus anderen Kulturkreisen eingegliedert. Trotzdem haben, im ganzen gesehen, noch häufiger ältere Siedlungen, städtische allerdings weit mehr als ländliche, neue Ein-
aufgenommen, als daß ihre Bewohner selbst den
verlassen hätten und in neue Städte
die sowohl die funktionale
liche Position dieser Städte
n Siedlungsordnung entschei-

Neugründungen von den ande-
den, lassen auch in ihrem eige-
Rangfolge erkennen. An erster
Zusammenhang mit dem Grün-
he von Qiryat Gat und Dimona
1) 5000 und mehr Einwohnern vor
gfolge nach der Größe, die die
n Städten begonnene Skala fort-
den kleineren Orten hin nimmt der
renen deutlich ab, von 34,3 % auf
„Vatiqim", von 5,1 % auf 0,8 %, am
Europäer, von 32,3 % auf 4,5 %. Im
steigt die Quote der erst in den letz-
en, der afro-asiatischen Einwanderer,
r 14 Jahren, und die Haushaltsgröße.
terschiedliche Schul- und Ausbildungs-
h in geringerem Ausmaß, die Kenntnis
ionale Unterschiede spielen demgegen-
d keine eindeutige Rolle. Der höhere An-
raelis und „Vatiqim" im Norden geht auf
mit altem jüdischen Kern — Zefat, Tiberias,
geringere Anteil an Europäern im Süden
ere Erschließung.[1]

Bildungsstand im Süden beruht darauf, daß an Städten
wohnern dort nur Qiryat Gat, Beer Sheva, Ashqelon und
nd, bis auf Dimona alles Orte mit einem in vieler Hin-
ialen Status.

big cities is lacking 10.8%. Evidently, even in the older places there has always remained a group of immigrants, especially women, who, surrounded by friends and relatives from their former countries, have managed to get along with their mother tongue or with Yiddish, the lingua franca of most East European communities.

Further statistical data, even if it were available, would perhaps complete the picture but in no way alter it. Regarding the two basic criteria, date of immigration and ethnic origin, it shows the new settlements right at the lower end of the urban hierarchy and also near the lower end of the rural one. The most marked differences in terms of time, ethnic origin and civilization are to be found on the one hand between the new towns and the big cities, on the other hand between the new towns and the old Kibbutzim and Moshavim. As in the new towns the "Olim", and to some extent also immigrants of similar ethnic origin, have remained largely between themselves, also the old rural colonies have preserved their original core of population and have only rarely absorbed new immigrants or immigrants from other cultural backgrounds. All the same, the old places taken as a whole (but the urban more than the rural) have accepted new immigrants more often than their own inhabitants have cut their roots and moved to new towns, a fact which must influence the functional, ideological and social position of these new towns within the overall settlement pattern.

The same criteria which distinguish the new settlements from the older ones create a certain hierarchy amongst the new towns themselves. First of all the hierarchy according to size, closely connected with the date of foundation: with the exception of Qiryat Gat and Dimona all towns with 5000 or more inhabitants in 1961 were founded before 1952. This hierarchy follows the pattern already established in relation to the old towns: the number of those born in Israel declines markedly from the bigger to the smaller places, from 34.3% to 21.1%, and so does the number of "Vatiqim", from 5.1% to 0.8% and, even more noticeably, of Europeans, from 32.3% to 4.5%. Vice versa, there is an increase in the number of inhabitants arrived only in the last few years, of Afro-Asiatic immigrants, of age groups under 14 years, and in the size of households. This corresponds with variations in schooling and education and, to a lesser extent, in the knowledge of Hebrew. Regional differences, in this context, play only a small and uncertain part. The greater number of Israeli-born inhabitants and "Vatiqim" in the north can be attributed to the old Jewish centres — Zefat, Tiberias — and to Afula, the smaller number of Europeans in the south to the later opening up of this area.[1]

This hierarchy, however, as the analysis of the growth factors has shown, gives no indication as to the vitality and attraction of the towns, in the sense for example that places with a higher share of "Vatiqim" or Europeans offer basically better conditions and prospects than others. In isolated instances this may be the case. Certainly in Beer Sheva, it is the large and in Qiryat Gat it is the growing proportion of these groups that indicate social and economic consolidation, but in the older northern centres this is not true. And Ashdod, the immigrant town par excellence, has a rate of growth far ahead of the rest of the country. As long as the number of inhabitants is determined by the population distribution policy, causalities

[1] The noticeably higher degree of education in the south results from the fact that in this region only Qiryat Gat, Beer Sheva, Ashqelon and Dimona are cities with 5000 or more inhabitants and that, apart from Dimona, all are places with a somehow privileged social status.

Tabelle 18 / Table 18

Wichtigste demographische Merkmale der neuen Städte nach Gründungsjahr, Distrikt und Einwohnerzahl (22. 5. 1961, in %)
Main Demographic Characteristics of New Towns, by Year of Establishment, District and Number of Inhabitants (22 May 1961, percentages)

	Gegründet Established		Distrikt District			Einwohner Inhabitants					Insgesamt Total
	—1951	1952+	Nord Northern	Mitte¹ Centre	Süd Southern	—2 999	3 000 —4 999	5 000 —9 999	10 000 —19 999	20 000+	
Einwohner insgesamt (in 1000) Total Population (thousands)	234.1	42.1	108.3	57.4	110.5	8.1	33.5	32.4	65.5	136.7	276.2
Nichtjuden/Non-Jews	4.8	0.5	6.3	6.7	0.1	0.1	0.5	0.7	2.7	14.1	4.1
Juden/Jews											
in Israel geboren/Born in Isreal	32.6	21.6	33.1	29.5	29.7	21.1	22.7	29.0	30.7	34.3	30.9
Eingewandert/Immigrated											
—1947	4.5	2.1	5.1	1.8	4.4	0.8	1.4	3.2	4.8	5.1	4.0
1948—1951	48.6	9.9	41.1	59.9	33.1	6.4	18.1	27.3	43.6	54.4	41.7
1952+	46.9	88.0	53.8	38.3	62.5	92.8	80.5	69.5	51.6	40.5	54.3
aus/from:											
Europa/Europe	29.5	23.9	31.0	30.0	25.6	4.5	22.4	18.2	33.7	32.3	28.5
Asien/Afrika/Asia/Africa	64.7	69.6	63.6	65.4	67.3	86.6	71.0	78.1	60.0	62.3	65.6
And. Länder/Other Countries	5.8	6.5	5.4	4.6	7.1	8.9	6.6	5.7	6.3	5.4	5.9
Alter/Age											
—14	43.0	43.9	42.9	42.9	43.6	47.4	44.1	45.5	42.3	42.5	43.1
15—44	38.9	39.9	38.0	37.5	40.8	38.7	38.8	40.1	38.1	39.2	39.0
45—64	14.3	13.5	15.0	15.1	12.8	11.4	14.0	11.8	15.4	14.4	14.2
65+	3.8	2.7	4.1	4.5	2.8	2.5	3.1	2.6	4.2	3.9	3.7
Durchschnittl. Haushaltgröße Average Size of Household	4.3	4.4	4.3	4.4	4.4	4.9	4.5	4.5	4.3	4.3	4.4
Dauer der Schul- und Ausbildung²/Number of Years of Study²											
0 Jahre/years	23.3	25.1	25.2	25.9	20.0			30.6	22.8	22.1	23.4
1—8 Jahre/years	50.0	46.4	49.4	53.6	47.8			43.3	50.5	50.9	49.8
9—12 Jahre/years	21.8	22.4	21.4	17.5	25.0			21.6	21.9	21.9	21.9
13+ Jahre/years	4.9	6.1	4.0	3.0	7.2			4.5	4.8	5.1	4.9
Kenntnis des Hebräischen³ Knowledge of Hebrew³	83.2	71.5	85.1	80.5	80.9			80.1	81.9	83.3	82.4

¹ Haifa, Zentrum, Jerusalem
² In % der Einwohner von 14 und mehr Jahren
³ In % der Einwohner von 2 und mehr Jahren
² und ³ Nur Orte mit 5000 und mehr Einwohnern
Quelle/Source: The Settlements of Israel, Part I, II, III, IV passim

¹ Haifa, Central, Jerusalem Districts
² % of population aged 14 and over
³ % of population aged 2 and over
² and ³ Places with 5000 or more inhabitants only

Wie die Analyse der Wachstumsverhältnisse gezeigt hat, sagt diese Rangfolge jedoch noch nichts über Lebensfähigkeit und Anziehungskraft etwa in dem Sinne aus, daß Städte mit einem höheren Anteil an „Vatiqim" oder Europäern grundsätzlich bessere Voraussetzungen und Aussichten hätten als die übrigen. In Einzelfällen mag dies zutreffen. In Beer Sheva ist zweifellos der höhere, in Qiryat Gat der wachsende Anteil dieser Gruppen ein Zeichen der sozialen und wirtschaftlichen Konsolidierung, in den älteren Zentren des Nordens keinesfalls. Und Ashdod, die Neueinwandererstadt par excellence, weist mit Abstand das stärkste Wachstum im ganzen Lande auf. Solange die Einwohnerzahlen durch die Bevölkerungsverteilungspolitik bestimmt werden, sind Kausalzusammenhänge zwischen demographischer Struktur und Chancen künftiger Entwicklung generell jedenfalls nicht herzustellen.

Trotzdem scheint, auf längere Sicht, eine gleichmäßigere Besiedlung mit alten und neuen, europäischen und orientalischen Bevölkerungsgruppen unerläßlich. In den ersten Jahren, in denen unter dem Druck der Masseneinwanderung, vielfach unmittelbar neben bestehenden, Hals über Kopf gefüllten Übergangslagern, neue Städte errichtet wurden, war eine planmäßige Beeinflussung der Bevölkerungsstruktur kaum möglich gewesen. In die eben fertiggestellten Wohnungen wurden jeweils diejenigen Anwärter eingewiesen, die schon am längsten ausgeharrt und am eifrigsten beim Bau ihrer zukünftigen Behausung mitgeholfen hatten oder deren Familienverhältnisse am dringlichsten eine Entlassung aus dem Lager erheischten. Eine systematische Mischung von europäischen und orientalischen Einwanderern kam schon deswegen kaum in Frage, weil das schubweise Eintreffen der einzelnen Gruppen eine ebenso

schubweise Unterbringung im Lager und weiterhin eine schubweise Einweisung in neue Wohnungen nach sich zog; später aber auch deswegen nicht, weil viele Europäer ihre eigenen Wege gingen und somit gar nicht als Objekte einer wie auch immer gearteten Bevölkerungspolitik zur Verfügung standen. An die Heranziehung einer größeren Zahl von „Vatiqim", für die zunächst größere Wohnungen und qualifiziertere Arbeitsplätze hätten bereitgestellt werden müssen, war vollends nicht zu denken.

Wo überhaupt in den folgenden Jahren experimentiert werden konnte, sind Versuche sowohl mit der radikalen Mischung wie mit der geschlossenen Ansiedlung ethnischer Gruppen gemacht worden. Beides hat sich nicht bewährt. Waren sie von früheren Nachbarn oder sonstigen Vertrauten völlig getrennt, fühlten sich die Einwanderer in der neuen Umgebung, deren Sprache sie erst lernen und an deren Gebräuche sie sich erst gewöhnen mußten, fremd und isoliert und wuchsen, wenn überhaupt, nur sehr langsam in die neue Gemeinschaft hinein. Wurden sie geschlossen angesiedelt, so blieben sie zu sehr unter sich, es bestand kein unmittelbarer Anlaß, mit den neuen Landsleuten bekannt und vertraut zu werden. Hier nahm die Eingliederung aus umgekehrten Gründen zu viel Zeit in Anspruch. Heute werden daher jeweils 30 bis 50 Familien gleicher Herkunft zusammen untergebracht, eine Gruppe, die groß genug ist, um dem einzelnen Sicherheit und nachbarliche Geborgenheit zu geben, aber nicht so groß, daß sie ihn nicht zwänge, auch außerhalb seiner nächsten Umgebung Kontakte zu suchen.

Diese Versuche beschränkten sich allerdings weitgehend auf den ländlichen Bereich, wo die von vornherein straffere landwirtschaftliche Planung, die jahrzehntelange Erfahrung der damit befaßten Siedlungsabteilung der Jewish Agency, nicht zuletzt die überschaubare Geschlossenheit der Lebens- und Arbeitsverhältnisse günstigere Voraussetzungen auch für soziale Experimente schufen. Auf dem städtischen Sektor wurde zunächst nur Qiryat Gat — als Zentrum eines umfassenden und berühmt gewordenen regionalen Siedlungsprojekts — zum Objekt einer ersten, wenn auch noch sehr begrenzten Steuerung. Hier wurde von Anfang an darauf gesehen, daß die zahlreichen Angehörigen des Planungsstabes der Jewish Agency mit ihren Angehörigen in der Stadt wohnten. In der Mehrzahl geborene Israelis oder doch „Vatiqim", sollten sie einen sozialen und politischen Führungskern bilden, der der Einordnung der nachfolgenden Neueinwanderer, welcher Herkunft auch immer, den Weg ebnete. Andere Städte aus gleicher Zeit, Dimona, Netivot, Ma'alot, trotz seiner wirtschaftlichen Schlüsselposition auch Ashdod, wuchsen dagegen wieder mehr oder weniger wild.

Erst in neuester Zeit wird systematischer auf ausgewogenere Verhältnisse zwischen „alt" und „neu", „europäisch" und „orientalisch" hingearbeitet. In Arad wurden zunächst ausschließlich geborene Israelis, meist junge Ehepaare, aufgenommen, erst langsam kommen Neueinwanderer hinzu; für Karmiel hofft man auf eine Mischung von 20% Israelis, 40% Europäern und 40% Orientalen; auch ein neues Stadtviertel von Qiryat Gat soll etwa 20% Israelis mit 30% Europäern und 50% Orientalen vereinen. In ihrer Durchführbarkeit hängen alle diese Pläne jedoch von Faktoren ab, die dem Wirkungsbereich der Planung selbst weitgehend entzogen sind: der Zusammensetzung der Einwanderung, die nicht vorauszusehen, geschweige denn zu beeinflussen ist; der Manipulierbarkeit der Einwanderer, die um so geringer ist, mit je genaueren Vorstellungen und größe-

between demographic structure and future chances of development can hardly be generalized.

Nevertheless, over a longer period a more even spread of population groups — old and new, European and Oriental — seems indispensable. During the first years and under the pressure of mass immigration, a systematic influence on the structure of population was scarcely possible. As new towns were often built in close proximity to hastily filled transitional camps, the houses just completed had to be given to those candidates who had been waiting longest, or who had helped most eagerly with the construction of their new homes, or whose family conditions made removal from the camps most urgent. An elaborate mixing of European and Oriental immigrants could not even be considered. The arrival of the immigrant groups in vast batches implied placing them in the same batches in camps and later into permanent housing. Even later such elaborate mixing was almost impossible, not least because many Europeans went their own way and were not at all subject to any kind of population distribution policy. Equally impossible was the attraction of larger numbers of "Vatiqim" for whom better housing and adequate jobs would have to be provided first.

In the following years, wherever experimentation was possible, radical mixing as well as settling in closed ethnic groups was tried. Neither system proved sound. If the immigrants were separated from former neighbours and friends, they felt strange and isolated in their new surroundings, in which the language still had to be learned and customs were unfamiliar. If it was achieved at all, integration was slow and difficult. Alternatively, if they were settled in closed communities, they remained too much amongst themselves, without immediate need to become acquainted and familiar with their new neighbours. Here also, for the opposite reasons, assimilation took too much time. Today, as a rule, 30 to 50 families of similar origin are settled together, a group big enough to give security and ease to the individual, and also small enough to force it to look out for other contacts.

These experiments, however, were largely confined to the agricultural sector where stricter planning and the long experience of the Settlement Department of the Jewish Agency, as well as more clearly defined living and working conditions, created a better environment for social experiment. Within the urban sector, in the beginning only Qiryat Gat — centre of a comprehensive and now famous regional project — became the subject of a first, still rather limited test. Right from the outset the members of the Jewish Agency planning staff, together with their dependents, were to live in the town. Mostly "Sabras" or "Vatiqim" they were intended to form the social and political elite and to pave the way for the integration of the new immigrants following later. Other towns of the same period, however, Dimona, Netivot, Ma'alot and, despite its key economic position, also Ashdod, grew again in a more or less haphazard way.

Only recently have there been systematic attempts to reach a better balance between "old" and "new", "European" and "Oriental". In Arad at first only Israeli-born, mostly young couples, were accepted, new immigrants following slowly; in Karmiel a mixture of 20% Israelis, 40% Europeans and 40% Orientals is envisaged; a new neighbourhood of Qiryat Gat is to house approximately 20% Israelis, 30% Europeans and 50% Orientals. The extent to which these plans can be realized, however, depends on factors which, to a very large degree, are outside the scope of planning. It is impossible, for

ren Mitteln sie ins Land kommen; schließlich der Möglichkeit, auf freiwilliger Basis „Vatiqim", oder besser ihre Söhne und Töchter, zur Übersiedlung in die neuen Städte zu veranlassen. Eine andere Frage ist, ob solche Kombinationen, die zweifellos die soziale Isolierung der neuen Städte insgesamt vermindern und ihre Anziehungskraft erhöhen würden, auch im einzelnen zu einer rascheren und reibungsloseren Integration der Neueinwanderer und der verschiedenen ethnischen Gruppen führen werden. Eingehende sozialwissenschaftliche Untersuchungen über Dauer, Verlauf und Erfolg derartiger Integrationsprozesse, die hier ja ein zweifaches Gesicht haben — Integration einer neuen Gemeinschaft, Integration in ein bestehendes Staatswesen —, sind noch selten. Wo sie durchgeführt oder eingeleitet wurden, wie in Qiryat Gat, das sich als beliebtes und dankbares Objekt soziologischer Enquêten erwiesen hat, oder in Arad, wo mit Hilfe einer Panel-Untersuchung die Entstehung einer neuen städtischen Gemeinschaft von Anbeginn an beobachtet und registriert werden soll, sind die Ergebnisse weniger positiv, als es die programmatischen Entwürfe und Erklärungen der Planung erwarten ließen.

Gerade der begrenzte Umkreis der kleinen Stadt läßt Unterschiede und Gegensätze, die im weiten Raum der großen mit ihren vielerlei Lebensformen, Sprachen und Gewohnheiten verwischt und ausgeglichen werden, besonders deutlich zutage treten. Auch nach jahrelangem Zusammenleben sind spontane soziale Kontakte zwischen den ethnischen Gruppen noch selten, geselligen Verkehr gibt es praktisch nicht, Heiraten zwischen Angehörigen verschiedener Herkunft gehören — hier noch mehr als im übrigen Land — zu den Ausnahmen.[1] Auch religiöse Gemeinschaften, Interessenvertretungen, Clubs überschreiten im allgemeinen die ethnischen Grenzen nicht. Die politischen Parteien haben bislang zwar eine Orientierung entlang dieser Grenzen vermieden, unterhalten aber ebenfalls gesonderte Hilfsorganisationen für die verschiedenen Einwanderergruppen. Die Trennungslinien werden noch dadurch betont, daß die Europäer dank ihrer besseren Erziehung und Ausbildung zusammen mit den „Vatiqim" die meisten wirtschaftlichen, kulturellen und administrativen Schlüsselstellungen innehaben. Ärzte, Ingenieure, Lehrer, Experten und Berater aller Fachrichtungen werden vorerst fast ausschließlich von der europäischen Einwanderung gestellt, eher schon findet sich ein orientalischer Bürgermeister, den die Gunst seiner Landsleute emporgetragen hat. So notwendig eine qualifizierte Oberschicht für die Entwicklung der Städte insgesamt ist, so trägt sie doch fast unvermeidlich zu einer Akzentuierung der Unterschiede bei.

Es gibt daher durchaus Stimmen, die im Untersichbleiben der orientalischen Neueinwanderer in den neuen Orten Vorteile sehen. Trotzdem scheint die Mischung, und damit die unmittelbare Begegnung und Auseinandersetzung jedes einzelnen, ob „Vatiq" oder „Ole", mit einem der brennendsten Probleme des Landes vorzuziehen zu sein. Neben allen Bemühungen, die von Staats wegen auf die Eingliederung und Assimilation der Neueinwanderer verwandt werden, kann es doch nur das tägliche enge Zusammenleben aller Bevölkerungsgruppen sein, das auf die Dauer auch die neuen Städte aus einer Isolierung befreit, die heute noch eines ihrer wesentlichen sozialen und menschlichen Stigmata bildet.

[1] Von den 16 000 Heiraten, die im Jahr 1963 in Israel registriert wurden, fanden 84,6 % zwischen Angehörigen gleicher, und nur 15,4 % zwischen Angehörigen verschiedener ethnischer Gruppen statt, davon 8,9 % zwischen Männern europäisch/amerikanischer und Frauen asiatisch/afrikanischer Herkunft, und 6,5 % zwischen Männern asiatisch/afrikanischer und Frauen europäisch/amerikanischer Herkunft. Statistical Abstract 1965 (16), S. 65

instance, to estimate, even less to influence, the structure of the immigration; it is difficult to direct the immigrants, especially if they have definite expectations and some means when coming into the country; and it is equally difficult to assess the number of "Vatiqim" or their sons and daughters who will be willing to move to the new towns.

It is questionable, moreover, whether such deliberate schemes, even though in general reducing the social isolation in the new towns and increasing their attraction, will lead to quicker and smoother integration of the new immigrants and the various ethnic groups. Detailed sociological research about the duration, the course and success of such integration processes is still rare; in the new towns they have two faces: integration of a new community and integration into an existing state. Wherever such studies have been carried out or have been begun, as in Qiryat Gat — which is a favourite and rewarding subject of sociological enquiries — or in Arad — where the emergence of a new urban community is to be watched and recorded from the very outset — the results are less positive than might have been expected from the declarations and designs of the plans.

Differences and contrasts, which are blurred and neutralized in large cities with their varied ways of life, languages and customs, are more conspicuous in the narrow framework of a small town. Even after living together for many years, spontaneous contacts between the ethnic groups are relatively scarce, social intercourse hardly exists, and marriage between people of different origin is a rare exception, even more than in the rest of the country.[1]

Religious communities, clubs and associations of all kind generally do not cross ethnic boundaries. So far, the political parties have managed to avoid orientation along such lines, but nevertheless maintain separate relief organizations for the various immigrant groups. These demarcation lines are emphasized even more by the fact that the "Vatiqim" and the Europeans, thanks to their better education and training, occupy most of the key economic, cultural and administrative positions. Doctors, engineers, teachers, technical experts and consultants of all kinds are, at the moment, almost exclusively of European origin. An Oriental mayor is more likely to rise to power by the favour of his own group. Thus a qualified elite, essential as it is for the development of the towns, almost inevitably accentuates the differences. There may be seen advantages, therefore, in keeping the Oriental immigrants among themselves in the new places. All the same, it seems preferable to mix the groups, thus forcing every individual, whether "Vatiq" or "Ole", to face one of the burning problems of the country. Although the State has made tremendous efforts to foster the assimilation and integration of the new immigrants, ultimately it is only the close every day contact between all groups of the population which can free the new towns from the isolation which today is one of their main human and social stigmas.

[1] Of the 16 000 marriages registered in Israel in 1963, 84.6 % were between persons of the same ethnic group and only 15.4 % between persons of different ethnic groups; of these 8.9 % were between men of European/American origin and women of Asian/African origin and 6.5 % between men of Asian/African origin and women of European/American origin. Statistical Abstract 1965 (16), p. 65

Beschäftigung und Industrie

Pläne und Prognosen

Beschäftigung und Beschäftigungsstruktur in den neuen Städten hatten sich für die Landesplanung zunächst im wesentlichen aus den ihnen zugedachten zentralen Funktionen ergeben. Im Vordergrund standen dabei alle Dienste, die die Städte als regionale Zentren — neben ihrer eigenen Versorgung — ihrem ländlichen Hinterland zu leisten haben würden: Verwaltung, Handel, Geldverkehr, höhere Schulen, kulturelle Institutionen, Krankenhäuser, dazu spezielle technische Einrichtungen, wie sie die landwirtschaftlichen Produkte der Umgebung erforderten, etwa Packhäuser für Citrusfrüchte, Baumwollentkernungsanlagen, Sortierbetriebe, Schlachthöfe, Kühl- und Vorratshäuser und dergleichen. Zu diesen Diensten gehörte aber auch die Unterbringung landwirtschaftlicher Lohnarbeiter, die in den ländlichen Siedlungen selbst wegen ihrer genossenschaftlichen Struktur keine Ansiedlungsmöglichkeiten finden würden. Schließlich sollte auch die Weiterverarbeitung regionaler Produkte etwa in mittleren Nahrungsmittelbetrieben möglichst bereits am Ort erfolgen. Andere standortgebundene Funktionen wie die Ausbeutung und Verarbeitung örtlicher Bodenschätze, Verkehr, Tourismus würden nur in besonderen Fällen, etwa in den beiden neuen Hafenstädten Ashdod und Elat, in klimatisch besonders begünstigten Orten wie Zefat und Tiberias, und im Negev, wo wegen der geringen Siedlungsdichte in keinem Falle mit ausreichenden Zentralfunktionen zu rechnen war, eine ausschlaggebende Rolle spielen.

Vor allem für größere Orte waren als Ergänzung von vornherein aber auch schon standortungebundene Leichtindustrien vorgesehen, die, zusammen mit den Nahrungsmittelbetrieben, jedoch im allgemeinen nicht mehr als 25 % bis 30 % der benötigten Arbeitsplätze stellen sollten.[1] Solche Industrien, in denen angesichts der spärlichen Bodenschätze auch für die Zukunft die eigentlichen Chancen des Landes gesehen wurden, waren, mehr noch als die Bevölkerung, während der Mandatszeit fast ausschließlich auf die Küstengebiete und auf Jerusalem konzentriert gewesen. Trotzdem wurden in einer Verlagerung um so weniger Schwierigkeiten gesehen, als die Mehrzahl der Industriezweige überhaupt erst im Aufbau begriffen war und daher keine kostspielige Umsiedlung schon bestehender, sondern nur eine planmäßige Lenkung neuer Unternehmen vorgenommen werden mußte.[2] Vorausgesetzt,

[1] A. Sharon, a. a. O., S. 12/13. Nur die wenigen Detailpläne, die aus dieser Zeit vorhanden sind, deuten darauf hin, daß auch der Bautätigkeit noch auf längere Sicht hin ein gewichtiger Platz eingeräumt wurde. Für Qiryat Shemona, Afula und Ma'alot zum Beispiel war an folgende Verteilung gedacht:

	Q. Shemona %	Afula %	Ma'alot %
Landwirtschaft	7	3	6
Industrie und Handwerk	27	28	28
Bau und öffentliche Arbeiten	20	21	17
Transport und Verkehr	4	6	5
Handel und Geldverkehr	13	13	13
Dienstleistungen	26	27	27
Anderes	3	2	4
Insgesamt	100	100	100

Vgl. A. Sharon, a. a. O., S. 36 und 52; E. Brutzkus: Report on Problems of Geographical Distribution of Population in Israel, a. a. O., S. 10
[2] Der Industriezensus von 1942 hatte, bei einer Gesamtbevölkerung von 1 620 000 Arabern und 484 400 Juden, für das damalige Palästina nur 46 500 industrielle Arbeitsplätze ermittelt, die sich auf die einzelnen Zweige wie folgt verteilten:

(Fortsetzung S. 42)

Employment and Industry

Plans and Prognoses

According to the first plans, employment and the employment structure in the new towns would result mainly from the central functions attributed to them. In the first place came all those services which the towns, as regional centres, were to offer their rural hinterlands: administration, commerce, banking, secondary schools, cultural institutions and hospitals, in addition special technical services needed for the agricultural produce of the surroundings, e.g. packing plants for citrus fruit, cotton gins, sorting and grading plants, slaughterhouses, refrigerating and storage plants and the like. Another function was seen in housing those agricultural workers who, because of their co-operative or collective organization, could not be accomodated in the rural settlements themselves. Finally, wherever possible processing of regional products, for instance in medium-sized food factories, was to be carried out already on the local level. Only in special cases were other functions, linked to specific locations, to be of significance: the exploiting and processing of minerals, communication, tourism — as, for instance, in the two new ports af Ashdod and Elat, in climatically favoured places like Zefat and Tiberias, and in the Negev where central functions were unlikely to develop because of the low population densities.

Right from the beginning, light industries, not tied to specific locations, were to supplement employment at least in the larger places. These, however, together with the food industries, should not supply more than 25 % to 35 % of the jobs needed.[1] During the period of the Mandate, such industries which, especially in view of its lack of natural resources, promised the real future opportunities for the country, had been located almost exclusively in the coastal areas and around Jerusalem, to an even greater extent than the population. Nevertheless, a redistribution was not considered too difficult; the majority of the various industries were only just being organized and therefore no expensive resettlement of existing, only a systematic direction of new enterprises had to be undertaken.[2] It was believed that, if only the necessary communications, water and electricity could be provided, these industries would not be dependent on proximity to the coast or to the large cities, but would in fact find better conditions, more space, cheaper labour, in the development areas. In the first land use plans, therefore, special emphasis was laid on generous and well-equipped industrial sites which eventually could be completed by the erection of standard factories for leasing to small and medium-sized shops. Detailed suggestions,

[1] A. Sharon, op. cit., pp. 12/13. The few detailed plans available for this period show that the building industry, too, would, for some time to come, be of some importance. For Qiryat Shemona, Afula and Ma'alot, for instance, the following distribution was suggested:

	Q. Shemona %	Afula %	Ma'alot %
Agriculture	7	3	6
Industry and Crafts	27	28	28
Building and Public Works	20	21	17
Transport and Communications	4	6	5
Commerce and Banking	13	13	13
Service Industries	26	27	27
Miscellaneous	3	2	4
Total	100	100	100

Cf. A. Sharon: op. cit., pp. 36 and 52; and E. Brutzkus: Report on Problems of Geographical Distribution of Population in Israel, op. cit., p. 10
[2] The industrial census of 1942 showed, with a total population of 484 000 Jews and 1 620 000 Arabs in the former Palestine, only 46 500 industrial jobs which were distributed as follows:

(continued p. 42)

daß ihnen die nötigen Verkehrswege, Wasser und Elektrizität zur Verfügung ständen, waren diese, wie man glaubte, auch nicht auf die Nähe der Küste und der großen Städte angewiesen und würden in den Entwicklungsgebieten sogar bessere Bedingungen, vor allem mehr Raum und billigere Arbeitskräfte finden als in den alten Zentren. In den ersten Flächennutzungsplänen wurde daher auch besonderer Nachdruck auf großzügiges und gut ausgestattetes Industriegelände gelegt, das gegebenenfalls durch die Bereitstellung fertiger Fabrikhallen für kleine und mittlere Betriebe besonders anziehend gestaltet werden sollte. Ins einzelne gehende Vorschläge über die Art der anzusiedelnden Branchen oder auch eventuelle Schwerpunktbildungen wurden jedoch nicht gemacht.

Auch würde — darüber herrschte stillschweigendes Einvernehmen — die Planung und Errichtung industrieller Arbeitsstätten der Planung und Errichtung der neuen Siedlungen nicht vorausgehen, sondern nachfolgen müssen. Diese Reihenfolge ergab sich aus der Not der Zeit, die die Chance der Masseneinwanderung jetzt oder nie für die Neugründungen zu nützen hatte und auf die notwendig langwierigeren Verhandlungen und Vorbereitungen für die Heranziehung industrieller Unternehmen nicht warten konnte; dann aber auch aus den begrenzten finanziellen, wirtschaftlichen und administrativen Möglichkeiten des Landes, das durch die Aufnahme, erste Unterbringung und Versorgung dieser Masseneinwanderung bereits aufs äußerste beansprucht und zu keinen weiteren Anstrengungen in der Lage war. Das unvermeidliche Interim hoffte man durch die Beschäftigung der ersten Bewohner bei Erschließungs- und Entwicklungsarbeiten, beim Verlegen von Wasser- und Stromleitungen, bei Bodenmeliorationen und Aufforstungsprojekten, nicht zuletzt beim Bau ihrer eigenen Häuser, leicht zu überbrücken. Würde sich trotzdem temporäre Arbeitslosigkeit oder Unterbeschäftigung ergeben, so sollten die zahlreich vorgesehenen Nebenerwerbssiedlungen — ebenfalls eine Reminiszenz aus der Zeit der Weltwirtschaftskrise — jedenfalls einen Teil des Unterhalts in Form von Naturalien aus eigenem Grund und Boden sichern.

Die ersten Jahre

Die tatsächliche Entwicklung, die die neuen Städte seit ihrer Gründung genommen haben, ist in mancher Hinsicht diesen Plänen und Prognosen gefolgt, vielfach ist sie aber auch andere Wege gegangen. Die Unterschiede von Stadt zu Stadt waren dabei beträchtlich, je nach dem Zeitpunkt des Baubeginns, je nach der geographischen Lage im Norden oder im Süden, in intensiv genutzten und dichtbesiedelten oder in bergigen oder ariden und spärlich oder kaum besiedelten Gebieten, aber auch je nach dem öffentlichen Interesse und der speziellen Förderung, die ihnen zuteil wurden. Gemeinsam war jedoch eines: Während in den ersten Jahren in der Tat

however, as to the types of industries to be attracted or to the concentration of such industries in special centres of gravity were not made.

At the same time an unspoken agreement existed that the planning and building of industrial enterprises would have to follow, not to precede the planning and building of the new towns. This sequence reflected the need of the time: to make the most of the unique chance offered by the mass immigration to the new settlements, a chance which could not wait for the lengthy negotiations and preparations necessary for attracting industrial firms. Besides, the limited financial, economic and administrative capacities of the country were already strained to the utmost by the reception, housing and general maintenance of the vast numbers of immigrants, leaving no reserve for anything further. The unavoidable interim period was hoped to be bridged easily by utilizing the first settlers for land reclamation and development projects, for laying water pipes and power lines, for road construction and reafforestation as well as for building their own homes. If, after all, temporary unemployment or underemployment could not be avoided, the numerous small-holdings which were set up — another reminiscence of the Great Depression — were to provide at least a partial living from the produce of their own soil.

The First Years

In many respects the actual course of development in the new towns followed these plans and projections, but frequently it went a different way. The differences from town to town were considerable, depending on a variety of factors. Of great importance was the time when building first started, and so was the geographical position (north vs. south) and the location in intensively used and densely settled areas, or in hilly, arid and half-empty regions; also the degree of public interest and Government assistance allocated to the town. One factor, however, applied everywhere. During the first years, a large number of the workers available did in fact find jobs in opening up the country and in land reclamation, in housing construction and in agriculture, but the anticipated demand for service industries and the attraction of other industries left much to be desired. This was due partly to the yet very low standard of living of the urban population as such, partly to their economic and social inferiority and isolation with respect to their rural hinterland which, as a result of its co-operative or collective structure, was in any case independent of small town services — a fact which planning had not foreseen to this extent. As a consequence, a large proportion of the technical services, grading and packing, cold-storage, slaughterhouses, and even the processing of regional products, settled not as had been hoped in the towns, but on the flat open country.[1]

[1] For more details see "Town and Region", pp. 77 ff.

	Araber abs.	Araber %	Juden abs.	Juden %
Nahrungsmittel	2 853	32,4	8 241	21,8
Textil und Bekleidung	3 096	35,2	8 691	23,0
Holz und Holzprodukte	669	7,6	1 467	3,9
Druck und Papier	210	2,4	1 144	3,0
Leder und Lederwaren	213	2,4	973	2,6
Gummi und Plastik	—	—	246	0,7
Öl und Chemikalien	191	2,2	2 220	5,9
Baumaterialien u. ä.	269	3,0	2 036	5,4
Metalle, Metallprodukte, Maschinen	1 137	12,9	8 107	21,4
Schmuckwaren	—	—	3 404	9,0
Verschiedenes	166	1,9	1 244	3,3
Insgesamt	8 804	100	37 773	100

Quelle: Statistical Abstract of Palestine 1944—45, S. 55 ff.

	Arabs No.	Arabs %	Jews No.	Jews %
Food Industries	2 853	32.4	8 241	21.8
Textiles and Clothing	3 096	35.2	8 691	23.0
Wood and Wood products	669	7.6	1 467	3.9
Printing and Paper	210	2.4	1 144	3.0
Leather and Leather products	213	2.4	973	2.6
Rubber and Plastic	—	—	246	0.7
Oil and Chemicals	191	2.2	2 220	5.9
Building materials, and allied industries	269	3.0	2 036	5.4
Metal and Metal products, Machinery	1 137	12.9	8 107	21.4
Jewellery	—	—	3 404	9.0
Miscellaneous	166	1.9	1 244	3.3
Total	8 804	100	37 773	100

Source: Statistical Abstract of Palestine 1944—45, pp. 55 ff.

ein großer Teil der bereitstehenden Arbeitskräfte bei Erschließungs- und Meliorationsaufgaben und beim Wohnungsbau beschäftigt werden konnte oder in der Landwirtschaft der Umgebung sein Auskommen fand, ließ sowohl die erhoffte Nachfrage nach Dienstleistungen wie auch das Nachfolgen der Industrie auf sich warten. Die zögernde Entfaltung des Dienstleistungssektors war dabei einmal durch den zunächst sehr niedrigen Lebensstandard der Stadtbevölkerung selbst bedingt, mehr aber noch durch ihre eindeutige wirtschaftliche und soziale Unterlegenheit und Isolierung gegenüber ihrem ländlichen Hinterland, das überdies wegen seiner genossenschaftlichen oder kollektivistischen Struktur von kleinstädtischen Diensten weitgehend unabhängig war — eine Tatsache, die die Planung in diesem Ausmaß jedenfalls nicht vorausgesehen hatte. Diese Unterlegenheit brachte es auch mit sich, daß sich ein großer Teil der technischen Anlagen, Pack- und Sortierbetriebe, Kühlhäuser, Schlachthöfe, die man für die Städte erhofft hatte, ja sogar die Verarbeitung regionaler Produkte, nicht in diesen, sondern auf dem flachen Lande selbst niederließ.[1]

Auf dem industriellen Sektor hingegen machte sich das Ausbleiben einer regional orientierten Wirtschaftsplanung und -politik bemerkbar. Der spontane Sog, den man erwartet hatte, blieb aus, auch die neuen Betriebe zogen die Küste vor; gezielte Maßnahmen zur Verteilung der Industrie, mit denen man ebenfalls gerechnet hatte, setzten erst mit geraumer Verspätung ein und erreichten in keinem Falle die Zähigkeit und Konsequenz der gleichzeitig laufenden Bevölkerungsverteilung. Vollmachten und Einflußmöglichkeiten der Landesplanung selbst waren und sind auf diesem Gebiet außerordentlich beschränkt; weder verfügt sie über einen geeigneten Stab, um detaillierte Wirtschaftspläne auszuarbeiten, noch über die gesetzlichen Möglichkeiten oder die Macht, sie durchzusetzen.[2] Mit der Zeit kam hinzu, daß sich die Landwirtschaft, soweit es sich um Kibbutzim handelte, durch die ihrer Ideologie zuwiderlaufende Beschäftigung von Lohnarbeitern immer mehr in Verlegenheit gesetzt sah und diese durch verstärkte Rationalisierungsmaßnahmen eher zu vermindern als zu vermehren trachtete. Auch war die landwirtschaftliche Beschäftigung von vornherein durch den erheblichen Anteil an Saisonarbeiten belastet, der sich auch mittelbar auf die spezifischen Dienstleistungen — Verpackung, Sortierung, Nachreifung und dergleichen — und darüber hinaus auf die weiterverarbeitenden Industrien — Zucker, Konserven, Dörrgemüse, Obstsäfte — auswirkte. Die Nebenerwerbssiedlungen schließlich erwiesen sich in jeder Hinsicht als Fehlschlag, wirtschaftlich nicht weniger als städtebaulich, da die wenigsten ihrer Inhaber rationell mit einem Stück Land umzugehen verstanden und, abgesehen von dem enormen Wasserverbrauch in einem wasserarmen Lande, die Kosten des selbsterzeugten Gemüses, Obstes oder Geflügels sehr bald weit über den Marktpreisen lagen.

Mit Beendigung der wichtigsten Erschließungsarbeiten breitete sich daher Arbeitslosigkeit aus, die nur durch großzügige Vergabe von Notstandsarbeiten — die landesübliche Form der Arbeitslosenunterstützung — notdürftig überbrückt werden konnte. Ihren Höhepunkt erreichte diese Entwicklung in den Jahren 1953 bis 1957, zu einer Zeit, als auch im übrigen Lande die Beschäftigungslage zu wünschen übrig ließ.[3] Aber auch

Still more noticeable was the lack of regional planning and policy in the industrial sector. The spontaneous attraction which had been expected did not materialize. The new factories, too, preferred the coast. Definite measures to guide the distribution of industry which had been hoped for got under way only with considerable delay, and did in no way match the toughness and consistency of the population distribution policy carried out simultaneously. In this field the sphere of influence and the actual powers of the planning authorities were, and still are, exceedingly limited. There is neither adequate staff to work out detailed economic plans, nor do the planning authorities have sufficient legal backing to enforce such plans.[1] As time went on, moreover, agriculture, above all the Kibbutzim with their ideologically based dislike for salaried work, became more and more subject to mechanization measures which aimed at restricting rather than increasing its employment potential. From the very outset employment in agriculture was further restricted by the large amount of seasonal work, in particular in the above-mentioned specific services, such as subsequent maturing, grading and packing, and, consequently, also in processing industries, such as sugar refining, tinning, drying of vegetables and preparing of fruit juices. Finally, the smallholdings proved a failure in every respect — economically no less than in terms of town planning. Most of the owners were incapable of dealing rationally with a parcel of land and, apart from the enormous waste of water in a semi-arid country, the cost of such home-made fruit, vegetables or poultry, soon was much above any market price.

Thus, when the main development projects had been completed, unemployment began to spread. Only superficially this could be overcome by generous allocation of public relief work, the customary form of unemployment-benefits. This trend reached its peak during the years 1953 to 1957, a period when the employment situation in the country was generally bad.[2] Even in July 1959, a survey conducted jointly by the Ministry of Labour and the Ministry of Interior in some of the new towns revealed that, though only 4.5% of the male workers were actually registered as looking for work (comprising 2% completely without work, and 2.5% without suitable work), of the 95.5% employed only 52.5% had regular work, and 43% were engaged in all kinds of public relief works. In particularly unfortunate circumstances this number rose to 75% (Netivot) and even to 85% (Ma'alot, Shlomi), in more favourable circumstances it dropped to 23% to 24% (Ashdod, Nazerat Illit).[3] This situation led to considerable unrest and discontent and to the exodus of large numbers of the population towards the coastal areas. From about 1955/56 onwards, therefore, a series of measures were introduced which - since it seemed impossible to influence decisively and on short notice other parts of the economy, for instance the service sector — aimed primarily at the attraction of manufacturing industries. These measures

---

[1] Hierüber ausführlich im Kapitel „Stadt und Region", S. 77 ff.
[2] Über die gesetzlichen Möglichkeiten und Grenzen der Planung vgl. S. 90 ff.
[3] Im November 1955 waren 7,2% der zivilen Erwerbsbevölkerung arbeitslos, seither ist diese Quote stetig auf 3,3% im Jahre 1964 gesunken (Militärpersonen sind bei allen statistischen Angaben über die Erwerbsbevölkerung ausge-

[1] For legal possibilities and limitations of planning, see pp. 90 ff.
[2] In November 1952, 7.2% of the civilian labour force was without work. Since then this figure has dropped steadily to 3.3% in 1964. Statistical Abstract 1965 (16), p. 295. (Military personnel are not included in any employment statistics.) These figures, however, give only a very limited picture of actual conditions as public relief workers count as employed and are only included in the unemployment statistics if they are registered at the Labour Exchange as looking for work. Especially with the more difficult cases this does not always happen. Furthermore, part-time work embraces a very wide range (from 1 to 34 hours) and this often conceals rather than discloses the actual situation.
[3] Ministry of Labour and Ministry of Interior: Survey of Population and Employment in Development Towns, Jerusalem 1960 (in Hebrew). The towns covered by the survey are Shlomi, Ma'alot, Nazerat Illit, Migdal HaEmeq, Bet She'an, Yavne, Ashdod, Qiryat Malakhi, Qiryat Gat, Netivot and Sederot.

noch im Juli 1959 ergab eine gemeinsam vom Innen- und Arbeitsministerium durchgeführte Untersuchung der Verhältnisse in einigen Neugründungen, daß von den männlichen Erwerbspersonen zwar nur 4,5 % als Arbeitsuchende registriert waren — davon 2 % ganz ohne Arbeit und 2,5 % ohne passende Arbeit —, daß unter den 95,5 % Beschäftigten aber nur 52,5 % reguläre Arbeitsplätze innehatten, während 43,0 % bei öffentlichen Arbeiten verschiedenster Art eingesetzt waren. Unter besonders ungünstigen Umständen betrug der Anteil der öffentlichen Arbeiten sogar bis zu 75 % (Netivot) und 85 % (Ma'alot, Shlomi), unter günstigen dagegen nur 23 % bis 24 % (Ashdod, Nazerat Illit).[1]

Angesichts dieser Situation, die mit beträchtlicher Unruhe und Unzufriedenheit und mit der scharenweisen Rückwanderung neueingewiesener Bewohner einherging, wurde seit Mitte der fünfziger Jahre mit einer Reihe von aktiven Förderungsmaßnahmen begonnen, die sich, da andere Wirtschaftsbereiche — etwa der Dienstleistungssektor — kaum kurzfristig und durchgreifend zu beeinflussen waren, vor allem auf die Heranziehung von Industriebetrieben konzentrierten. Diese Maßnahmen bestanden, und bestehen noch, vor allem in der Vermittlung außerordentlich günstiger Kredite aus dem Entwicklungsbudget, dann in der kostenlosen Überlassung von fertig erschlossenem Betriebsgelände, schließlich in der Anwendung der Bestimmungen des „Law for the Encouragement of Capital Investments" von 1959, in dem alle bisher verstreuten Vergünstigungen zusammengefaßt und gesetzlich untermauert wurden, auf die von den jeweiligen Unternehmern selbst eingebrachten Gelder. Dieses Gesetz sieht erhebliche Steuer- und Gebührennachlässe für in- und ausländische Investoren vor, sofern der geplante Betrieb durch das dafür zuständige Gremium in die Kategorie der „Approved Enterprises" aufgenommen wird. Als eine der Voraussetzungen für diese Aufnahme gilt, daß die Investitionen die „absorption of immigration, the planned distribution of the population over the area of the State and the creation of new sources of employment" fördern, eine Voraussetzung, die in den neuen Städten fast automatisch gegeben ist.

Die Kredite, die an solchermaßen ausgewiesene Unternehmen vergeben werden, sind in ihrer Höhe, Laufzeit und Verzinsung im allgemeinen auf die Dringlichkeit der Arbeitsbeschaffung in den einzelnen Orten abgestellt und konnten bis zu 100 % der Gebäude- und bis zu 65 % der Maschinen- und Installationskosten betragen. Für Gebäude sind längere Laufzeiten und niedrigere Zinssätze vorgesehen, bis zu 20 Jahre bei etwa 4 %, für Maschinen und Installationen kürzere Laufzeiten und höhere Zinssätze, bis zu 13 Jahre bei 6 %. Daneben gibt es gewisse Richtlinien, die die Höhe der Kredite und die Kreditbedingungen dem Entwicklungsstand und den Entwicklungsaussichten der einzelnen Städte anzupassen suchen — für Ashdod zum Beispiel wurden zuletzt kaum mehr als 30 % gegeben, für Beer Sheva 50 %, für die meisten anderen 60 % —,

offered a number of vigorous incentives, e.g. advantageous loans from the development budget, industrial sites free of charge, and the application of the provisions of the "Law for the Encouragement of Capital Investment" to any funds brought in by the private investors themselves. In this law, passed in 1959, all the so far scattered advantages granted to individual investors were collected and legally guaranteed. Such advantages include the recognition of desirable industries as "Approved Enterprises", with considerable tax and fee remissions for both Israeli and foreign capital. One of the main conditions for approval is that the investments are to further "the absorption of immigration, the planned distribution of the population over the area of the State and the creation of new sources of employment", a pre-requisite given almost automatically in the new towns.

The terms on which the loans are granted are adjusted primarily to the urgency of employment to be created in the individual towns. They may cover up to 100 % of the cost of building and up to 65 % of the cost of machines and installations. Longer terms and lower rates of interest are granted for buildings (up to 20 years at approximately 4 %), shorter terms and higher rates of interest for machines and installations (up to 13 years at 6 %). Certain additional directives try to adapt the loans and the loan conditions to the present stage of development and the future development chances of the place. Ashdod, for instance, received at last hardly more than 30 %, Beer Sheva 50 %, and most of the other towns 60 %. The whole system is kept very flexible, depending on the changing circumstances in the places themselves, on the amount of employment to be expected and, as in all such cases, on the adroitness of the individual applicant.

---

klammert). Statistical Abstract 1965 (16), S. 295. — Diese Zahlen geben allerdings nur sehr bedingt Aufschluß über die tatsächliche Beschäftigungslage, da Notstandsarbeiter zunächst als Beschäftigte gelten und nur dann in der Arbeitslosenstatistik auftauchen, wenn sie sich beim Arbeitsamt als Arbeitsuchende registriert haben — was gerade bei schwierigen Fällen durchaus nicht immer der Fall ist. Ebenso wird durch die begrifflich sehr weite Spannung der Teilarbeit (zwischen 1 und 34 Stunden) vieles eher verdeckt als geklärt.

[1] Ministry of Labour and Ministry of Interior: Survey of Population and Employment in Development Towns. Jerusalem 1960 (Hebräisch). Bei den untersuchten Städten handelt es sich um Shlomi, Ma'alot, Nazerat Illit, Migdal HaEmeq, Bet She'an, Yavne, Ashdod, Qiryat Malakhi, Qiryat Gat, Netivot und Sederot.

doch wird das ganze System sehr beweglich gehandhabt, je nach der wechselnden Lage in den Städten selbst, je nach der Anzahl der zu erwartenden Arbeitsplätze, und, wie überall in solchen Fällen, je nach der Geschicklichkeit des Antragstellers selbst.

Das Arbeitskräftepotential

Das Bild, wie es sich heute darstellt, ist zu einem großen Teil bereits durch diese Förderungsmaßnahmen bedingt, dazu aber auch weiterhin durch das unterschiedliche funktionale Verhältnis der Städte zu ihrem Hinterland und, nicht zuletzt, durch ihre spezifische demographische Struktur. Diese demographische Struktur übt zwar nur einen relativ geringen, und höchstens mittelbaren, Einfluß auf die vorhandenen Arbeits p l ä t z e aus, einen um so größeren aber auf Menge und Qualität der primär zur Verfügung stehenden Arbeits k r ä f t e. Obgleich genaue Angaben über das Arbeitskräftepotential in den neuen Städten nicht in allen Fällen vorhanden sind, ergeben sich Hinweise doch bereits aus dem jeweiligen Anteil an orientalischen Neueinwanderern. Schon wegen ihrer großen Kinderzahl ist unter diesen der Anteil an Personen, die überhaupt als Arbeitskräfte in Frage kommen, von vornherein wesentlich geringer als unter der übrigen Bevölkerung. Geringer ist aber auch die Erwerbsquote. Von den mehr als 14jährigen Eingewanderten europäischer oder amerikanischer Herkunft gehörten im Durchschnitt des Jahres 1963 57,3% (Männer 82,7%, Frauen 31,9%) der zivilen Erwerbsbevölkerung an, von denen asiatischer oder afrikanischer Herkunft aber nur 50,3% (Männer 76,0%, Frauen 24,0%). Besonders niedrig ist diese Quote bei den erst seit 1955 Eingewanderten, bei denen sie nur 46,1% beträgt.[1] Für die Wirtschafts- und Beschäftigungslage der Neugründungen, in denen diese ethnischen Gruppen bei weitem in der Überzahl sind, bedeutet dies, daß sie im Verhältnis zu ihrer Einwohnerzahl noch über ein vergleichweise geringes Arbeitskräftepotential verfügen, wesentlich weniger Personen die Last des Unterhalts der Gesamtheit tragen; für die einzelnen Familien, daß auf jeden Verdienenden mehr unterhaltsbedürftige Familienmitglieder entfallen, und zwar offenbar nicht nur Kinder, sondern auch — aus welchem Grunde auch immer — nicht erwerbstätige Erwachsene. Eine zusätzliche Belastung stellt auch die relativ große Zahl der Fürsorgefälle dar. Während im Landesdurchschnitt (1963) nur 4,4% aller jüdischen Familien überwiegend durch Fürsorgeleistungen unterhalten wurden, waren es in den neuen Städten 11,6%.[2]

Weitere Nachteile ergeben sich aus der Qualität der verfügbaren Arbeitskräfte, und zwar in erster Linie wegen des generell niedrigeren Bildungs- und Ausbildungsstandes wiederum der orientalischen Neueinwanderer. Bei der Volkszählung 1961 hatte der Anteil an Analphabeten unter diesen mehr als 30% betragen, unter den übrigen dagegen kaum 2%. Auch die kürzere Dauer des Schulbesuchs — durchschnittlich 5,9 Jahre gegenüber 9,1 Jahren bei Europäern und sogar 10,5 Jahren bei geborenen Israelis — wirkt sich ungünstig aus. Dem entspricht

The Labour Force

The present situation is influenced partly already by these measures and incentives, partly still by the varying functional relationship of the towns to their hinterland and, not least, by their specific demographic structure. This demographic structure affects the number of available j o b s only to a relative and indirect extent, but exerts a marked influence on the number and the quality of the available w o r k e r s. Although exact figures about the labour potential in the new towns are not everywhere at hand, some clues can be obtained from the varying proportion of Oriental immigrants. Among these, because of their numerous children, the proportion of persons of working age is much smaller than among the rest of the population. Lower also is the rate of activity. In 1963 57.3% (men 82.7%, women 31.9%) of immigrants over 14 years old from Europe or America belonged to the civilian labour force, compared with only 50.3% (men 76.0%, women 24.0%) of immigrants from Asia or Africa. A lower proportion still (46.1%) is found amongst immigrants who came only after 1955.[1] For the economic and employment situation in towns where these ethnic groups prevail, this means that in relation to their total number of inhabitants, there is a comparatively small labour potential and, accordingly, fewer people to support the community as a whole; for the individual family, it means that each person earning has a larger number of heads to maintain, not only children but also, for whatever the reason may be, non-employable adults. An additional burden is the relatively large number of people needing public assistance. Whereas in 1963, on a national average, only 4.4% of all Jewish families were dependent on such assistance, in the new towns there were 11.6%.[2]

Further drawbacks result from the quality of the available labour force, especially from the generally low standard of education and technical training among the Oriental immigrants. The 1961 census showed more than 30% illiterates amongst them, as compared with only 2% amongst the rest, and a far shorter period of schooling, too, on an average only 5.9 years, as compared with 9.1 years among the Europeans and even 10.5 years among the Israeli-born. Equally low is the proportion of qualified or trained professional workers (university graduates, teachers, technicians and other such employees), 16%, compared with 37.8% among the Europeans.[3] Moreover, especially among the immigrants from the Southern Mediterranean, a large number of small traders, merchants and agents were to be found, who were unable to follow their former trade in the new State with its very different needs.

Relating only to the number of Oriental immigrants, these figures give only indirect information about the labour potential in the new towns; nevertheless they show that the reserves of qualified workers are still limited, more limited than in the older towns and especially more so than in the big cities. Furthermore, experience has shown that Oriental immigrants with better education and more enterprise prefer to look for a home

---

[1] Central Bureau of Statistics: Labour Force Surveys 1963, Jerusalem 1965, S. 12. Die Quoten für afrikanische und asiatische Einwanderer insgesamt entsprechen dabei fast genau den Ergebnissen der bereits erwähnten Erhebung des Arbeitsministeriums im Jahre 1963, die für 21 neue Städte eine Erwerbsquote von 50% (Männer 76%, Frauen 21%) ermittelte. Ministry of Labour: Manpower in Development Towns, a. a. O., S. 32. Für Orte mit 5000 und mehr Einwohnern hatte auch bereits die Volkszählung 1961 ergeben, daß, auf die G e s a m t einwohnerschaft bezogen, die Erwerbsquote in den neuen Städten nur 29,8% betrug, in den älteren Klein- und Mittelstädten 33,6%, in den Großstädten sogar 37,2%. The Settlements of Israel, Part IV, a. a. O., S. 79.

[2] Ministry of Labour: Manpower in Development Towns, a. a. O., S. 26

[1] Central Bureau of Statistics: Labour Force Survey 1963, Jerusalem 1965, p. 12. The quotas for the African and Asian immigrants altogether correspond almost exactly with the already mentioned figures of the Ministry of Labour, which show for 21 new towns an activity rate of 50% (men 76%, women 21%). Ministry of Labour: Manpower in Development Towns, op. cit., p. 32. For places with 5000 or more inhabitants, the 1961 Population Census had already indicated that, in relation to the t o t a l population, the activity rate in the new towns was only 29.8%, in the older small and medium-sized towns 33.6%, in the big cities as even 37.2%. The Settlements of Israel, Part IV, op. cit., p. 79

[2] Ministry of Labour: Manpower in Development Towns, op. cit., p. 26

[3] Central Bureau of Statistics: Labour Force, Part II, Jerusalem 1964, p. 29

in der Berufsstruktur ein sehr geringer Anteil an qualifizierten Fachkräften (Akademikern, Lehrern, Technikern und sonstigen Angestellten), nur 16%, bei den Europäern hingegen 37,8%.[1] Auch hatten sich gerade unter den Einwanderern aus dem südlichen Mittelmeerraum besonders viele kleine Händler, Verkäufer und Agenten befunden, die in dem neuen Staat mit seinen andersartigen Bedürfnissen nur selten ihrem früheren Gewerbe nachgehen konnten.

Auch wenn viele dieser Zahlen nur mittelbar, eben über den jeweiligen Anteil an orientalischen Neueinwanderern, Aussagen über das Arbeitskräftepotential in den Neugründungen gestatten, so lassen sie doch erkennen, daß das Angebot an qualifizierten Arbeitskräften zunächst noch begrenzt ist, begrenzter als in den älteren Städten, vor allem aber in den Großstädten. Hierzu trägt weiter bei, daß sich erfahrungsgemäß auch unter den orientalischen Einwanderern die besser ausgebildeten und unternehmenderen Elemente nach Möglichkeit schon vor oder sofort nach ihrer Ankunft selbständig Unterkunft und einen Arbeitsplatz suchen oder aber, wenn sie zunächst weder Zeit noch Gelegenheit dazu haben, später eher wieder zur Küste zurückkehren. Schon von dieser Seite her besteht also die Gefahr eines Circulus vitiosus, wie er leicht dann eintritt, wenn das Fehlen von qualifizierten Arbeitskräften die Ansiedlung anspruchsvollerer Betriebe hindert und das Fehlen solcher Betriebe den Zuzug oder auch nur das Verbleiben qualifizierter Arbeitskräfte hemmt.

Die Beschäftigungslage

Zur Feststellung der tatsächlichen Beschäftigungslage muß ebenfalls zunächst auf mittelbare Größen zurückgegriffen werden. Hierfür kommen wiederum Angaben über die verschiedenen ethnischen Gruppen in Frage.[2] Diese lassen erkennen, daß auch die wirkliche Beschäftigungslage unter den orientalischen Einwanderern um einiges schlechter ist als unter den übrigen, und zwar um so schlechter, je später sie ins Land gekommen sind. Teilarbeit oder Arbeitslosigkeit gab es unter ihnen zu 17,6% bzw. 5,5%, unter den Europäern zu 16,3% bzw. 2,0%. Am schlechtesten gestellt sind wieder die erst seit 1955 Gekommenen, die auch schon durch ihre ungünstige Altersstruktur und niedrige Erwerbsquote benachteiligt waren. Gerade diese Gruppe aber spielt, wie sich immer wieder gezeigt hat, in den neuen Städten eine besonders große Rolle.

Insofern ergeben auch die Erhebungen des Arbeitsministeriums jedenfalls für den größten Teil der Neugründungen einen im Vergleich zum Landesdurchschnitt wesentlich geringeren Anteil an regulär und ständig Beschäftigten, nämlich 77,3% gegenüber 93,7%. Um so größer ist die Quote der Notstandsarbeiter, 9,9% gegenüber 2,5%, und die der Arbeitslosen, 12,8% gegenüber 3,6%.[3] Besonders ungünstig ist die Lage bei den weiblichen Arbeitskräften, die sich weit häufiger mit Saisonarbeit begnügen müssen und an die Notstandsarbeiten nur in Ausnahmefällen vergeben werden.[4]

[1] Central Bureau of Statistics: Labour Force – Part II, Jerusalem 1964, S. XXIX
[2] Obgleich die vorhandenen Daten die Landbevölkerung mit einbeziehen, können Abweichungen fast ausschließlich auf die Städte bezogen werden, da es manifeste Arbeitslosigkeit oder Notstandsarbeiten auf dem Lande praktisch nicht gibt.
[3] Die Notstandsarbeiter sind hier nicht nach Voll- und Teilbeschäftigten (5 Stunden täglich) aufgegliedert. Bei letzteren handelt es sich um keine echte Notstandsarbeit, sondern überwiegend um alte oder körperbehinderte Personen, für die reguläre Arbeitsplätze nicht in Frage kommen und die durch eine besondere Organisation, HAMESHAKEM, beschäftigt werden.
[4] Bei Familien bis zu vier Personen erhält in der Regel nur eine Person,

and work of their own either immediately after or even before coming to the country. If they have neither time nor opportunity at first, they tend to return to the coast at a later date. This fact alone leads to the danger of a vicious circle, as easily happens when lack of qualified workers hinders the establishment of more demanding industries, and the lack of such industries hinders the attraction and retention of qualified workers.

The Employment Situation

For an analysis of the actual state of employment, indirect data have to be recurred to once again. Here, too, statistics about the various ethnic groups can be utilized.[1] They show that the real employment situation amongst the Oriental immigrants also is somewhat worse than amongst the others, and the worse, the later they came into the country. Part-time work and unemployment amounted to 17.6% and 5.5% respectively, amongst Europeans only to 16.3% and 2.0%. The worst off were those who arrived only after 1955, a result of both their unfavourable age structure and the low rate of activity. As has been repeatedly shown, it is just this group which prevails in the new towns.

Accordingly, the statistics of the Ministry of Labour show for the majority of the new towns a much lower proportion of regularly and steadily employed persons, as compared with the national average: 77.3% as compared with 93.7%. So much higher is the proportion of public relief workers (9.9% as compared with 2.5%) and of unemployed (12.8% as compared with 3.6%).[2] Particularly unfavourable is the situation for the female labour force which has to make do much more frequently with seasonal jobs and which is offered public relief work only in exceptional cases.[3]

Similar differences exist amongst the new towns themselves. A breakdown according to district and number of inhabitants, though possible only on a somewhat different basis, indicates considerable divergencies from south to north and from the larger to the smaller places.[4] Whereas in March 1964, in 12 new towns of the south 90% of the civilian labour force was employed regularly and 5.7% was on public relief work, in 9 new towns of the north only 71% was employed regularly and 17% was on public relief work. In the same way, the proportion of regularly employed persons declines from 85.5% in places with 10 000 or more inhabitants to 65.2% in places with less than 5000 inhabitants, whereas public relief work increases correspondingly from 7.6% to 19.1%. If old people and invalids employed by HAMESHAKEM are excluded (the number of whom varies very little from place to place), the differences become even more obvious. These figures, dry as they are, reflect a phenomenon constantly to be met with in the coun-

[1] Although the data available include the rural population divergencies can be attributed almost entirely to the towns, since unemployment and public relief work are virtually unknown in the rural areas.
[2] Public relief workers have not been divided into fully employed and partly employed (5 hours a day). With the latter group it is less a case of proper public relief work but of old age or physical incapacity; the majority of these people is not fit for regular work, and they are employed by a special organisation, HAMESHAKEM.
[3] In families of up to four persons only one person, mostly the father, is assigned public relief work; only with five or more persons in a familiy is a second person offered such work. Payment generally is according to the tariff for agricultural workers.
[4] As compared with the 1963 survey the conditions indicated here are somewhat more favourable, mostly because a few of the larger towns in the south (Beer Sheva, Ashqelon) where the employment situation is relatively good, have also been included.

Tabelle 19 / *Table 19*

Jüdische Erwerbsbevölkerung nach dem Herkunftsland und dem Datum der Einwanderung (1963, in 1 000)
Jewish Civilian Labour Force, by Country of Origin and Period of Immigration (1963, thousands)

Herkunftsland und Datum der Einwanderung Countries of Origin and Period of Immigration	Bevölkerung von 14+ Jahren Population aged 14 and over	Zivile Erwerbsbevölkerung / Civilian Labour Force								
		Insgesamt Total		vollbeschäft.[1] full-time		darunter/thereof teilbeschäft.[1] part-time		arbeitslos unemployed	
	abs./No.	abs./No.	%	abs./No.	%	abs./No.	%	abs./No.	%
In Israel geboren *Born in Israel*	270.5	136.7	50.5	96.1	70.3	25.1	18.4	5.9	4.4
Eingewandert aus *Immigrated from*	661.0	378.9	57.3	292.0	77.1	62.0	16.3	7.6	2.0
Europa/Amerika *Europe/America*									
—1947	272.6	170.8	62.7	134.3	78.6	26.6	15.6	1.9	1.1
1948—1954	287.2	151.0	52.6	116.2	77.0	24.3	16.1	3.6	2.4
1955+	101.2	57.1	56.4	41.5	72.7	11.1	19.4	2.1	3.7
Asien/Afrika *Asia/Africa*	515.6	259.3	50.3	187.0	72.2	45.8	17.6	14.4	5.5
—1947	59.4	30.7	51.7	24.2	78.8	4.2	13.8	0.7	2.2
1948—1954	336.5	173.4	51.5	124.8	72.0	30.8	17.8	9.8	5.6
1955+	119.7	55.2	46.1	38.0	69.0	10.8	19.4	3.9	7.1
Insgesamt *Total*	1 447.1	774.9	53.5	575.1	74.2	132.9	17.2	27.9	3.6

[1] Ohne zeitweilig von der Arbeit Abwesende (Krankheit, Urlaub u. ä.), die nicht nach Voll- und Teilbeschäftigten aufgegliedert sind
Quelle/Source: Central Bureau of Statistics: Labour Force Surveys 1963, Jerusalem 1965, pp. 11/12
[1] Excl. persons temporarily absent from work (illness, leave etc.) who are not divided into full- and part-time workers

Auch bestehen innerhalb der Neugründungen selbst erhebliche Unterschiede. Eine Aufgliederung nach Distrikten und Einwohnerzahlen, die allerdings nur auf einer etwas anderen Basis möglich ist, macht ein beträchtliches Gefälle von Süden nach Norden und von den größeren zu den kleineren Orten hin sichtbar.[1] Während im März 1964 in 12 neuen Städten des Südens 90 % der zivilen Erwerbspersonen regulär und 5,7 % bei Notstandsarbeiten beschäftigt waren, waren es in 9 neuen Städten des Nordens nur 71 %, die regulär, dafür 17 %, die bei Notstandsarbeiten beschäftigt waren. Ebenso sinkt der Anteil der regulär Beschäftigten von 85,8 % in Orten mit 10 000 und mehr Einwohnern auf 65,2 % in Orten mit weniger als 5000 Einwohnern, während umgekehrt der der Notstandsarbeiter von 7,6 % auf 19,1 % steigt. Klammert man die durch HAMESHAKEM beschäftigten alten und invaliden Personen, deren Zahl von Ort zu Ort nur wenig differiert, aus, so wird das Gefälle noch deutlicher. In dürren Zahlen bestätigt sich hier eine Erscheinung, der man im Lande selbst immer wieder begegnet: modernste und leistungsfähigste Bulldozer, Bagger, Krane und Fräsen bei Erschließungs- und Straßenbauarbeiten im Zentrum und im Süden, Gruppen von Männern mit Hacke und Schaufel bei den gleichen Arbeiten im Norden. Auch hinsichtlich der Zahl der Arbeitsuchenden, in der sowohl eigentlich Arbeitslose wie Personen ohne passende Arbeit enthalten sind, schneiden besonders die kleinen Städte sehr schlecht ab. An der unteren Grenze liegen dabei in jeder Hinsicht einige kleinere Orte des Nordens, vor allem wieder die beiden galiläischen Bergstädtchen Ma'alot und Shlomi, in

meist der Vater, Notstandsarbeit zugewiesen, erst bei fünf und mehr Personen eine zweite Person. Die Entlohnung entspricht im allgemeinen den Landarbeitertarifen.
[1] Die im ganzen gegenüber der Erhebung von Ende 1963 etwas günstigeren Verhältnisse sind darauf zurückzuführen, daß hier auch einige größere Städte des Südens (Beer Sheva, Ashqelon), in denen die Beschäftigungslage relativ gut ist, erfaßt wurden.

try itself: the most modern and efficient bulldozers, dredgers, cranes at development work and road construction in the centre and the south, groups of men with pick and shovel at the same work in the north. Equally bad off are the smaller places, especially with regard to the number of people looking for work, including the unemployed as well as those without suitable work. Worst placed in every respect are the smaller places in the north, above all again the two Galilean mountain towns of Ma'alot and Shlomi, with only 180 and 200 inhabitants regularly employed, 300 and 265 on public relief work, and 215 and 195 looking for work. Here, even more than in the other towns known to be difficult, a rock bottom layer of illiterates and social cases have assembled, hard to fit into any normal working process and who will burden these towns for a long time to come. In this respect, too, the northern places have to struggle much harder than those in the south, and the smaller places harder than the bigger ones.

Tabelle 20 / *Table 20*

Stand der Beschäftigung in den neuen Städten 1963 / *State of Employment in New Towns, 1963*

| | Zivile Erwerbs-bevölkerung Civilian Labour Force Insgesamt Total | | Beschäftigte/Employed Persons davon/thereof | | | | | | | | Arbeitslose Unemployed | |
| | | | Insgesamt/Total | | ständig permanent | | saisonal seasonal | | Notstands-arbeiter Relief Workers | | | |
	abs./No.	%	abs./No.	%	abs./No.	%	abs./No.	%	abs./No.	%	abs./No.	%
Neue Städte *New Towns*												
Insgesamt[1] *Total*	54 085	100.0	47 160	87.2	38 520	71.2	3 270	6.1	5 370	9.9	6 925	12.8
Männer *Males*	41 455	100.0	37 110	89.5	30 670	74.0	1 815	4.4	4 625	11.1	4 345	10.5
Frauen *Females*	12 630	100.0	10 050	79.6	7 850	62.2	1 455	11.5	745	5.9	2 580	20.4
Israel *Israel*												
Insgesamt *Total*	774 900	100.0	747 000	96.4	727 850		93.9		19 150	2.5	27 900	3.6
Männer *Males*	557 500	100.0	540 100	96.9	523 200		93.9		16 900	3.0	17 400	3.1
Frauen *Females*	217 400	100.0	206 900	95.2	204 650		94.2		2 250	1.0	10 500	4.8

[1] Ohne Zefat, Tiberias, Akko, Lod, Ramla, Ashqelon, Beer Sheva, die nicht in die Erhebung einbezogen waren
Quelle/Source: Ministry of Labour: Manpower in Development Towns, op. cit. p. 33

[1] Excl. Zefat, Tiberias, Akko, Lod, Ramla, Ashqelon, Beer Sheva which were not included in the survey

denen auf 180 bzw. 200 regulär Beschäftigte 300 bzw. 265 Notstandsarbeiter und 215 bzw. 195 Arbeitsuchende kamen. Mehr noch als in anderen, als schwierig bekannten Orten hat sich hier mit der Zeit ein Bodensatz von Analphabeten und sozialen Fällen gebildet, der schwer in den normalen Arbeitsprozeß einzuordnen ist und diese Städte auf lange Zeit hinaus belasten wird. Auch in dieser Beziehung haben also die im Norden gelegenen Orte weit schwerer zu kämpfen als die im Süden, die kleineren schwerer als die größeren.

Tabelle 21 / *Table 21*

Stand der Beschäftigung in neuen Städten nach Distrikten und Einwohnerzahlen (März 1964)
State of Employment in New Towns, by District and Number of Inhabitants (March 1964)

| Distrikt und Einwohnerzahl District and Number of Inhabitants | Zivile Erwerbsbevölkerung/Civilian Labour Force[2] darunter/thereof[3] | | | | | | | | | |
| | Insgesamt Total | | Beschäftigte Employed Persons | | Notstandsarbeiter/Relief Workers 8 St. tägl. 8 h. daily | | 5 St. tägl.[4] 5 h. daily | | Arbeitsuchende Seeking Employment | |
	abs./No.	%	abs./No.	%	abs./No.	%	abs./No.	%	abs./No.	%
Nord/Northern Haifa, Zentrum, Tel Aviv, Jerusalem	24 600	100.0	17 480	71.0	2 860	11.6	1 335	5.4	4 835	19.2
Haifa, Central, Tel Aviv, Jerusalem	7 200	100.0	5 350	86.3	15	0.2	410	5.7	525	8.5
Süd/Southern	51 100	100.0	46 000	90.0	795	1.6	2 110	4.1	6 015	11.8
Insgesamt/Total[1]	81 900	100.0	68 830	84.0	3 670	4.5	3 855	4.7	11 375	13.9
—4 999	5 850	100.0	3 810	65.2	815	13.9	305	5.2	1 365	23.3
5 000—9 999	19 050	100.0	16 095	84.5	1 030	5.4	1 050	5.5	3 190	16.8
10 000+	57 000	100.0	48 925	85.8	1 825	3.2	2 500	4.4	6 820	12.0

[1] Ohne Tiberias, Akko, Lod, Ramla, für die entsprechende Angaben nicht vorhanden waren
[2] Schätzung auf der Basis von 30% der Gesamteinwohnerschaft
[3] Da ein gewisser Teil der Beschäftigten und der Notstandsarbeiter gleichzeitig als Arbeitsuchende registriert waren, ergibt die Summe mehr als 100%. Die Zahl der eigentlich Arbeitslosen ist hier nicht gesondert ausgewiesen.
[4] Vgl. Fußnote ³ S. 46
Quelle: Unveröffentlichte Angaben des Arbeitsministeriums

[1] Excl. Tiberias, Akko, Lod, Ramla for which no data were available
[2] Estimate on the basis of 30% of the total population
[3] As a certain proportion of the unemployed persons and of the relief workers had at the same time registered as seeking employment the sum total amounts to more than 100%. The number of those actually unemployed ist not given separately.
[4] See footnote ² p. 46
Source: Unpublished data from the Ministry of Labour

Die Beschäftigungsstruktur

Die Beschäftigungsstruktur, über die genaue Angaben allerdings wieder nur für die Städte mit (1961) 5000 und mehr Einwohnern zur Verfügung stehen,[1] zeichnet sich gegenüber den älteren Städten, besonders gegenüber den Großstädten, durch ein größeres Gewicht des landwirtschaftlichen und des Bausektors aus, durch ein geringeres aller tertiären Bereiche wie Dienstleistungen, Handel und Banken, Transport und Verkehr. Die Gründe liegen auf der Hand: die Beherbergung der in der Landwirtschaft der Umgebung tätigen Lohnarbeiter, der noch im Gang befindliche Aufbau auf der einen, der zunächst noch niedrige eigene Lebensstandard und die unzureichenden Dienstleistungen für das ländliche Hinterland auf der anderen Seite. Hinsichtlich der industriellen Beschäftigung weichen dagegen diese — größeren — Städte weniger ab, als vielleicht zu erwarten gewesen wäre.

Die gleichen Tendenzen, die im übrigen nicht nur die neuen von den alten, sondern auch die Städte verschiedener Größenordnung voneinander unterscheiden, wirken sich auch im Rahmen der neuen Städte selbst aus: wachsende Bedeutung der Landwirtschaft von den größeren zu den kleineren Orten hin,

[1] Rückschlüsse aus der Beschäftigungsstruktur in den verschiedenen ethnischen Gruppen sind hier nicht möglich, da sich wegen der fehlenden Aufgliederung nach ländlichen und städtischen Siedlungen beträchtliche Verzerrungen zugunsten der Landwirtschaft ergeben würden.

The Employment Structure

As compared with the older towns and particularly with the big urban centres, the employment structure in the new towns shows a greater number of workers in agriculture and building industries and a lower number in all the tertiary industries, such as services, commerce, banking, transport and communications.[1] The reasons are not far to seek: the accomodation of the agricultural workers; a great deal of construction work still going on; a relatively low standard of living and insufficient services for the rural hinterland. As far as industrial employment is concerned there is less difference between these bigger places and the old towns than might have been expected.

The same tendencies which distinguish not only old towns from new ones but also towns of different size, can be seen also among the new towns themselves: agriculture, for instance, increases in importance from the larger to the smaller places while, conversely, service industries and trade decline. Such

[1] Although detailed figures about the employment structure are available only for towns with in 1961 5000 or more inhabitants, conclusions from the employment structure in the various ethnic groups are not possible. As there is no breakdown according to rural and urban settlements, a considerable bias in favour of agriculture could not be eliminated.

Tabelle 22 / *Table 22*

Beschäftigungsstruktur in neuen Städten mit 5 000 und mehr Einwohnern (22. 5. 1961, in %)
Employment Structure in New Towns of 5.000 or more Inhabitants (22 May 1961, percentages)

	Landwirtschaft Agriculture	Industrie und Handwerk Industry and Crafts	Bau u. öffentl. Arbeiten Construction and Public Works	Handel und Banken Commerce and Banking	Transport und Verkehr Transport and Communication	Dienstleistungen[1] Services	Unbekannt Unknown	Beschäftigte insgesamt Employed Persons Total
	%	%	%	%	%	%	%	abs./No.
Qiryat Shemona	29.5	18.1	17.0	5.6	3.5	21.6	4.7	100	3 200
Zefat	11.1	13.9	19.0	10.0	2.9	38.5	4.6	100	3 140
Tiberias	12.0	20.4	13.0	12.0	6.3	33.0	3.3	100	5 410
Afula	8.2	25.5	14.3	9.9	4.5	34.5	3.1	100	4 230
Bet She'an	29.7	16.8	13.0	8.9	2.0	27.3	2.3	100	2 200
Akko	6.7	34.2	7.9	9.6	3.4	33.4	4.8	100	6 045
Lod	3.9	34.5	7.1	11.4	13.4	26.2	3.5	100	5 180
Ramla	6.7	29.2	11.6	12.7	6.6	29.2	4.0	100	5 810
Yavne	23.6	11.6	20.0	8.1	2.7	28.2	5.8	100	1 295
Bet Shemesh	8.3	31.1	19.8	8.1	1.4	29.3	2.0	100	1 740
Ashqelon	19.2	22.3	13.7	10.5	4.8	27.5	2.0	100	6 715
Qir. Gat	16.6	37.9	8.8	4.9	1.8	26.9	3.1	100	2 770
Beer Sheva	3.2	20.6	19.5	10.7	5.7	35.6	4.7	100	12 745
Dimona	1.1	48.4	16.5	3.1	1.1	26.3	3.5	100	1 425
Elat	4.3	27.3	20.7	4.5	13.5	23.6	6.1	100	1 885
Einwohner/*Inhabitants* — 9 999	14.1	26.4	17.7	6.7	4.4	26.9	3.8	100	8 545
10 000—19 999	12.4	26.6	12.7	9.0	6.1	29.5	3.7	100	18 520
20 000+	8.6	24.5	14.3	11.0	5.4	32.3	3.9	100	36 725
Neue Städte insgesamt *New Towns — Total*	10.4	25.4	14.3	9.8	5.5	30.8	3.8	100	63 790
Andere Städte/*Other Towns* Einwohner/*Inhabitants* —99 999[2]	7.7	29.0	9.6	11.6	5.8	33.1	3.2	100	122 695
100 000+[3]	1.3	26.8	7.7	16.2	7.8	37.2	3.0	100	347 780

[1] Einschließlich Wasser, Elektrizität und sanitäre Dienste
[2] Mit Ausnahme der rein arabischen Orte, die eine grundsätzlich andere Beschäftigungsstruktur aufweisen.
[3] Einschließlich der Schwesterstädte von Tel Aviv
Quelle/Source: Central Bureau of Statistics: The Settlements of Israel, Part IV, pp. 94/95

[1] Incl. water, electricity and sanitary services
[2] Excl. the Arab towns which have a fundamentally different employment structure
[3] Incl. the neighbouring towns of Tel Aviv

sinkende der Dienstleistungen und des Handels. Auch die wenigen Unterlagen, die über Städte mit weniger als 5000 Einwohnern vorhanden sind, deuten in die gleiche Richtung.[1] Im Zusammenhang mit diesen generellen Zügen, teilweise aber auch unabhängig von ihnen, ergeben sich noch beträchtliche Unterschiede von Stadt zu Stadt. Der Anteil der in der Landwirtschaft tätigen Arbeitskräfte schwankt zwischen 29,7 % und 1,1 %, je nach der Lage in landwirtschaftlich genutzten oder in ariden Gebieten (Qiryat Shemona, Bet She'an, Yavne, Ashqelon, Qiryat Gat — Dimona, Beer Sheva); der des Dienstleistungssektors zwischen 38,5 % und 21,6 %, je nach dem Vorhandensein oder Fehlen administrativer Aufgaben etwa als Distrikts- oder Bezirkshauptstadt, die allerdings nur dann besonders ins Auge fallen, wenn andere Sektoren, entweder Landwirtschaft oder Industrie, ausgesprochen dünn besetzt sind (Zefat, Tiberias, Afula, Akko, Beer Sheva). Transport und Verkehr haben dort besonderes Gewicht, wo sich aus der Funktion als Hafen (Elat) oder als Eisenbahnknotenpunkt (Lod) zusätzliche Erwerbsmöglichkeiten ergeben. Für die unterschiedliche Bedeutung des Bausektors dagegen spielen derartige funktionale Gesichtspunkte nur eine sekundäre Rolle; sie hängt in der Regel mehr vom allgemeinen Entwicklungsstand der Städte und vom Ausmaß der gerade laufenden Wohnungsbauprogramme ab. Ebenso sind Industrie und Handwerk in ihrem Anteil nur bedingt funktional oder regional — etwa durch Verarbeitung örtlicher Produkte — bestimmt. Gerade diese reichte ja, wie sich zunehmend herausgestellt hatte, für ein angemessenes Industriepotential nicht aus. Um so mehr ist der jeweilige Anteil der industriellen Beschäftigung als Folge der hier mehr, dort weniger ausgeprägten Förderungsmaßnahmen der öffentlichen Hand zu verstehen — mit Ausnahme vielleicht einiger Orte, die durch die Gunst ihres Standortes an oder in bequemer Nähe der Küste im Vorteil sind (Akko, Lod, zunehmend auch Qiryat Gat). Eine ausgesprochene Sonderstellung nimmt die Wüstenstadt Dimona ein, bei der in keinem Falle mit regionalen Zentralfunktionen zu rechnen ist und die daher von vornherein auf (Textil)Industrie gegründet war.

Die Industrie

Diese Förderungsmaßnahmen, obgleich durchaus nicht grundsätzlich auf den industriellen Sektor beschränkt, wirken sich doch vor allem auf diesem aus. Dienstleistungen zum Beispiel, als sekundäre bzw. tertiäre Erscheinungen des wirtschaftlichen Kreislaufs, sind im Entwicklungsstadium der meisten neuen Städte durch planmäßige Förderung kaum anzuregen — mit Ausnahme vielleicht des Fremdenverkehrs, der jedoch nur für wenige Orte in Frage kommt. Von den 826 Unternehmen, die bis zum Ende des Jahres 1964 Kredite oder Gelände erhalten hatten, waren daher auch nur 90 Dienstleistungsbetriebe verschiedenster Art: Kraftfuttermischanlagen, Kühl- und Vor-

figures as are available for towns with less than 5000 inhabitants show similar trends.[1]

Sometimes connected with these general tendencies, sometimes quite independent, there are further differences from town to town. The figure for workers employed in agriculture varies considerably from 29.7 % to 1.1 %, depending on whether the region is agriculturally fertile or arid (Qiryat Shemona, Bet She'an, Yavne, Ashqelon, Qiryat Gat — Dimona, Beer Sheva); the proportion in service industries varies between 38.5 % and 21.6 %, depending on the presence or absence of administrative functions as district or subdistrict centre — the latter differences being particularly marked if other sectors, such as agriculture or industry, are only modestly furnished (Zefat, Tiberias, Afula, Akko, Beer Sheva). Transport and communications, as a matter of fact, predominate in places like ports (Elat) or railway centres (Lod). For variations in the building industry such functional aspects are only of secondary importance; they depend to a greater extent on the general state of development of the towns and on the scope of the housing programme under way. Industry and crafts are also only partly determined by functional or regional factors, for instance the processing of local produce. As had become more and more apparent, these local products were in fact insufficient for an adequate industrial basis. All the more the amount of industrial employment is to be considered mainly the result of the above-mentioned measures and incentives — with the exception perhaps of a few places which are better off than the rest because of their advantageous location on or near the coast (Akko, Lod and increasingly Qiryat Gat). A very special place is occupied by the desert town Dimona which, as regional functions could not be expected, was based on (textile) industries right from the outset.

Industry

Public assistance, although not in principle limited to manufacturing industry, exerts its greatest influence in this field. Service industries, for instance, as secondary or even tertiary steps in the economic process, can hardly be systematically encouraged during the development period of a new town, with the exception perhaps of tourism which, however, is restricted to very few places. Of the 826 enterprises, therefore, which by the end of 1964 had received loans or land, only 90 belonged to service industries of various types: concentrated feed mixing, cold storage, cotton gins, packing and grading, banana ripening and the like; also a few hotels and restau-

---

[1] Vgl. die bereits erwähnte Untersuchung des Innen- und Arbeitsministeriums aus dem Jahre 1959, dann aber auch eine Erhebung des „Building and Technical Research Institute" vom Mai 1962, die für die drei im nördlichen Negev gelegenen Städte Sederot, Netivot und Ofaqim folgende Beschäftigungsstruktur ermittelte:

	Sederot %	Netivot %	Ofaqim %
Landwirtschaft	31,8	45,0	32,1
Industrie und Handwerk	39,1	26,8	39,3
davon regional bedingt	17,7	12,3	10,7
Baugewerbe	10,9	6,3	8,9
Handel, Banken	4,5	5,7	4,8
Transport und Verkehr	0,9	1,4	1,8
Dienstleistungen	12,8	14,8	13,1
Insgesamt	100	100	100

[1] Cf. the already mentioned survey of the Ministry of Interior and the Ministry of Labour for the year 1959 and also the figures from the "Building and Technical Research Institute" of May, 1962, which give the employment structure for three towns in the northern Negev: Sederot, Netivot and Ofaqim.

	Sederot %	Netivot %	Ofaqim %
Agriculture	31.8	45.0	32.1
Industry and crafts	39.1	26.8	39.3
(of which regionally based)	(17.7)	(12.3)	(10.7)
Building industry	10.9	6.3	8.9
Commerce and banking	4.5	5.7	4.8
Communications and transport	0.9	1.4	1.8
Services	12.8	14.8	13.1
Total	100	100	100

Tabelle 23 / *Table 23*

Geförderte Industrie- und Handwerksbetriebe in neuen Städten nach der Zahl der Beschäftigten (1964)

"Approved Enterprises" in Industry and Crafts in New Towns, by Number of Employed Persons (1964)

Zahl der Beschäftigten Number of Employed Persons	Neue Städte New Towns				Israel insgesamt Israel — Total			
	Betriebe Enterprises		Beschäftigte Employed Persons		Betriebe Enterprises		Beschäftigte Employed Persons	
	abs./No.	%	abs./No.	%	abs./No.	%	abs./No.	%
1— 4	280	38.0	634	2.3	4 604	44.1	13 963	7.8
5— 9	141	19.2	885	3.2	2 789	26.7	18 695	10.4
10— 24	132	17.9	1 984	7.2	1 690	16.2	26 449	14.9
25— 49	74	10.1	2 495	9.1	750	7.2	25 062	14.1
50— 99	45	6.1	3 119	11.4	326	3.1	22 252	12.5
100—299	39	5.3	6 562	23.9	198	2.0	33 416	18.7
300 u. mehr	25	3.4	11 800	42.9	73	0.7	38 471	21.6
Insgesamt Total	736	100	27 479	100	10 430	100	178 308	100

Quelle: Neue Städte: Industrie- und Handelsministerium, Abt. Industrie: Bericht über die Industrialisierung der Entwicklungsgebiete 30. 10. 1955—31. 12. 1964, Tel Aviv 1965, passim; Israel insgesamt: Statistical Abstract 1965 (16), S. 415

Source: New Towns: Ministry of Commerce and Industry, Dept. of Industry: Report on the Industrialization of the Development Areas 30. 10. 1955—31. 12. 1964, Tel Aviv 1965, passim; Israel — Total: Statistical Abstract 1965 (16), p. 415

ratshäuser, Baumwollentkernungsanlagen, Packhäuser und Sortierbetriebe, Bananenreifereien und dergleichen; dazu Hotels und Restaurants, Wäschereien, einige Einzelhandelsgeschäfte. Das Schwergewicht liegt statt dessen eindeutig bei Industrie und Handwerk, auf die zusammen fast 95% der öffentlichen Kredite entfallen.[1]

Durch die Tätigkeitsberichte des Industrie- und Handelsministeriums, dem die Prüfung und Genehmigung der Anträge auf solche Kredite und die Kontrolle der geförderten Unternehmen obliegt, ergibt sich ein fast lückenloses Bild dieser Unternehmen, die in der Mehrzahl der neuen Städte alle überhaupt vorhandenen Betriebe umfassen.[2]

Dabei zeigt sich zunächst, daß größere und — im Vergleich zum Landesüblichen — große Unternehmen in den neuen Städten relativ häufiger sind als im übrigen Lande. In den Neugründungen hatten 8,7% aller Betriebe 100 und mehr Beschäftigte, im Landesdurchschnitt nur 2,7%. Selbst wenn besonders die Klein- und Kleinstbetriebe, an denen das Land überreich ist, nicht vollständig erfaßt sein sollten, bleibt doch die Tatsache, daß zum Beispiel von den 1690 Industrie- und Handwerksbetrieben des ganzen Landes, die 10 bis 24 Beschäftigte hatten, 132 in den neuen Städten beheimatet waren, also knapp 8%, von den 73 Betrieben mit 300 und mehr Beschäftigten aber 25, rund 34%; allerdings ist die durchschnittliche Beschäftigtenzahl der größeren Betriebe in den neuen Städten etwas geringer, 472 gegenüber sonst 527 Personen. Die Ursache liegt zweifellos in den verständlichen Bestrebungen, nach Möglichkeit große Unternehmen zu fördern, die mit einem Schlage eine spürbare Belebung des Arbeitsmarktes bringen; dann aber auch darin, daß solche Unternehmen, die meist von staatlichen oder öffentlichen Gesellschaften oder aber von potenten ausländischen Investoren getragen werden, es dank des hinter ihnen stehenden technischen, organisatorischen

[1] Vgl. Tabelle 24, S. 52

[2] Abweichungen ergeben sich dort, wo, wie etwa in Beer Sheva oder Ashdod, der Entwicklungsstand oder auch eine günstige Beurteilung der zukünftigen Chancen der Stadt spontan Kapital anzieht, oder auch in einigen Städten mit altem Bevölkerungskern, in denen sich kleinere Handwerksbetriebe und Werkstätten aus früherer Zeit erhalten haben. Das Gesamtbild wird durch diese zahlenmäßig wenig ins Gewicht fallenden Ausnahmen jedoch kaum beeinträchtigt.

rants, laundries and retail shops. Without doubt the most important sector, however, is manufacturing industry and crafts which together claimed 95% of the public loans.[1]

Progress reports, issued regularly by the Ministry of Commerce and Industry to which applications have to be submitted and which controls the approved enterprises, provide an almost complete picture of such industries, which form the bulk of the industries in the majority of the new towns.[2] These reports show first that comparatively large firms are found more frequently in the new towns than in the rest of the country: 8.7% of all businesses had 100 or more employees as against 2.7% on the national average. Even if not all the small and very small shops which flourish abundantly all over the country are accounted for, there is no denying the fact that, for instance, of the 1690 manufacturing and craft workshops in the whole country with 10 to 24 employees, only 132 are found in the new towns (i.e. roughly 8%), but of the 73 establishments with 300 or more employees 25 (i.e. 34%); the average number of employees in these large establishments, however, is somewhat lower, only 472, as against the national average of 527. This is at least partly due to the general efforts to assist primarily big enterprises which soon make a noticeable difference to the labour market. Moreover, big industries owned by State or public companies or by potent overseas investors, with greater technical, organizational and financial backing behind them, find it much easier to hold their own in the development regions. Small industries, without separate systems both of supply and of marketing, without workshops and spare part depots, without teleprinter and representation in Tel Aviv, meet a variety of difficulties which are only moderately overcome if at least a local market is guaranteed. In general, these small industries are assisted more often by allocation of free land than by actual loans.

Manufacturing industry as such is characterized by a clear predominance of the textile industry, accounting for 34.2% of all employees, 37.8% of the invested capital and 47.5% of public loans. This predominance is primarily the result of the intensive support offered to this branch since the very beginning of public assistance measures in the fifties. The labour intensity, the short training period, the easy construction of the plants, made it seem particularly suitable for combatting unemployment. This also accounts for the relatively large size of the factories: of the 64 establishments with more than 100 employees 22 belong to the textile industry, mostly spinning and weaving. Ready-made clothing, knitting and sewing are equally frequent; with these, however, medium-sized and small firms prevail, often based on home work. Definite centres do not exist; in 11 of the 28 new towns, textile factories are the largest (and often the only large) source of employment: in the north in Qiryat Shemona, Zefat, Afula, Bet She'an; in the centre in Or Aqiva; in the south in Ashdod, Qiryat Gat, Netivot, Ofaqim, Beer Sheva and Dimona. Almost everywhere expansions or even completely new factories are being planned, many of them are already under construction. These factories offer great hopes, particularly to those towns which have considerable employment difficulties. Nevertheless, the one-sided dependence on a single branch of industry gives cause for reflection.

[1] Cf. Table 24, p. 52

[2] Exceptions are found in those places (e.g. Beer Sheva, Ashdod) where either the state of development or the particularly favourable assessment of the future prospects result in the spontaneous attraction of capital. Further exceptions occur in towns with an old core where craftsmen and small workshops from an earlier period have been able to survive. The picture as a whole, however, is little influenced by these numerically few exceptions.

und finanziellen Apparates leichter haben, sich in Entwicklungsgebieten zu behaupten. Ausgesprochene Kleinbetriebe — ohne eigenes Zulieferungs- und Absatzsystem, ohne Betriebswerkstätten und Ersatzteillager, ohne Fernschreiber und Vertretung in Tel Aviv — treffen dagegen auf mancherlei Schwierigkeiten, die nur dann leidlich zu überbrücken sind, wenn wenigstens der Absatz am Ort gesichert ist. Sie werden im übrigen auch seltener durch Kredite als durch die Zuteilung kostenlosen Betriebsgeländes gefördert.

Die Branchenstruktur dagegen ist gekennzeichnet durch das eindeutige Übergewicht der Textilindustrie, die 34,2% der Beschäftigten, 37,8% des investierten Kapitals und sogar 47,5% der Anleihen auf sich vereinigt.[1] Dieses Übergewicht ist zunächst eine Folge der intensiven Unterstützung, die ihr unmittelbar mit dem Einsetzen der öffentlichen Förderungsmaßnahmen zuteil wurde. Die Arbeitsintensität, die kurze Anlernzeit und die

[1] J. Kleiner: Die Textilindustrie in Israel. Veröffentlichungen der List Gesellschaft Bd. 47, Basel/Tübingen 1966

Tabelle 24 / Table 24

Geförderte Betriebe in neuen Städten nach Industrie- und Dienstleistungszweigen (1964)
"Approved Enterprises" in New Towns, by Type of Industry (1964)

Industrie- und Dienstleistungszweig / Industrial Classification	Betriebe Enterprises Neue Städte New Towns abs./No.	%	Israel insg.[1] Israel Total abs./No.	%	Beschäftigte Employed Persons Neue Städte New Towns abs./No.	%	Israel insg.[1] Israel Total abs./No.	%	Investiertes Kapital Capital Investment (in 1000 IL)[2] abs./No.	%	Genehmigte Anleihen Approved Loans (in 1000 IL) abs./No.	%
Industrie und Handwerk / *Mfg. Industry and Crafts*												
Nahrungsmittel/Food	87	13.8	1 199	11.6	3 993	14.7	26 300	15.1	85 640	14.2	36 450	12.2
Textil und Bekleidung *Textiles and Clothing*	89	14.1	1 482	14.3	9 248	34.2	30 600	17.5	228 688	37.8	141 831	47.5
Holz und Holzprodukte *Wood and Wood Products*	98	15.5	1 507	14.6	2 270	8.4	13 900	8.0	16 904	2.8	7 983	2.7
Druck und Papier *Paper and Printing*	25	4.0	670	6.5	690	2.5	11 300	6.5	11 919	2.0	7 605	2.6
Leder und Lederwaren *Leather and Leather Products*	32	5.1	568	5.5	595	2.2	4 400	2.5	3 759	0.6	670	0.2
Gummi und Plastik *Rubber and Plastic Products*	17	2.7	188	1.8	398	1.5	5 300	3.0	4 671	0.8	1 903	0.6
Öl und Chemikalien *Oil and Chemical Products*	22	3.5	251	2.4	1 247	4.6	7 900	4.5	42 018	7.0	18 496	6.2
Baumaterialien, Keramik, Glas *Building Mat., Ceramics, Glass*	59	9.4	472	4.6	3 401	12.5	11 000	6.3	104 465	17.3	29 307	9.8
Metall und Metallprodukte *Metal and Metal Products*	80	12.7	1 218	11.8	2 281	8.4	17 400	10.0	79 137	13.1	41 979	14.1
Maschinen, Fahrzeuge, Elektrische Anlagen *Machinery, Electric and Transport Equipment*	88	13.9	2 056	19.9	2 286	8.4	34 800	19.9	25 104	4.2	11 943	4.0
Verschiedenes *Miscellaneous*	11	1.7	376	3.6	63	0.2	3 700	2.1	146	0.2	34	0.1
Diamanten[3] *Diamond Industry*	23	3.6	351	3.4	636	2.4	8 000	4.6	—	—	—	—
Insgesamt[4]/Total	631	100	10 338	100	27 108	100	174 600	100	602 451	100	298 201	100
Dienstleistungen/Service Industry												
Landwirtschaft/Agriculture	38	42.2			3 110	86.6			37 454	77.6	10 934	83.4
Vorräte, Verkehr, Transport *Transport, Storage and Communication*	12	13.4			103	2.9			7 908	16.4	1 292	9.8
Anderes/Other Services	40	44.4			379	10.5			2906	6.0	898	6.8
Insgesamt/Total	90	100			3 592	100			48 268	100	13 124	100

[1] Ohne Bergwerke und Steinbrüche, die in Tabelle 23 mit enthalten sind
[2] 1 IL = 1.33 DM
[3] Für die Diamantenindustrie liegen keine Angaben über investiertes Kapital und Anleihen vor.
[4] Ohne 105 Werkstätten mit 371 Beschäftigten, deren Branchenzugehörigkeit nicht bekannt ist, die aber in Tabelle 23 mit enthalten sind

Quelle: Bericht über die Industrialisierung der Entwicklungsgebiete, a. a. O., passim; Statistical Abstract 1965 (16), S. 418/419

[1] Excl. mines and quarries which are included in Table 23
[2] 1 IL = 0.33 $
[3] For the diamond industry no data on capital investment and approved loans are available.
[4] Excl. 105 workshops employing 371 persons included in Table 23, the industrial classification of which was unknown

Source: Report on the Industrialization of the Development Areas, op. cit., passim; Statistical Abstract 1965 (16), pp. 418/419

relativ geringe Erstellungsdauer der Anlagen schienen besonders geeignet zu sein, der drängenden Arbeitslosigkeit Herr zu werden. Deshalb handelt es sich dabei auch oft um relativ große Unternehmen — von den 64 Betrieben mit mehr als 100 Beschäftigten entfallen allein 22 auf die Textilindustrie —, meist Spinnereien und Webereien. Konfektionsbetriebe, Strickereien und Nähereien sind ebenfalls in großer Zahl vorhanden, hier herrschen jedoch mittlere und kleinere Unternehmen, die bisweilen auf Heimarbeit basieren, vor. Bestimmte Schwerpunkte sind nicht zu erkennen, in 11 von 28 neuen Städten stellen Textilbetriebe die größten (und oft die einzigen großen) Arbeitgeber dar, im Norden in Qiryat Shemona, Zefat, Afula, Bet She'an, in der Mitte in Or Aqiva, im Süden in Ashdod, Qiryat Gat, Netivot, Ofaqim, Beer Sheva und Dimona. Fast überall sind Erweiterungen oder auch ganz neue Betriebe geplant, verschiedentlich schon im Bau, auf die besonders die Städte mit Beschäftigungsschwierigkeiten große Hoffnungen setzen. Trotzdem stimmt die einseitige Abhängigkeit von einem einzigen Industriezweig bedenklich.

An zweiter Stelle steht die Nahrungsmittelindustrie, die teilweise, wie die großen Zuckerfabriken in Afula und Qiryat Gat, die zahlreichen Konserven- und Fruchtsaftfabriken und die überall vorhandenen Großbäckereien, auf heimischen, wenn nicht örtlichen Produkten basiert, damit aber auch wieder stark saisonabhängig ist, teilweise, wie die Nescaféfabrik in Zefat oder eine Schokoladenfabrik in Nazareth, aber auch auf importierten Rohstoffen. Sie ist ebenfalls relativ gleichmäßig über das Land verteilt, mit einem gewissen Nachdruck auf den Landwirtschaftsgebieten. Ebenso breit gestreut ist die Herstellung von Baumaterialien, auf die fast doppelt so viel Arbeitsplätze entfallen wie im Landesdurchschnitt und die, abgesehen von einigen Großbetrieben (Zement in Bet Shemesh und Ramla, Röhren in Ramla und Ashqelon, Fliesen, Kacheln und keramische Produkte in Beer Sheva), vor allem für den örtlichen Bedarf arbeitet. Die Metallindustrie hingegen ist mit mehr als der Hälfte ihrer Arbeitsplätze und sogar mit 85 % des investierten Kapitals auf Akko mit seinen großen Stahlwerken konzentriert, der Rest besteht größtenteils aus mittleren und kleinen Schlosser- und Klempnerwerkstätten, wie sie praktisch in jeder Stadt zu finden sind. Ähnlich liegen die Verhältnisse in der Holzindustrie, in der von rund 2300 Beschäftigten allein 1150 auf einige Kibbutzbetriebe in der Nähe von Tiberias kommen, die besonders mit Rücksicht auf die Beschäftigungslage in dieser Stadt gefördert werden, der Rest wieder auf zahllose, oft nur zwei oder drei Arbeiter beschäftigende Tischlereien im ganzen Land.

Die Maschinen-, Elektro- und Fahrzeugindustrie ist, sofern es sich um Großbetriebe handelt, wieder zu einem großen Teil auf küstennahe Orte wie Lod, Ramla, Ashdod und Ashqelon konzentriert; allerdings soll in absehbarer Zeit auch das neue Nazareth große Montageanlagen erhalten. Auch Konsumgüter wie Lederwaren, Schuhe, Haushaltwaren, Porzellan, Glas, Papier, Waschmittel und dergleichen werden nur in Ausnahmefällen — Leder und Lederwaren in Yavne — in den neuen Städten selbst hergestellt. Ebenso entfallen von den 351 Diamantenschleifereien des Landes, die wegen ihrer Bedeutung für den Export stark begünstigt werden, nur 23 auf die neuen Städte, in der Mehrzahl kleinere Betriebe, die zusammen nur 636 Arbeitskräfte beschäftigen.

In maßgeblichem Umfang tritt im Gesamtbild der neuen Städte also nur die Textilindustrie in Erscheinung, dies allerdings in beherrschender Position, dazu die Nahrungsmittelindustrie und, an dritter Stelle, die Herstellung von Baumaterialien.

Second in importance is the food industry, often based on indigenous if not local products, and exemplified by the big sugar factories in Afula and Qiryat Gat, the numerous tinning and fruit juice factories, and the large bakeries which are found everywhere. Most of these, however, offer only seasonal employment, whereas, for instance, the Nescafe factory in Zefat or the chocolate factory in Nazareth, both processing imported raw materials, work throughout the year. In spite of a slight preference for agricultural areas, the industry is distributed relatively evenly all over the country. Equally widely scattered is the manufacture of building materials which accounts for almost twice as much employment as on the national average. With the exception of a few big establishments, e.g. cement in Bet Shemesh and Ramla, pipes in Ramla and Ashqelon, tiles, flues and ceramic products in Beer Sheva, this industry mostly supplies local needs. The metal industry, on the other hand, is concentrated in the big steel works of Akko, with more than half of its employment potential and 85 % of its capital investment. The rest consists mainly of medium-sized and small locksmiths and plumbers who are found in numbers in every town. Similar conditions prevail in the timber industry where out of a total of approximately 2300 employees, at least 1150 are working in a few Kibbutz factories near Tiberias, which are especially encouraged because of the local employment situation in this town. The remainder is again distributed throughout the country in small joineries with two or three employees.

Insofar as larger factories are concerned, the manufacturing of machinery, electrical equipment and vehicles is largely concentrated in towns near the coast such as Lod, Ramla, Ashdod, and Ashqelon; in the near future, however, also the new Nazareth is to receive a large assembly plant. Consumer goods, such as leather products, shoes, household equipment, china, glass, paper, soaps and the like will be produced only in exceptional cases in the new towns themselves, e.g. leather and leather products in Yavne. Similarly, of the 351 diamond cutting factories in the country, very much favoured because of their high export value, only 23 are located in new towns, mostly smaller shops with altogether only 636 employees.

On the whole, the only industry of any real significance for the new towns is the textile industry which has a clearly dominant stand; this is followed by the food industry and, in the third place, by the manufacture of building materials. All other branches are either concentrated in a few places or are scattered in a vast number of medium-sized and small workshops of only local importance.

In spite of this very unbalanced weight of the various industries, the employment situation as a whole has improved considerably with the introduction of public assistance and help. In spite of occasional complaints about lack of opportunities for women and adolescents just out of school, large-scale unemployment and relief work are found today only in one or two small places, which in all respects occupy the bottom in the growing differences between south and north, and between larger and smaller places. All the same, with full employment in the rest of the country, especially in the big cities and on the coast, the disparity of the development regions has in many ways increased, less in terms of the quantity than in terms of the quality of the available jobs — wages, choice, diversity and chances of promotion. It is, above all, this disparity which, compared with the older and bigger centres, discriminates the labour market of the new towns as a whole.

Alle anderen Industriezweige sind entweder auf einige wenige Orte konzentriert, oder sie erschöpfen sich in einer großen Zahl von kleinen und kleinsten Werkstätten höchstens lokaler Bedeutung.

Trotz dieser Unausgewogenheit der Branchenstruktur hat sich die Beschäftigungslage insgesamt mit dem Einsetzen der öffentlichen Förderungsmaßnahmen deutlich gebessert. Wenn auch immer wieder über fehlende Arbeitsplätze für Frauen und für schulentlassene Jugendliche geklagt wird, beschränken sich Arbeitslosigkeit und Notstandsarbeiten in größerem Ausmaß heute auf einige kleinere Orte, die in dem wachsend sichtbaren Gefälle von Süden nach Norden und von größeren zu kleineren Orten hin in jeder Beziehung den letzten Platz einnehmen. Trotzdem hat sich mit zunehmender Vollbeschäftigung im übrigen Lande, vor allem in den großen Städten und an der Küste, der Abstand der Entwicklungsgebiete in vieler Hinsicht wieder vergrößert, weniger in bezug auf die Quantität als auf die Qualität — Bezahlung, Auswahl, Vielseitigkeit, Aufstiegschancen — der verfügbaren Arbeitsplätze. Dieser Abstand vor allem ist es, der zur Zeit die Arbeitsmarktsituation in den neuen Städten insgesamt im Vergleich zu der in den älteren und größeren Zentren kennzeichnet.

Die zukünftige Entwicklung

Für eine Beurteilung der zukünftigen Entwicklung sind verschiedene Gesichtspunkte zu berücksichtigen: Das Arbeitskräftepotential, das im Verhältnis zur Gesamteinwohnerschaft heute noch zu wünschen übrig läßt, wird steigen, und zwar erheblich, sobald die zahlreichen Nachkommen der orientalischen Neueinwanderer ins erwerbsfähige Alter kommen. Auch sind die damit heranwachsenden Arbeitskräfte keine Analphabeten mehr. Sie haben israelische Schulen besucht und bringen, auch wenn höhere Schul- und Berufsausbildung noch relativ selten ist, alle Voraussetzungen zumindest für eine qualifizierte, aber auch entsprechend anspruchsvolle Facharbeiter- und Angestelltenschaft mit. Zu dieser natürlichen Vermehrung des innerstädtischen Arbeitsangebots kommt die schwer abzuschätzende Zahl der Neueinwanderer, die in den nächsten Jahren in das Land kommen und in die neuen Städte gelenkt werden können, und, so wenig dies erwünscht sein mag, vermutlich auch ein gewisser Zulauf aus der unmittelbaren ländlichen Umgebung. Angesichts der geringen Größe der Höfe vor allem in den Moshavim — selten mehr als 3 bis 4 ha — herrscht schon jetzt in manchen Gegenden eine latente Unterbeschäftigung, die einzelne Moshavbauern, im Gegensatz zu ihren Verpflichtungen gegenüber ihrer Genossenschaft, dazu veranlaßt, ihr Land dem Nachbarn zur Bearbeitung zu überlassen und selbst in der Stadt Arbeit zu suchen. Diese Neigung dürfte sich verstärken.

Auf der Nachfrageseite stehen diesem kräftig wachsenden Angebot noch keine ebenbürtigen Expansionstendenzen gegenüber. In der Landwirtschaft werden sich die jetzt noch vorhandenen Arbeitsplätze für städtische Lohnarbeiter eher vermindern als vermehren. Zunehmende Rationalisierungsmaßnahmen, die Verlagerung der Produktion von arbeitsintensiven Zweigen wie Gemüseanbau und Viehzucht auf Zuckerrüben, Erdnüsse, Baumwolle u. ä., die bevorstehende Mechanisierung auch der Pflückvorgänge, werden die Nachfrage nach städtischen Arbeitskräften verringern, dazu ländliche freisetzen. Für das Baugewerbe ist vielleicht keine absolute, dafür aber eine relative Schrumpfung zu erwarten. Bei einem Anhalten der Bautätigkeit, die jedoch neben dem natürlichen Zuwachs und der Verlagerung der Altersstruktur (mehr junge

Future Development

For any assessment of the future development, various aspects must be considered. The labour supply, which at the moment leaves much to be desired, will considerably improve as soon as the numerous offspring of the new immigrants reach maturity. Besides, this rising generation will no longer be illiterate. They have attended Israeli schools and, though secondary education and professional training are still an exception, they will provide at least a qualified and, of course, correspondingly demanding group of skilled workers and employees. This "natural increase" in labour supply will be augmented by an indefinite number of immigrants who can be directed to the new towns in the next years, and by a certain influx from the adjoining rural areas, undesirable as it may be. In some regions, because of the smallness of the farms especially in the Moshavim, which have rarely more than seven to ten acres, there is already latent underemployment. This implies that individual Moshav farmers, very much in contrast to their obligations to their co-operative, are tempted to leave their land to be worked by their neighbours, and to seek employment in the towns. This tendency may well increase.

On the demand side, equivalent expansion tendencies to meet this rapidly growing labour force are not yet to be discerned. In agriculture, employment available for urban workers is likely to decrease rather than to increase. Impending measures of rationalization, changes from intensive farming, e.g. vegetables and cattle, to industrial crops like sugar beet, ground nuts and cotton, and the imminent mechanization of picking, will lessen the demand for urban workers and, moreover, set free rural ones. In the building industry an absolute decrease may be unlikely, but relative shrinking is to be expected. Apart from natural increase and a shift in the age structure (more young couples), the building industry depends on a number of factors difficult to control: on the one hand the extent of immigration and the funds available for development and reconstruction projects, on the other hand the necessity to dampen the boom and to prevent further inflation. For the present, therefore, existing jobs may remain but new ones will be created to only a limited extent.

Ehepaare!) von schwer kontrollierbaren Faktoren wie dem Ausmaß der Einwanderung und den für weitere Erschließungs- oder Sanierungsprojekte verfügbaren Mitteln auf der einen, der Notwendigkeit konjunktur- und inflationsdämpfender Maßnahmen auf der anderen Seite abhängt, werden die vorhandenen Arbeitsplätze erhalten bleiben, zusätzliche allerdings nur beschränkt entstehen.

Freiwerdende oder neu hinzukommende Arbeitskräfte können also durch diese beiden Sektoren kaum und durch den Dienstleistungssektor ebenfalls nur in sehr geringem Ausmaß aufgenommen werden. Zwar hat dieser bis jetzt weder die Größe noch die Qualität des in älteren und größeren Städten Üblichen erreicht, doch sind seine Erweiterungsmöglichkeiten durch den gerade in den Neugründungen nur langsam steigenden Lebensstandard und durch die weiterhin unzureichenden Zentralfunktionen für das ländliche Hinterland begrenzt. Sollte eine verstärkte Nachfrage nach Dienstleistungen einsetzen, so wird sie sich voraussichtlich vor allem auf den privaten Sektor — Handel, Geschäfte, Geldverkehr, persönliche Dienste — erstrecken. Dieser aber ist erheblichen Rationalisierungsmaßnahmen zugänglich. Die Unzahl der kleinen bis winzigen Geschäfte, Kioske, Werkstätten, die sich oft nur halten können, weil ihre Besitzer außerdem noch irgendwelche Renten beziehen, werden auf die Dauer einem anspruchsvolleren Publikum kaum genügen; der Trend zum Selbstbedienungsladen und zum Supermarkt ist bereits zu spüren.

Soll eine Abwanderung der überschüssigen Arbeitskräfte und ihrer Familien, die der Bevölkerungsverteilungspolitik grundsätzlich zuwiderliefe, verhindert werden, so bleibt nur eine konsequente Vermehrung der industriellen Arbeitsplätze. Die intensiven Förderungsmaßnahmen, die hierfür in Zukunft mehr noch als bisher notwendig sein werden, sollten um so leichter fallen, als Israel unter allen Demokratien westlicher Prägung und sogar auch unter den Entwicklungsländern mit weitem Abstand den größten Anteil an staatlichen oder öffentlich kontrollierten und damit auch manipulierbaren Investitionen aufweist.[1] Auch wenn das bisherige Investitionstempo nicht in vollem Umfang aufrechterhalten werden kann, ist nicht einzusehen, weswegen aus dem großen Reservoir öffentlicher Investitionen nicht noch breitere und besser gelenkte Ströme in die neuen Städte fließen sollten. Daneben scheint aber auch eine verstärkte Heranziehung mittlerer Privatbetriebe mit etwa 50 bis 100 Arbeitsplätzen zweckmäßig. In den technischen und organisatorischen Schwierigkeiten, denen solche Betriebe heute noch gerade in den kleineren Neugründungen mit ihrem geringen Dienstleistungsniveau begegnen — sehr im Gegensatz zu den ursprünglichen Vorstellungen der Planung, die mit den vielfachen Abhängigkeiten moderner Fertigungsprozesse in diesem Ausmaß offenbar nicht gerechnet hatte —, liegt eine deutliche Aufforderung, auf eine Erhöhung der Einwohnerzahlen jedenfalls an einigen Schwerpunkten hinzuarbeiten. Mit Ausnahme des Negev, für den andere Gesichtspunkte gelten, sind es heute nur sekundär die wirklichen Entfernungen, die viele Unternehmen von einer Ansiedlung im Landesinneren abhalten, eher die Isolierung und die fehlenden oder unzulänglichen technischen und institutionellen Hilfen. Die zunehmenden Verstopfungserscheinungen in den großen Agglomerationen, auf die für die Zukunft so große Hoffnungen gesetzt werden, kommen daher zunächst auch fast ausschließlich den küstennahen Städten zugute, in denen diese Hilfen leichter zu erlangen sind.

[1] Vgl. Israel Yearbook 1962, S. 35, wo dieser Anteil auf nahezu 75 % geschätzt wird.

New labour or labour dismissed from other industries cannot therefore be absorbed readily into agriculture and building. In the service sector also there is only limited scope. Though this sector has not yet reached either the size or the quality to be found in the older and bigger cities, chances for extension are small, both because of the slow rise in living standards in the new settlements themselves and because of the continuing lack of central functions to be provided for the rural hinterland. Should there be an increasing demand for services, it will presumably be found in the private sectors, trade, shopping, banking and personal services. These industries are, however, open to rationalization. The vast number of tiny shops, kiosks and workshops which can often only exist because their owners have additional means of subsistence (e.g. pensions), will in the long run hardly satisfy a more demanding public. The trend towards self-service and supermarkets is already to be noticed.

To avoid the emigration of surplus workers and their families, something entirely and fundamentally contrary to the population distribution policy, there remains only a considerable increase in the number of industrial jobs. The far-reaching measures to intensify the hitherto existing assistance programme, which will be even more necessary in the future than in the past, should be easily practicable since Israel, amongst all democracies of western type and even amongst the developing countries, has the greatest amount of investment controlled and directed by the State.[1] Even if the present pace of investment cannot be fully maintained, it is hard to understand why, with an enormous reservoir of public investment, it should not be possible to direct bigger and better flows of industry into the new towns. In addition, greater efforts to attract medium-sized private enterprises with approximately 50 to 100 workers would be required. Such enterprises now meet great technical and organizational difficulties especially in the smaller places with their low standard of service industries. These difficulties, mainly resulting from the manifold dependences of modern production processes, had in no way been foreseen by the original plans. Here, then, lies another stimulus to increase the number of inhabitants at least of a few focal points. With the exception of the Negev where other aspects prevail, actual distances are of only secondary importance in keeping entrepreneurs from settling in the interior. Rather is it the isolation, and the missing technical and institutional help. The growing obstruction in the big agglomerations, which is the hope of the future, so far favours almost exclusively those towns near the coast where this kind of help is more easily obtained.

Over a longer period, however, any quantitative measures can only succeed if placed within a comprehensive concept embracing as well the types of industries to be attracted, the location of centres of gravity and an eventual regional division of labour. This seems especially important as just the two industries predominant in the new towns, textiles and food, show the least rise in productivity and the least prospects of further growth.[2] If these two industries are to retain their present weight and even to expand, a consistent division of labour between the central and the development districts must be decided on; the more so since primary and heavy industry cannot be expected in the new settlements, except in some of the towns in the Negev and near the coast.

[1] Cf. Israel Yearbook 1962, p. 35, where this proportion is estimated as almost 75 %.
[2] Cf. R. Frey, op. cit., pp. 117 ff., especially with respect to population and labour forecasts in the individual districts.

Alle quantitativen Maßnahmen haben aber auf längere Sicht hin nur Sinn und Zweck, wenn sie in den Rahmen einer umfassenden Konzeption hineingestellt werden, die auch über die Art der anzusiedelnden Industrien, über Schwerpunkte und eventuelle regionale Arbeitsteilung entscheidet. Dies scheint um so wichtiger, als gerade die beiden in den Neugründungen vorherrschenden Industriezweige, Textil und Nahrungsmittel, von allen Industriezweigen den geringsten Produktivitätsgrad aufweisen und ihnen auch die geringsten Wachstumschancen eingeräumt werden.[1] Sofern diese beiden Zweige trotzdem ihr bisheriges Gewicht behalten oder sogar expandieren sollen, muß, da Grundstoff- und Investitionsgüterindustrien mit Ausnahme einiger Negev- und küstennahen Städte für die Neugründungen in der Tat vorerst kaum in Frage kommen, an eine konsequente Arbeitsteilung zwischen den Zentral- und den Entwicklungsgebieten gedacht werden.

Israelische Wirtschaftsplanung hat sich bislang weitgehend auf die Berechnung und Aufstellung erwünschter Zuwachsraten für Sozialprodukt und Investitionen, Export und Import, private und öffentliche Spar- und Konsumquoten und ähnlicher globaler Größen beschränkt, dazu auf eine gewisse allgemeine Bereitschaft, Industrien in den Entwicklungsgebieten zu fördern.[2] Auch ohne die Einführung einer totalen Planwirtschaft scheint die Forderung nach qualitativen Einzelplänen sowohl für die einzelnen Wirtschaftsbereiche wie für die verschiedenen Regionen des Landes berechtigt und erfüllbar. Nur aus solchen Plänen, denen selbstverständlich eine gewissenhafte Untersuchung aller etwa wirksamen Standortfaktoren vorausgehen müßte, können sich Richtlinien und Leitsätze für die Wirtschaftspolitik ergeben, die die bisher etwas willkürliche und zufällige Streuung industrieller Investitionen über die Entwicklungsstädte hin in rationelle Bahnen lenken, die den vielfältigen Interdependenzen der modernen Wirtschaft gerecht werden.

Die städtebauliche Entwicklung

Die Gartenstadt

Die Prinzipien, nach denen die Generalpläne der ersten und damit der meisten neuen israelischen Städte entworfen wurden und die auch heute noch in den Grundrissen wie im äußeren Bild dieser Städte, von Qiryat Shemona bis Elat, zu erkennen sind, hatten ihren Ursprung in den städtebaulichen Reformbestrebungen, die gegen Ende des 19. Jahrhunderts von England ihren Ausgang genommen hatten. Diese Bestrebungen, als leidenschaftliche Absage an die „lichtlosen", „versteinerten", „entmenschlichten" westeuropäischen Groß- und Industriestädte entstanden, sahen ihr Ziel in einer „organischen" Verschmelzung städtischer und ländlicher Lebensformen, im Ideal der „Gartenstadt". Als regulative oder konstruktive Elemente der Stadtplanung fanden sie in die städtebauliche Theorie und Praxis Eingang: „aufgelockerte" oder „gegliederte" Städte, „grüne Lungen", „Grüngürtel" und „grüne Vorstädte" waren die Forderungen des Tages und

Israeli economic planning so far has been mainly concerned with calculating and setting-up desirable rates of growth for the gross national product, for investments, exports and imports, for savings and consumption quotas, private and public, and similar global factors; in addition, with a general willingness to further industrial development in the new areas.[1] Even without introduction of a totally planned economy, the demand for individual plans, both for the economic sectors and for the various regions, seems justifiable as well as achievable. Only such plans, deliberately based on careful research about all possible location factors, can give motives for and directives to economic policy and can guide the somewhat haphazard dispersal of industrial investment over the development towns into more rational channels which, at the same time, allow for the many-sided interdependences of modern economies.

Land Use and Layout

The Garden City

The town planning reform which had started in England towards the end of the 19th century offered the basis for the principles underlying the master plans for the first, and thereby for most of the new towns in Israel — principles still evident today in the layout and the form of these towns, from Qiryat Shemona to Elat. This reform, an emphatic denial of the "dark", "stoney", "inhuman" industrial cities of Western Europe, aimed at an "organic" fusion of urban and rural ways of life, at an ideal city: the "Garden City". As regulative or constructive elements, the objectives of the reform soon found their place within the theory and practice of town planning and design. "Dispersed" or "nucleated" cities, "green lungs", "green belts" and "garden suburbs" became the demands of the day and in fact helped considerably in humanizing the cities. It must be emphasized, however, that all these principles originated and developed on European soil, were based on European landscapes and climatic conditions, and were tailored to the mentality of a European population.

[1] Vgl. R. Frey, a. a. O., S. 117 ff. Dort auch über die voraussichtliche Entwicklung der Bevölkerung und des Arbeitskräftepotentials in den einzelnen Distrikten.
[2] Vgl. Israel's Industrial Future. Published by The Ministry of Commerce and Industry. Prepared by the Industrial Planning Bureau. Jerusalem 1960. u. a. S. 118 ff. Ebenso: Prime Minister's Office, Economic Planning Authority: Proposed Directives for preparing a Five Year Development Plan for the National Economy 1965/66 – 1969/70. Jerusalem 1963

[1] Cf. Israel's Industrial Future. Published by the Ministry of Commerce and Industry, Prepared by the Industrial Planning Bureau, Jerusalem 1960, pp. 118 ff. Also: Prime Minister's Office, Economic Planning Authority: Proposed Directives for Preparing a Five Year Plan for the National Economy, 1965/66 to 1969/70, Jerusalem 1963

trugen in der Tat wesentlich zur Humanisierung der Groß-städte bei. Ihrem Ursprung nach — und dies muß betont wer-den — waren alle diese Bestrebungen jedoch auf europäi-schem Boden gewachsen, sie beruhten auf europäischen landschaftlichen und klimatischen Voraussetzungen, und sie waren auf die Mentalität einer europäischen Bevölkerung zu-geschnitten.

Nach Palästina, dessen jüdische Bevölkerung damals eben-falls überwiegend europäischer Herkunft war, waren diese Ideen bereits vor und während der Mandatszeit eingesickert, einerseits durch englische Architekten, die dort planten und bauten, andererseits durch die jüdischen Architekten selbst, die ihre Ausbildung zum größten Teil noch in Mitteleuropa oder in England erhalten hatten. In den Jahren und Jahr-zehnten vor der Staatsgründung hatten sie sich jedoch im Großen kaum auswirken können. Die zahlreich entstehenden ländlichen Siedlungen entwickelten bald ihre eigenen Bau-weisen[1]; die wenigen Klein- und Mittelstädte, die gebaut wurden, zeigten, obwohl auch hier eine Nachbarschaft an Richard Kauffmann, dort ein Generalplan an Alexander Klein erinnerte, kein einheitliches Gesicht; und die Großstädte, vor allem Tel Aviv und Haifa, konnten schon wegen der politi-schen und administrativen Beschränkungen der Zeit keinerlei langfristigen Generalpläne aufstellen oder gar durchführen. Sie wuchsen mehr oder weniger wild.

Theoretisch jedoch kam, vor wie nach der Staatsgründung, eine Reihe von Faktoren der Rezeption gartenstädtischer Ideen zu Hilfe, die in den ideellen und materiellen Voraus-setzungen des Landes selbst begründet waren. Schon im Jahre 1909 hatten die Gründer von Tel Aviv — weitgehend unabhängig von allen städtebaulichen Erkenntnissen — ihre Stadt, trotz Sand- und Dünenwüste um sie her, als Garten-vorstadt des arabischen Jaffa, als „Frühlingshügel", verstan-den. Selbst wenn sie Städter waren und bleiben wollten, lebte auch in ihnen ein Abglanz jener zionistischen Heils-vorstellung, die in der Rückkehr auf das Land, in der Bearbei-tung des Bodens mit eigenen Händen, eines der wesentlichen Elemente der jüdischen Wiedergeburt sah. Konnte oder sollte es auch kein Acker sein, der den Weg aus der ummauerten Enge des Ghettos wies, so doch wenigstens ein Garten.

Mit der Staatsgründung und der unmittelbar darauffolgenden Massenimmigration kamen praktische Gesichtspunkte hinzu. Da dem Neueinwanderer in der noch wenig entwickelten Wirtschaft des Landes weder ganzjährige Beschäftigung noch ein ausreichendes Lohnniveau garantiert werden konnten, sollte er auf einem entsprechend bemessenen Gartengrund-stück jedenfalls einen Teil seiner Nahrung — Kartoffeln, Ge-müse, Obst — selbst erzeugen, dazu Hühner und Kleinvieh halten können. Auch die Idee dieser Nebenerwerbssiedlungen ging, neben ihren zionistischen Anklängen, auf europäische Bemühungen und Versuche während und nach der Weltwirt-schaftskrise zurück.

Technisch erwies sich dabei von Vorteil, daß ein-, höchstens zweigeschossige Einzel- und Doppelhäuser, wie sie diese Hilfswirtschaften charakterisieren, wesentlich schneller errich-tet werden können als höhere und größere Reihen und Zeilen. Nach dem völligen Stillstand der Bautätigkeit während des Krieges war auch 1948 noch kaum eine Bauindustrie vor-handen. Die Zahl der Baufacharbeiter war auf knapp 6000

It was before and during the period of the Mandate, when the Jewish population was predominantly of European origin, that these principles were implanted in Palestine. They were intro-duced partly by English architects planning and building in the country, partly by the Jewish architects themselves who had received their training largely in Central Europe or in England. In the years before the foundation of the State, however, they could not be realized to any significant extent. The rural set-tlements, springing up in vast numbers, soon produced their own style of building.[1] The few small and medium-sized towns which were built, although showing here the influence of Ri-chard Kaufmann, there the ideas of Alexander Klein, did not develop a homogeneous pattern. And the big cities, especially Tel Aviv and Haifa, in view of the political and administrative restrictions of the time, were in no position to set up, let alone to carry out any long-term plans; their growth was more or less wild.

Theoretically, both before and after the foundation of the State, a series of factors helped the reception of the garden city idea — factors based on the ideal as well as the material fun-damentals of the country itself. Already in 1909 the founders of Tel Aviv — quite independent of all knowledge of town plan-ning ideas — had conceived their town, despite the dune and sand desert around them, as a garden suburb of the Arabic Jaffa — as "Hill of Spring". Even if they were, and wished to remain, city dwellers, there was alive in them, too, a reflec-tion of the Zionist vision which saw in the return to the land, in the working of the soil with their own hands, one of the vital elements of Jewish rebirth. If it could not or should not be a field which led the way out of the narrow walls of the ghetto, at least it should be a garden.

With the foundation of the State and the mass immigration following immediately afterwards, practical considerations su-pervened. As the new immigrant could not be guaranteed either work throughout the year or a sufficient living wage in the relatively undeveloped economy of the country, he should at least be able to grow part of his own food (potatoes, veg-etables, fruit) and to raise chickens and small cattle on his own land. Apart from their Zionist sources the idea of these small-holdings can also be traced back to European experi-ments during and after the Great Depression.

Of great technical advantage was the fact that one- or two-storey single and semi-detached houses, as were characteris-tic of these small-holdings, could be erected much faster than higher and longer blocks and rows. After the complete stop of all building during the war, in 1948 there was hardly any build-ing industry left. The number of skilled workers had sunk to barely 6000; cement had to be imported, timber and steel of which the country has no resources of its own, as well. Under these circumstances all methods of construction which could utilize local materials must be welcome. Welcome too must be all techniques which could be easily learnt and copied by un-skilled hands, mostly the future inhabitants themselves, and which might later on be used to enlarge the buildings without outside help. At a time when the transitional camps were bursting with people, when ships and aeroplanes were bring-ing in hundreds of immigrants every day, speed and simplicity were of utmost importance.

---

[1] Wegen ihrer neuartigen Lebensformen, die nach neuartigen Grundrissen verlangten, waren gerade sie es, die die Architekten anzogen: die Pläne Kauffmanns für Nahalal, den ersten Moshav des Landes (1921), und für den Kibbutz En Harod (1921) sind bekannt geworden.

[1] With their new ways of life, demanding new layouts, it was just these set-tlements which attracted the architects. Kaufmann's plans for Nahalal, the first Moshav of the country (1921), and for the Kibbutz En Harod (1921) have be-come well known.

gesunken, Zement mußte eingeführt werden, Bauholz und Stahl, an denen das Land keinerlei eigene Vorräte besitzt, desgleichen. Unter solchen Umständen mußten alle Konstruktionen willkommen sein, die mit landesüblichen Materialien auskamen, von ungeübten Kräften, meist den späteren Bewohnern selbst, schnell erfaßt und nachgebaut und später notfalls auch ohne fremde Hilfe erweitert werden konnten. In einem Augenblick, in dem die Übergangslager überquollen und Schiffe und Flugzeuge täglich Hunderte von Einwanderern in das Land brachten, waren Schnelligkeit und Handlichkeit oberstes Gebot.

Grundstückskosten und Knappheit an Bauland schließlich, die andernorts einer allzu extensiven Bauweise Zügel anlegten, fielen in den neuen israelischen Städten nicht ins Gewicht. Grund und Boden gehörte dem Staat, landwirtschaftlich nutzbares Gelände war schon bei der Standortwahl ausgeklammert, und die Vorstellung, daß die steinigen Hänge der galiläischen Berge oder die sandigen Dünen der Wüste, die die neuen Städte aufnehmen sollten, jemals knapp und kostbar werden könnten, mußte absurd erscheinen. Die Flächen für Wohnquartiere und öffentliche Plätze, für Sportanlagen und Industriezonen konnten großzügig abgesteckt werden, auf einige Hektar mehr oder weniger kam es nicht an.

Während in Europa die Anwendung gartenstädtischer Prinzipien fast immer nur regulierenden, ausgleichenden, schlimmste Auswüchse beseitigenden Charakter gehabt, kaum je — außer in England selbst — zu einer einheitlichen Gestaltung ganzer Gemeinwesen geführt hatte, waren in Israel also von mehreren Seiten her die Voraussetzungen zu einer, fast möchte man sagen: totalen Verwirklichung gegeben.

So zeigen die in den ersten Jahren nach der Staatsgründung entworfenen Flächennutzungs- und Bebauungspläne für Stadterweiterungen, Zwillingsstädte oder ganz neue Städte — welcher Größe auch immer — ausnahmslos das gleiche Bild: eine Reihe von Nachbarschaften, durch bis ins Zentrum vorstoßende Grünkeile voneinander getrennt, auch selbst noch reichlich mit Grünflächen durchsetzt, jede durch eine Ringstraße erschlossen, von der nur bei größeren Gebieten zusätzliche Verbindungs- oder Stichstraßen abzweigen. Etwa in der geographischen Mitte gelegen und ebenfalls von einer Ringstraße umgeben das Zentrum selbst, wiederum möglichst breitflächig, niedrig und ländlich angelegt, der übrigen Stadt durch einen weiteren Grüngürtel eher entrückt als verbunden. Jede Nachbarschaft mit einem eigenen Nebenzentrum mit Bank, Post, Ambulatorium und Läden für den täglichen Bedarf versehen, dazu Schulen, Kindergärten, Jugendklubs, so selbstgenügsam wie möglich. Die Bebauung niedrig, ein-, höchstens zweigeschossig, zuerst noch kaum Reihenhäuser, dafür freistehende Ein- oder Zweifamilienhäuser, jedes mit 1000 bis 2000 m² Grund. Nur selten durchbrechen dreigeschossige Blocks das Schema, in der Ausführung ließen sie jedoch meist auf sich warten. Die Bebauungsdichten sind entsprechend niedrig und liegen zwischen 10 und 30 Wohneinheiten je ha.[1] Das klassische, am meisten gepriesene und in der Tat auch am besten gelungene Beispiel dieses Stils sind einige neue Stadtteile von Ashqelon, der alten Philister-

High costs or shortage of building land, factors which restricted low-density building in other countries, had no weight in the Israeli new towns. The land belonged to the State, agricultural areas had already been put aside when locations were chosen, and the idea that the stony slopes of the Galilean mountains or the sandy dunes of the desert, which were to receive the new towns, should ever become scarce and valuable, must seem absurd. The areas for housing and public places, for sports grounds and industrial zones could be measured generously — an acre more or less did not matter.

Except in England, the principles of the garden city movement had so far been applied only to abolishing the worst excesses, and had not led to consistent design of whole communities. In Israel, however, in may respects the basic prerequisites for an almost total realization were given.

Thus, during the first few years of the State, most of the land use plans for town extensions, twin towns, or for completely new settlements of whatever size, show exactly the same characteristics: a series of neighbourhoods, separated by green strips penetrating right into the centre, each of them generously endowed with open spaces, and with a ring road from which in larger areas additional service or access roads would branch off; the centre itself in the very heart of the place, and surrounded by another ring road, again as broad, flat and villatic as possible, separated of rather than joined to the rest of the town by an additional green belt. Each neighbourhood with its own small centre including bank, post office, clinic, shops for daily needs, and also schools, kindergartens and youth clubs, as self-sufficient as possible; the buildings low, one or two storeys, at first hardly any terrace housing but free-standing one- or two-family houses, each with 1000 to 2000 square yards of ground; here and there three-storey blocks to interrupt the pattern, in fact, however, rarely realized. The building densities are correspondingly low, between four and twelve dwellings per acre.[1] The classical and most highly praised and, in fact, the most successful example of this style are a few new quarters of Ashqelon, the old Philistine city, where European and South African immigrants had known to realize their original ideas of rural living in simple bungalow quarters. The most unfortunate example is that of Beer Sheva, the capital of the desert, which, except for unlimited building land, did not possess one single prerequisite for a bucolic paradise (see plate I). Nevertheless, there is not one Israeli town started before 1955 which does not bear marks — if not much more — of this concept.[2]

The reasons which, first outside Israel, led to a shift from such designs are well known: waste of valuable urban land, high cost for development and maintenance of roads, water, drainage and electricity and finally the loss of any lively, varied and adventurous atmosphere. Israel, too, was by no means spared these experiences. They were supplemented and sharpened by circumstances and factors based in the climatic, social and economic conditions of the new State. Not only that the length and width of the roads and the generously allocated open spaces were helplessly at the mercy of a burning sun, and their high costs were onerous for a country at the beginning

[1] Dichtewerte werden in Israel fast ausschließlich in Wohneinheiten und nicht in Einwohnern je ha angegeben. Dies ergibt sich aus der sehr unterschiedlichen Belegungsdichte der Wohnungen, die je nach der Zusammensetzung der Einwanderung wechselt und für die Planung nicht vorauszusehen ist. Da einheitliche Vorschriften und Richtlinien nicht bestehen und auch die Definition nicht immer eindeutig ist — in der Mehrzahl der Fälle sind die Angaben jedoch auf ganze Viertel bezogen —, ist ihr Aussagewert begrenzt.

[1] In Israel densities are given almost exclusively in dwellings and not in persons per acre. This results from the considerable variations in the number of persons per dwelling, depending on the composition of the immigrants, and which is not ascertainable beforehand for planning purposes. As there are no general rules or directives, and definitions are often equivocal (although in the majority of cases data refer to whole quarters) the meaning is somewhat limited.

[2] Cf. the land use plans of the individual towns

stadt, wo europäische und südafrikanische Immigranten in flachen Bungalows die mitgebrachten Vorstellungen ländlich einfacher Villenviertel zu realisieren verstanden; das unglücklichste Opfer Beer Sheva, die Hauptstadt der Wüste, die außer unbeschränktem Baugrund nicht eine der Voraussetzungen für die Verwirklichung eines bukolischen Paradieses mitbrachte (s. Tafel I). Es gibt jedoch keine bis etwa 1955 begonnene israelische Stadt, die nicht Spuren — meist weit mehr — dieses Modells zeigt.[1]

Die Gründe, die, zunächst außerhalb Israels, zu einer Abkehr von derart weiträumigen Entwürfen führten, sind bekannt: Verschwendung kostbaren städtischen Baulandes, hohe Erschließungs- und Unterhaltskosten für Straßen, Wasser, Kanalisation, Elektrizität, schließlich das Fehlen einer lebendigen, abwechslungsreichen, eine gewisse „Erlebnisdichte" verheißenden Atmosphäre. Alle diese Erfahrungen blieben auch Israel nicht erspart. Sie wurden ergänzt und verschärft durch Umstände und Begleiterscheinungen, die in den wirtschaftlichen, sozialen und klimatischen Verhältnissen des neuen Staates selbst ihren Ursprung hatten. Nicht nur, daß die Länge und Breite der Wege und Straßen und der reichlich bemessenen Freiflächen einer brennenden Sonne hilflos ausgeliefert waren und die hohen Kosten ein in den Anfängen seiner Entwicklung stehendes Land besonders hart strapazieren mußten, nicht nur, daß die Eintönigkeit und Monotonie der hundertfach lose aneinandergereihten Häuschen des gleichen Typs letzten Endes nur eine unerwartete Variante der ebenso endlos aneinandergereihten Mietskasernen der Gründerjahre ergaben — das konstituierende Element, die Conditio sine qua non der „Stadt von morgen", stellte sich als Blendwerk heraus: der Garten. Was in einem gemäßigten Klima, bei ausreichenden Niederschlägen und natürlicher Vegetation eine willkommene und leicht zu pflegende Ergänzung jeder Wohnung ist, erwies sich in einem Land, in dem auch in niederschlagsreichen Gegenden von April bis Oktober kein Tropfen Regen fällt, als üppiger, ebensoviel Mühe wie Mittel verschlingender Luxus. Auch waren es selten gartengewohnte Europäer, die die neuen Häuser bezogen. Wer aus dem südlichen oder östlichen Mittelmeerraum kam, kannte vielleicht die Dachterrasse oder den Innenhof als Ergänzung der Wohnung, kaum aber das Grundstück hinter dem Haus. Die Folgen sind leicht abzusehen: anstelle des erhofften freundlichen Rahmens erstreckten sich sandig-lehmige Flächen, nicht immer ganz sauber, nicht immer frei von Unrat, nicht immer ohne Disteln und Unkraut. Wo Grün gedacht war, breitete Braun und Gelb sich aus, eine willkommene Beute des Windes. Die vorstädtische Öde und Verlorenheit, das Fehlen eines auch noch so begrenzten verdichteten Kerns, die schon in Europa zu denken gegeben hatten, mußten unter solchen Umständen besonders deutlich werden. In welchem Kontrast aber stand gerade dies Ergebnis zu den Absichten der Planung, die magnetische Kraft der großen Städte zu brechen, die Küstenzone zu entlasten, das ganze Land mit einem dichten Netz lebendiger Zentren zu überziehen. War die Gartenstadt als städtebauliches Prinzip ein Mißgriff, so noch mehr als Träger und Verbreiter städtischer Kultur.

Es ist leicht, heute über die Verantwortlichen den Stab zu brechen — den sie längst über sich selbst gebrochen haben — und zu sagen, daß solche Fehlschläge schon angesichts der klimatischen und vegetativen Verhältnisse in weiten Teilen des Landes vorhersehbar waren, vorhergesehen werden mußten. Sie kamen aus Europa, sie dachten in europäischen

of its development; not only that the endless similarity and monotony of row upon row of hundreds of small houses of the same type proved to be only an unexpected variation of the equally endless rows of the tenements of earlier years: the basic concept, the conditio sine qua non of the "town of tomorrow" — the garden — turned out to be a deception. In a temperate climate with sufficient rainfall and natural vegetation, a garden may be a welcome and easily kept asset to every home. In a country, however, where even in areas with more generous precipitation, there is not a drop of rain from April to October, a garden is a sumptuous luxury devouring both labour and funds. And rarely enough the occupants of the new houses were Europeans used to gardens and gardening. Whoever came from the southern or eastern Mediterranean was perhaps familiar with a roof terrace or a courtyard as an adjunct to his home, but hardly with a piece of land behind the house. The results are easy to imagine: instead of the friendly environs hoped for, level sand and clay appeared, not always quite clean, not always free of rubbish, not always without thistles and weeds. Where green had been expected, brown and yellow spread, a welcome find for the wind. The suburban dreariness and forlornness, the lack of even a small lively core, which had already been experienced in Europe must become doubly conspicuous in such circumstances. Exceedingly sharp was the contrast to the intentions and objectives of the plans, which had hoped to break the magnetic attraction of the great cities, to relieve the coastal zone and to cover the whole country with a dense network of vigorous centres. If the garden city proved a failure as a town planning concept, it proved an even bigger failure as a bearer and spreader of urban life.

It is easy today to blame those responsible — they have already blamed themselves for long. It is easy to say that such failures were foreseeable, must have been foreseen in view of the climatic and vegetational conditions over wide areas of the country. But those responsible came from Europe, they had European ideals, they lived in the most Europeanized parts of the country, and they counted on European inhabitants. The Mediterranean, especially the Arab and Oriental regions were not their original basis of learning and perception. And they had no time to gather experience. Only if we imagine the enormous haste and pressure of the first years, when plans were taken still fresh from the drawing board and raced to the sites, can we understand how mistakes had already grown to outsize dimensions before it became apparent that they in fact were mistakes. Types of houses or flats, deemed excellent on paper, were mushrooming in their thousands over the whole country before practice proved that theoretical conception and built reality diverged sadly.

---

[1] Vgl. vor allem die Flächennutzungspläne der einzelnen Beispielstädte

Vorstellungen, sie lebten in den europäisiertesten Teilen des Landes, sie rechneten mit europäischen Bewohnern. Der Mittelmeerraum, vollends der südliche, arabisch-orientalische, war nicht ihr ursprüngliches Lehr- und Anschauungsmaterial. Und sie hatten keine Zeit, Erfahrungen zu sammeln. Nur wer sich die Hast und den Arbeitsdruck jener ersten Jahre vergegenwärtigt, in denen die Pläne sozusagen noch warm vom Reißbrett genommen und zur Baustelle gebracht wurden, kann sich ein Bild davon machen, wie Fehler und Irrtümer längst ins Allgegenwärtige, Überdimensionale gesteigert waren, bevor überhaupt erkennbar wurde, daß es Fehler und Irrtümer waren. Ein Haus- oder Wohnungstyp, auf dem Papier für gut befunden, sproß längst im ganzen Lande tausendfach aus dem Boden, ehe die Praxis erweisen konnte, daß theoretische Konzeption und gebaute Wirklichkeit kläglich auseinanderklafften.

Gegenbewegung und neuere Entwicklung

Die Gegenbewegung, die etwa Mitte der fünfziger Jahre einsetzt, war zunächst gehemmt durch alle jene Umstände, die, neben den ideellen und theoretischen Gesichtspunkten, extensive Bauweisen gefördert hatten, an erster Stelle die Schnelligkeit und Einfachheit der technischen Konstruktion; dann aber auch durch bereits vorgegebene Straßenzüge, Baufluchtlinien, Parzellierungen, nicht zuletzt durch das, was schon stand. Trotzdem setzt sich, nach einer gewissen Übergangszeit, mit den Jahren 1958/59 der Wechsel zu dichterer und höherer Bebauung endgültig durch. Gleichzeitig wird eine sorgfältigere Modellierung der Räume und eine bessere Anpassung an Klima und Landschaft erkennbar.

Counter Movement and Recent Development

The counter movement which began about the middle of the fifties was impeded by all those circumstances which, quite apart from ideological and theoretical concepts, had furthered low-density layouts — in particular the speed and simplicity of construction techniques. In addition there were the already established road patterns, the building lines, the existing parcellations, and last but not least there were the buildings themselves. Nevertheless, after a certain transitional period, the years 1958 and 1959 finally brought a definite change to denser and higher building. At the same time, more careful modelling of space and landscape became apparent.

As a first step the somewhat excessive size of open spaces was reduced, small-holdings were no longer established. To remove the existing ones without radical reconstruction (i.e. pulling down the houses) was impracticable, so they were allowed to remain and here and there an additional house, of equally rural character, was built on the same site. Where there was a threat of space shortage, two- or three-storey blocks were interspersed, a solution rarely aesthetically satisfying but at least practical, indicative of future trends. At the same time there was a shift from detached to row houses, and from single-storey to two-storey houses. The turning point towards really urban forms of building, however, was reached only when three- and four-storey rows and blocks became the rule. In varying lengths and steadily improving quality, inter-

Mustersiedlung in Beer Sheva — Bebauungsplan
Model neighbourhood at Beer Sheva — site layout
Arch. A. Yasky, A. Alexandroni

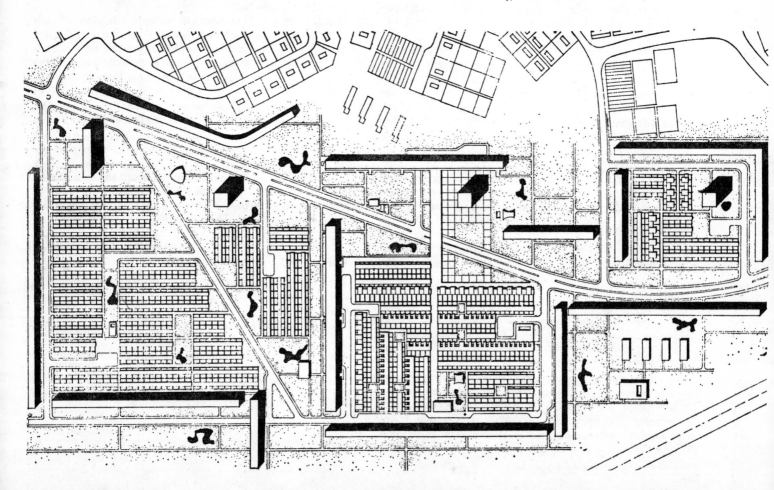

Als erstes wurden die allzu reichlichen Freiflächen eingeschränkt, Nebenerwerbssiedlungen nicht mehr gebaut. Die vorhandenen ohne radikale Sanierungsmaßnahmen, das heißt ohne Abriß der Häuser, zu beseitigen, begegnete Schwierigkeiten. So ließ man sie stehen, setzte vielleicht noch ein zweites, ebenso ländliches Häuschen auf das Grundstück. Wo Platznot drohte, wurden zwei- oder dreigeschossige Blocks eingefügt, selten eine ästhetisch befriedigende, aber jedenfalls eine praktische, in die Zukunft weisende Lösung. Gleichzeitig erfolgte der Übergang vom Einzel- zum Reihenhaus, vom eingeschossigen zum zweigeschossigen. Die eigentliche Wende setzte jedoch erst ein, als drei- und viergeschossige Reihen und Zeilen zur Regel wurden, die, in unterschiedlicher Länge und in stetig verbesserter Qualität, zusammen oder abwechselnd mit ebenfalls drei- oder viergeschossigen Punkthäusern auch heute noch das Bild beherrschen und, auf das Viertel bezogen, Dichten von 60 bis 70 WE/ha ergeben. Oft sind sie, ganz oder teilweise, auf Pfeiler gesetzt, die für bessere Durchlüftung, schattige Eingänge, Abstellflächen für Fahrräder und Kinderwagen und in den Wohnungen für einen gewissen Abstand vom Lärm und Staub der Straße sorgen. Die allzu häufige Wiederholung der gleichen Typen wird vermieden, Variationen in der Anordnung von Treppenhäusern, Balkonen und Fenstern oder farbliche Akzente sollen Abwechslung schaffen.

Ausgesprochene Mustersiedlungen, wie sie in Beer Sheva und Qiryat Gat errichtet wurden, bemühen sich um eine bessere formale und funktionale Gliederung geschlossener Bezirke, die — trotz der ausdrücklichen Bekenntnisse zum Nachbarschaftsprinzip — bisher selten als solche zu erkennen gewesen waren. Die Siedlung in Beer Sheva, im Endstadium auf 2500 Einheiten berechnet (65 WE/ha), versucht diese Gliederung durch die Kombination langgezogener drei- und viergeschossiger Blocks mit ein- bis zweigeschossiger Teppich- und Reihenbebauung. Die drei Innenräume, die sich ergeben, sollen jeder durch ein Turmhaus einen zusätzlichen Akzent erhalten (s. Tafel I, II). In Qiryat Gat ist, bei nur 950 Einheiten (etwa 45 WE/ha), die Gliederung vielfältiger und weniger durch Kontraste als durch die sorgfältige Abstufung und Anordnung der verschiedenen Elemente — ebenfalls langgezogene Blocks, drei- und viergeschossige Punkthäuser und ein- bis zweigeschossige Reihenhäuser — bestimmt. Auch sind die sechs Einzelfelder durch breite Fußgängerachsen auf das Zentrum ausgerichtet, das als zusammenhängender Block ausgebildet und als wesentliches formales und soziales Integrationsmoment gedacht ist (s. Tafel II).[1]

Auch neue Wohngruppen oder -viertel in Zefat und Afula, in Arad und Elat — um nur einige zu nennen —, vor allem aber im neuen Nazareth und in Karmiel bedeuten in der Bewältigung und Gestaltung von Topographie und Raum große Schritte nach vorn. Dabei muß die Einbeziehung der dritten Dimension, in christlichen Ländern von eh und je durch den Kirchturm, in mohammedanischen durch das Minarett gegeben, in Israel, dessen Synagogen keine Türme kennen, auf weit mühsamerem und weniger selbstverständlichem Wege errungen werden. Hochhäuser sind in fast allen neuen Entwürfen vorgesehen, jedoch für die Mehrzahl der neuen Städte finanziell kaum tragbar; in der Ausführung lassen sie daher meist auf sich warten. Wassertürme, zunehmend originell und liebevoll gestaltet, erfüllen weit sinnfälliger ästhetische Funktionen, die sie zu Wahrzeichen des Landes werden lassen (s. Tafel III).

Besonders gute Lösungen werden dort erzielt, wo eine tech-

[1] Vgl. A. Glikson: L'Unité d'Habitation Intégrale. Le Carré Bleu, I, 1962

Bebauungsschema Mustersiedlung in Qiryat Gat
Diagram of model neighbourhood at Qiryat Gat
Arch. A. Glikson

spersed with three- or four-storey point blocks, they dominate the picture up to the present day, resulting in average densities of 24 to 28 dwellings per acre. Often all or part of the house is set up on stilts, allowing for better ventilation, shady entrances, storage space for bicycles and prams, and, for the individual flat, a certain distance from the noise and dust of the street. Excessive repetition of the same type is avoided; variations in the design of staircases, balconies and windows, and an emphasis on colourful details offer greater diversity.

Proper model neighbourhoods, such as were built in Beer Sheva or Qiryat Gat, attempt to reach a better spatial and functional arrangement within the individual quarter, something which despite the emphatic acknowledgement of the neighbourhood principle, had so far only rarely been achieved. The neighbourhood at Beer Sheva which when completed will provide 2500 units (at 25 dwellings per acre) tries to combine elongated three- and four-storey blocks with a closely interwoven pattern of one- or two-storey terrace and courtyard houses. The enclosed spaces which result are to be accentuated by multi-storey point blocks (see plate I, II). In Qiryat Gat, with only 950 units (at approximately 20 dwellings per acre) the layout is more varied, achieved less by contrasts than by careful scaling and placing of the individual elements. Elongated blocks, three- and four-storey point blocks and one- and two-storey terrace houses are used to obtain diversity. By means of broad pedestrian routes the six separate sub-units are orientated towards the centre which is designed as a comprehensive unit, and is destined to give impetus to the spatial and social integration of the quarter (see plate II).[1]

New residential quarters in Zefat, Afula, Arad and Elat, to name but a few, and especially in the new Nazareth and Karmiel, indicate another great step forward in controlling and exploiting topography and space. The lack of vertical features, however, creates a problem: synagogues have no towers or mina-

[1] Cf. A. Glikson: L'Unité d'Habitation Intégrale. Le Carré Bleu, I, 1962

nisch vielleicht unbequeme, aber abwechslungsreiche Topographie solchen Bemühungen zuhilfe kommt. Das neue Nazareth, auf der Kuppe und den Hängen eines der alten Stadt benachbarten Hügels gelegen, fügt sich so geschickt den Einschnitten und Buchten, Buckeln und Terrassen des Geländes ein, wie es die unvermeidliche Serienbauweise zuläßt. Vor allem nach Norden erlaubt die sorgfältige Anordnung der Baukörper großartige Ausblicke auf die Landschaft (s. Tafel III-V). Auch die neuesten achtgeschossigen Punkthäuser in Afula, die sich an der Talseite einer Hangstraße emporziehen und von dieser auf einer kleinen Brücke zum vierten Stock zugänglich sind — ein geschickter Kompromiß, der den kostspieligen Fahrstuhl vermeidet —, und ähnliche Entwürfe in Zefat deuten die Entwicklung einer charakteristischen und sehr kompakten Silhouette an, die in ihrer bewußten Anlehnung an städtische, wenn nicht großstädtische Vorbilder in denkbar scharfem Gegensatz zu den Tendenzen der ersten Jahre steht (s. Tafel VI, VII, XIX).

Auch die Anpassung an die Landschaft und das Klima erweist sich als langwieriger und mühevoller Prozeß, der, nach eklektizistischen und längst vergessenen Anfängen um die Jahrhundertwende und einigen Versuchen Mendelsohns in den dreißiger Jahren, erst in der letzten Zeit wieder in Gang gekommen ist. Nicht nur die Architekten, auch die Bewohner waren den Erinnerungen der alten Welt tausendfach verhaftet — den Erinnerungen und den Vorbildern. Orientalische Einwanderer, denen Klima, Landschaft und Baustil des südlichen Mittelmeerraums von Kind auf vertraut sein mußten, brachten schon bei der Ankunft an europäischen Modellen orientierte Wert- und Wohnvorstellungen mit. Die mit Bedacht auf ihre Gewohnheiten und Bedürfnisse zugeschnittenen Atriumhäuser waren verdächtig, sie wollten „wie die Europäer" in drei- oder viergeschossigen Etagenhäusern wohnen. Wo Erinnerungen auf der einen und Empfindlichkeiten auf der anderen Seite Rechnung getragen werden muß, ist es doppelt schwer, dem Lande angemessene Bauformen zu entwickeln.

Trotzdem sind, zunächst in mehr technischen Fragen, Fortschritte erzielt worden. In der Küstenzone werden die Straßen grundsätzlich nach Westen geöffnet, um den kühlen Seewinden Zutritt zu lassen — das gesamte Straßensystem Tel Avivs ist noch nordsüdlich ausgelegt. In den Wüstengebieten, vor allem in Arad oder Dimona, können dagegen nur besonders kompakte, dicht ineinandergefügte Bauweisen die periodisch auftretenden Wüstenwinde, die „Khamsine", fernhalten. Auch in weniger exponierten Gegenden versucht man, im Fußgängerbereich zu maueumschlossenen oder balkonüberdachten Gassen überzugehen, die den größten Teil des Tages über im Schatten liegen. Die sehr beliebte Teppichbebauung mit Atriumhäusern, Innenhöfe auch bei mehrgeschossigen Häusern, hereingezogene Balkone, schmale Fensterschlitze nach Süden und Westen, Arkaden und Laubengänge in den Zentren, stellen Versuche dar, zu einer besseren Anpassung an das Klima zu gelangen. Ansätze zu eigenständigen Stilelementen mögen sich schon hieraus mit der Zeit von selbst ergeben (s. Tafel VII, VIII).

Die vermehrte Verwendung vorfabrizierter Bauteile hingegen, mit der an verschiedenen Orten experimentiert wird, dürfte beim gegenwärtigen Entwicklungsstand auch der modernsten Systeme nicht unproblematisch sein. Die für die Rentabilität der Herstellungsbetriebe erforderlichen großen Stückzahlen stehen in keinem Verhältnis zu dem geringen Bauvolumen der Mehrzahl der neuen Städte und können angesichts der hohen

rets, as have Christian churches or Mohammedan mosques, and vertical interest can be achieved only by difficult and devious means. High flats are envisaged in nearly all new layouts, but are hardly practicable in the majority of the new towns for financial reasons; their actual construction lags a long way behind. Water towers, designed with increasing care and originality, fill aesthetic needs with more sense and are becoming the landmarks of the country (see plate III).

Particularly good results have been achieved where assisted by a varied, though perhaps difficult, topography. The new Nazareth, situated on the top and along the sides of a hill adjacent to the old town, is adapted to the contours and the hollows, the humps and terraces of the terrain as skilfully as mass-produced buildings allow. Careful spatial arrangement of the housing groups permits beautiful views to the north (see plate III-V). New eight-storey point blocks in Afula, built on the valley side of a mountain road and to be reached by means of little bridges at the level of the fourth floor — a clever compromise which avoids the costly elevator — and similar designs in Zefat indicate the development of a characteristic and very compact silhouette, which leans consciously on urban models and stands in sharp contrast to the trends of the early years (see plate VI, VII, XIX).

This adaptation to landscape and climate proves a long and weary process, which has got under way only in the last few years, after long-forgotten eclectic beginnings at the turn of the century and some attempts by Mendelsohn in the thirties. Not only the architects but the inhabitants too, were the prisoners of old world memories — memories and examples. Oriental immigrants believed to be familiar from childhood with climate, landscape and building of the southern Mediterranean, already arrived with European values and concepts. The courtyard houses which had been designed with their customs and needs in mind, were looked upon with suspicion. They wanted to live "like the Europeans", in three- and four-storey blocks of flats. Where memories on the one hand, and sensibilities on the other, must be pandered to it is doubly difficult to develop patterns suitable to the country.

All the same, progress has been made, so far mostly in the technical field. In the coastal zone, roads are on principle orientated towards the west, to take advantage of the cool sea winds, whereas the whole road system of Tel Aviv is still based on a north-south alignment. In desert regions, on the other hand, especially in Dimona or Arad, only very compact, closely intertwined building patterns can keep out the periodic desert wind, the "Khamsin". Even in less exposed areas, attempts are being made to have footpaths enclosed by walls or roofed over by balconies, keeping them shady for the most part of the day. Various devices are being tried to adapt the buildings to the needs of the climate. Much favoured are close-woven grids of courtyard houses, and even multi-storey houses have inner courtyards. Besides, covered balconies, narrow slits for windows facing west and south, arcades and loggias in the centres — all represent efforts to achieve a better adaptation to the climate. An individual style may develop automatically from these beginnings (see plate VII, VIII).

On the other hand, the increased use of prefabricated building components which is being experimented with in various places, is not entirely unproblematical when considering the present state of evolution of even the most advanced systems. If production is to be profitable, a large number of units have to be manufactured. This number does not bear any relationship to the small volume of building in the majority of the new

Transportkosten auch kaum über einen weiteren Radius gestreut werden. Die bestehenden Betriebe (Elat, Sederot) wirken sich daher im Stadtbild nicht immer positiv aus (s. Tafel XXXI). Trotzdem sind in Karmiel, Ramla, Yavne und Arad neue im Bau.

Neben der ländlich-extensiven Bauweise wurden sehr bald auch noch andere, mindestens ebenso grundsätzliche Prämissen der bisherigen Planung in Frage gestellt: die Untergliederung der Städte in weitgehend selbständige Nachbarschaften und die traditionelle, vom antiken Forum, dem mittelalterlichen Marktplatz abgeleitete runde, quadratische oder rechteckige, jedenfalls flächige und räumlich geschlossene Form des Stadtkerns. Beide Prämissen erwiesen sich als technisch und logisch eng miteinander verknüpft. Der Verzicht auf zahlreiche, über die ganze Stadt gestreute Schwerpunkte konnte nur erfolgen bei gleichzeitiger Streckung des eigentlichen Kerngebietes zum linearen Zentrum, zur „civic axis". Die hieraus resultierende Entwicklung ist neueren Datums, nicht unumstritten und auch in ihrer Zweckmäßigkeit und in ihren Auswirkungen noch nicht erprobt. Zum Teil folgt sie wieder internationalen Erfahrungen, zum Teil eigenen, die, nicht zuletzt wegen der beim Bau neuer Städte leicht erfolgenden Verabsolutierung sonst nur regulativer Gesichtspunkte, fast immer eine Raffung und Intensivierung dieser Erfahrungen mit sich bringen.

Die Nachbarschaft als städtebauliches, vor allem aber als soziales Organisationsprinzip hatte in Israel zunächst als eines der wesentlichen und unerläßlichen Mittel der Assimilation und Integration der Neueinwanderer gegolten. Aus Großfamilien, aus dörflichen oder kleinstädtischen Verhältnissen gekommen, schien es undenkbar, sie der Anonymität formal und sozial ungegliederter und schwer überschaubarer Räume zu überlassen. Der begrenzte Umkreis der Nachbarschaft sollte dem Neuling das Vertrautwerden und die Verwurzelung in der neuen Heimat erleichtern, wie er auf der anderen Seite auch den geeigneten Rahmen für alle Arten sozialer und kultureller Erziehungsarbeit, für Mütterberatung und Jugendbetreuung, für Sprachunterricht und Gemeinschaftsveranstaltungen ergab.

Die wenigen sozialwissenschaftlichen Untersuchungen, die die tatsächlichen Kommunikationsverhältnisse im innerstädtischen Bereich einer kühlen Analyse unterziehen, ließen jedoch Zweifel aufkommen, daß, über die rein organisatorische Funktion hinaus, der Nachbarschaft als sozialem Integrationselement wesentliche Bedeutung beizumessen sei. Weder wurden Spannungen zwischen verschiedenen ethnischen Gruppen durch räumliche Nähe verhindert noch vorhandene Spannungen gemildert — Erfahrungen, die nur die Ergebnisse ausländischer Untersuchungen bestätigten, die die Nachbarschaft als soziologisch relevantes Prinzip sehr bald als romantisches Wunschbild erkannt hatten. Darüber hinaus drohte die Einheit der Teile, wie unvollkommen auch immer sie noch sein mochte, die Einheit des Ganzen zu hindern. Zentralfunktionen, die kaum ein bescheidenes Stadtzentrum zu füllen vermochten, wurden zerteilt, verstreut, delegiert — und von den Bewohnern doch nicht in Anspruch genommen. Die Ladengruppen in den Nebenzentren standen vielfach leer; wer irgend konnte, lief oder fuhr „in die Stadt" — selbst wenn sie kilometerweit bergab lag. Statt weiterer Untergliederung und Aufteilung schien Zusammenfassung und Konzentration erforderlich.

Unabhängig hiervon traten Schwierigkeiten auf, die sich aus der Abfolge der Bauabschnitte in der Zeit ergeben. Allen Planern und Architekten größerer Stadterweiterungen oder

towns, while in view of the high transport costs such materials cannot be distributed over a wide radius. Building with these materials is therefore concentrated in any one area (examples are Elat and Sederot) and consequently has an unfavourable effect on the townscape (see plate XXXI). Nevertheless, new factories are under construction in Karmiel, Ramla, Yavne, and Arad.

Apart from the low-density somewhat rural pattern of development, other equally fundamental principles of present-day planning were very soon questioned, including the division of the town into largely self-sufficient neighbourhoods, and also the traditional form of the town centre (whether round, rectangular or square) which has developed from the classical forum and the medieval market place. Both principles proved to be logically and technically very closely connected: the abandoning of the numerous local centres scattered throughout the whole town could only be successful if at the same time the actual core of the town was elongated into a linear centre — a "civic axis". The resulting development is fairly recent and not uncontroversial; its suitability and its consequences have not yet been put to the test. Once more it follows partly international, partly Israeli experience. The latter nearly always brings about a concentration and intensification of the international experience, not least because principles which are otherwise merely regulative tend to become absolute when applied to the building of new towns.

In Israel the neighbourhood unit as a principle of town planning not less than as a principle of social organization had always been considered one of the vital and indispensable means to encourage the assimilation and integration of new immigrants. Coming from large families, from villages or small towns, it seemed unthinkable to expose them to the anonymity of physically and socially unintegrated areas, difficult to comprehend. The limited framework of the neighbourhood unit was to help the newcomer to become familiar with and to take roots in his new home, and it seemed suitable for all types of social and cultural education as well, including guidance clinics for mothers, youth clubs, language courses and community activities.

The few pieces of sociological research, however, which have analysed the actual degree of social intercourse within urban areas have produced doubts as to whether the neighbourhood has any real significance as an element of social integration other than in an organizational capacity. Physical proximity neither helped to avoid rising tensions between different ethnic groups nor to eliminate existing ones, experiences already anticipated by the results of foreign research which had proved the neighbourhood as a socially relevant principle to be a romantic vision. Moreover, the coherence of individual sectors, however incomplete it may have been, threatened to prevent the coherence of the whole. Central functions which were hardly capable of filling a modest town centre were divided, scattered, delegated — and even so were not made use of by the inhabitants. Groups of shops in the neighbourhood centres often stood empty; whoever could do so walked or drove "downtown", even if "downtown" was miles away down the hill. Instead of further dispersal and scattering, concentration and condensation seemed necessary.

Further difficulties arose with respect to the timing of development and construction. Well known to all planners and architects of town extensions or new towns, in Israel these difficulties were accentuated by the specific conditions of an immigrant and developing country. If the planner of an English,

gar neuer Städte vertraut, werden sie in Israel verstärkt durch die spezifischen Bedingungen eines Einwanderungs- und Entwicklungslandes. Kann der Planer einer englischen, schwedischen oder holländischen Neugründung etwa voraussehen, oder gar vorausbestimmen, wann diese aufgefüllt und wann damit die Voraussetzungen für die wirtschaftliche und soziale Tragfähigkeit der einzelnen zentralen Einrichtungen gegeben sein werden, so der israelische Planer nie. Er weiß nicht, ob seine Stadt in fünf oder in zwanzig Jahren die Größe haben wird, von der er in seinem Generalplan ausgegangen ist und auf die er das Zentrum funktional und räumlich berechnet und zugeschnitten hat. Bis dahin muß er es aussparen, um es herumbauen, kann es höchstens mit einer Ladengruppe, einem Kino, der Stadtverwaltung, einem Café notdürftig bestücken. Die Plätze für Büro- und Geschäftshäuser, für Hotels und Vergnügungsstätten bleiben leer. Anstelle des Marktplatzes, der Piazza, des wimmelnden Mittelpunktes der Stadt, erstreckt sich vorerst ein sandiger Fleck; der Ort höchster zukünftiger Verdichtung bleibt jahrelang eine Stätte kläglicher Verdünnung (s. Tafel VIII).

Beginnt der Aufbau der Stadt nicht vom Zentrum, sondern von der Peripherie her, wie z. B. bei der inzwischen auf 350 000 Einwohner berechneten Hafenstadt Ashdod, so ergeben sich umgekehrte Probleme. Zentrale Funktionen, die die ganze Stadt betreffen, müssen zunächst provisorisch in den einzelnen Nachbarschaftszentren untergebracht werden, die Stadtverwaltung hier, die Hafenbehörde dort, das Arbeitsamt und die Krankenkasse in einem dritten Zentrum. Auch hier dauert es Jahre, bis die Stadt wenigstens räumlich ihre vorgesehene City erreicht hat, ein Zeitraum, in dem sie ebenfalls ohne Kern und Mitte ist. Die theoretisch beste Lösung, großzügige Vorfinanzierung und Subventionierung der zentralen Einrichtungen auch bei langfristiger Unterbelegung und Unterbenutzung, kommt, wenn überhaupt je, für ein Entwicklungsland mit dringendem Kapitalmangel auf der einen und starken inflationären Tendenzen auf der anderen Seite schwerlich in Betracht.

Wenn nicht schon aus der Theorie, so mußte sich aus der Praxis solcher Erfahrungen und Mängel ergeben, daß eine der Hauptforderungen dynamischer Planung überhaupt, größtmögliche Vollständigkeit in jedem Bauabschnitt, mit der herkömmlichen Vorstellung eines überwiegend radialen Wachstums nicht zu vereinen war. Überlegungen und Gesichtspunkte, die beim Bau von Cumbernauld und bei der Planung für Hook eine Rolle gespielt hatten, fanden Interesse. Die Achse als Zentrum schien den besonderen Problemen und Bedürfnissen des israelischen Städtebaus auch insofern gerecht zu werden, als sie gleichzeitig die Antwort auf die Frage brachte, wie bei einer Aufgabe des Nachbarschaftsprinzips die notwendigen Gemeinschaftseinrichtungen in erreichbare Nähe jedes Bewohners gebracht werden können. Sind die Wohnbezirke rechts und links der Achse angeordnet — bei genügender Dichte sollte sie auch von deren Peripherie aus leicht zu Fuß zu erreichen sein —, so können Haupt- und Nebenzentrum weitgehend zusammenfallen, die wirtschaftliche und soziale Potenz des eigentlichen Kerns sich entsprechend erhöhen. Sofern nur eine gewisse Flexibilität in den Verwendungsmöglichkeiten der öffentlichen Gebäude gegeben ist, können auch kommunale und administrative Zentralfunktionen mit dem Wachstum der Stadt mitwandern, bis sie ihren endgültigen Ort im Zentrum des Zentrums erreicht haben — und sich doch jeweils in ihrer Mitte befinden.

Die Grundrisse der beiden neuesten Städte, Arad und Karmiel, sind nach diesem Vorbild angelegt. Auch die Entwürfe für

Swedish or Dutch new town can foresee approximately, or even decide in advance, when his town will be filled up and when the economic and social basis for the various central institutions will be given — the Israeli planner never can. He does not know whether his town will take five or twenty years to reach the size which he envisaged when preparing his master plan and calculating the spatial and functional capacity of the centre. Till then, he must leave it open, build around it, and can at best furnish it modestly with a few shops, a cinema, the town administration and perhaps a café. The sites for offices and business-houses, for hotels and places of amusement remain empty. Instead of the market place, the Piazza, the seething heart of the town, there is a sandy waste; for many years richness and diversity are replaced by a pitiful void (see plate VIII).

The reverse difficulties appear if construction does not start from the centre, but from the periphery, as for instance at the port of Ashdod, now being designed for 350 000 inhabitants. Central functions concerning the whole town have to be sited provisionally in the various neighbourhood centres, the town administration here, the port authority there, the labour exchange and the health insurance office in yet another centre. In these circumstances, too, it takes many years before the town at least physically reaches its central area, a period in which it remains also without focus and core. The advance of capital and the subsidizing of central institutions, even if they remain under-used and under-occupied for some time to come, theoretically the best solution, can hardly be realized in a developing country with tremendous shortage of capital and strong inflationary tendencies.

If not from theory, at least from practice, from the results of such failures and experiences, it must have become apparent that one of the principal requirements of dynamic planning, the greatest possible completeness in every phase of development, was not compatible with the traditional concept of a radial pattern of growth. Ideas and considerations which had played a part in the building of Cumbernauld and the planning of Hook were of interest. The linear centre seemed to meet the special Israeli problems and needs to a far greater extent, in so far at least as it solved the question of how to bring the necessary community services within easy reach of every inhabitant, while abandoning the neighbourhood principle. If the residential quarters were being arranged to the right and to the left of the central axis — given sufficient density it should be within pedestrian reach even from the peripheral areas — sub and main centre could be largely combined, thus increasing the social and economic potential of the actual core. If a certain flexibility in the use of public buildings is guaranteed, administrative and community services can move in line with the expansion of the town till they reach their ultimate destination in the very centre of the centre — and yet have always been in the focus of the successive stages of development.

The layouts for the two newest towns, Arad and Karmiel, the plans for Besor, and the outlines for a new central area for Beer Sheva, are designed along such lines. None of these attempts have reached beyond the stage of planning or of construction of the first sub-units so far. Experiences, successes and failures are still to come. At least in one respect the development seems consistent: it leads to the concentration of central facilities which often have been widely scattered, and to the strengthening of the social coherence determining the attraction of the towns beyond their own boundaries.

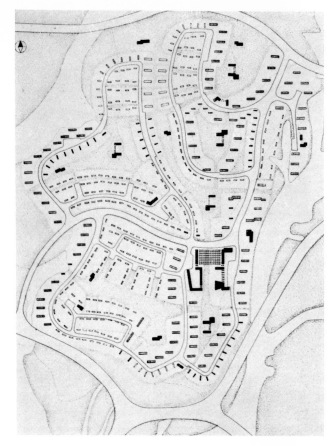

Zentrum eines neuen Stadtteils von Ashqelon
Neighbourhood centre at Ashqelon

Beer Sheva – Wohnviertel C (Süd)
Beer Sheva – neighbourhood C (South)

Mustersiedlung in Beer Sheva
Model neighbourhood at Beer Sheva

Mustersiedlung in Beer Sheva – 4-geschossige Blocks und Teppichbebauung
Model neighbourhood at Beer Sheva – 4-storey blocks of flats and
terrace houses

Mustersiedlung in Qiryat Gat – erster Bauabschnitt
Model neighbourhood at Qiryat Gat – first sub-unit

Wasserturm bei Or Aqiva
Water tower near Or Aqiva

Wasserturm bei Ma'alot
Water tower near Ma'alot

Das alte Nazareth
Nazareth – the Old Town

Blick über das neue Nazareth
Nazareth – the New Town

Hangbebauung im neuen Nazareth
Terrace houses on a sloped site at Nazerat Illit

7-geschossige Punkthäuser im neuen Nazareth
7-storey point blocks at Nazerat Illit

Blick vom neuen Nazareth nach Norden
Nazerat Illit – view to the north

Häusergruppe im neuen Nazareth
Residential housing at Nazerat Illit

Tafel VI / Plate VI:
Ma'alot — Gesamtansicht von Nordwesten
Ma'alot — general view from north-west

Hangbebauung in Zefat
Terrace houses on a sloped site at Zefat

Terrassenhäuser am Hang
Terrace houses on a sloped site

Neues Wohnviertel in Dimona
Residential quarter at Dimona

Teppichbebauung in Elat
Terrace houses at Elat

Dimona – Stadtzentrum mit Stadtverwaltung, Kino und Ladengruppe (1962)
Dimona – town centre with town administration, cinema, and shopping centre (1962)

Fußgängerstraße in Karmiel
Pedestrian lane at Karmiel

Karmiel – erster Bauabschnitt
Karmiel – first sub-unit

Volksschule in Qiryat Gat (Mustersiedlung)
Elementary school at Qiryat Gat (model neighbourhood)

Sportzentrum in Qiryat Shemona
Sports centre at Qiryat Shemona

Tafel X / Plate X:
Distriktsverwaltung in Nazareth
District administration building at Nazareth

Regionales Krankenhaus in Beer Sheva
Regional hospital at Beer Sheva

Textilfabrik in Ashdod
Textile factory at Ashdod

Fabrikgebäude im neuen Nazareth
Factory buildings at Nazerat Illit

Mühlenbetrieb in Beer Sheva
Flour mill at Beer Sheva

Übergangslager (Ma'abara) bei Tiberias
Transitional camp (Ma'abara) near Tiberias

Eingeschossige Zweifamilienhäuser in Qiryat Gat (1956/57)
One-storey semi-detached houses at Qiryat Gat (1956/57)

Eingeschossige Reihenhäuser in Qiryat Gat (1957/58)
One-storey terrace houses at Qiryat Gat (1957/58)

Wohnungsbau für Neueinwanderer in Qiryat Gat (1959/60)
New immigrant housing at Qiryat Gat (1959/60)

Die ersten 3-geschossigen Wohnblocks in Qiryat Gat
The first 3-storey blocks of flats at Qiryat Gat

Tafel XIII / Plate XIII:
Häusergruppe für Neueinwanderer in der Mustersiedlung in Qiryat Gat
New immigrant housing group at Qiryat Gat (model neighbourhood)

Eingeschossige Einfamilienhäuser in Ashdod (RASSCO)
Bungalow-houses at Ashdod (RASSCO)

Wohnungsbau für Neueinwanderer in Beer Sheva
New immigrant housing at Beer Sheva

Reihenhäuser in Ober-Afula
Terrace houses at Afula Illit

Neuer Wohnblock in Ashqelon
Block of flats at Ashqelon

7-geschossiges Punkthaus in Ober-Afula
7-storey point block at Afula Illit

Besor folgten ähnlichen Gedankengängen, ebenso die Pläne für eine neue City für Beer Sheva. Keiner dieser Versuche ist bisher über das Entwurfsstadium oder den ersten Bauabschnitt hinausgekommen. Erfahrungen, Erfolge und Mißerfolge stehen daher noch aus. In einem Punkte zumindest erscheint die Entwicklung folgerichtig: Sie trägt zu einer Zusammenfassung der bisher allzu verstreuten zentralen Funktionen bei und damit zu einer Erhöhung der sozialen Kohärenz, die nicht zuletzt Anziehungs- und Ausstrahlungskraft der Städte auch über ihre eigenen Grenzen hinaus bestimmt.

Die Flächennutzung

Neben dieser stetigen, lebhaften und zunehmend experimentierfreudigen Entwicklung hat sich als wesentlichste Konstante die konsequente räumliche Trennung aller städtischen Funktionen erhalten. Industriebezirke sind Industriebetrieben, Handwerks- und Gewerbebezirke Handwerk und Gewerbe, Wohnbezirke dem Wohnen vorbehalten. Nur in Ausnahmefällen, und in größeren Orten, werden Wohngebäude für besonderen Bedarf, etwa für Einzelstehende oder kinderlose Ehepaare, an die Zentren heran- und in sie einbezogen. Umgekehrt werden bestimmte Gemeinschaftseinrichtungen, Kindergärten oder Krippen, die Volksschule, die Synagoge, gern zwischen die Wohngruppen gestreut. Wie auch immer die räumliche Anordnung im einzelnen erfolgt, werden auf der Ebene des einzelnen Wohnviertels (bzw. der Nachbarschaft) an Gemeinschaftseinrichtungen für notwendig erachtet:

Kinderkrippe, Kindergarten
Volksschule
Höhere Schule (nur bei größeren Vierteln)
Mütterberatungsstelle
Ambulatorium
Synagoge, Rituelles Bad
Jugendklub
Klubgebäude für Erwachsene
Gemeinschaftshaus
Kino

Land Use

Side by side with this continuous, lively and experiment-minded development, consistent separation of urban functions has remained a constant factor. Industrial areas are reserved for industry, crafts and trade areas for crafts and trade, residential areas for residence. Only in exceptional cases and in larger places have residential buildings for special use (e.g. for single persons or couples without children) been included in the centres. On the other hand, certain community services such as nursery schools and creches, primary schools and synagogues are located between groups of housing. On this level the following services are considered essential:

Creche
Nursery school
Primary school
Secondary school (only in larger neighbourhoods)
Mothers's guidance clinic
General clinic
Synagogue
Ritual bath
Youth club
Club building for adults
Community centre
Cinema

In addition: childrens' playgrounds, sportsgrounds, some open spaces and a group of shops with post office and bank, or even a small shopping centre. The town centre as such should further contain

Town hall
Government offices
Welfare office
Labour exchange
Courts
Community centre
Central Synagogue

In addition: public and private offices, a larger shopping centre, and the market hall. Secondary schools, hospitals (only

---

Tabelle 25 / Table 25

Für Gemeinschaftsanlagen erforderliche Flächen bei Stadtteilen bzw. Städten zwischen 3 300 und 50 000 Einwohnern
Areas required for Public Use in Residential Quarters and Towns from 3 300 to 50 000 Inhabitants

Einwohner *Inhabitants* *( ) in the* *Region*	Verwaltung u. Dienste *Administration and Public Services* qm/acres		Kultur u. Gemeinschaft *Cultural and Community Facilities* qm/acres		Erziehung *Education* qm/acres		Religion *Religion* qm/acres		Gesundheitswesen *Health* qm/acres		Spiel u. Sport öffent. Grün. *Sports, Playgrounds and Public Open Spaces* qm/acres		Geschäfte *Trade and Commerce* qm/acres		Insgesamt *Total* qm/acres	
							Stadtteil / Residential Quarter									
3 300	—	—	8 500	2.2	15 000	3.5	2 000	0.5	2 000	0.5	19 000	4.7	1 500	0.4	48 000	11.8
10 000	500	0.3	23 500	5.8	66 000	16.3	6 750	1.7	5 500	1.3	76 000	18.7	9 000	2.2	187 250	46.3
15 000	500	0.3	32 000	7.9	118 000	29.1	9 750	2.4	9 000	2.2	114 000	28.1	13 500	3.3	296 750	73.3
							Stadt / Town									
10 000	33 000	8.1	27 500	6.8	86 000	21.2	20 750	5.1	5 500	1.5	81 000	20.0	15 000	3.7	268 750	66.4
30 000	58 000	14.3	59 500	15.0	218 000	53.6	54 250	13.3	16 500	4.1	253 000	62.5	45 000	11.1	704 250	173.9
50 000	82 250	20.1	97 250	24.0	365 000	90.2	92 750	22.9	102 500	25.4	405 000	100.0	75 000	18.5	1 219 750	301.1
							Stadt mit Umland / Regional Town									
10 000 (+5 000)	36 000	8.9	29 500	7.4	91 000	22.2	20 750	5.2	5 500	1.5	81 000	20.0	16 500	4.1	280 250	69.3
30 000 (+10 000)	63 750	15.6	62 500	15.5	248 000	61.3	54 250	13.3	16 500	4.2	253 000	62.5	48 000	11.9	746 000	184.3
50 000 (+15 000)	91 250	22.5	101 250	25.2	395 000	97.5	92 750	22.9	127 500	31.6	412 500	101.8	79 500	19.6	1 299 750	321.1

Quelle: Association of Engineers and Architects – Institute for Building and Technique: Norms for Public Buildings and Spaces. Tel Aviv 1963 (Hebräisch), passim

Source: Association of Engineers and Architects: Norms for Public Buildings and Spaces, Tel Aviv 1963 (Hebrew), passim

Dazu gehören Kinderspielplätze und ein Sportplatz, kleinere Grünanlagen, schließlich eine Ladengruppe mit Post und Bank oder ein kleines Ladenzentrum. Im Stadtzentrum kommen hinzu:

Stadtverwaltung
Regierungsdienststellen
Wohlfahrtsamt
Arbeitsamt
Gerichtsgebäude
Stadthalle
Zentrale Synagoge

— dazu öffentliche und private Büros, ein größeres Einkaufszentrum, die Markthalle. Höhere Schulen, Krankenhäuser (nur bei größeren Orten) und ähnliche Institutionen sind im allgemeinen an den Rand der Kernstadt zwischen die Zonen dichterer und lockerer Bebauung verwiesen. Die für Gemeinschaftseinrichtungen vorgesehenen Flächen variieren je nach der Größe der einzelnen Viertel, der Größe der Stadt und dem Umfang der Region, die sie gegebenenfalls mit zentralen Einrichtungen zu versorgen hat, in jedem Falle sind sie auch heute noch nicht kleinlich bemessen.

Wegen der vorherrschenden Westwinde werden die Industriegebiete im allgemeinen am östlichen Rande der Städte angesiedelt und durch Grünstreifen oder andere öffentliche Freiflächen von den Wohnbezirken getrennt. Auch hier wurde für europäische Verhältnisse mit Grund und Boden zunächst recht großzügig umgegangen, heute sollen in der Regel 35 % bis 40 % des Geländes überbaut sein — bei Industriezweigen, die ausgedehnte Lagerflächen benötigen, entsprechend weniger —, je Arbeitsplatz werden 60 bis 65 m² veranschlagt. Wo keine Provisorien aus der Anfangszeit das Bild mehr stören, bieten die modernen Großbetriebe einen guten Anblick (s. Tafel XI). Kleinbetriebe und Werkstätten sind oft in genormten Fertigungshallen untergebracht, die vom Industrie- und Handelsministerium gebaut und vermietet werden, hier etwa auf der Basis von 20 bis 25 m² je Arbeitsplatz. Handwerk und Gewerbe, Garagen und andere technische Dienste sind etwas näher an den Stadtkern herangezogen und schließen oft an das Transport- und Verkehrszentrum an.

Die in den meisten Neugründungen den Bahnhof ersetzende zentrale Autobusstation befindet sich in kleineren Orten am Rande des Zentrums, in größeren an der Peripherie, von wo aus das innerstädtische Netz die Verteilung übernimmt. Der Autobusverkehr ist auch in entlegenen Gegenden gut organisiert, dicht, wenn nicht komfortabel, so doch wendig und bemerkenswert schnell. Auf häufiger befahrenen Strecken wird er durch Sammeltaxis, „Sherutim"[1], ergänzt.

Trotz der schnellen Motorisierung in der Küstenzone ist der private Kraftfahrzeugverkehr in den Entwicklungsgebieten noch gering und im allgemeinen auf Arzt, Regierungsbeamte, leitende Angestellte, einige freiberuflich Tätige und Geschäftsleute beschränkt.[2] Eine strenge Trennung zwischen Fußgänger- und Kraftverkehr war daher bisher nicht dringlich. Trotzdem werden die einzelnen Wohnbezirke, wie auch die Stadtzentren, im allgemeinen durch Ringstraßen erschlossen, mit kurzen Stich- oder Verbindungsstraßen zur Versorgung der einzelnen Wohngruppen oder der Geschäfte. Erst in neueren Entwürfen sind besondere Fußgängernetze vorgesehen; die Entfernungen müssen jedoch aus klimatischen Gründen mög-

in larger places) and similar institutions are usually located at the edge of the central area, between the zones of higher and lower density. The areas set aside for such institutions vary according to the sizes of the quarter, the town and the region to be served. Even today they are measured generously.

As the main winds come from the west the industrial areas are generally located on the eastern outskirts of the town, and are separated by green belts or other public open spaces from the residential quarters. Compared with European standards, premises were allocated rather lavishly during the first years; today 35 % to 40 % should be built up, less only when large storage areas are required. Altogether, 650 to 700 sq.ft. per worker are considered adequate. Where the scene is not marred by temporary buildings from early days, the modern factories offer a pleasant sight (see plate XI). Small enterprises and workshops are often accomodated in standard factories built by the Ministry of Commerce and Industry. These are leased on the basis of 220 to 270 sq.ft. per worker. Crafts and workshops are being situated closer to the central area, and often adjacent to the transport and communications centre.

The central bus station which in most of the new towns replaces the railway station, is found in smaller places near the edge of the centre, in bigger places on the outskirts from where inner lines start. Bus transport is well organized even in remote areas, and, if not comfortable, is remarkably quick and flexible. Frequently used routes are additionally served by collective taxis, called "Sherutim".[1]

In spite of the rapid motorization in the coastal zone, in the development regions the use of private cars is still an exception and in general is limited to doctors, government officials, leading employees, professional and business people and the like.[2] Thus so far a strict separation of pedestrian and motor routes was not considered essential. Residential quarters as well as town centres were developed by a series of ring roads, access and service roads supplying the individual groups of houses or shops. Only in recent layouts are separate pedestrian networks envisaged; distances, however, have to be kept relatively short for climatic reasons. Separate parking space for cars also has become the rule only recently, and in fact was not needed before in view of the low level of motorization.[3] As needs change, the generous open spaces left from earlier times may provide sufficient reserves for parking space.

Real estate speculation and indiscriminate private building are non-existent in Israeli new towns. This and the strict separation of functions have spared them many of the old, and new, drawbacks of European cities, such as mixed development, lack of adequate open space, and ragged outskirts. Instead, a framework has been created within which further development can take place without radical reorganization. Their own drawbacks lie chiefly in the inheritance of the early years which dominate the scene to a far greater extent than the progress of the last years, and which can be remedied only by generous reconstruction measures. Such measures would be less urgent if the sequence of development would not re-

---

[1] sing. Sherut = Dienst
[2] Im ganzen Lande kamen 1963 auf 2,4 Mill. Einwohner nur 47 000 private Kraftfahrzeuge (52:1), 1964 auf 2,5 Mill. bereits 60 600 (42:1); von diesen ist jedoch die überwiegende Mehrzahl auf Tel Aviv und Haifa konzentriert.

---

[1] Singular Sherut = Service
[2] In 1963 there were only 47 000 private cars to 2.4 million inhabitants, i.e. one car to every 52 persons; by 1964 there were already 60 600 to 2.5 million, i.e. one car to every 42 persons. Of these, the majority are concentrated in Tel Aviv and Haifa.
[3] As a rule the following standards apply: for flats of 180 sq.ft. one parking space for three flats, for 180 to 240 sq.ft. one for two flats, for 240 sq.ft. or more one space for each flat.

uch gesonderte Abstellplätze
it kurzem üblich.[1] Angesichts
ades bestand auch kaum ein
spätere Entwicklung dürften
mit ihrer lockeren Bebauung
chen vorhanden sein.

er privaten Grundstücksspeku-
aten Wohnungsbaus ist es vor
unktionen, die den israelischen
n und neuen Hypotheken der
chgebiete, die unzureichenden
tadtränder, erspart und jeden-
hat, innerhalb dessen die wei-
e Umgestaltung des gesamten
eg nehmen kann. Ihre eigenen
im Erbe der ersten Jahre, das
d beherrscht, das aber doch fast
letzten entscheidend im Wege
e Sanierungsmaßnahmen abge-
aßnahmen wären weniger dring-
iche Folge der Bauabschnitte zu-
rngebiete der Städte dies Erbe
ist nach außen zu die Bebauung
ät besser und auch die Bevölke-
en die Städte, so mögen in den
Zentren willkommene Reserven
e große Belastung (s. Tafel XVIII,

at die Entwicklung jedoch in den
letzten Jahren ein Niveau erreicht, das sich in der Gliederung
der Räume, in der Kombination der Typen und in der Anpassung an das Gelände durchaus mit europäischen Entwürfen
messen kann, sie nicht selten übertrifft. Und auch an Bereitschaft zur Selbstkritik, an Aufgeschlossenheit und Experimen-
tierfreudigkeit — vor allem auf der Ebene des sozialen Wohnungsbaus — hat sie diesen manches voraus.

sult in the cores of the towns carrying the bulk of the burden.
Nearly everywhere the density and height of the buildings increase towards the outer areas, and so do the quality of the
houses and the social standard of the inhabitants. If the towns
grow, the sparsely furnished centres may offer welcome reserves of land; if they do not grow, they are a heavy load
(see plate XVIII, XXI).

In the last few years, however, layout and design have reached
a standard which can compete with any European examples,
often surpassing them. In terms of self-criticism, of openness
to experiment and new ideas — especially in the field of public housing — Israel is some way ahead.

Der Wohnungsbau

Der Wohnungsbau in den neuen Städten erfolgt fast ausschließlich durch die öffentliche Hand. Auch in den am weitesten entwickelten oder als besonders aussichtsreich angesehenen Neugründungen wie Beer Sheva oder Ashdod werden
noch bis zu 80% aller Wohnungen durch das Wohnungsbauministerium erstellt, in neueren, kleineren oder reinen Neu-
einwandererorten, in denen ein freier Wohnungsmarkt praktisch nicht besteht, 100%.[2] Bei Mietwohnungen und bei
Wohnungen, die noch nicht endgültig an den Inhaber verkauft
sind, behält das Ministerium auch die Verwaltung und Instandhaltung in der Hand. Es besorgt diese allerdings nicht selbst,
sondern über eine staatliche Gesellschaft, AMIDAR („Israel
National Housing Corporation for Immigrants Ltd."), die, ursprünglich zur Verwaltung verlassenen arabischen Eigentums
gegründet, inzwischen den gesamten öffentlichen Hausbesitz
übertragen erhielt.

[1] Im allgemeinen wird heute bei Wohnungen unter 60 m² auf 3 WE ein Platz
gerechnet, bei Wohnungen zwischen 60 und 80 m² auf 2 WE und bei 80 m² und
mehr auf 1 WE.
[2] Der Anteil des öffentlichen Wohnungsbaus im gesamten Lande schwankt mit
der Höhe der Einwanderung, betrug aber in den letzten Jahren regelmäßig
60% bis 65%. Für diese und die folgenden Zahlenangaben vgl. Ministry of
Housing, Economic, Sociological and Statistical Research Division: Statistical Abstract of Housing and Construction. Tel Aviv 1964.

Housing Construction

Housing construction in the new towns is carried out almost
exclusively by the State. Even in the most advanced or most
promising new towns, such as Beer Sheva or Ashdod, up
to 80% of all dwellings are built by the Ministry of Housing.
In smaller or newer places, or in places inhabited throughout
by new immigrants, where a free housing market is practically
non-existent, it is 100%.[1] In the case of apartments for rent
or apartments which have not yet been finally sold to the
tenants, the Ministry keeps also control of administration and
maintenance. This control, however, is not exercised by the
Ministry itself but by means of a public company, AMIDAR
(Israel National Housing Corporation for Immigrants Ltd.)
which, originally founded as an administrative body for relinquished Arab property, has meanwhile taken over all public
housing.

[1] The proportion of public housing varies with the volume of immigration,
but over the last few years was regularly 60% to 65%. For these and
following figures, see Ministry of Housing, Economic, Sociological and
Statistical Research Division: Statistical Abstract of Housing and Construction, Tel Aviv 1964.

Je nach Verwendungszweck, Größe und Ausstattung der Wohnung und Finanzierungsart wird heute im allgemeinen zwischen vier Programmen unterschieden:

1. Wohnungen für Neueinwanderer
2. Öffentliches Bausparprogramm
3. Wohnungen für junge Ehepaare
4. Sanierungsvorhaben

Mehr noch als im übrigen Lande hat dabei der Wohnungsbau für Neueinwanderer in den Neugründungen bei weitem das größte Gewicht. Von den seit dem Beginn der Bautätigkeit bis zum 31. 12. 1964 fertiggestellten Wohnungen, insgesamt 86 579 Einheiten, waren mehr als 80 % für Neueinwanderer bestimmt;[1] 14,7 % entfielen auf das öffentliche Bausparprogramm und auf Wohnungen für „Vatiqim", etwa demobilisierte Soldaten oder besonders qualifizierte Berufsgruppen, die aus anderen Teilen des Landes herangezogen werden sollen, 1,2 % auf junge Ehepaare und die restlichen 3,1 % auf Sanierungsvorhaben, die jedoch nur in Städten mit einem alten Kern eine gewisse Rolle spielen. Auch der Anteil der übrigen Kategorien schwankt von Stadt zu Stadt erheblich, wobei die anspruchsvolleren Programme für Bausparer und für junge Ehepaare vor allem in Orten mit einem nennenswerten Stamm oder laufendem Zuzug von „Vatiqim" (Afula, Akko, Lod, Ramla, Ashqelon, Beer Sheva, neuerdings auch Arad, Elat und Ashdod) oder von europäischen Einwanderern mit Eigenkapital (Nazerat Illit) einen größeren Platz einnehmen. Auch in anderen Orten zeigt jedoch eine Aufgliederung der am 1. 1. 1965 im Bau befindlichen Einheiten einen wachsenden Anteil der Wohnungen für das öffentliche Bausparprogramm und für junge Ehepaare. Im Durchschnitt aller Neugründungen entfallen auf diese beiden Kategorien inzwischen fast 30 %, in einer ganzen Reihe von Städten aber auch 50 % und mehr. Sollte die Einwanderung weiter zurückgehen oder sich in ihrer Struktur grundsätzlich ändern, so dürfte sich die öffentliche Bautätigkeit weiter in diese Richtung verlagern. In der Regel bedeutet dies nicht nur eine Vermehrung der größeren und besser ausgestatteten Wohnungen, sondern auch eine Verbesserung des Stadtbildes.

Der Wohnungsbau für Neueinwanderer

Bisher jedoch mußte der Wohnungsbau für Neueinwanderer, der — wie auch immer man Qualität, Dauerhaftigkeit, Zweckmäßigkeit und Aussehen besonders der ersten Wohnungen beurteilen mag — eine der größten technischen, organisatorischen, finanziellen und nicht zuletzt auch menschlichen Leistungen des Landes darstellt, davon ausgehen, daß die überwiegende Mehrzahl der Neuankömmlinge keinerlei finanziellen Beitrag zu ihrer künftigen Wohnung leisten konnte und auch, jedenfalls in den ersten Jahren, nur zu sehr geringen Mietzahlungen in der Lage war. Da die Zahl der Einwanderer und damit auch die Zahl der erforderlichen Wohnungen vorgegeben war, mußte er einen Kompromiß zwischen dem technisch und finanziell Möglichen und dem für die Bedürfnisse und Wünsche der Menschen Nötigen zu finden suchen. In den Jahren der Masseneinwanderung, als mit einem Schlage Hunderttausende von Wohnungen gebraucht wurden, eine nennenswerte Bauindustrie aber kaum und entsprechende Gelder nur in beschränktem Ausmaß vorhanden waren, konnte dieser Kompromiß nur die bescheidensten Ansprüche befriedigen, nämlich die auf ein festes Dach über dem Kopf, ein Mindestmaß an Schlaf- und Wohnraum, eine Kochstelle und die dringendsten sanitären Einrichtungen.

At present the Ministry distinguishes four different programmes, according to the use, size and standard of the dwelling and to the type of financing:

1. Housing for New Immigrants
2. Saving for Housing Scheme
3. Housing for Young Couples
4. Slum Clearance

In the new towns housing for new immigrants plays by far the most important part, even more so than in the rest of the country. Of the total number of dwellings finished by December 31st, 1964 (86 579 units), more than 80 % were intended for new immigrants.[1] A further 14.7 % were constructed under the "Saving for Housing" scheme, or for Vatiqim, primarily demobilized soldiers or professionals, who were to be attracted from other parts of the country. 1.2 % were destined for young couples and the remaining 3.1 % were part of slum clearance projects which, however, were of importance only in towns with an old core. The proportion of dwellings in

Tabelle 26 / Table 26
Öffentlicher Wohnungsbau in den neuen Städten
Public Housing in New Towns

	Fertiggestellt bis zum 31. 12. 1964 Completed up to 31 December 1964		Im Bau befindlich am 1. 1. 1965 Under Construction on 1 January 1965	
	abs./No.	%	abs./No.	%
Wohnungen für Neueinwanderer *Housing for New Immigrants*	70 154	81.0	9 568	69.9
darunter aus Asbest *incl. Asbestos houses*	8 981	10.4	—	—
Öffentliches Bausparprogramm, Vatiqim *Saving for Housing Scheme, Vatiqim*	12 703	14.7	2 613	19.1
Wohnungen für junge Ehepaare *Housing for Young Couples*	1 043	1.2	1 250	9.1
Sanierungsvorhaben *Slum and Ma'abarot Clearance*	2 679	3.1	258	1.9
Insgesamt *Total*	86 579	100.0	13 689	100.0

Quelle: Angaben des Wohnungsbauministeriums
Source: Ministry of Housing Statistics

the various categories differs considerably from town to town. The higher standard "Saving for Housing" schemes and the schemes for young couples are more frequent in places with a certain stock of "Vatiqim" (Afula, Akko, Lod, Ramla, Ashqelon, Beer Sheva, recently also Arad, Elat, and Ashdod) or with European immigrants having some capital of their own (Nazerat Illit). In other places, too, a review of the housing under construction on January 1st, 1965 shows an increasing number of dwellings built under the "Saving for Housing" and "Young Couples" programmes. In the new towns altogether, these types of building account for 30 %, while in a number of towns it is as high as 50 % or even higher. Should there be a further decline in immigration, or should the structure of immigration change fundamentally, public building activities would have to shift even further in this direction. As a rule, any such shift implies not only an increase in larger and better-equipped housing but also an improvement of the townscape in general.

---

[1] In Israel insgesamt (ohne landwirtschaftliche Siedlungen) knapp 65 %

[1] In Israel as a whole (including agricultural settlements) only 65 %

Die ersten, 1949 begonnenen festen Wohnungen hatten denn auch kaum 30 m² und bestanden in der Regel aus zwei oder drei kleinen Zellen: einem Koch-Wohnraum und ein oder zwei Schlafräumen.¹ Ein gewisser Ausgleich ergab sich dadurch, daß die meisten dieser Wohnungen ebenerdig lagen und Hof oder Garten den größten Teil des Jahres über als Ergänzung der Wohnfläche dienen konnten. Auch wurden die Grundrisse so angelegt, daß die Bewohner Erweiterungen und Anbauten leicht selbst anbringen konnten — eine naheliegende und praktische Lösung, die jedoch nicht immer die erhofften Resultate zeitigte. Seither haben sich sowohl Größe wie Qualität und Ausstattung der Wohnungen von Jahr zu Jahr verbessert. Die kleinsten Einheiten, die zur Zeit gebaut werden, haben 38 bis 40 m², die Durchschnittsgröße liegt jedoch bei 54 bis 56 m². Im allgemeinen haben die Wohnungen Wohnraum, zwei Schlafräume, Küche, Duschbad (oft mit der Möglichkeit, selbst eine Wanne einzubauen) und einen oder zwei Balkone. Während in den ersten Jahren kaum Rücksicht auf die Größe der Familien genommen werden konnte, erfolgt die Zuteilung

Housing for New Immigrants

The reception and accomodation of vast numbers of new immigrants — however quality, durability, and appearance especially of the first dwellings may be judged — represents one of the biggest technical, organizational, financial and, not least, human achievements of the country. From the very outset, all immigrant housing schemes had to allow for the fact that the overwhelming majority of the newcomers could afford neither any financial contribution to their future homes nor — at least in the first years — any substantial rent. Thus, the number of immigrants and the number of dwellings needed being predetermined, any housing policy had to accomplish a compromise between the technical and financial possibilities of the country and the needs and wishes of the people. During the years of mass immigration, when hundreds of thousands of dwellings were needed and neither any building industry nor adequate funds were available, such a compromise could at best satisfy the most modest requirements:

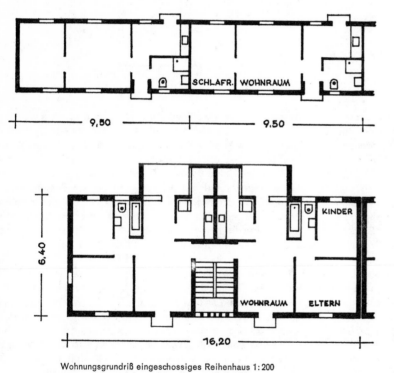

Wohnungsgrundriß eingeschossiges Reihenhaus 1:200
Floor plan one-storey terrace house (scale 1:200)

Wohnungsgrundriß dreigeschossiger Wohnblock 1:200 (s. Tafel XII)
Floor plan three-storey block of flats (scale 1:200, see plate XII)

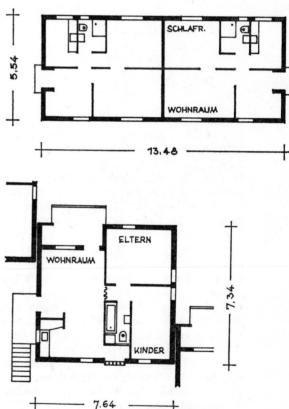

Wohnungsgrundriß eingeschossiges Zweifamilienhaus 1:200
Floor plan one-storey semi-detached house (scale 1:200)

Wohnungsgrundriß zweigeschossige Terrassenhäuser 1:200
(s. Tafel V links oben)
Floor plan two-storey terrace houses (scale 1:200, see plate V top left)

heute, wenn irgend möglich, nach der Zahl der Köpfe: für zwei Personen stehen 40 bis 42 m², für drei bis vier 48 bis 54 m², für fünf bis sechs 60 m² und ab sieben Personen bis zu 75 m² zur Verfügung. Auch wird darauf geachtet, daß besonders große Familien mit vielen Kindern, für die auch 75 m² kaum ausreichen, in ebenerdigen Einfamilienhäusern untergebracht werden, so daß Hof oder Garten wieder als Ergänzung dienen (s. Tafel XII—XVI).

a roof over their heads, a minimum of sleeping and living space, a place to cook, and the basic sanitary facilities. Accordingly, the first permanent dwellings started in 1949 measured hardly 320 sq.ft. and consisted of only two or three small cells: a kitchen/living room and one or two bedrooms.¹

¹ Die Quadratmeterzahlen beziehen sich immer auf die Bruttowohnfläche, in der Treppenhausanteil, Wände, Terrassen oder Balkone enthalten sind.

¹ Square feet figures always refer to the gross living area which includes part of the staircase, walls and terraces or balconies.

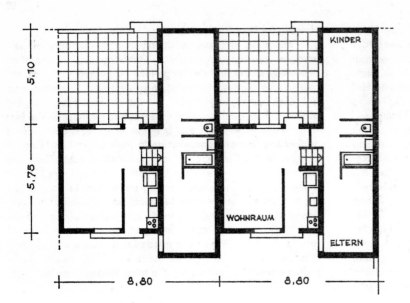

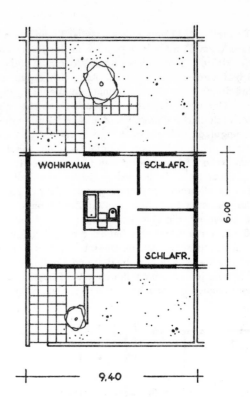

Wohnungsgrundriß Einfamilienhäuser in Karmiel 1:200 (s. Tafel VIII unten)
Floor plan one-family houses at Karmiel (scale 1:200, see plate VIII bottom)

Wohnungsgrundriß Bungalow-Typen in Elat 1:200 (s. Tafel VII unten)
Floor plan bungalow-houses at Elat (scale 1:200, see plate VII bottom)

Die durchschnittlichen Baukosten für eine Neueinwandererwohnung von etwa 55 m² werden heute (Ende 1965) mit 16 000 IL angegeben, davon 11 000 IL reine Baukosten und 5 000 IL Erschließungskosten, von denen fast die Hälfte auf Planierungsarbeiten, Straßenbau, Anlage von Hof oder Garten und weitere 28 % auf Wasser- und Stromversorgung und Kanalisation entfallen.[1] Grundstückskosten, die in manchen Gegenden Tel Avivs zeitweise 50 % der Gesamtwohnungskosten erreichten, brauchen in den meisten neuen Städten kaum in Rechnung gestellt zu werden. Hier ist der Boden in staatlichem Besitz und wird in der Regel den Bauherren — öffentlichen wie privaten — nur pachtweise überlassen. Nicht unerheblich belastet sind die Baukosten allerdings durch hohe Steuern auf fast alle Baumaterialien, in erster Linie aber Zement, die ebenfalls der öffentliche wie der private Wohnungsbau zu entrichten haben und die bis zu 13 % der Gesamtkosten ausmachen können. Im fiskalischen Sinne stellen sie eine Abgabe des Entwicklungsbudgets, aus dem sie — was den öffentlichen Wohnungsbau betrifft — zum größten Teil bestritten werden, an das ordentliche Budget dar. Alle Bemühungen, jedenfalls den öffentlichen Sektor hiervon zu befreien, sind bisher an dem Hinweis gescheitert, daß die Kontrolle der steuerpflichtigen Materialien auf ihren Verwendungszweck hin großen Schwierigkeiten begegnen würde.
Im Verhältnis zu den Baukosten waren die Mieten für die Einwandererwohnungen bisher außerordentlich niedrig. Sie betrugen zwischen 12 und 24 IL im Monat, im Durchschnitt etwa 15 IL. Erst seit kurzem werden für Wohnungen, die nach dem 1. April 1965 fertiggestellt wurden, um 50 % erhöhte Mieten erhoben. Die Abstufung erfolgt einerseits nach der Wohnungsgröße, andererseits nach geographischen Zonen,

As most of the dwellings were at ground level, a courtyard or garden which could be used for the greater part of the year as additional living space, offered some compensation. Besides, some of the layouts allowed for extensions to be built by the inhabitants themselves — a practical solution which however did not always produce the desired results. Since these days size, quality and outfit of the dwellings have improved from year to year. At present the smallest units being built measure about 400 to 425 sq.ft. while the average size is between 570 and 590 sq.ft. Most of the apartments have a living room, two bedrooms, kitchen, shower (often with the possibility to install a bath tub) and one or two balconies. During the first years, hardly any allowance could be made for the size of the family. Today, whenever possible, the area allocated is based on the number of persons in the family: for two persons, 425 to 445 sq.ft. are granted, for three or four persons, 500 to 570 sq.ft., for five to six persons 635 sq.ft. and for seven or more persons 790 sq.ft. Large families with numerous children for whom even 790 sq.ft. is hardly sufficient are given preferably single-family ground level homes, so that courtyard or garden can again serve as supplement to the living space (see plate XII—XVI).
By the end of 1965, the average building cost for a new immigrant dwelling of 580 sq.ft. amounted to 16 000 IL. Of this 11 000 IL are net building costs and 5000 IL are development costs of which nearly half goes for levelling, road-construction, courtyard or garden, and a further 28 % for water, power and drainage.[1] In most of the new towns land costs are of hardly any significance while, for instance, in Tel Aviv they have temporarily reached a proportion of 50 % of the total housing cost. In the development areas, however, the ground is in

[1] Für Gemeinschaftseinrichtungen (Schulen, Kindergärten, Synagogen, Jugend- und Erwachsenenklubgebäude, Ambulatorien u. ä.) werden pro Familie zusätzlich im Durchschnitt 1000 bis 1200 IL veranschlagt, in den Entwicklungsgebieten etwas mehr, in der Küstenzone etwas weniger.

[1] For community services (schools, nursery schools, synagogues, youth clubs and clubs for adults, health centres, etc.) an average of a further 1000 to 1200 IL is allowed per family. In the development regions this figure is somewhat higher, in the coastal belt somewhat lower.

unter denen die Mehrzahl der neuen Städte den niedrigsten (billigsten) und Tel Aviv, Haifa und Umgebung den höchsten (teuersten) Rang einnehmen. Sie stellen reine Sozialmieten dar und decken allenfalls die Kosten für die Verwaltung und Instandhaltung der Häuser und die Gemeindesteuern, nicht aber für eine noch so geringe Verzinsung des aufgewandten Kapitals. Im ersten Jahr seines Aufenthalts erhält der Neueinwanderer außerdem noch 30%, im zweiten 20%, im dritten 10% Ermäßigung, erst im vierten Jahr zahlt er die volle Miete. Familien mit mehr als fünf Personen, in denen nur ein Familienmitglied verdient, erhalten eine weitere Ermäßigung von 20%, ehemalige Kriegsgefangene, Konzentrationslagerinsassen und Eltern, die Söhne im Unabhängigkeitskrieg verloren haben, genießen zusätzliche Erleichterungen, jedoch sollten sämtliche Vergünstigungen zusammen 50% der monatlichen Miete nicht überschreiten. Eine Ausnahme hiervon bilden Fürsorgeempfänger, die unabhängig von der Größe der Wohnung nur 4 IL im Monat bezahlen bzw. durch die Wohlfahrtsämter bezahlt bekommen.

Da diese Mieten, deren Höhe seit Jahren unverändert geblieben ist, in immer stärkerem Gegensatz zu den tatsächlichen Bau- und Verwaltungskosten der Wohnungen, aber auch zu den steigenden Einkommen vieler ihrer Inhaber stehen[1], hat AMIDAR eine drastische Erhöhung und gleichzeitig stärkere Differenzierung je nach Größe und Lage der Wohnung vorgeschlagen. Die untere Grenze soll künftig bei 20 IL, die obere bei 58 IL im Monat liegen — für 27 m² in der billigsten bzw. 60 m² in der teuersten Zone. Vor allem die höheren Mieten würden damit jedenfalls einen Teil der Kapitalkosten decken.

Um einerseits zumindest einen Teil der eingesetzten Mittel zurückzuerhalten, andererseits die Neueinwanderer mehr an ihre Wohnung und an ihren Wohnort zu binden, verfolgt das Ministerium die Politik, so viel Wohnungen wie möglich an die Mieter zu verkaufen. Es rechnet dabei mit der allgemeinen Tendenz, der schleichenden Geldentwertung durch den Kauf einer Wohnung auszuweichen.[2] Die hierfür eingeräumten Bedingungen sind außerordentlich günstig. Es ist lediglich eine Anzahlung von 10% bis 20% des Wohnungspreises zu leisten, auf den auch noch 60% bis 70% der bisher gezahlten Mieten angerechnet werden. Für die restlichen 80% bis 90% werden Hypotheken mit einer Laufzeit von 24 bis 30 Jahren und einer jährlichen Verzinsung von bisher 4,5%, jetzt 3% zur Verfügung gestellt.[3] Trotzdem ist angesichts der minimalen Mieten, die demgegenüber noch weniger als Belastung empfunden werden, und wegen der geringen Neigung, sich durch den Erwerb einer Wohnung fester zu binden, der Kaufwille jedenfalls in den Entwicklungsgebieten nicht allzu groß. Auch in dieser Beziehung würde sich eine Erhöhung der Mieten, die die Kaufbedingungen automatisch in ein günstigeres Licht rückte, vermutlich positiv auswirken.

Ein besonderes Problem gerade im Rahmen dieses Programms stellt die Instandhaltung und Pflege der Häuser dar. Diese obliegt ebenfalls AMIDAR, die für innere und äußere Reparaturen etwa 15% bis 18% der Mieteinnahmen verwendet. Trotzdem ist der äußere Anblick der Neubauten schon nach kurzer Zeit nicht immer erfreulich. Weder sind die Insassen von ihrer früheren Umgebung her gewöhnt, von sich aus auf die Sauber-

public ownership and as a rule is only leased to the occupant, whether public or private. On the other hand, building costs are considerably burdened by high taxes on nearly all building materials, especially cement. These taxes, which can amount to as much as 13% of the total cost, have to be paid by both public and private builders. As public housing pays them from the development budget, this implies, in the fiscal sense, a transfer of funds from the extraordinary to the ordinary budget. All efforts to exempt at least the public sector from such taxes have failed so far, mostly because of the difficulties encountered in controlling the use of materials subject to taxation.

In relation to the building costs, rents for immigrant housing used to be extremely low: between 12 and 24 IL per month, with an average of approximately 15 IL. Only recently, rents for housing completed after April 1st, 1965 have been raised by 50%. The grading is related to size of dwelling and geographical zone, with most of the new towns at the lower and Tel Aviv and Haifa at the upper end of the scale. These rents are at best social rents and cover hardly the cost of administration and maintenance, let alone the smallest interest on the capital invested. Furthermore, during the first year of his residence, the new immigrant is entitled to a reduction of 30%, in the second year 20%, and in the third year 10%. Only in the fourth year does he pay the full rent. Families with more than five persons where only one member is earning get a further reduction of 20%. Former prisoners of war, inmates of concentration camps, and parents who have lost sons in the War of Independence are granted additional relief, but all the allowances together should not amount to more than 50% of the monthly rent. Excepted are recipients of social welfare who, irrespective of the size of the dwelling, pay only 4 IL a month, or have it paid by the Social Welfare Offices.

These rents have remained unchanged for years and the gap between them and both the actual building and administration costs and the rising incomes of many tenants has grown considerably.[1] AMIDAR has therefore suggested a drastic increase and at the same time a greater differentiation according to the size and location of the dwelling. From 280 sq.ft. in the cheapest to 630 sq.ft. in the most expensive areas, the rents are to vary between 20 IL and 58 IL. Thus, at least the higher rents would cover part of the capital costs.

In order to regain at least part of the capital invested and at the same time to bind the immigrant more efficiently to his home, the Ministry follows the policy to sell as many of the dwellings as possible to the tenants, a policy well in accordance with the general tendency to avoid losses by inflation by purchasing a home.[2] The purchase conditions are particularly favourable. The deposit to be made does not amount to more than 10% to 20% of the purchase price more than half of which (60% to 70%) can be set off against the rents already paid. The remaining 80% to 90% are provided by budgetary loans at 3% (formerly 4.5%) interest for 24 to 30 years.[3] In most cases however, as rents are low and considered still less of a burden, there is little inclination at least in the development areas to strengthen ties by the acquisition of a home. In this respect, too, an increase in rents,

---

[1] Allein in den Jahren 1961 bis 1964 haben sich die monatlichen Durchschnittslöhne von 276 IL auf 399 IL erhöht (Statistical Abstract 1965 [16], S. 354).
[2] Bei der Volkszählung 1961 wohnten 60% der Bevölkerung in eigenen Häusern oder Wohnungen und 40% zur Miete.
[3] Die auf dem freien Markt üblichen Zinssätze liegen zwischen 8% und 11%.

[1] In the years 1961 to 1964 the average monthly wage increased from 276 IL to 399 IL (Statistical Abstract 1965 [16], p. 354).
[2] In May 1961, 60% of the population were living in their own homes and only 40% were renting.
[3] The usual rates of interest on the free market are between 8% and 11%.

haltung von Verputz oder Anstrich und das Funktionieren der Installationen zu achten, noch kann ihnen, solange es sich um Miet- und nicht um Eigentumswohnungen handelt, ein materielles Interesse daran verständlich gemacht werden. AMIDAR bemüht sich, durch persönliche Anleitung, Kurse und Unterrichtung aller Art die Mieter zu einer gewissen Wohnkultur zu erziehen, der Erfolg dürfte jedoch Zeit in Anspruch nehmen.[1]

Wohnungen für junge Ehepaare

Bei den von vornherein auf etwas höhere Ansprüche und auf den Erwerb der Wohnungen abgestellten Programmen haben derartige Probleme geringeres Gewicht. Das Programm für junge Ehepaare, deren Übersiedlung in die Entwicklungsgebiete besonders gefördert werden soll, bietet im Vergleich zu ähnlichen Programmen in der Küstenzone und im Vergleich zum privaten Wohnungsbau ebenfalls noch sehr günstige Bedingungen. Für eine Wohnung von 54 m² sind je nach der Ausstattung ebenfalls nur 10 % bis 15 % des Kaufpreises anzuzahlen, der Rest wird durch Hypotheken mit einer Laufzeit von 25 Jahren finanziert. Verzinsung und Rückzahlung sind auf die langsam steigenden Einnahmen eines jungen Haushalts abgestellt und betragen zwischen 50 und 70 IL monatlich. In Tel Aviv oder Haifa stünden demgegenüber nur 50 % als Hypothek (mit nur 10jähriger Laufzeit) zur Verfügung, die Monatszahlungen würden 130 bis 150 IL betragen. Frühere Rückzahlung wird in jedem Falle durch einen großzügigen Bonus ermutigt.

Das öffentliche Bausparprogramm

Ein höheres Niveau, aber auch wesentlich marktgerechtere Bedingungen haben die Wohnungen im öffentlichen Bausparprogramm, die vorwiegend für „Vatiqim" gedacht und nach kaufmännischen Gesichtspunkten kalkuliert sind. Auch hier werden jedoch in den Entwicklungsgebieten erhebliche Vergünstigungen gewährt. Die durchschnittliche Wohnungsgröße betrug schon 1962 71 m², heute werden Einheiten bis zu 90 m² gebaut. Auch haben die Wohnungen in der Regel Wannenbad, getrennte Toilette, teilweise gekachelte Küche, Einbauschränke und wesentlich größere Fenster und Türen. Dafür müssen in der Küstenzone durch Anzahlung, jährliche Sparraten und eine weitere Zahlung bei Übernahme der Wohnung etwa zwei Drittel des Kaufpreises von 25 000 bis 30 000 IL durch den Käufer selbst aufgebracht werden, den Rest erhält er durch reguläre Hypotheken mit zehnjähriger Laufzeit bei 8%iger Verzinsung. In ausgesprochenen Entwicklungsgebieten ist wegen der geringeren Grundstückskosten einmal der Kaufpreis wesentlich niedriger — nur 16 000 bis 17 000 IL —, dann aber auch sein eigener Beitrag mit etwa 25 %. Die restlichen 75 % erhält er je zur Hälfte durch eine öffentliche Hypothek mit 25jähriger Laufzeit und 4,5%iger Verzinsung und eine Hypothek vom Bauunternehmer oder einer Bank mit 10jähriger Laufzeit und 8%iger Verzinsung. Die Rückzahlung der öffentlichen Hypothek wird bis zur Tilgung der Hypothek des Bauunternehmers oder der Bank gestundet. In jedem Falle sind, um eine Entwertung der eingezahlten Beträge für den Sparer und der Darlehen für den Geldgeber zu verhindern, sowohl Spareinlagen wie Kredite an den Lebenshaltungskostenindex gebunden, ein Zugeständnis, ohne das angesichts der seit Jahren bestehen-

which would automatically put the purchase conditions in a more favourable light, would presumably have a positive effect.

With this in mind, it is hardly surprising that maintenance and repairs produce a special problem. The obligation for upkeep rests with AMIDAR which spends about 15 % to 18 % of the rents on repairs. All the same, the appearance of the new buildings is not always satisfactory even after a relatively short time. From their former backgrounds most of the inhabitants are not used to looking after plaster and paint and to keeping installations, staircases and courtyards in good order. Moreover, as long as they rent and do not own the dwellings, it is difficult to raise any material interest in the preservation of the buildings. By means of personal guidance and instruction AMIDAR makes great efforts to educate the tenants in some kind of culture of living. Success, however, will take its time.[1]

Housing for Young Couples

Maintenance and repairs are less of a problem in housing schemes of higher standard intended for sale. The programme for young couples who are particularly encouraged to settle in the development areas offers very good conditions, too, especially in comparison with similar programmes in the coastal zone or with private building. For a flat of approximately 570 sq.ft., only 10 % to 15 % of the purchase price have to be deposited, the remainder being financed by loans with a term of 25 years. Rate of interest and redemption are adjusted to the gradually rising income of a young household and amount to 50 to 70 IL a month. In Tel Aviv or Haifa, for instance, the deposit would be 50 %, the term only 10 years, and the monthly payment 130 to 150 IL. In any case earlier redemption is encouraged by a generous bonus.

The "Saving for Housing" Scheme

Dwellings built under the "Saving for Housing" scheme are of much higher standard and are intended primarily for Vatiqim. As financing is calculated on a commercial basis loan conditions had to be adjusted to the realities of the money market. Even here, however, the development areas offer considerable advantages. The average size of the dwellings even in 1962 was already 740 sq.ft., today units of up to 950 sq.ft. and even more are being built. Most of them have bathroom, separate toilet, kitchen partly tiled, built-in wardrobes and larger windows and doors. In the coastal zone the future owner has to pay for these advantages with a rather high contribution of his own, about two thirds of the purchase price of 25 000 to 30 000 IL, partly by an initial deposit, partly by regular yearly savings, partly by a further payment when taking over the dwelling. The remaining 33 1/3 % can be financed by bank loans with a term of 10 years at 8 %. In the development regions, where land cost is lower, the purchase price often is only 16 000 to 17 000 IL of which only 25 % have to be deposited while the remaining 75 % can be obtained half from a government loan for a term of 25 years at 4.5 %, half from the building contractor or a bank for a term of 10 years at 8 %. Repayment of the government loan can be postponed until the mortgage of the building contractor or

---

[1] Nur dem Namen nach in die Kategorie der Neueinwandererwohnungen gehören Wohnungen für Immigranten aus westlichen Ländern, die, bei einem Kaufpreis von 40 000 bis 50 000 IL, jedoch ebenfalls zur Hälfte durch Hypotheken finanziert werden können, und zwar werden 12 000 bis 13 000 IL durch das Ministerium, 10 000 IL durch eine Bank und 2000 bis 3000 IL durch die Jewish Agency bereitgestellt.

[1] Housing for immigrants from Western countries belongs in name only to the category of new immigrant housing. Even here, however, up to half of the purchase price of 40 000 to 50 000 IL can be financed by mortgage loans, of which 12 000 to 13 000 can be obtained from the Ministry of Housing, 10 000 IL from a bank, and 2000 to 3000 IL from the Jewish Agency.

den inflationären Tendenzen solche Sparsysteme keinen Anklang fänden, dessen Rückwirkung gerade auf diese Tendenzen jedoch — wie alle Bindungen von Preisen und Löhnen an den Index — umstritten ist.

Der private Wohnungsbau
Nichtöffentlicher Wohnungsbau gehört in den neuen Städten vorerst noch zu den Ausnahmen und tritt nur dort in Erscheinung, wo bereits eine Schicht von relativ gut verdienenden Akademikern, Technikern, Geschäftsleuten, in- und ausländischen Experten aller Art vorhanden und bereit ist, Kostenmieten zu zahlen oder beim Erwerb einer Wohnung für die Befriedigung höherer Ansprüche auch höhere Preise in Kauf zu nehmen. Als Vorläufer eigentlich privater Bauunternehmer treten dabei öffentliche und halböffentliche Gesellschaften auf, etwa SHIKUN UPITUAH („Housing and Development Ltd."), ein Organ des Wohnungsbauministeriums selbst, oder RASSCO („Rural and Suburban Settlement Co. Ltd."), deren Kapital zu einem großen Teil in Händen der Jewish Agency ist, oder auch SHIKUN OVDIM, die große Baugesellschaft der Gewerkschaft, der HISTADRUT. Alle diese Gesellschaften kalkulieren zwar auf kommerzieller Basis, nehmen aber wegen ihres gemeinnützigen Charakters sowohl hinsichtlich der Größe und Ausstattung wie hinsichtlich der Preise der von ihnen gebauten Wohnungen eine Sonderstellung ein. Hier wie im privaten Wohnungsbau liegen die Preise in den Neugründungen jedoch ebenfalls wesentlich unter denen in den Großstädten und an der Küste, vor allem wegen der geringeren Grundstücks- und Nebenkosten; die Erschließungskosten dagegen müssen in den Entwicklungsgebieten etwas höher veranschlagt werden. Im ganzen würde jedoch eine etwa von RASSCO gebaute Dreizimmerwohnung von 80 m² — bei gleicher Ausstattung — in Beer Sheva nur 28 000 bis 30 000 IL kosten, in Rehovot, einer größeren Landstadt 22 km südlich Tel Aviv, 35 000 IL, in Tel Aviv selbst 60 000 bis 70 000 IL. Obwohl die Grundstückspreise in der Küstenzone in den Jahren 1964/65 erheblich gefallen sind, dürften sich diese Unterschiede auf die Dauer eher verstärken als abschwächen. Mehr als auf irgendeinem anderen Gebiet sind also auf dem des Wohnungsmarktes, des öffentlichen wie des privaten, von den Mieten und den Preisen her zahlreiche Prämien und Vergünstigungen für einen Verbleib oder eine Übersiedlung in die neuen Städte gegeben.

Finanzierung und Verwaltung

Die Finanzierung
Entwicklungs- oder Aufbaugesellschaften im Sinne der englischen Development Corporations, die neben der organisatorischen Gesamtleitung auch die Finanzierung und anfängliche Verwaltung der einzelnen Neugründungen in Händen hätten, gibt es in Israel nicht. Die Finanzierung erfolgt in der Regel direkt über das Wohnungsbauministerium, und zwar nicht aus dem ordentlichen, sondern aus dem Entwicklungsbudget der Regierung.[1] Sie umfaßt sowohl die Erschließungsarbeiten und

[1] Das Entwicklungsbudget machte im Haushaltsjahr 1963/64 mit 1180 Mill. IL etwa 40 % des Gesamtbudgets von 2890 Mill. IL aus. Im Gegensatz zum ordentlichen Budget, das ausschließlich aus Steuern, Zöllen, Abgaben u. ä. gespeist wird, bezieht das Entwicklungsbudget weniger als die Hälfte seiner Mittel aus inländischen Quellen (vorwiegend Anleihen und Erträge aus Staatseigentum), der Rest stammt aus ausländischen Anleihen, im Ausland verkauften Bonds und, bis jetzt, deutschen Reparationen. Vgl. Israel Government Yearbook 1964/65, S. 131 ff.

the bank is redeemed. In any event, to avoid depreciation of both the contributions paid by the depositor and the loan, savings and credit are linked to the cost of living index. In view of the inflationary tendencies existing for years, no saving system whatsoever would probably have any appeal without such provisions. The repercussions on these tendencies themselves are, however, dubious ones, as are all linkages of prices and wages to the index.

Private Housing
In the new towns private building is still an exception and is to be found only where a group of relatively well-to-do professionals, technicians, businessmen and experts, Israeli and foreign, exist and are willing to pay economic rents or higher purchase prices for homes offering greater comfort. As forerunners of private building proper operate semi-public companies such as SHIKUN UPITUAH ("Housing and Development Ltd."), a company sponsored by the Ministry of Housing itself, and RASSCO ("Rural and Suburban Settlement Company Ltd.") whose capital is largely in the hands of the Jewish Agency, or SHIKUN OVDIM, the big housing company of the trade unions, the HISTADRUT. All these companies are calculating on a commercial (though mostly non-profit) basis, and also with respect to the size and standard of their housing programmes they take an intermediate position. Nevertheless, with these too, as well as with the private companies proper prices in the new towns are substantially lower than in the big cities and along the coast, again mainly because land cost is considerably lower while development costs are somewhat higher in the outlying areas. A three-roomed flat built by RASSCO, for instance, with an area of about 840 sq.ft. would cost only 28 000 to 30 000 IL in Beer Sheva, 35 000 IL in Rehovot, a larger country town 14 miles south of Tel Aviv, and 60 000 to 70 000 IL in Tel Aviv proper. Although even in the coastal zone land prices fell considerably in 1964/65, in the long run such differences will be accentuated rather than smoothed. Thus more than any other field the housing market, public as well as private, offers quite substantial advantages and incentives in terms of rents and prices to encourage staying in or moving to the new towns.

Financing and Administration

Financing
Development or investment companies such as the New Town Development Corporations in Britain which are responsible for the overall organization, financing and initial administration of the new towns, do not exist in Israel. Financing is usually provided directly by the Ministry of Housing and comes not from the ordinary but from the development budget of the government.[1] It includes the basic development work as well as the construction of houses and the initial provision of pub-

[1] In the fiscal year 1963/1964 the development budget accounted for 1180 million IL, which is 40 % of the total budget of 2890 IL. In contrast to the ordinary budget which is made up entirely of taxes, customs and other duties, the development budget draws less than half of its funds from inland sources (predominantly loans, collections and sale of public property). The remainder comes from foreign loans and bonds sold overseas and, up to now, from German reparations. (Cf. Government Yearbook 1964/1965, pp. 131 ff.)

den eigentlichen Wohnungsbau wie auch die Grundausstattung mit öffentlichen Einrichtungen, Kindergärten, Schulen, Ambulatorien, Synagogen, Gemeinschaftsräumen und -gebäuden und Geschäften bzw. Einkaufszentren. Erst in einem wesentlich späteren Stadium werden Anlagen dieser Art durch die Städte selbst, jedoch mit Hilfe beträchtlicher Regierungskredite, gebaut. Bei Einrichtungen, die Rentabilität versprechen — Einkaufszentren, Kinos, Gaststätten u. ä. — treten mitunter auch kleinere örtliche Entwicklungsgesellschaften, die sich teilweise in städtischem, teilweise in anderem öffentlichen Besitz befinden, in Erscheinung.

Da eine nach Neugründungen und anderen Städten getrennte Rechnungslegung über die öffentlichen Bauvorhaben nicht erfolgt, läßt sich ein Überblick über die in den neuen Städten im einzelnen wie insgesamt investierten Mittel kaum gewinnen. Anhaltspunkte für die gegenwärtige Situation ergeben sich höchstens aus den durchschnittlichen Wohnungskosten in Höhe von 16000 IL zuzüglich 1000 bis 1200 IL je Wohnung für öffentliche Einrichtungen.

Da angesichts der beherrschenden Stellung des öffentlichen Wohnungsbaus in den Entwicklungsgebieten nicht nur die erste Aufbauphase, sondern auch fast alle späteren Ergänzungen und Erweiterungen direkt durch die öffentliche Hand finanziert werden, bleiben die Städte für ihre gesamte Entwicklung auf absehbare Zeit hinaus von übergeordneten Instanzen abhän-

lic institutions such as kindergartens, schools, clinics, synagogues and community centres, also shops and shopping centres. Only at a much later stage can the towns themselves supply services of this kind and, even then, only with considerable help from the government. Services which promise some profit, however, such as shopping centres, cinemas, restaurants and the like, often are provided by small local development corporations owned partly by the towns themselves, partly by some other public body.

As there is no separate accounting of public building expenditure according to new towns and other settlements, it is hardly possible to obtain an overall idea of the capital invested in the new towns, neither in general nor in particular. A clue as to the present situation can perhaps be derived from the average cost per dwelling of 16 000 IL, plus 1000 to 1200 IL for public services.

The dominant position of public housing in the development regions implies that not only for the first building phase, but also for nearly all later extensions, financing is provided directly by the State. Thus, for an indefinite period and for the whole of their development, the towns are dependent on central government bodies while their own range of action is very limited. This dependence is also reflected in the current budget. As, owing to the very modest standard of living of the inhabitants, revenue from taxes and duties is rather low, the

Tabelle 27 / *Table 27*

Einnahmen und Ausgaben neuer Städte im Haushaltsjahr 1963/1964 (in 1000 IL)
Revenue and Expenditure of New Towns in the Fiscal Year 1963/1964 IL (1000)

	Neue Städte/New Towns			Andere Städte[1]/Other Towns			
	5 000—9 999 Einw./Inh.	10 000—19 999 Einw./Inh.	20 000+ Einw./Inh.	5 000—9 999 Einw./Inh.	10 000—19 999 Einw./Inh.	20 000—99 999 Einw./Inh.	100 000+[2] Einw./Inh.
Einnahmen/*Revenue*							
Insgesamt/*Total*	7 182	18 453	41 886	15 116	33 099	59 132	292 684
Außerordentliche/*Extraordinary*	676	4 936	12 894	4 883	11 130	17 823	70 418
Ordentliche/*Ordinary*	6 506	13 517	28 992	10 233	21 969	41 309	222 266
pro Kopf (IL)/*per capita (IL)*	117	136	152	144	153	176	210
darunter/*including:*							
Steuern/*Taxes*	1 102	3 978	10 227	3 342	7 924	19 385	132 347
pro Kopf (IL) *per capita (IL)*	20	40	54	47	55	83	125
Regierungsbeihilfen *Government Participation*	4 000	5 754	7 809	2 963	5 840	4 415	10 332
pro Kopf (IL) *per capita (IL)*	72	58	41	42	41	19	10
in% der ord. Einn. *% of Ord. Revenue*	61.5	42.5	26.9	29.0	26.6	10.7	4.6
Ausgaben/*Expenditure*							
Insgesamt/*Total*	7 345	18 595	43 304	17 257	33 115	61 016	295 350
Außerordentliche *Extraordinary*	677	4 936	12 895	5 494	11 130	17 823	70 418
Ordentliche/*Ordinary*	6 668	13 659	30 373	11 763	21 985	43 193	224 932
pro Kopf (IL) *per capita (IL)*	120	137	159	165	153	184	212
darunter/*including:*							
Kommunale Dienste[3] *Local Services*	1 126	3 166	7 378	2 777	6 243	14 931	78 822
in % der ord. Ausg. *% of Ord. Expenditure*	16.9	23.2	24.3	23.6	28.4	34.5	35.0
Staatliche Dienste[4] *State Services*	4 049	7 470	14 551	5 680	11 707	20 538	102 439
in % der ord. Ausg. *% of Ord. Expenditure*	60.7	54.7	47.9	48.3	53.5	47.5	45.5

[1] Ohne die beiden arabischen Städte Nazareth und Shefar'am, wo die Verhältnisse grundsätzlich anders liegen
[2] Einschließlich der Schwesterstädte von Tel Aviv
[3] Im englischen Text: Local Services (Sanitation, Guarding and Security, Planning and Building, Local Authority Property etc.)
[4] Im englischen Text: State Services (Education and Culture, Health, Social Welfare Religion)
Quelle/*Source:* Statistical Abstract 1965 (16), pp. 658—667

[1] Excl. the two Arab towns Nazareth and Shefar'am where conditions differ fundamentally
[2] Incl. the neighbouring towns of Tel Aviv
[3] Sanitation, Guarding and Security, Planning and Building, Local Authority Property etc.
[4] Education and Culture, Health, Social Welfare, Religion

gig und in ihrem Aktionsradius außerordentlich begrenzt. Diese Abhängigkeit zeigt sich auch im laufenden Budget. Da die Einnahmen aus Steuern und Abgaben angesichts des niedrigen Lebensstandards der Bewohner sehr gering sind, sind sie, weit mehr noch als die alten Städte, ständig auf Hilfestellung durch „Grants in Aid" angewiesen.[1] Diese Regierungsbeihilfen, die durch das Innenministerium vergeben werden und je nach Entwicklungsstand und augenblicklicher Bedürftigkeit abgestuft sind, können mehr als die Hälfte der städtischen Einnahmen ausmachen. Daneben obliegt dem Ministerium von Gesetzes wegen auch die Genehmigung des städtischen Budgets, so daß von dieser Seite her ebenfalls eine gewisse Kontrollbefugnis gegeben ist. Diese führt allerdings nur dann zu Eingriffen, wenn das Budget nicht ausgeglichen ist oder die vorgesehenen Anleihen das vertretbare Maß überschreiten. Für die Neugründungen kommt eine solche Überschreitung schon deswegen nicht in Frage, weil sie sämtliche Anleihen aus dem Entwicklungsbudget erhalten, und zwar nach Übereinkunft mit dem Innenministerium durch die für die jeweiligen Projekte zuständigen Ministerien. Auch hierbei werden hinsichtlich der Verzinsung und Rückzahlung oft Sonderregelungen getroffen, die die finanzielle Lage und das Entwicklungsstadium der einzelnen Städte berücksichtigen. Oberster Grundsatz ist in jedem Falle, daß die wichtigsten Dienste, die die Stadt ihren Bürgern zu leisten hat, gesichert sein und in ihrer Qualität nicht allzusehr von denen der alten Städte abweichen sollen. Daher werden vor allem die Kosten für das Erziehungs-, Gesundheits- und Fürsorgewesen zunächst meist vollständig von den entsprechenden Ministerien getragen und erst im Zuge des Ausbaus und der Stabilisierung allmählich von den Städten selbst übernommen.

Die kommunale Selbstverwaltung

In einem gewissen Gegensatz zu dieser weitgehenden und langfristigen finanziellen Abhängigkeit steht die betont frühzeitige Gewährung der kommunalen Selbstverwaltung. Wird eine neue Stadt gebaut und haben die ersten Siedler ihre Wohnungen bezogen, so bilden sie zunächst einen Ortsausschuß (Local Committee). Mit diesem Ausschuß sind sie, gleich anderen, allerdings meist landwirtschaftlichen Siedlungen, in der für das Gebiet zuständigen regionalen Selbstverwaltungsinstanz, einer Art Kreisrat (Regional Council), vertreten. Im Rahmen des Kreisrates lernen die Ausschußmitglieder gewissermaßen die Anfangsbegriffe der lokalen Selbstverwaltung; gelegentlich übernimmt der Kreisrat auch eine Art Patenschaft für die Neugründung. In Gegenden, in denen keine regionalen Selbstverwaltungsorgane bestehen, wie etwa in großen Teilen des Negev oder in arabisch besiedelten Gebieten, untersteht die neue Stadt dem Distriktskommissar als dem Vertreter des Innenministers.

Da die Interessen der Kreisräte in der Regel stark landwirtschaftlich orientiert sind und sie auch in ihrer personellen Zusammensetzung aus alteingesessenen ländlichen Siedlern nicht

towns are constantly in need of so-called "Grants-in-Aid".[1] Such aid, which has to be approved by the Ministry of the Interior, is graded according to stage of development and prevailing needs, and can make up more than half of the municipal revenue. In addition, the Ministry by law has to control the budgets of all municipal bodies, so that in this respect, too, there is a certain amount of government supervision. Generally the Ministry interferes only if the budget is not balanced or if the scheduled loans exceed all reasonable bounds. The new towns, however, have hardly a chance to go beyond their limits as they receive their loans from the development funds of various ministries, and only after agreement with the Ministry of the Interior. Here too, rates of interest and terms of redemption are adjusted to the financial situation and the stage of development of the individual town. In each case, however, the main services the town has to provide for its inhabitants should be assured, and their quality should not be too different from those offered by the other cities. Therefore, costs for educational, health and social services are at first borne almost entirely by the corresponding ministries, the towns gradually taking over the expenditures as they reach completion and stability.

Municipal Self Government

In contrast to this universal and long-term financial dependence, municipal self-government is granted already at a very early date. When a new town is being built and the first inhabitants have moved in, they first form a Local Committee. By means of this committee, the inhabitants are — like other, though mostly rural, settlements — represented in the regional self-government body for their area, the so-called "Regional Council". Within the framework of the regional council, the members of the committee learn the basic principles of local self-government; in some cases the regional council even acts as sponsor for the new town. In regions without municipal status, as for instance in large parts of the Negev or in areas inhabited predominantly by Arabs, the towns are directly subordinate to the District Commissioner as the representative of the Minister of the Interior.

As the regional councils are interested primarily in agricultural matters and perfect harmony between the veteran rural and the new immigrant urban population is difficult to achieve, most of the new towns strive to leave them as soon as possible. The point at which they are granted the status of a Local Council, and thereby greater independence, by the Minister of the Interior depends on the availability of an adequate number of suitable council members. This requirement results from the low educational standard and the lack of political and administrative experience of the majority of the new immigrants. If a number of sufficiently qualified persons are known to the Minister, he appoints from among them the first Local Council. The political parties are represented on this council according to their share at the last general elections. The functions and powers of an appointed council do not differ from those of an elected council. In the third and final stage, following mostly two or three

---

[1] Im Gegensatz zu den deutschen Kommunen beziehen die israelischen Städte, alte wie neue, den größten Teil ihrer Einnahmen aus Steuern, die sich aus Haus- und Grundbesitz und aus der Miete einer Wohnung ergeben. Von den direkten Steuern in Höhe von 45 Mill. IL zum Beispiel, die das Budget von Tel Aviv für 1963/64 veranschlagte, entfielen 10 Mill. auf Grundsteuern, 6,5 Mill. auf (Haus)Eigentümersteuern, 23,5 Mill. auf sogenannte Mietersteuern und nur 4,5 Mill. auf Gewerbesteuern. Ein steuerliches Interesse der Städte an der Heranziehung möglichst zahlreicher Industrie- und Gewerbebetriebe ist also nur auf dem Umweg über eine Verbesserung der Beschäftigungs- und damit Einkommenslage der Bevölkerung und damit auch des Wohnungsstandards gegeben.

[1] In contrast to German communities, Israeli towns, both old and new, draw most of their revenue from property and so-called tenants' taxes. Of the direct taxes of 45 million IL., for instance, which were shown in the budget for Tel Aviv for 1963/1964, 10 million came from property tax, 6.5 million from rates, 23.5 million from tenants' taxes, and only 4.5 million from taxes on trade returns. A fiscal interest in the attraction of additional crafts and industries is given only in so far as such industries create employment and thereby raise the income (and the housing standard) of the inhabitants.

immer mit den städtischen Neueinwanderern harmonieren, streben die jungen Städte meist relativ bald aus dem Kreisverband heraus. Der Zeitpunkt, zu dem ihnen von seiten des dafür zuständigen Innenministers der Status einer Gemeinde (Local Council) und damit größere Selbständigkeit gewährt wird, hängt jedoch weitgehend vom Vorhandensein einer genügenden Anzahl als Gemeinderatsmitglieder in Frage kommender Persönlichkeiten ab, eine Voraussetzung, die sich aus dem niedrigen Bildungsstand und der Herkunft der meisten Neusiedler aus politisch wie verwaltungsmäßig völlig unerfahrenen orientalischen Gemeinschaften ergibt. Ist dem Minister eine Reihe geeigneter Personen bekannt, so bestimmt er von sich aus aus ihrem Kreise den ersten Gemeinderat (Appointed Local Council). In der parteipolitischen Zusammensetzung des Rates folgt er dabei dem proportionalen Anteil der einzelnen Parteien bei den letzten Parlamentswahlen. Funktionen und Vollmachten dieses eingesetzten Gemeinderates weichen jedoch nicht von denen eines gewählten Rates ab. Im dritten und letzten Stadium schließlich, in der Regel etwa zwei bis drei Jahre nach Einsetzung des ersten Gemeinderates, werden Kommunalwahlen ausgeschrieben und der endgültige Rat gewählt (Elected Local Council). Die Initiative hierzu geht oft von den Parteien selbst aus, die sich von einer politischen Wahl eine Verschiebung der parteipolitischen Konstellation zu ihren Gunsten versprechen. Hiermit ist der kommunalrechtliche Status der Neugründung dem jeder anderen Stadt gleichgestellt; nach einer gewissen Übergangszeit, deren Länge durch den Zeitpunkt der ersten Wahlen bedingt ist, fällt sie auch in den regelmäßigen vierjährigen Wahlrhythmus der übrigen Gemeinden ein.[1] Die Würde einer Munizipalität (Municipality) wird alten wie neuen Städten erst nach Überschreiten einer gewissen Einwohnerzahl — etwa 20 000 — zuerkannt, ohne daß damit wesentliche neue Rechte verbunden wären. Sollte aus irgendeinem Grunde — meist parteipolitischer Natur — die Arbeitsfähigkeit des gewählten Gemeinde- oder Stadtrates in Frage gestellt sein, so kann er durch den Innenminister außer Funktion gesetzt und durch einen Repräsentanten seines Ministeriums ersetzt werden. In den letzten Jahren ist dies zweimal, in Beer Sheva und in Dimona, der Fall gewesen. Auch sonst muß dahingestellt bleiben, ob angesichts der spezifischen Problematik eines Vielparteiensystems, wie es für Israel charakteristisch ist, eine relativ frühzeitige Überlassung der Verwaltung der neuen Städte — wie begrenzt in ihren faktischen Kompetenzen auch immer sie sein mag — an parteipolitische Interessenkombinationen zweckmäßig ist. Selbst in einer so geschulten und bewährten Demokratie wie der englischen hat noch keine der Neugründungen volle kommunale Selbständigkeit erhalten.

years after the installation of the appointed council, municipal elections are being held and the final council is elected. The initiative for this step often comes from the parties themselves, who hope for a shift in the political groupings to their advantage. Herewith the legal status of the new town is equivalent to that of any other town; after a certain transitional period, the length of which depends on the date of the first elections, it joins the regular four year election turn of the other communities.[1] The status of a municipality, which is granted both to new and to old towns only after they have reached a certain size — about 20 000 inhabitants — does not include any important new rights. If, for any reason, generally of a political nature, there is no working majority in the council, the Minister of the Interior can divest it of its rights and can replace it by a representative of his Ministry. In the last few years this has happened twice, once in Beer Sheva and once in Dimona. It remains to be seen, moreover, whether in view of the specific problems of a multi-party system as is characteristic of Israel, the relatively early granting of self-government to the new towns is adequate, however restricted their actual range of jurisdiction may be. Even in a schooled democracy as in England, none of the new towns have received municipal independence yet.

---

[1] In Ashdod zum Beispiel, wo 1963 erstmals gewählt wurde, wurden die allgemeinen Kommunalwahlen 1965 übergangen; erst 1969 wird wieder ein neuer Gemeinderat gewählt.

[1] In Ashdod, for instance, where the first elections were held in 1963, the general municipal elections of 1965 were by-passed; a new council will be elected only in 1969.

Stadt und Region

In allen Erläuterungen und Kommentaren zu den Plänen für eine gleichmäßigere Verteilung der Bevölkerung war den städtischen Neugründungen, die einen erheblichen Teil dieser Bevölkerung aufnehmen sollten, die Rolle regionaler Zentren verschiedener Ordnung und damit die Aufgabe zugewiesen worden „to serve the rural hinterland as foci of trade, industry, social and educational activity, and seats of administration."[1] Schon angesichts der demographischen Struktur und wirtschaftlichen Entwicklung der meisten dieser Städte mußten jedoch Zweifel aufkommen, inwiefern sie diese Rolle übernommen haben, überhaupt übernehmen konnten. Ebenso ist aber auch die Frage, inwiefern die spezifisch israelische Organisationsform des „Hinterlandes" selbst administrative, wirtschaftliche und soziale Aufgaben, wie sie die europäischen Kreis-, Grafschafts-, Kantons- oder Departementsstädte, die hier offenbar Pate gestanden hatten, kennzeichnen, überhaupt enthält, inwiefern aber auch die Planung neuer Hinterland-Bezirke in ihren Leitbildern eindeutig auf solche Aufgaben zugeschnitten ist.[2]

Verwaltung

Für die Zwecke der staatlichen Verwaltung ist Israel in 6 Distrikte und 14 Bezirke (Sub-Districts) eingeteilt. Die Distrikts- und Bezirksverwaltungen haben ihren Sitz in insgesamt 15 Städten, von denen immerhin 8 heute zu den neuen Städten gerechnet werden: Zefat, Tiberias, Afula, Nazareth, Akko, Ramla, Ashqelon und Beer Sheva. In allen diesen Fällen handelt es sich jedoch um Städte mit altem Kern, die zum Teil schon während der Mandatszeit ähnliche Funktionen erfüllt hatten. Von den Neugründungen, die ohne Anlehnung an ältere Siedlungen „auf der grünen Wiese" entstanden sind, hat dagegen keine einzige irgendwelche Verwaltungsaufgaben gegenüber ihrem Umland und kann ohne eine grundlegende Umgestaltung des Verwaltungsaufbaus auch schwerlich solche erhalten.

Dieser Verwaltungsaufbau sieht außer den Distrikts- und Bezirksverwaltungen als Organen der Zentralregierung eine große Zahl von Selbstverwaltungseinheiten vor, und zwar 26 Stadtverwaltungen (Municipalities), 110 Gemeindeverwaltungen (Local Councils) und 48 Kreisverwaltungen (Regional Councils). Während Städte und Gemeinden etwa den in anderen Ländern üblichen Körperschaften entsprechen, weichen die Kreise als die Selbstverwaltungsorgane der ländlichen Gebiete von ihnen ab. Sie sind freiwillige, wenn auch durch die „Regional Councils Order" von 1958 gesetzlich fundierte Zusammenschlüsse landwirtschaftlicher Siedlungen, die oft weniger auf territorialer als auf ideologischer Nachbarschaft basieren. Innerhalb eines Kreisgebietes kann sich daher durchaus ein Sprengel von Ortschaften halten, der den Anschluß an einen anderen, allerdings meist benachbarten Kreis vorgezogen hat. Auch haben die Siedlungen das Recht, für sich zu bleiben. Sind sie groß genug, können sie den Status einer selbständigen Gemeinde erhalten, sind sie es nicht oder legen sie, wie manche arabischen Dörfer, keinen Wert auf Selbstverwaltung, so bleiben sie ohne Status und unterstehen direkt der Distriktsverwaltung. Im allgemeinen suchen genossenschaftlich oder kollektivistisch organisierte Siedlungen eher den Anschluß an einen Kreis, gewöhnliche Dörfer bleiben lieber für sich.

[1] A. Sharon, a. a. O., English Supplement, S. 4
[2] Daß angesichts der Vielzahl planender Instanzen, unter denen für die Beziehung Stadt—Region vor allem die (institutionell nicht identische) Stadt- und Landwirtschaftsplanung von Bedeutung ist, Planung nicht immer gleich Planung ist, ist nicht nur auf Israel beschränkt, dort aber besonders ausgeprägt.

Town and Region

In all interpretations of and commentaries on the first plans for a more even distribution of the population, the new towns, which were to receive a considerable proportion of this population, were assigned the task to serve as regional centres of varying order. More than once it was emphasized that they should "serve the rural hinterland as foci of trade, industry, social and educational activity, and seats of administration".[1] The very demographic structure and the economic development of most of these towns, however, must give rise to doubts as to whether they in fact have fulfilled, or were even capable of fulfilling such tasks. Equally doubtful is whether the specific Israeli organizational structure of the "hinterland" embodies administrative, economic and social functions as are found in the European district, county, cantonal or departmental centres serving as prototypes; whether, finally, planning of new hinterland regions was actually and specifically designed with this aim in mind.[2]

Administration

For the purposes of public administration, Israel is divided into 6 districts and 14 sub-districts. The district and sub-district administrations have their seat in 15 towns, 8 of which are counted among the new towns: Zefat, Tiberias, Afula, Nazareth, Akko, Ramla, Ashqelon, and Beer Sheva. All of these, however, are towns with an old core which had similar functions — at least to a limited extent — already during the period of the Mandate. None of the new towns proper which were established without connexion to older settlements do have any kind of administrative functions with respect to their hinterland, and without a major revision of the administrative structure as a whole they are not likely to get any.

In addition to the district and sub-district administrations as agents of central government, the administrative structure embodies a large number of local authorities: 26 municipalities, 110 local councils and 48 regional councils. While the municipalities and the local councils correspond to equivalent bodies in other countries, the regional councils as the self-government bodies of the rural hinterland differ considerably. Although legally based in the provisions of the "Regional Councils Order" of 1958, they are voluntary associations of agricultural settlements, often based less on territorial than on ideological proximity. Thus, it is well possible that within the area of a regional council a few settlements have preferred to join a different, though usually adjacent, council. Moreover, the settlements have the right to remain on their own. If they are large enough they can elect an independent local council; if they are not or if, as is the case in some Arab villages, they are not interested in self-government they remain without status and are directly subordinate to the District Commissioner. Generally, cooperative or collective settlements prefer to join a regional council, ordinary villages tend to stay on their own. The members of the regional councils are not elected directly by the inhabitants of the affiliated settlements but are appointed by their committees.[3] Their duties correspond to the duties of any other local authority and, apart from general ad-

[1] A. Sharon, op. cit., English Supplement, p. 4
[2] Although particularly marked there, it is not peculiar to Israel alone that planning does not always equal planning — particularly in view of the plethora of planning bodies, among which urban and agricultural planning (institutionally not identical) constitute the most important factors in the relationship between town and region.
[3] In the Kibbutzim and the Moshavim the local committees are identical with the governing bodies provided by their statutes. In the villages they are chosen by the usual mode of election.

Die Mitglieder der Kreisräte werden nicht direkt von den Bewohnern der angeschlossenen Siedlungen gewählt, sondern von deren Ortsausschüssen entsandt.[1] Ihre Aufgaben entsprechen jedoch denen der anderen Selbstverwaltungsorgane und umfassen, neben der allgemeinen Verwaltung, zunächst unmittelbar örtliche Angelegenheiten wie die Sorge für die öffentliche Sicherheit und Hygiene, den Unterhalt von Straßen, öffentlichen Gebäuden und Gärten, dort, wo kein Anschluß an das allgemeine Netz vorhanden ist, auch die Wasser- und Stromversorgung; dann aber auch, unter Aufsicht und mit Unterstützung der zuständigen Ministerien, das Schul- und Erziehungswesen, Fürsorge- und Wohlfahrtseinrichtungen, Gesundheitswesen und religiöse Angelegenheiten. Der Umfang der Kreise ist sehr unterschiedlich und liegt, je nach der Anzahl der angeschlossenen Siedlungen, zwischen 600 und 16 000 Einwohnern; die Mehrzahl umfaßt jedoch zwischen 3000 und 6000, der Durchschnitt liegt bei 4500 Einwohnern.

Für die Stellung der Neugründungen gegenüber ihrem Umland ist vor allem von Bedeutung, daß die Kreise den Städten gegenüber völlig autonom sind. Von vorübergehenden Provisorien abgesehen, sind in keinem Falle Stadt und Region in einer gemeinsamen Selbstverwaltungseinheit vertreten. Diese Autonomie kommt auch darin zum Ausdruck, daß die Kreise ihren Sitz und ihre Verwaltungsgebäude in den wenigsten Fällen in den Städten, sondern entweder im Anschluß an eine landwirtschaftliche Siedlung oder sogar auf dem flachen Lande haben. Wo, aus den verschiedensten Gründen, die oft mit einem früheren Patenschaftsverhältnis zwischen Kreis und neuer Stadt zusammenhängen, der Kreisrat seinen Sitz in der Stadt hat, so immer an der Peripherie, und nie auf städtischem Gebiet (s. Tafel XVIII, XX). Von den relativ wenigen Distrikts- oder Bezirkshauptstädten abgesehen, ist also für die israelische Landbevölkerung die Stadt in ihrer Mitte, und vollends die neue, weder objektiv noch subjektiv Sitz und Symbol der Obrigkeit.[2]

Wirtschaft

Von den 661 jüdischen ländlichen Siedlungen Israels am Ende des Jahres 1964 waren mehr als die Hälfte (346) genossenschaftlich organisiert (Moshavim), 230 waren kollektivistisch organisiert (Kibbutzim), 21 vereinten genossenschaftliche und kollektivistische Züge (Moshavim Shitufim), und nur 64 waren Dörfer.[3] Unter diesen Dörfern im statistischen Sinne, vor allem unter den größeren, sind jedoch einige, die kaum Landwirtschaft betreiben und nur ihrer Größenordnung nach noch nicht den Status einer städtischen Siedlung erreicht haben, so auch einige von unseren neuen Städten. Auch im günstigsten Falle waren also von der Gesamtheit der ländlichen Siedlungen mehr als 90% genossenschaftlich oder kollektivistisch organisiert, und weniger als 10% entsprachen an-

[1] In den Kibbutzim und Moshavim sind die Ortsausschüsse identisch mit den in ihren Statuten vorgesehenen Spitzengremien, in den Dörfern werden sie durch den üblichen Wahlmodus bestimmt.
[2] Auf die Problematik dieses Nebeneinanders von Stadt und Land hat bereits 1954 A. Glikson hingewiesen: „The new problems of town and country development have to be met by administrative measures also, i. e. by the establishment of some administrative relation between the as yet separate municipalities of village areas and town areas within well defined regions" — ohne daß allerdings seither irgendeine Änderung eingetreten ist. I.U.L.A. Bulletin, 1954, S. 6
[3] Übergangslager, staatliche Farmen, Heime oder Schulen, die statistisch zu den ländlichen Siedlungen zählen, sind hierbei nicht berücksichtigt, ebenso nicht die arabischen Dörfer, die in der Regel ihre eigenen Zentren bevorzugen.

ministration, they are mainly concerned with local affairs such as public security and hygiene, maintenance of roads, public buildings and open spaces, and, where there is no connection to the overall network, with water and power supply. Furthermore, under the supervision and with the help of the corresponding ministries, they are responsible for schools and educational services, for social welfare institutions, health and religious affairs. The size of the regional councils varies considerably, depending on the number of affiliated settlements, and may represent between 600 and 16 000 inhabitants; the majority of the regions, however, have between 3000 and 6000 inhabitants, and the average is about 4500.

With respect to the relationship between town and hinterland it is of some importance that the regional councils are completely autonomous. Apart from temporary arrangements, town and region are never represented on the same self-government body. This autonomy is emphasized by the fact that the regional councils only in very rare cases have their administrative seats within the towns themselves; far more often they are located adjacent to rural settlements or even in the flat country. If, for a variety of reasons (for instance an earlier sponsorship between region and new town), a regional council has its seat in a town, it is always on the outskirts and never within the urban area proper (see plate XVIII, XX). Apart from the relatively few district and sub-district centres, for the Israeli rural population the town in their midst — and particularly the new town — is neither subjectively nor objectively seat and symbol of government.[1]

The Economy

At the end of 1964, of the 661 Jewish rural settlements of Israel, more than half (346) were organized on a cooperative basis (Moshavim), 230 were organized on a collective basis (Kibbutzim), 21 combined cooperative and collective trends (Moshavim Shitufim), and only 64 were ordinary villages.[2] Amongst these villages in the statistical sense, especially amongst the larger ones, there are a few which have hardly any agricultural character and which only because of their limited size have not yet reached the status of an urban settlement. This applies also to some of the new towns. Thus, even at best, more than 90% of all rural settlements were organized on a cooperative or collective basis and less than 10% resembled approximately the European idea of a village with its specific social and economic way of life.

The collective and also the cooperative form of organization entails that a large part of all goods and means are controlled centrally. In the Kibbutz, all income from agricultural and

[1] The problem of this juxtaposition of town and country has already been indicated in 1954 by A. Glikson: "The new problems of town and country development have to be met by administrative measures also, i.e. by the establishment of some administrative relation between the as yet separate municipalities of village areas and town areas within well defined regions." So far, however, no great changes have taken place. Cf. I.U.L.A. Bulletin, 1954, p. 6
[2] Immigrants reception centres, state farms, institutions and schools which statistically count as rural settlements are excluded, and so are the Arab villages which, as a rule, prefer their own centres.

nähernd den europäischen Vorstellungen von einem Dorf mit seinen spezifischen Lebens- und Wirtschaftsformen.

Die kollektivistische, aber auch die genossenschaftliche Organisationsform bringt mit sich, daß über einen großen Teil der Güter und Mittel zentral verfügt wird. Im Kibbutz fließen sämtliche Erträge aus landwirtschaftlicher und anderer Produktion in einen gemeinsamen Fonds und werden, von den an die Mitglieder gezahlten Taschengeldern abgesehen, auch wieder gemeinsam ausgegeben, für Investitionen, für Produktionsmittel und für die Güter des täglichen Bedarfs. Im Moshav gehört zwar der Ertrag seines kleinen Hofes jedem Siedler für sich, durch die genossenschaftliche Form des Absatzes der Erzeugnisse und des Einkaufs zumindest von Maschinen, Werkzeug, Saatgut, Düngemitteln und Kraftfutter, meist aber auch der laufenden Konsumgüter, die in genossenschaftlichen Läden an die Mitglieder weiterverkauft werden, findet jedoch auch hier schon auf der untersten Ebene eine weitgehende Konzentration des Umsatzes statt.[1]

Als Nachfrager landwirtschaftlicher und Anbieter industrieller Güter stehen den Siedlungen dabei in erster Linie die beiden großen, dem Wirtschaftskomplex der Histadrut angeschlossenen Ein- und Verkaufsgenossenschaften TNUVA und HAMASHBIR HAMERKAZI gegenüber, die 70 % bis 75 % des gesamten landwirtschaftlichen Güterumschlags bestreiten. Beide Organisationen unterhalten Sammelstellen und Auslieferungslager auf dem Lande — seltener in einer der Städte —, die Zentralen mit ihren Ein- und Verkaufsbüros und ihren Abrechnungsstellen haben ihren Sitz jedoch in Haifa oder Tel Aviv. Fast der gesamte Wirtschafts- und Geldverkehr der Kibbutzim und Moshavim geht also an den kleineren und mittleren Städten vorbei, meist ohne sie auch nur zu berühren, und spielt sich unmittelbar zwischen Land und Großstadt ab.

Es bleiben die Dörfer. Diese decken zwar in der Tat einen größeren Teil vor allem ihres täglichen Bedarfs in den Städten, doch ist auch an ihnen die Genossenschaftsbewegung nicht spurlos vorübergegangen. Zunehmend entstehen selbständige Ein- und Verkaufsgenossenschaften, oder aber die Dörfer gehen vertragliche Bindungen mit einer der bestehenden Großorganisationen, neben HAMASHBIR und TNUVA auch der mehr mittelständisch orientierten TENNE, ein — zumal der von diesen freigelassene Marktanteil viel zu begrenzt ist, um eine unabhängige Preisgestaltung zu gestatten. Wie auch immer die privatwirtschaftlichen Siedlungen ihren Warenverkehr gestalten, der ihnen verbleibende Sektor ist zu klein, um städtische Marktfunktionen in nennenswertem Umfang zu rechtfertigen.

Über die unmittelbare kollektivistische oder genossenschaftliche Organisationsform hinaus gehörten von den 597 Moshavim, Kibbutzim oder Moshavim Shitufim des Landes 582, das sind 97,5 %, größeren Verbänden an, die ihrem Ursprung nach nicht nach wirtschaftlichen oder regionalen, sondern nach ideologischen und religiösen Gesichtspunkten ausgerichtet waren und heute den entsprechenden politischen Parteien angegliedert sind. Neben der ideellen, früher fast sektenhaften Orientierung übernehmen diese Verbände für ihre Mitglieder eine kaum übersehbare Fülle zentraler Funktionen, die von der Verwaltung gemeinnütziger Hilfs- und Investitionsfonds über einen gut ausgebauten landwirtschaftlichen Beratungsdienst und die Planung und Durchführung von Neubauten mittels eigener Baugesellschaften bis hin zur Organisation

other production flows into the common pool and, apart from allowances paid to the members, is also spent collectively, on investments, production equipment and everyday needs. In the Moshav, the income from his small farm belongs to the individual member. Even here, however, there is considerable concentration already at the lowest level, resulting from the cooperative marketing of produce and purchasing of machines, tools, seeds, fertilizers and fodder, as well as consumer goods on sale in the local shops.[1]

As demanders of agricultural and suppliers of industrial products the settlements are dependent in the first place on the two big supply and purchasing agencies which are part of the economic complex of the Histadrut: TNUVA and HAMASHBIR HAMERKAZI. These two companies represent 70 % to 75 % of the total turnover in agriculture. Both of them have depots for collecting and distributing goods in rural areas, sometimes, though rarely, even in towns. The head offices, however, with the central purchasing and marketing bodies and the accounts departments are in Haifa or Tel Aviv. Thus, almost the entire trade and monetary exchange of the Kibbutzim and Moshavim by-passes the smaller and medium-sized towns, often without even touching them, and takes place directly between the rural settlements and the major cities.

There remain the villages. These in fact cover a greater part of their daily needs in the towns; even here, however, the cooperative movement has left its mark. Increasingly, independent purchasing and sales cooperatives are being created, or the villages enter into contract with one of the larger agencies such as HAMASHBIR and TNUVA, or the more middle-class minded TENNE. This ensues almost automatically as the share of the market left free by these agencies is much too small to allow any independent price policy. Whichever channels the villages choose to handle their goods and monetary exchange, the market sector remaining to them is far too limited to justify urban market functions on any large scale.

Over and above their own collective or cooperative organization, 582 (97.5 %) of the 597 Moshavim, Kibbutzim and Moshavim Shitufim belong to nation-wide associations. Originally these associations were founded along ideological or religious and not along economic or regional lines, and still today they are affiliated to the corresponding political parties. Apart from the ideological, formerly almost sectarian orientation they provide their members with a large variety of central services. Such services include the administration of mutual-aid investment and development funds, a well-renowned agricultural advisory service, the planning and erection of new buildings by means of their own construction companies and the organization of all kinds of training and instruction. The influence and the political and economic weight of these associations can hardly be overrated. In whatever field they operate, they embody a supply and demand potential that finds its counterparts only at an equally dominant level.

In recent years, regional associations — mostly at regional council level — have taken over some of the economic and social functions of these nation-wide organisations.

Such regional associations, however, are not orientated towards the presumptive regional towns either but deal directly (and with greater vigour than the individual settlements) with the big marketing agencies, or with private customers in the large cities who often offer better conditions. A case in point, although so far an exception, is the regional council of Sha'ar

[1] Vgl. u. a. Y. Bach: Die Gemüsevermarktung in Israel. Neukolonisation und Marktentwicklung. Diss. Freiburg 1956, S. 136

[1] Cf. Y. Bach: Die Gemüsevermarktung in Israel: Neukolonisation und Marktentwicklung. Diss. Freiburg 1956, p. 136

von Wanderausstellungen und Vortragszyklen reichen. Einfluß und politische wie wirtschaftliche Bedeutung dieser übergeordneten Verbände sind kaum zu überschätzen. Auf welchem Gebiet auch immer sie tätig werden, verkörpern sie ein Nachfrage- und Angebotspotential, wie es adäquate Partner ebenfalls nur auf übergeordneter Ebene findet.

Auch dort jedoch, wo in der letzten Zeit regionale Zusammenschlüsse — meist auf Kreisebene — einen Teil vor allem der wirtschaftlichen und sozialen Zentralfunktionen dieser Verbände übernommen haben, sind sie nicht auf das präsumtive regionale Zentrum ausgerichtet, sondern verhandeln entweder direkt (und mit größerem Nachdruck als die einzelnen Siedlungen) mit den großen Ein- und Verkaufsgenossenschaften oder aber mit privaten Abnehmern in den großen Städten, die oft bessere Bedingungen bieten. Bezeichnend, wenn auch vorerst noch ein Sonderfall, ist, daß der Kreis Sha'ar HaNegev, in unmittelbarer Nachbarschaft von Sederot und kaum 25 km von Ashqelon mit seinen immerhin 32 000 Einwohnern entfernt gelegen, über ein eigenes Büro in Tel Aviv (mit privatem Funktelefon) verfügt, von dem aus die Mitglieder des Kreisrates wie auch die Vertreter der einzelnen Siedlungen Käufe und Verkäufe tätigen und Verhandlungen aller Art führen können. Auch diese wesentlich kleineren Zusammenschlüsse finden entsprechende Partner offenbar nur in der Großstadt.

Neben dem Ein- und Verkauf von Gütern und Produkten kommen als wirtschaftliche Zentralfunktionen gewisse technische Dienste in Betracht, die, da mehr an den Ort der Produktion und des Konsums gebunden, auch eher regionalen Zentren vorbehalten sein könnten. In Anbetracht der besonderen Struktur der israelischen Landwirtschaft sind dies vor allem die bereits mehrfach erwähnten:

Kühl- und Vorratshäuser

Sortier- und Packanlagen für Citrusfrüchte, Erdnüsse, Oliven u. ä.

Trocknungsanlagen für Klee, Luzerne, Gemüse

Baumwollentkernungsanlagen

Geflügel- und andere Schlächtereien

Molkereien

Kunstdünger- und Kraftfuttermischanlagen

Reparaturwerkstätten für landwirtschaftliche Maschinen

Transportunternehmen

Handwerksbetriebe aller Art

Aus Rationalisierungsgründen werden solche Dienstleistungen nicht mehr auf der Ebene der einzelnen Siedlungen, sondern zunehmend ebenfalls auf Kreisebene erfüllt. Die Kooperativen, die hierfür gegründet werden, haben ihren Sitz in der Regel in kreiseigenen Industrie- und Handwerksgebieten, die entweder im Anschluß an bestehende ländliche Siedlungen oder auch auf freiem Felde errichtet werden und, selbst wenn keine weiterverarbeitenden Industrien hinzukommen, in großen und wohlhabenden Kreisen ein erhebliches Wirtschafts- und Beschäftigungspotential verkörpern. Im Hinblick auf die Beschäftigungslage in den Neugründungen bemüht sich die Planung seit langem, diese Industriegebiete jedenfalls in unmittelbarer Nachbarschaft der neuen Städte anzusiedeln. Wo die geographischen Voraussetzungen und die Verkehrsverhältnisse günstig sind — und der Kreisrat einsichtig —, gelingt es manchmal, öfter jedoch nicht.

Auch dort, wo landwirtschaftliche Gebiete völlig neu erschlossen werden — wie etwa im Lakhish- oder Ta'anakh-Gebiet[1] —, werden derartige Funktionen nicht der regionalen Stadt, sondern Zwischengliedern, den ländlichen Zentren (Rural Cen-

[1] Vgl. S. 111, 118, 121 ff.

HaNegev, in close proximity to Sederot and hardly 15 miles distant from Ashqelon, a town with 32 000 inhabitants. Nevertheless, the council has preferred to have its own offices in Tel Aviv (with a private wireless telephone) from where the members as well as the representatives of the affiliated settlements can conduct their sales and purchases and other negotiations of all kinds. Apparently, even such relatively small associations find adequate partners only in the large cities.

Apart from the purchasing and sale of goods and products, further central economic functions consist in certain technical services which are tied more closely to the place of production and consumption and therefore could more readily by reserved for the regional centres. In view of the peculiar character of Israeli agriculture such services comprise primarily the following and already mentioned fields:

Cold storage

Grading and packing of citrus fruit, ground nuts, olives, etc.

Drying of fodder and vegetables

Cotton gins

Poultry and other slaughter houses

Dairies

Mixing of fertilizer and concentrated feed

Garages and service stations for heavy agricultural equipment

Transport cooperatives

Crafts and workshops of all kinds

For rationalization purposes such services are increasingly supplied on regional rather than on local level. The cooperatives created for these services are often located in separate industrial centres situated either adjacent to existing rural settlements or again in the open country. In the larger and wealthier regions such centres embody a considerable economic and employment potential, even if they contain no processing industries. In view of the employment situation in the new towns, planning has always made great efforts to locate them in immediate proximity to the new towns; where geographic conditions and communications were favourable, and the regional council sympathetic, this has sometimes succeeded. More often, however, it did not.

Even where completely new agricultural areas are developed, e.g. the Lakhish or Ta'anakh regions[1], such central functions are not always assigned to the regional town but to an intermediate level, the rural centres. These centres, while not actively engaged in agriculture themselves, are to serve 3 to 6 agricultural settlements.[2] Opinions concerning their size and character differ, for instance as to whether they should be inhabited or not inhabited, and if inhabited, by how many families, whether they should include only services or other industries as well, etc. Quite clear is only that they are to provide all those services which the rural settlements themselves are too small to afford in sufficient size and quality. They are therefore located as close as possible to the settlements and never adjacent to a town, even if the town is only a few miles away. All the same, the rural service and industrial centres draw a large proportion of their labour force from the towns; lorries filled with new immigrants, leaving the town every morning to work on the land, are a familiar sight.

Over and above the concentration of workshops and technical services, for some time already a genuine industrialization of

[1] Cf. pp. 111, 118, 121 ff.
[2] Cf. pp. 118 and 122 ff. Agricultural development is not subject to the national planning authorities but, in collaboration with the Ministry of Agriculture, to the Settlement Department of the Jewish Agency, which is deeply rooted in the traditions of Zionist colonization.

tres), zugewiesen, die, ohne selbst Landwirtschaft zu betreiben, je 3 bis 6 ländliche Siedlungen zu versorgen haben.[1] Über Art und Umfang dieser Zentren, ob unbewohnt oder bewohnt und, wenn bewohnt, durch wieviel Familien, ob nur Dienstleistungen oder auch Industrie, gehen die Meinungen auseinander; sicher ist jedoch, daß sie von vornherein alle die Dienste und Aufgaben übernehmen sollen, die sich die ländlichen Siedlungen in ihrem eigenen Rahmen nicht in ausreichender Größe und Qualität leisten können. Sie werden daher auch in größtmöglicher Nähe der Siedlungen selbst angelegt, keinesfalls im Anschluß an die Stadt, selbst wenn diese nur wenige Kilometer entfernt ist. In jedem Fall beziehen diese ländlichen Dienstleistungs- oder Industriezentren jedoch einen erheblichen Teil ihrer Arbeitskräfte aus der Stadt; Lastwagen mit Neueinwanderern, die allmorgendlich die Städte verlassen, um aufs Land zur Arbeit zu fahren, sind ein gewohntes Bild.

Über die Konzentration technischer und handwerklicher Dienste hinaus ist seit geraumer Zeit eine echte Industrialisierung des ländlichen Hinterlandes im Gange, die von den Kibbutzim ihren Ausgang genommen hat. Dort hatte der Wunsch — und die Notwendigkeit —, den Mitgliedern einen höheren Lebensstandard, wie ihn die Landwirtschaft selbst angesichts der knappen Böden und der drohenden Überproduktion nicht bieten konnte, zu sichern, schon früh den Gedanken aufkommen lassen, die unzureichenden Einkünfte durch andere Erwerbsquellen zu ergänzen. Neben der Weiterverarbeitung eigener landwirtschaftlicher Produkte in Konserven- und Fleischfabriken, Obstsaftkeltereien, Erdnußröstereien u. ä. kam hierfür zunächst die Versorgung des eigenen und benachbarter Kibbutzim mit Möbeln, Hausrat, Baumaterialien, Werkzeug und kleineren Maschinen in Frage. Mit Hilfe von Anleihen aus dem Entwicklungsfonds oder auch durch Assoziierung mit einem anderen Kibbutz entwickelten sich aus diesen handwerklichen Anfängen vielfach Betriebe von überregionaler Bedeutung. Schon im Jahre 1959 gab es in den Kollektivsiedlungen 146 Industriebetriebe mit zusammen mehr als 5000 Beschäftigten. Die Mehrzahl dieser Betriebe war nicht allzu groß, fast drei Viertel hatten weniger als 30, nur 8 mehr als 100 Beschäftigte, der Umsatz blieb meist unter 500 000 IL im Jahr.[2] Seither hat sich die Zahl der Betriebe weiter erhöht, allein die Kredite aus öffentlichen Geldern haben zwischen 1959/60 und 1963/64 von knapp 15 Mill. IL auf mehr als 57 Mill. IL zugenommen.[3] Wenn ausgesprochene Großbetriebe mit mehreren hundert Beschäftigten auch nach wie vor zu den Ausnahmen zählen, so auf der anderen Seite auch Klein- und Kleinstbetriebe, wie sie in den Städten, alten wie neuen, in der Überzahl waren. Statt dessen hatten von den bis Ende 1964 staatlich geförderten 181 Kibbutzbetrieben 78, das sind 43%, Anleihen zwischen 100 000 IL und 1 Mill. IL erhalten, von den 631 geförderten Betrieben in den neuen Städten aber nur 82, also 13%. Es handelt sich demnach, an israelischen Größenordnungen gemessen, vorwiegend um mittlere Betriebe, wie sie in den Neugründungen weitgehend fehlten und wie

the rural hinterland is under way, a process starting from the Kibbutzim. Here, in view of the shortage of soil and the imminent threat of over-production, the desire — and the necessity — to achieve a higher standard of living for the members could not rely on income from agriculture alone. Already at an early date this had favoured the idea to supplement agricultural income from other sources. Apart from the processing of agricultural produce in canneries, meat packing plants, fruit juice factories and the like, there was the possibility to supply oneself and neighbouring Kibbutzim with, for instance, furniture, household goods, building materials, tools and smaller machinery. By means of loans from the development funds or by association with other Kibbutzim, such modest beginnings often grew into enterprises of supra-regional significance. Already in 1959 the collective settlements operated 146 industrial establishments with altogether more than 5000 employees. The majority of these establishments were rather small; almost three quarters employed less than 30 persons and only 8 more than 100. In most cases the turn-over was below 500 000 IL a year.[1] Since 1959 the number of establishments have grown considerably, public loans alone have increased from 15 million IL to more than 57 million IL between 1959/60 and 1963/64.[2] While large factories with several hundred employees are still an exception, very small shops as they prevailed in the majority of the old and also in some of the new towns, are an exception, too. Up to the end of 1964, of the 181 Kibbutz enterprises getting public loans, 78 (43%) had received between 100 000 IL and 1 million IL, but of the 631 enterprises in the new towns only 82 (13%). By Israeli standards, they represent an intermediate size offering a fairly solid basis of employment as is usually lacking in the new towns. Here again, wherever trends towards further concentration exist, they make use of regional cooperatives which gradually gain in weight. These, too, are located mostly in the regional industrial centres, whether already existing or under construction.

Such cooperatives — quite apart from the economic advantages — allow the collective settlements to elude a problem which has given rise to discussion in the last few years: hired labour. As the Kibbutzim, especially the bigger ones, rarely could do without external help, they were compelled to hire salaried workers and thus to become employers, very much in contrast to their original ideology as it might be. Taking part in cooperative enterprises outside the Kibbutz made the problem appear less acute, although any closer look reveals that it is by no means done away with. The Moshavim too, which so far for ideological as well as for practical reasons were less inclined to any form of industrialization, considered such enterprises a possibility to lessen occasional under-employent and to enlarge their economic basis.

The industrialization of the rural hinterland is, however, not only an economic fact but also an ideological programme. The politically influential movement associated with agricultural colonization aims at detaining as large a population on the land as possible, and at keeping this population as independent of all urban services as possible. In view of the constantly declining demand for agricultural labour there is no alternative

---

[1] Vgl. S. 118 und 122 ff. Die landwirtschaftliche Erschließung obliegt nicht der offiziellen Landesplanung, sondern, in Zusammenarbeit mit dem Landwirtschaftsministerium, der Siedlungsabteilung der Jewish Agency, die hierbei in den festen Traditionen der zionistischen Kolonisation wurzelt.

[2] H. Halperin: Agrindus. Integration of Agriculture and Industries, London 1963, S. 57/58

[3] Industrie- und Handelsministerium, Abt. Industrie: Anleihen zur Entwicklung der Industrie und des Handwerks, Stand 31. 12. 1964, Jerusalem 1965, S. 78—85. Der Zahl der Betriebe nach nehmen dabei die Metallindustrie (39,7%) und die Lebensmittelindustrie (28,2%) den höchsten Rang ein, dem Kreditvolumen nach Lebensmittel (37,2%), Holz (20,5%) und Metall (20,5%).

[1] H. Halperin: Agrindus. Integration of Agriculture and Industries. London 1963, pp. 57/58

[2] Ministry of Commerce and Industry, Department of Industry: Loans for the Development of Industry and Crafts. Jerusalem 1965, pp. 78—85. In terms of the number of establishments, the metal industry comes first (39.7%), followed by the food industry (28.2%). In terms of the volume of credit, food industries lead (37.2%), followed by wood and wood products (20.5%) and metal (20.5%).

sie mit ihrer einerseits erzeugungs-, andererseits konsumnahen Produktion auch eine relativ solide Beschäftigungsgrundlage bieten, die in Europa meist den ländlichen Kleinstädten zugute kommt.

Wo auch hier die Tendenz zu noch größeren Unternehmen spürbar ist, bedient sie sich wieder regionaler Kooperativen, die langsam an Boden gewinnen und ihren Sitz in der Regel in den bereits bestehenden oder im Entstehen begriffenen kreiseigenen Industriezonen haben. Solche Kooperativen erlauben den Kollektivsiedlungen — über die ökonomischen Vorteile hinaus — die Umgehung eines Problems, das in den letzten Jahren zu Diskussionen Anlaß gab: der Lohnarbeit. Da die Kibbutzbetriebe, vor allem die größeren, selten ganz auf auswärtige Hilfskräfte verzichten konnten, sahen sie sich genötigt, Lohnarbeiter einzustellen und damit, sehr wider ihre ursprüngliche Ideologie, selbst zum Arbeitgeber zu werden. Die Beteiligung an einem genossenschaftlichen Betrieb außerhalb des Kibbutz nimmt dem Problem die Schärfe, wenn es dadurch auch bei näherem Hinsehen durchaus nicht aus der Welt geschafft wird. Auch die Moshavim, die bisher aus ideellen wie aus strukturellen Gründen einer Industrialisierung wenig geneigt waren, sehen in solchen Beteiligungen eher eine Möglichkeit, gelegentliche Unterbeschäftigung zu mildern und ihre wirtschaftliche Basis zu erweitern.

Die Industrialisierung des ländlichen Hinterlandes ist jedoch nicht nur ökonomisch bedingte Tatsache, sie ist auch ideologisch fundiertes Programm. Die der landwirtschaftlichen Kolonisation verbundene, politisch einflußreiche Strömung, die die auf dem Lande ansässige Bevölkerung so zahlreich wie möglich (und so unabhängig wie möglich von allen städtischen Dienstleistungen) halten möchte, hat angesichts des ständig sinkenden Arbeitskräftebedarfs in der Landwirtschaft selbst keine andere Wahl, diese Bevölkerung auch zu ernähren. Die hierfür erforderlichen Betriebe sollen, um den ursprünglichen Charakter der ländlichen Siedlungen nicht zu stören und gewissen technisch-organisatorischen Erfordernissen Genüge zu tun, ebenfalls in regionalen Industriezentren angesiedelt werden, deren endgültiger Charakter — ob Stadt oder nur Industriezone mit einem Mindestmaß an ansässigem Wartungspersonal — jedoch durchaus noch nicht eindeutig festgelegt ist.[1] Fast überall herrscht auch Unsicherheit darüber, in welchem Verhältnis diese regionalen Industriezentren zu den Neugründungen stehen sollen, eine Unsicherheit, der meist dadurch aus dem Wege gegangen wird, daß sich die Vorschläge auf theoretische Erörterungen über ihre Funktionen, ihre Größe, den optimalen Standort u. ä. beschränken, während das faktische Vorhandensein 30 neuer Städte jeweils nur in wenigen Kilometern Entfernung von den ländlichen Siedlungen, die da mit Arbeitsplätzen und Dienstleistungen versorgt werden sollen, mit Stillschweigen übergangen wird — nicht zuletzt ver-

to support the surplus workers but to resort to industry. In order not to spoil the original character of the rural settlements and to satisfy certain technical and organizational necessities, the industries required were also to be located in regional industrial centres. Here too, the final character of such centres, whether town or only industrial area with a minimum of maintenance personnel, has not been finally decided yet.[1] Equally vague are the ideas as to the relationship of the regional industrial centres to the new towns. This vagueness is usually evaded by limiting the recommendations to theoretical discussions of function, size and optimum location, completely ignoring the actual existence of 30 new towns often only at a few miles distance from the rural settlements which were to be supplied with employment and services. Not the least reason may be that these towns correspond so little to what is time and again demanded and described as the "regional town".

Even limiting oneself to the facts and tendencies already clearly to be seen, it is only too obvious that the rural industrial areas — with a few exceptions only — avoid the new towns and rather seek the neighbourhood of one of the larger agricultural settlements, even while drawing a large proportion of their labour force from these towns. Whether in view of the decreasing demand for agricultural labour this will continue, remains to be seen. It looks rather as if the rural hinterland by its own efforts as well as with the help of influential quarters, is striving for autonomy in this field too, leaving the towns entirely dependent on themselves for their economic development.

---

[1] Wie wenig eindeutig, zeigt ein Buch wie „Agrindus", das sich die Integration von Landwirtschaft und Industrie zum Thema gesetzt hat. Einerseits heißt es dort: „The main feature of the entire project is agrindus-town — its social character, its dimensions, the lines upon which it is developed" (S. 24), andererseits aber auch „the most desirable development, of course, would be for all residents of the regional town to join the villages as members, to engage in farming or non-agricultural occupations in the town and to have their homes in the villages" (S. 23), oder, noch deutlicher, „but agrindus-town need not have permanent residents" (S. 19). Aber auch R. W e i t z : Agricultural and Rural Development in Israel: Projection and Planning. Rehovot 1963, legt großen Wert darauf, daß die ländlichen Siedler Gelegenheit haben „of engaging in non-agricultural occupations, especially in industry, without abandoning their village homesteads for the towns" (S. 115 ff), ohne sich jedoch hinsichtlich Größe und Charakter der regionalen Industriezentren im einzelnen festzulegen.

[1] The vagueness of all such plans is well demonstrated by a book like "Agrindus" which deals with the integration of agriculture and industry. On the one hand, it emphasizes that "the main feature of the entire project is agrindus-town, its social character, its dimensions, the lines upon which it is developed" (p. 24), on the other hand, that "the most desirable development, of course, would be for all residents of the regional town to join the villages as members, to engage in farming or non-agricultural occupations in the town and to have their homes in the villages" (p. 23). Or, even more plainly: "But agrindus-town need not have permanent residents" (p. 19). Cf. also R. W e i t z : Agricultural and Rural Development in Israel: Projection and Planning. Rehovot 1963. Weitz stresses the fact that rural settlers should have the opportunity "of engaging in non-agricultural occupations, especially in industry, without abandoning their village homesteads for the towns (pp. 115 ff.). He however does not prescribe any definite size or character for the regional industrial centres.

mutlich deswegen, weil diese Städte so wenig dem entsprechen und entsprechen können, was immer wieder als „regional town" beschrieben und gefordert wird.

Auch wenn man sich auf Tatsachen und auf die bereits sichtbare Entwicklung beschränkt, ist jedoch deutlich, daß die ländlichen Industriegebiete, von Ausnahmen abgesehen, die Neugründungen eher meiden und höchstens Anschluß an eine der größeren landwirtschaftlichen Siedlungen suchen, dabei aber einen guten Teil ihrer Beschäftigten aus den Städten beziehen. Ob dies angesichts der zu erwartenden weiteren Freisetzung von Arbeitskräften in der Landwirtschaft selbst so bleiben wird, muß dahingestellt bleiben. Eine unmittelbare Belebung und Kräftigung des städtischen Wirtschaftslebens durch die Industrialisierungsbestrebungen auf dem Lande ist vorerst jedenfalls nicht zu erwarten. Eher scheint es, als ob das ländliche Hinterland — von sich aus wie auch mit Unterstützung einflußreicher Stellen — auch auf diesem Gebiet Autonomie anstrebt und die Städte für ihre wirtschaftliche Entwicklung auf sich gestellt sind.

Kultur und Gesellschaft

Mehr noch als die vorwiegend institutionell bedingten administrativen und wirtschaftlichen Zentralfunktionen sind die kulturell-zivilisatorischen abhängig vom relativen Bildungs- und Ausbildungsstand, aber auch vom sozialen Gewicht der Stadt gegenüber der Landbevölkerung. Die Analyse der demographischen Struktur der verschiedenen Siedlungstypen hatte ergeben, daß die neuen Städte in bezug auf die hierfür entscheidenden Kriterien — Einwanderungsdatum und Herkunftsland — wie auch in bezug auf das Bildungsniveau ihrer Bewohner fast an letzter Stelle rangieren, weit hinter den alten Kibbutzim und Moshavim und nur wenig vor den nach 1948 gegründeten Dörfern. Ganz allgemein schon muß und wird — von der Stadt her gesehen — das Verhältnis Stadt—Region dort am ungünstigsten sein, wo die traditionsreichen alten Kolonien überwiegen, und dort am günstigsten, wo die erst nach der Staatsgründung und fast gleichzeitig mit den neuen Städten entstandenen Siedlungen in der Überzahl sind. Auch in diesem günstigsten Fall kann jedoch von einem generellen und natürlichen Übergewicht, wie es, von Ausnahmen abgesehen, die Beziehungen der europäischen Städte zu ihrem Umland kennzeichnet, um so weniger die Rede sein, als ein solches Übergewicht in den traditionellen Leitbildern, die auch in den scheinbar an rationaler Zweckmäßigkeit orientierten Organisationsformen neuer Landwirtschaftsgebiete immer wieder sichtbar werden, kaum vorgezeichnet ist.

Schon vor und gänzlich unabhängig von allen städtischen Neugründungen, oft bereits während der Mandatszeit, hatte das ländliche Hinterland in Israel seine eigenen kulturellen und sozialen Institutionen entwickelt. Zunächst und vor allem hatten die Siedlungen, allen voran die Kollektivsiedlungen, Wert darauf gelegt, ihren Kindern eine ihrer eigenen Welt- und Lebensanschauung entsprechende Erziehung zu geben. Sie mieden daher die allgemeinen Schulen und gründeten, sobald auch nur die härtesten Anfangszeiten überwunden waren, eigene Anstalten, und zwar, da jedes Kind ohne Ausnahme eine gehobene Schulbildung erhalten sollte (und auch erhält), sowohl Grund- als auch weiterführende Schulen. Durch das hohe, oft akademische Bildungsnivea gerade der ländlichen Siedler standen ihnen in ihren eigenen Mitgliedern im allgemeinen ausreichend qualifizierte Lehrkräfte zur Verfügung. Trotzdem zeigten sie sich an einer staatlichen Anerkennung ihrer Examina, die zu weiterer Ausbildung und einer Laufbahn auch

Education and Culture

Even more so than administrative and economic services, socio-cultural functions are dependent on the relative standards of culture and education and on the social weight of the urban as against the rural population. The analysis of the demographic structure of the various types of settlements has already shown that, with respect to such fundamental criteria as date of immigration and country of origin as well as civilizational standard, the new towns are at the bottom of the scale, far behind the old Kibbutzim and Moshavim and only slightly ahead of the villages founded after 1948. Seen from the towns, the relationship of city and region must and will be most unfavourable where old colonies, rich in tradition, predominate, and most favourable where new settlements created after the foundation of State, almost simultaneously with the new towns, prevail. Even in this case, however, there is hardly any question of a general and natural superiority of the towns to their surroundings, as is characteristic of most European towns. Moreover, such superiority is scarcely provided for in the traditional prototypes which even in new agricultural areas, apparently organized along purely rational lines, dominate the picture.

Before and quite independent of all new urban settlement, often already during the period of the Mandate, the rural hinterland had developed its own cultural and social institutions. First of all, the settlements, particularly the collective ones, had attached great importance to their children receiving an education in accordance with their own ideological and political views. Hence they avoided the public schools and, as soon as the hardest beginnings were overcome, founded their own institutions. As every child was to (and in fact does) obtain secondary schooling, the primary schools were soon supplemented by continuation classes of any kind. In view of the high, often academic, standard of education amongst the original rural settlers, they generally had a sufficient supply of qualified teachers amongst their own members. While at first they were not interested in government recognition (which would have entitled the second generation to further education and careers outside the Kibbutz), they meanwhile have conformed to the public curricula, though far greater emphasis is still laid on agricultural subjects. In view of increasing demands on the one side and the relative small number of school children in each settlement on the other — the Kibbutz (or Moshav) rarely

außerhalb der heimatlichen Gemeinschaft berechtigt hätte, anfangs wenig interessiert. Seit einiger Zeit haben sich jedoch, obgleich das Schwergewicht des Unterrichts nach wie vor auf landwirtschaftlichen Fächern liegt, auch die Kibbutzschulen mehr den öffentlichen Lehrplänen angepaßt. Angesichts der gewachsenen Ansprüche und der geringen Schülerzahl in den einzelnen Siedlungen — ein Kibbutz (oder Moshav) hat selten mehr, oft weniger als 500 Mitglieder, der Durchschnitt liegt zwischen 340 und 350 —, die bei relativ hohen Unkosten je Kind leicht eine Senkung des Niveaus zur Folge hat, besteht auch hier die Tendenz zur Konzentration. Da ideologischen Unterschieden gerade in Erziehungsfragen besonderes Gewicht beigemessen wird, gehören Zusammenschlüsse allein auf regionaler Ebene in dieser Beziehung jedoch zu den Ausnahmen; ideologisch isolierte Kibbutzim schicken ihre Kinder eher in Internate in anderen Teilen des Landes als in eine benachbarte Schule anderer Richtung. Im allgemeinen finden sich jedoch genügend Siedlungen gleicher Observanz in einem gewissen Umkreis, um eine gemeinsame höhere Schule, in die die Kinder allmorgendlich mit dem Schulbus geholt werden, zu tragen. Bei den älteren und wohlhabenderen Moshavim und Dörfern liegen die Verhältnisse ähnlich, hier erfreuen sich auch die über das ganze Land verstreuten ausgezeichneten Landwirtschaftsschulen, deren Abschluß zumindest zum Studium an der Landwirtschaftlichen Fakultät in Rehovot berechtigt, großer Beliebtheit. Ausgesprochen religiös orientierte Gemeinschaften ziehen dagegen in der Regel Talmud- oder Yeshiva-Schulen — meist ebenfalls mit Internat —, die ihrer spezifischen Glaubensform entsprechen, vor.

An diesem Muster hat sich auch das Schulwesen in den erst nach der Staatsgründung besiedelten Gegenden weitgehend orientiert. Da hier jedoch, jedenfalls in den Moshavim und Dörfern, mit dem zivilisatorischen Niveau auch der Bildungswille und damit der Anteil der Kinder, die überhaupt weiterführende Schulen besuchen, wesentlich geringer ist, genügen vorerst auch Zusammenschlüsse mehrerer Siedlungen nicht zum Unterhalt einer gemeinsamen höheren Schule. Es fahren daher in der Tat eher Kinder zur Schule in die nächste Stadt, ebenso häufig aber auch in die Landwirtschafts- und Yeshiva-Schulen der näheren oder weiteren Umgebung. Auch die Hierarchie der Bildungswege ist also in den wenigsten Fällen eindeutig auf die regionalen Zentren ausgerichtet, ideologisch oder praktisch begründete Querverbindungen, oft über das ganze Land hinweg, bestimmen das Bild.

Mit anderen kulturellen Institutionen steht es ähnlich. Im Kleinen wie im Großen wird auf Selbständigkeit und Unabhängigkeit von allen städtischen Diensten Wert gelegt. Jeder Kibbutz, aber auch die meisten anderen ländlichen Siedlungen, zumindest — wo vorhanden — die ländlichen Zentren, haben Bibliothek und Gemeinschaftssaal für Vorträge und Fortbildungskurse, Mal- und Zeichenunterricht, Laienspiele und Volkstanz, Filmvorführungen und kleinere Ausstellungen. Entscheidende Unterstützung bei der Organisation solcher Veranstaltungen bieten die nationalen Verbände, die durch besondere Abteilungen Gastspiele und Vorträge anregen und vermitteln, Film- und Ausstellungsmaterial beschaffen bzw. aus eigenen Beständen zur Verfügung stellen. Vieles von dem Gebotenen greift weit über die Grenzen der einzelnen Siedlung hinaus. Von den 116 Museen, die die Statistik ausweist, befinden sich 42 in Tel Aviv, Haifa und Jerusalem, 18 in anderen Städten und 56 in ländlichen Siedlungen, darunter 49 in Kibbutzim.[1] Wenn

has more than 500 members, the average number is between 340 and 350 —, centralization tendencies are under way in this field, too. As in educational matters ideological differences are considered of particular importance, purely regional associations are an exception; ideologically isolated Kibbutzim would rather send their children to boarding schools in other parts of the country than to a neighbouring school with a different ideological background. In many cases, however, there are enough settlements with like ideological tendencies in any one area to support a common secondary school to which the children are brought every morning by school bus. Similar conditions prevail in the older and wealthier Moshavim and villages. There however, the agricultural schools which are widely distributed over the country and which entitle to further studies at the agricultural faculty at Rehovot, enjoy great popularity. Communities with strong religious ties, finally, prefer Talmud or Yeshiva schools, mostly boarding schools, which correspond to their specific beliefs.

This educational pattern was also applied in areas settled only after the foundation of the State. As in such areas, especially in the Moshavim and the villages, the general cultural standard and the demand for further education is much lower, fewer children are sent to secondary schools. At present, even several settlements joining together cannot maintain a secondary school. Here, in fact, more children travel to school in the nearest town or, just as frequently, to agricultural or Yeshiva schools, sometimes close by, sometimes quite far away. Thus, even the educational hierarchy is orientated only rarely towards the regional centre. Ideological or practical links, often spread over the whole country, determine the picture.

Other cultural institutions show a similar structure. In small as well as in large matters, great importance is attached to self-sufficiency and independence of all urban services. Every Kibbutz, but also most of the other rural settlements — at least, where existent, the rural centres — have libraries and community halls for lectures and refresher courses, for painting and drawing, amateur theatre, folk dancing, film shows and exhibitions. Effective organizational help is received from the national associations, which have special departments arranging guest performances and lectures and providing film and exhibition material, from their own as well as from foreign resources. Much of what is offered reaches far beyond the range of the individual settlement. Of the 116 museums shown in statistics, 42 are in Tel Aviv, Haifa and Jerusalem, 18 in other towns and 56 in rural settlements, 49 of these in Kibbutzim.[1] Even if the rural museums are often smaller — of the 49 Kibbutz museums 34 belong to the so-called small collections — their very existence and the care spent on them indicates the high standard of interest amongst the members. Theatres and concerts, too, attract townspeople into the country rather than country people into the towns. Apart from the historical amphitheatres at Caesarea and Bet She'an which are being used again, open air theatres are found almost exclusively in the Kibbutzim or in the cultural centres of the regional councils. In view of the climatic conditions prevailing in the country, they are the favoured places for theatrical and musical productions. In these theatres, which can often seat more than a thousand visitors and to which people come from near and far, guest performances are given by highly regarded Tel Aviv theatres such as the Israel National Theatre (Habimah) and by the Israel Philharmonic Orchestra. In the provisionally adapted

---

[1] Statistical Abstract 1963 (14), S. 657

[1] Statistical Abstract 1963 (14), p. 657

die ländlichen Museen auch meist kleiner sind — von den 49 Kibbutz-Museen zählen 34 zu den sogenannten Kleinen Sammlungen —, so zeugt doch allein ihr Vorhandensein und ihre Pflege von Niveau und Interessen der Bewohner. Auch Theater und Konzerte locken weniger die Landleute in die Stadt als die Städter aufs Land. Freilichtbühnen, angesichts der klimatischen Verhältnisse der bevorzugte Ort für szenische und musikalische Veranstaltungen, gibt es, von den kunsthistorisch bedeutsamen Amphitheatern in Caesarea und Bet She'an, die seit einiger Zeit wieder benutzt werden, abgesehen, fast ausschließlich in Kibbutzim oder in den Kulturzentren der Kreise. In diesen Theatern, die oft mehr als tausend Besucher fassen und in denen das Publikum aus nah und fern zusammenströmt, gastieren angesehene Tel Aviver Bühnen wie das Israelische Nationaltheater (Habimah) oder auch das Israelische Philharmonische Orchester — in den entsprechend hergerichteten Kinosälen der neuen Städte höchstens kleine und wenig bekannte Truppen und Kapellen.

Kulturelles Niemandsland, in das die Städte mit einer zivilisatorischen Mission hätten vorstoßen können, war also, selbst wenn sie ihr gewachsen gewesen wären, auch jenseits der großen Agglomerationen nicht vorhanden, eine kulturelle Vermittlerrolle zwischen Großstadt und Land, die der geplanten Siedlungsordnung entsprochen hätte, nicht gegeben. Wo die überall angestrebte kulturelle Autonomie über die Möglichkeiten der einzelnen Siedlungen hinausreicht, helfen die nationalen Verbände, und der Zeitpunkt, zu dem die neuen Städte schon aufgrund ihres zahlenmäßigen Gewichts und größerer finanzieller Möglichkeiten für ihre eigenen Bürger wie für ihr Umland Maßstäbe setzen könnten, scheint noch fern.

Noch ferner, und noch schwerer erreichbar, scheint der Zeitpunkt, zu dem sie, die erst selbst der Integration in das bestehende soziale Gefüge bedürfen, ihrerseits sozial integrierende Funktionen erfüllen können. Mehr als auf allen anderen Gebieten ist hier die Überlegenheit der alten ländlichen Siedlungen zu spüren. Zu der Überlegenheit durch Alter, ethnische Herkunft und kulturelles Niveau kommt dabei die Überlegenheit, die sich aus Qualität und Leistung ihrer Mitglieder und aus der ideellen Bedeutung der „Rückkehr auf das Land", die sie verkörpern, für die zionistische Bewegung und für Entstehung und Aufbau des Staates Israel ergibt.

Lange Zeit hindurch waren es die besten Elemente der jüdischen Einwanderung gewesen — ob aus Rußland oder Polen oder aus den der Jugendbewegung nahestehenden jungzionistischen Gruppen mehr westlicher Prägung —, die sich für die ländliche Kolonisation entschieden hatten. Schon bei ihrer Ankunft stellten sie eine Elite dar, und sie bewährten sich als solche. Die unendliche Mühsal, mit der seit Ende des vorigen Jahrhunderts, nach immer wieder gescheiterten Anläufen, mit unzureichenden Hilfsmitteln, ohne jede praktische Erfahrung die ersten ländlichen Siedlungen gegründet, wieder aufgegeben, wieder besiedelt und schließlich zu Erfolg und Ansehen geführt wurden, war ihr Verdienst, und sie war nur zu verstehen als Ausdruck eines wahrhaft eschatologischen Glaubens an die erlösende Kraft bäuerlicher Arbeit als der innigsten und unmittelbarsten Vereinigung mit dem geheiligten Boden der Bibel. Fast alle Vorkämpfer der zionistischen Idee haben sich für kürzere oder längere Zeit dieser Mühsal unterzogen, sie haben sie gepredigt, geschildert, verherrlicht, zur Legende erhoben. Kein Mensch hat je der Stadt ein Lied gesungen, der Lieder und Gedichte auf das Land, auf den Boden der Heimat, des „Eretz Israel", gibt es Hunderte. Die Gründung von Petah

cinema halls of the new towns only small and relatively unknown companies and orchestras are to be heard.

A cultural no-man's land, where the towns could have exerted a civilizing influence (had they been capable of it) did not even exist; an intermediary role between city and country, as would have been in accordance with the planned hierarchy of settlements, was not given. Wherever the desire for cultural independence goes beyond the resources of the individual settlements, the national associations step in to help. As the new towns are still small and their financial possibilities limited, the point at which they can set the standard for their own citizens as well as for the rural hinterland, seems still far ahead.

Still farther ahead, and still more difficult to be reached seems the point at which the towns (which still need to be integrated into the existing social structure) can fulfil integrating functions themselves. Here, more than in any other field, the superiority of the old rural colonies is to be felt. Added to the superiority by age, ethnic origin and cultural standards is the superiority by the quality and achievements of their members, and by the ideological weight of the "Return to the Soil" which they represent, for both the Zionist movement and the building up of the State of Israel.

For a long period, it had been the best elements of Jewish immigration who had opted for agricultural colonization, whether they came from Russia or Poland, or from Zionist youth movements of Western origin. Already upon their arrival they represented an elite, and they fulfilled their promise. The never-ending toil with which since the end of the last century, with inadequate means, without any practical experience, after endless failures, the first rural settlements were founded, abandoned, refounded and finally brought to success and reputation, was their merit. This toil is only to be understood if taken as the expression of an eschatological faith in the healing power of peasant labour as the only way of regaining the closest and most tender union with the holy soil of the Bible. Almost all the pioneers of the Zionist idea endured such hardships for a shorter or longer period; they described, preached and glorified them till they became a legend. Nobody ever sang to the glories of the town, but songs and poems about the land, about the soil of the homeland, of "Eretz Israel", exist in their hundreds. The founding of Deganya and Petah Tiqwa — a modest village then — and the cultivation of the Emeq Yizre'el and the Jordan Valley, are the great deeds of the fathers, not the building of Tel Aviv or Haifa nor the founding of Afula, which was greeted with bitter mockery and scorn. "We strive from the town to the land; yea, even more, even the land of today is not sufficient for us; life on the land today is such that it is attracted by the town. We, however, strive to create a life that is not only strong enough to last before the life of the town, but that has power enough to attract the people of the town".[1] Such was the creed from which the rural settlers gathered not only their strength and their spirit of sacrifice, but also their pride and their missionary faith.

There were plenty of opportunities to prove this faith. During the period of the Mandate, they supplied a large part of the members of the self-government bodies which, as a state within the state, represented the interests and needs of the Jewish

[1] „Wir streben von der Stadt auf das Land, ja, noch mehr, auch das Land von heute genügt uns nicht; das Leben auf dem Lande ist heute so beschaffen, daß es von der Stadt angezogen wird. Wir aber streben danach, ein Leben zu schaffen, das nicht nur stark genug ist, um vor dem Leben der Stadt zu bestehen, sondern das Kraft genug hat, die Städter anzuziehen." A. Gordon: Auswahl aus seinen Schriften. Berlin 1937, p. 75

Tiqwa — damals ein bescheidenes Dorf — und Deganya, die Urbarmachung des Emeq Yizre'el und des Jordantales, das sind die großen Taten der Väter, nicht der Aufbau von Tel Aviv oder Haifa oder gar die Gründung von Afula, die nur bitterem Spott und Hohn begegnete. „Wir streben von der Stadt auf das Land, ja, noch mehr, auch das Land von heute genügt uns nicht; das Leben auf dem Lande ist heute so beschaffen, daß es von der Stadt angezogen wird. Wir aber streben danach, ein Leben zu schaffen, das nicht nur stark genug ist, um vor dem Leben der Stadt zu bestehen, sondern das Kraft genug hat, die Städter anzuziehen."[1] Solches war das Glaubensbekenntnis, aus dem die ländlichen Siedler ihre Kraft, ihren Opfermut, aber auch ihren Stolz und ihr Sendungsbewußtsein bezogen.

Und sie hatten genug Gelegenheit, sie zu beweisen. In der Mandatszeit stellten sie einen großen Teil der Mitglieder der Selbstverwaltungsorgane, des Vaad Leumi, der Jewish Agency, der Haganah, die, als Staat im Staate, die Interessen und Bedürfnisse der jüdischen Bevölkerung gegenüber der Mandatsregierung vertraten; in den Auseinandersetzungen mit den Arabern in den Jahren 1936 bis 1939, die vor allem auf dem Lande Unsicherheit und Kämpfe mit sich brachten, hatten sie sich mit der Waffe in der Hand zu verteidigen, und im Unabhängigkeitskrieg bildeten sie die eigentlichen Zellen der Abwehr und des Widerstandes. Ihre Heldentaten und ihre Verluste gehen seither von Mund zu Mund. Auch heute noch lassen sie es sich zur Ehre gereichen, durch die Gründung von Tochtersiedlungen an den am meisten gefährdeten Grenzen diese ihre nationale Aufgabe zu erhalten und zu betonen. Der immer wieder gepriesene und beschworene Pionier-, der „Halutz"-Geist, fand und findet in ihnen seine leibhaftige Verkörperung und seine glühendsten Verfechter.

Auch wenn mit der Normalisierung und Stabilisierung des staatlichen Lebens die ländliche Avantgarde einen Teil ihrer kolonisatorischen Funktionen eingebüßt hat und andere, dringlichere Aufgaben an ihre Stelle getreten sind, die zu erkennen sie nicht immer gewillt ist, so bleibt doch, abgesehen von ihren historischen Verdiensten, die enge Verflochtenheit mit der politischen und sozialen Führungsschicht des Staates. Der Anteil von Kibbutzmitgliedern im Parlament, der Knesset, ist viermal so groß wie ihr Anteil an der Gesamtbevölkerung (16 gegenüber 4%), in den Ministerien, in der Histadrut, in den Parteien sind höhere Positionen vergleichsweise häufig mit ihnen besetzt. Und sie werden damit nicht zu Städtern, sie bleiben Mitglieder mit allen Rechten und Pflichten und Überzeugungen, ihre Einkünfte fließen in die gemeinsame Kasse, ihr Anspruch auf Versorgung im Alter und bei Krankheit bleibt bestehen, an den Wochenenden und in den Ferien oder nach Beendigung ihrer Amtszeit kehren sie aus den großen Städten in die heimatliche Siedlung zurück — oder auch, wenn der Kibbutz sie ruft, weil er eine andere Verwendung für sie hat.

Umgekehrt hat mancher erfolgreiche Arzt, Jurist, Architekt oder Bankier, der sich längst auf die Dauer in Tel Aviv, Haifa oder Jerusalem niedergelassen hat, seine ersten Jahre im Land in einem Kibbutz oder Moshav zugebracht, kaum einer, der nicht noch Verwandte oder Freunde dort hätte — nach Verwandten oder Freunden in einer neuen Stadt, Beer Sheva vielleicht ausgenommen, wird man vergeblich fragen. Besuche aus den Großstädten am Sabbath oder an den Feiertagen sind in den alten Siedlungen ein gewohntes Bild, in den neuen Städten machen sie Sensation. Wo auch immer im Landesinnern

population vis-a-vis the government of the Mandate: the Vaad Leumi, the Jewish Agency and the Haganah. During the disputes with the Arabs in the years 1936 to 1939 which brought insecurity and fighting to the land, they had to defend themselves arms in hand, and during the War of Independence they formed the very core of defence and resistance. Their heroism and their losses are on every tongue. Even today, they count it an honour to uphold and emphasize their national duty by founding pioneering settlements along the most exposed borders of the country. They embody and are the most glowing defenders of the ever-praised and glorified pioneer spirit, the "Halutz" spirit.

As the life of the State has become both normalized and stabilized, the rural avant-garde have lost some of their pioneering functions and other more urgent tasks have taken precedence, something they are not always willing to admit. Apart from their historical merit, however, they are still closely bound up with the political and social elite of the State. The proportion of Kibbutz members in Parliament, in the "Knesset", is four times as large as their proportion of the total population (16% as opposed to 4%); similarly, the higher positions in the Ministries, in the Histadrut and in the Parties are often in their hands. Even so they do not become urbanized, they remain Kibbutz members with all their rights and duties and convictions. Their income flows into the common fund, their right to be looked after in old age and sickness remains. They return from the big cities to their home settlements at the week-ends, during holidays and at the end of their term of office, or when they are recalled by the Kibbutz which needs them for some other task or duty.

On the other hand, many a successful doctor, lawyer, architect, or banker who long ago settled permanently in Tel Aviv, Haifa or Jerusalem, spent his first years in the country in a Kibbutz or Moshav, and there is hardly any one who does not have relatives or friends there. Perhaps with the exception of Beer Sheva, it is of no avail to ask after relatives or friends in a new town. On Sabbath or on holidays, visitors from the big cities are the usual thing in the old settlements, while in the new towns they create a sensation. Wherever in the interior of the country there is a class of old rural settlers, the links between them and the major cities are close enough not to need any intermediate level.[1] Wherever the rural areas and their inhabitants are as new as the towns themselves, a formal or informal network of social contacts has hardly developed yet. If such contacts are not restricted to the immediate family, one usually knows and visits people of the same kin, the same origin, the same faith, or the same language, whether in the same village, the neighbouring village, or the town, one's own or the nearest one, but preferably in Tel Aviv.

Every detailed analysis of the ways of life and the organizational structure of the rural hinterland has revealed that central administrative, economic and cultural functions on the level that had been envisaged in the original concept of the new towns, existed only to a very limited extent. Not the least reason for this is that the crucial assumption of this concept — the region itself — is questionable, and is less a given fact than a task and an aim. However much development plans, programmes and projects talk about regions, regional con-

[1] A. Gordon: Auswahl aus seinen Schriften. Berlin 1937, S. 75

[1] Although, in view of the collective-cooperative, in any case strongly socialistic way of life of this class, the association may seen rather strange, one is tempted to compare it with the landed gentry or aristocracy, which also, wherever it appears throughout history, is orientated towards the residence of the court, mostly the capital, and never towards the rural towns.

eine Schicht von alten ländlichen Siedlern besteht, sind die Fäden, die sie untereinander und mit den Großstädten verbinden, eng und unmittelbar genug, intermediärer Glieder bedarf es nicht.[1] Wo das Land und seine Bewohner so neu sind wie die Stadt selbst, hat sich ein formelles oder informelles Netz sozialer Verbindungen noch kaum gebildet. Bleiben die Kontakte nicht auf die engere Familie beschränkt, so kennt und besucht man den, der gleicher Sippe, gleicher Herkunft, gleichen Glaubens, gleicher Sprache ist, im gleichen Dorf, im Nachbardorf oder auch in der Stadt, in der „eigenen" wie in der nächsten oder übernächsten, am liebsten aber in Tel Aviv.

Wenn jede eingehende Analyse der Lebens- und Organisationsformen des ländlichen Hinterlandes ergibt, daß administrative, wirtschaftliche, kulturelle und soziale Zentralfunktionen auf einer Ebene, wie sie die ursprüngliche Konzeption der Neugründungen vorsah, nur in sehr begrenztem Ausmaß vorhanden sind, so nicht zuletzt deswegen, weil auch die eigentlich entscheidende Voraussetzung dieser Konzeption fraglich, zumindest keine vorgegebene Tatsache, sondern höchstens Aufgabe und Ziel ist: die Region selbst. So viel in Entwicklungsplänen, -programmen und -projekten von Regionen und regionalen Zusammenhängen, von regionalen Bedürfnissen und regionalen Aufgaben die Rede ist, so wenig sind diese de facto schon vorhanden. So deutlich landschaftliche, klimatische und geographische Eigenheiten — in Israel fast mehr noch als in anderen Ländern — das Vorhandensein abgegrenzter und durchaus eigenständiger Regionen suggerieren, so wenig haben diese bereits ihren Niederschlag im politischen, wirtschaftlichen und sozialen Gesicht des Staates gefunden. Regionale Stilelemente, die über diese landschaftlichen Eigenheiten hinausgingen, Dialekte, Charakterzüge, Sitten, Gebräuche, auch Bauweisen, gibt es noch kaum.

Israel ist ein Einwanderungsland. Die verschiedenen Stämme und Völker, die in den letzten Jahrzehnten in das Land gekommen sind, haben sich jedoch relativ gleichmäßig verteilt. Zwar gibt es hier einen Kibbutz, in dem deutsche Einwanderer überwiegen, dort einen Moshav, dessen Bewohner geschlossen aus Indochina gekommen sind, da ein Dorf von yemenitischen oder kurdischen Bauern, doch beschränken sich solche ethnischen Gruppierungen auf einzelne Siedlungen und umfassen nie größere Gebiete. Eine offizielle Siedlungspolitik, die auf das Zusammenwachsen so vieler, oft heterogener Teile zu e i n e r Nation abzielen mußte, hätte dem auch kaum Vorschub leisten können. Gliederungen und Bande, die trotzdem an Vielfalt und Vielgestalt wahrlich nichts zu wünschen übrig lassen, verlaufen daher vorerst noch weit weniger entlang geographischer als entlang ideologischer und politischer, ethnischer und religiöser Grenzen. Eine weitgehende und auffallende Ideologisierung und Politisierung des gesamten Lebens, des ländlichen fast mehr noch als des städtischen, trägt dazu bei, daß die zahlreichen Gruppen und Verbände, und seien sie räumlich noch so weit voneinander entfernt, untereinander eng zusammenhalten, weit enger als mit dem unmittelbaren Nachbarn nur geringfügig anderer Färbung.[2] Ein neugegründeter Kib-

texts, regional needs and regional tasks, de facto they hardly exist. Although much of the landscape, the climate and the geographical peculiarities — in Israel even more than in many other countries — suggest the existence of definite and clear-cut regions, such regions have not yet found expression in the political, economic and social structure of the State. Elements of regional styles over and above physical differences, such as dialects, customs and habits, or even ways of building, are scarcely to be found.

Israel is the country of the immigrant. The various groups and nations which have come into the country in recent decades have, however, spread relatively evenly over the country. There may be here a Kibbutz where German immigrants prevail, there a Moshav whose inhabitants came entirely from Indo-China, or even a village of Yemenite or Kurdish peasants, but such grouping is restricted to individual settlements and never found over any larger area. An official settlement policy which had to aim at the integration of so many heterogeneous parts into o n e nation, could hardly countenance any such conglomerations. Groupings and ties, the plenty and diversity of which leave nothing to be desired, coincide much less with geographical than with ideological, political, ethnic and religious boundaries. The far-reaching and very conspicuous influence of ideology and politics on all life, rural almost more than urban, implies that the numerous groups and associations, even if widely scattered over the country, cling together closely, much more closely than to their immediate neighbours of slightly different beliefs.[1] A newly founded Kibbutz far in the south has closer ties to its sponsoring Kibbutz way up north than to its neighbouring settlement which may be only 6 miles away. A religious community has more contact with its "Rebbe" and his followers, perhaps in Jerusalem, than with a next-door group with a different ritual. Non-conforming Kibbutz members separate and found a new collective, join another association and thereby another party, and immediately are more closely connected with their new mates than with their former neighbours still living next door.

There are indications that this dominant rank of ideologies has reached its peak and that economic considerations — as had already prevailed in the economic activities of some regional councils — are gaining in weight. Moreover, the next generation, bound together not by a joint past but by a joint future, will probably develop their own and somewhat more sober groupings. In any case, the formation of proper regions is rendered difficult by the smallness of the country and the shortness of distances which make rural intercommunications as well as orientation towards the big centres much easier. Apart from the actual desert towns, only two amongst all new towns are more than 60 miles distant from Tel Aviv or Haifa: Qiryat Shemona and Beer Sheva; the average distance is hardly 35 miles.

Regional planning, if applied more consistently, could assist regionalization, but in practice suffers from being primarily preoccupied with agriculture, and from the geographical narrowness of its concepts. In most cases, the region is conceived as the sum of the agricultural settlements, and includes the towns only so far as they have organizational or economic relationships to these settlements. In terms of size, the region is thus implicitly defined only as the area which at least in

---

[1] So abwegig die Assoziation angesichts der kollektivistisch-genossenschaftlichen, in jedem Falle stark sozialistisch orientierten Lebensform und -haltung dieser Schicht zunächst scheint, so drängt sich doch am ehesten der Vergleich mit einer ländlichen Gentry oder Adelsschicht auf, die in allen ihren historischen Erscheinungsformen ebenfalls nie auf die Landstädte, sondern immer auf die Residenz, und damit meist auf die Hauptstädte, ausgerichtet war.

[2] Ein Symptom: bei 25 Tageszeitungen und mehr als 300 anderen periodischen Veröffentlichungen aller Sprachen, aller politischen Richtungen, aller Riten

[1] A symptom: there are 25 daily newspapers and more than 300 other periodical publications in all languages covering all political trends and all rites. Apart from a few very small publications there is, however, no local or regional press. Not even the big cities have their own newspapers.

butz weit südlich im Negev hat nähere Verbindung zu seinem Paten-Kibbutz hoch im Norden als zur nächsten Siedlung, die kaum 10 km entfernt ist, eine religiöse Gemeinschaft mehr Kontakt zu ihrem „Rebbe" und seinen Gefolgsleuten etwa in Jerusalem als zu der einem anderen Ritual huldigenden Nachbargemeinde. Dissidierende Kibbutzmitglieder spalten sich ab und gründen ein neues Kollektiv, das sich einem anderen Verband und damit einer anderen Partei anschließt und diesem fortan enger verbunden ist als dem nebenan siedelnden Gefährten früherer Tage.

Zwar gibt es Anzeichen, daß diese Ideologisierung ihren Höhepunkt überschritten hat und ökonomische Gesichtspunkte, wie sie auch bereits in der wirtschaftlichen Aktivität mancher Kreise zum Ausdruck kamen, an Boden gewinnen. Auch wird die nächste Generation, die nicht mehr durch eine gemeinsame Vergangenheit, sondern durch die gemeinsame Zukunft miteinander verbunden ist, ihre eigenen und vermutlich nüchterneren Kommunikationswege entwickeln. Erschwert wird eine echte Regionenbildung in jedem Falle durch die Kleinheit des Landes und die geringen Entfernungen, die ländliche Querverbindungen ebenso wie die Ausrichtung auf wenige große Zentren begünstigen. Unter den neuen Städten etwa sind — von den ausgesprochenen Wüstenstädten abgesehen — nur zwei, Qiryat Shemona und Beer Sheva, mehr als 100 km von Tel Aviv oder Haifa entfernt, im Durchschnitt sind es nur 55 km. Die Regionalplanung, die, wenn konsequent gehandhabt, einer Regionalisierung zu Hilfe kommen könnte, leidet in der vorwiegend agrarisch orientierten Form, in der sie bis jetzt vor allem wirksam wurde, unter der Kleinräumigkeit ihrer Konzeption, die die Region in erster Linie als Summe der landwirtschaftlichen Siedlungen sieht und die Städte nur insofern einbezieht, als sie in organisatorischer und wirtschaftlicher Beziehung zu diesen Siedlungen stehen. Implizit ist die Region damit, der Größenordnung nach, nur als das Gebiet definiert, das, jedenfalls theoretisch, ein städtisches Zentrum trägt. Übergeordnete Zusammenhänge — und Regionen —, die sofort dann deutlich werden, wenn man nicht die Dienstleistungsfunktionen, die in Israel sowieso weitgehend fehlen, sondern den industriellen Sektor in den Vordergrund stellt, interessieren sehr wenig. Gerade diese aber sind es, in deren Rahmen die zukünftige Entwicklung der neuen Städte gesehen werden muß, und es ist die Frage, ob diese übergeordneten Regionen sehr viel kleiner aufgefaßt werden können als die drei großen Landesteile Galiläa, Küstenzone und Negev.

Aus dieser Kleinräumigkeit der bisherigen Regionalplanung — zusammen mit ihrer agrarischen Orientierung — folgt aber auch die Furcht vor der zunehmenden quantitativen Diskrepanz zwischen Stadt und Umland, die den traditionellen Leitbildern widerspricht und die daher vorerst lieber ignoriert als bewältigt wird. „Nevertheless certain bounds must be set to the non agricultural development of the regional town. Our purpose would not be served if we permitted unguided and unrestricted development jeopardizing the equilibrium that must be preserved between the rural district and agrindus-town" — wie eine solche Forderung angesichts eines Bevölkerungsziels von 4 und mehr Millionen, von denen nur noch der geringste Teil in die landwirtschaftlichen Siedlungen fließen kann, aufrechterhalten werden soll, erscheint unklar.[1] Es folgt schließlich die

gibt es, von einigen kleineren Mitteilungsblättern abgesehen, keinerlei lokale oder regionale Presse. Nicht einmal die großen Städte haben eigene Zeitungen.
[1] H. Halperin: Agrindus, a. a. O., S. 23. Die Problematik dieses Anspruchs läßt sich leicht durch einige Zahlen belegen: Israel hofft, seine jüdische Bevöl-

Furcht vor einer „Landflucht", die dort, wo sie ökonomisch bedingt ist (zu kleine Höfe!), doch nicht wird verhindert werden können und die auf das vergleichsweise harmlose Ziel der neuen Städte zu lenken man auch dadurch unmöglich macht, daß man einen guten Teil von deren wirtschaftlicher Existenzgrundlage für sich beansprucht. Eine Landflucht in die großen Städte aber, die die fast unvermeidliche Folge ist, widerspricht nicht nur agrarischen, sondern nationalen Interessen.

Eine Urbanisierung mit halbem Herzen, wie sie nirgends so deutlich zutage tritt wie in dem ambivalenten Verhältnis zwischen Region und neuer Stadt, nützt niemandem, weder dem Lande, das auf die Dauer schon zahlenmäßig ins Hintertreffen geraten und um so schlechter abschneiden muß, je mehr es sich in Gegensatz zu den wachsenden Gemeinwesen in seiner Mitte gesetzt hat, noch den Städten, die ihre Einstufung als notwendiges Übel wohl spüren, sich in ihrer Entwicklung absichtlich behindert fühlen und ihrerseits mit Mißtrauen und Bitterkeit reagieren.

theory supports an urban centre. Large-scale relationships and regions, which become apparent immediately if one considers primarily the industrial sector and not service functions (which are missing anyway), are of very little interest. The future development of the new towns is, however, to be seen as part of the development of just such regions, and it is questionable whether these larger regions can be defined on any other scale than that of the three big divisions of the country — Galilee, the Coastal Zone and the Negev.

The narrowness of regional planning concepts — as well as their agricultural preoccupation — further results in the fear of an increasing quantitative discrepancy between town and hinterland, which is in direct contrast to the old ideals and which at the moment is often ignored rather than overcome. "Nevertheless, certain bounds must be set to the non-agricultural development of the regional town. Our purpose would not be served if we permitted unguided and unrestricted development, jeopardizing the equilibrium which must be preserved between the rural district and agrindus-town" — it remains a mystery how such a demand can be met with a population target of four or more million in mind, of whom only a very small proportion can be settled in the agricultural areas.[1] Another consequence is the fear of an exodus from the land which, where based on economic reasons (e.g. too small farms), cannot be stopped anyway. To channel such an exodus towards the comparatively harmless aim of resettling in the new towns is made impossible because a good deal of the economic potential of these towns, which could be the very basis of their existence, is being claimed by the rural areas. The then almost unavoidable exodus from the land into the big cities is, however, directly opposed not only to the agricultural but also to the national interest.

A half-hearted urbanization, as is most obvious in the ambiguous relationship between region and new town, is of no use to anybody; neither to the rural areas which for some time already have lagged behind numerically and which would come off all the worse the more they have set themselves in opposition to the growing communities in their midst; nor to the new towns which are well aware of their being classified as a necessary evil, which feel deliberately hindered in their development and which on their part react with distrust and bitterness.

kerung in den nächsten 16 bis 18 Jahren von heute 2,24 Mill. auf rund 3,5 Mill. zu erhöhen. Wenn, wie von agrarischer Seite gefordert wird, 25 % dieser Bevölkerung in ländlichen Siedlungen leben sollen, müßte sich deren Einwohnerzahl von heute 295 000 auf 870 000, also fast auf das Dreifache, erhöhen. Auch bei Erschließung neuer Landwirtschaftsgebiete im nördlichen Negev, die jedoch erst mit der großzügigen Anwendung rentabler Verfahren der Meerwasserentsalzung möglich ist, müßte noch jede der heute bestehenden Siedlungen im Durchschnitt mindestens 800 neue Mitglieder aufnehmen. Die Unstimmigkeit einer solchen Forderung müßte denen am besten zum Bewußtsein kommen, die Lebens- und Daseinsformen dieser Siedlungen kennen — und lieben.

[1] H. Halperin: Agrindus, op. cit., p. 23. The problems created by such demands can easily be demonstrated by a few figures: Israel hopes to increase its Jewish population in the next 16 to 18 years from 2.24 million to approximately 3.5 million. If the demands of the agricultural side are met, 25 % of this population would have to live in rural settlements, i.e., the inhabitants in these settlements would have to be increased from 295 000 to 870 000, almost three-fold. Even if new agricultural districts were opened in the northern part of the Negev (which would be possible only by generous use of cheap desalinated water), the existing settlements would each have to absorb another 800 members. The inconsistency of such aims should be clearest to those who are familiar with the ways of life of these settlements — and love them.

Der gesetzliche und institutionelle Rahmen der Planung

Eine Vielzahl von Instanzen und Institutionen wirkt, direkt oder indirekt, auf die Planung und Entwicklung der neuen israelischen Städte ein. Ein besonderes Gesetz, in dem die Gründung neuer Städte beschlossen und die für die Durchführung verantwortlichen Gewalten bestimmt wären — etwa im Sinne der New Towns Act in England —, gibt es jedoch nicht. Planung und Bau der Neugründungen fallen vielmehr, nicht anders als die Planungs- und Bautätigkeit im übrigen Lande, unter die allgemeine Planungs- und Baugesetzgebung, das heißt bis vor kurzem unter die von der Mandatsregierung übernommene „Town Planning Ordinance" aus dem Jahre 1936.[1] Diese Verordnung, eine nur wenig abgeänderte Neufassung der Town Planning Ordinance von 1921, die bereits unmittelbar nach Errichtung des Mandats nach dem Vorbild der englischen „Housing and Town Planning etc. Act" von 1909 erlassen worden war, hatte seit 1936 zwar eine Vielzahl von Ergänzungen, aber keine grundlegende Änderung erfahren. Erst unlängst wurde sie abgelöst durch ein neues Planungs- und Baugesetz, das nach langwierigen Verhandlungen im Juli 1965 die Knesset passierte und, nach Erlaß der erforderlichen Ausführungsbestimmungen, im Februar 1966 in Kraft treten soll.[2] Der bisherige Aufbau des Landes jedoch hat sich — sofern überhaupt durch gesetzliche Voraussetzungen geprägt — im Rahmen des alten Gesetzes vollzogen; die Auswirkungen des neuen, das überdies wesentliche Bestandteile der Town Planning Ordinance fast unverändert übernimmt, dürften sich erst nach einer gewissen Übergangszeit bemerkbar machen.

Als bestimmende Instrumente der Planung wirkten drei funktional eng miteinander verbundene Elemente: die „Building and Town Planning Commission", die „Town Planning Area" und das „Town Planning Scheme". Stadtplanungskommissionen, als die einzigen im Gesetz verankerten Träger planerischer Initiative, gab es auf regionaler und auf lokaler Ebene: auf Distriktsebene als „District Building and Town Planning Commission" und auf gemeindlicher bzw. örtlicher Ebene als „Local Building and Town Planning Commission". Die Distriktskommissionen bestanden jeweils aus 13 Mitgliedern, von denen 9 Vertreter verschiedener, mit Planungsfragen besonders befaßter Ministerien waren, und zwar der Ministerien für:

Inneres
Justiz
Gesundheit
Arbeit
Verkehr
Finanzen
Landwirtschaft
Verteidigung

Vier weitere Mitglieder wurden auf Vorschlag der örtlichen Selbstverwaltungsorgane durch den Innenminister ernannt, sollten aber weder Staats- noch Kommunalbeamte oder -angestellte sein. Den Vorsitz führte der Distriktskommissar als Vertreter des Innenministers. Die örtlichen Kommissionen waren dort, wo das Planungsgebiet ganz oder teilweise echtes städtisches Hoheitsgebiet ist, identisch mit dem Stadtrat (Municipal Council), überall sonst wurden sie von der zuständigen

The Legal and Institutional Framework of Planning

Planning and development of the Israeli new towns is affected directly and indirectly by a large number of authorities and institutions. A special law, however, which would provide for the establishment of new towns, and would appoint the authorities responsible for implementation of planning — like, for instance, the New Towns Act in England — does not exist. Instead, planning and construction of the new towns is subject to the general planning and building legislation applying also to the rest of the country, that is, until recently, to the "Town Planning Ordinance" of 1936 which was taken over from the Mandate government.[1] This ordinance was only a slightly altered version of the Town Planning Ordinance of 1921 which was issued immediately after the establishment of the Mandate, and was modelled basically on the English "Housing and Town Planning etc. Act" of 1909. After 1936, it had undergone numerous amendments but no fundamental changes. It was superseded only recently by a new Planning and Building Law which was passed by the Knesset in July 1965 after extensive negotiations, and which should have come into force in February 1966 after the necessary implementing regulations have been issued.[2] Planning and development of the country up to the present — in so far as it was influenced at all by legal provisions — has, however, taken place within the framework of the old law; the effects of the new law — which in any case incorporates vital parts of the Town Planning Ordinance almost without alterations — will be noticeable only after a certain transitional period.

According to the Town Planning Ordinance, three functionally closely-linked elements formed the decisive instruments of planning: the "Building and Town Planning Commission", the "Town Planning Area" and the "Town Planning Scheme". Town Planning Commissions as the main authorities responsible for the preparation and implementation of planning, were provided for on regional as well as on local level; at district level as "District Building and Town Planning Commissions" and at local level as "Local Building and Town Planning Commissions". The District Commissions were composed of thirteen members, nine of whom were representatives of various ministries particularly concerned with planning issues, that is, the following:

Interior
Justice
Health
Labour
Transport and Communications
Finance
Agriculture
Defence

Four additional members were nominated by the local authorities and were appointed by the Minister of the Interior; these were to be neither state nor local authority officials. The chair was taken by the District Commissioner as representative of the Minister of the Interior. The Local Commissions were identical with the Municipal Council in all cases where the planning area was partly or wholly within the jurisdiction of a Municipality. In all other cases, they were

---

[1] Town Planning Ordinance 1936, with amendments to 1. 1. 1962. Compiled by Gad Landau. Technion, Haifa, o. J. Der Name des Gesetzes wie auch einige der darin enthaltenen Begriffe sind insofern irreführend, als es sich durchaus nicht nur um Stadtplanung im engeren Sinne handelt; auch alle Maßnahmen der Landesplanung und des Landschaftsschutzes oder auch der Bewahrung historischer Stätten fielen unter das Gesetz.

[2] Veröffentlicht am 12. 8. 1965 im Gesetzblatt Nr. 467. Eine englische Übersetzung liegt noch nicht vor.

---

[1] Town Planning Ordinance 1936 with amendments to 1. 1. 1962. Compiled by Gad Landau. Technion, Haifa, no date. The name of the law (as well as some of its contents) is somewhat misleading as it by no means deals only with Town Planning in the narrower sense; included are also all regulations concerning physical planning in general, preservation of landscape, preservation of historical sites etc.

[2] Published on August 12th, 1965 in the Law Gazette No. 467. An English translation is not yet available.

Distriktskommission ernannt und umfaßten mindestens vier, höchstens sieben Mitglieder, von denen wenigstens zwei ebenfalls keine Beamten sein sollten. Auf dieser Ebene war die Zusammensetzung nicht im einzelnen durch das Gesetz bestimmt, doch waren in der Regel das Arbeitsministerium durch sein Amt für Öffentliche Arbeiten, das Gesundheitsministerium, die Planungsabteilung des Innenministeriums und zwei oder drei Orts- oder Kreisräte vertreten.

Umfang und Grenzen der Planungsgebiete, von denen es im ganzen Lande etwa 60 gibt, wurden vom Innenminister auf Vorschlag der Distriktskommissionen festgesetzt. Jedes Planungsgebiet ist einer örtlichen Kommission zugeordnet. In der Praxis ist es daher oft, aber nicht notwendig, identisch mit dem Gebiet einer lokalen Selbstverwaltungseinheit, einer Stadt, einer Gemeinde oder eines Kreises. Aus Zweckmäßigkeitsgründen und nach Zustimmung der Beteiligten kann es aber auch deren Grenzen überschreiten, etwa die Gebiete mehrerer, geographisch und funktional eng verbundener Gemeinden oder Kreise umfassen.[1] Alle Restbezirke, die keinem bestimmten Planungsgebiet zugewiesen werden konnten, wurden in sogenannten „Regional Town Planning Areas", die den Distriktskommissionen unterstanden, zusammengefaßt. Es gibt demnach kein Gebiet, das nicht der Sorge und Aufsicht einer Planungskommission untersteht.

Die wichtigste Aufgabe der Kommissionen in bezug auf das ihnen zugeordnete Planungsgebiet war die Aufstellung der „Town Planning Schemes". Diese wurden in der Regel von den örtlichen Kommissionen ausgearbeitet und den Distriktskommissionen zur Bestätigung vorgelegt. Handelte es sich um ein „Outline Scheme", etwa einen Leitplan, durch den u. a. die Flächennutzung, die Ausweisung bestimmter Gebiete für den Gemeinbedarf, der Ausnützungsgrad von Grundstücken, der Verlauf von Baufluchtlinien, die Straßenführung, Wasserversorgung und Kanalisation festgelegt wurden, Maßnahmen von weitreichender öffentlicher Bedeutung also, so mußte er an den Innenminister zur Genehmigung weitergeleitet werden. Handelte es sich um ein „Detailed Scheme", einen Detailplan, der die sich aus dem Leitplan ergebenden Einzelheiten regelte, mitunter aber auch Sanierungsvorhaben größeren Ausmaßes oder Maßnahmen zur Erhaltung historischer Stätten einleitete – an Genauigkeit und Folgerichtigkeit ließ die Abgrenzung von „Outline Scheme" und „Detailed Scheme" etwas zu wünschen übrig –, so entschied die Distriktskommission allein. In jedem Falle erhielt der Plan durch die Zustimmung der übergeordneten Instanz Gesetzeskraft. Hatte er diese erlangt, so durften keinerlei Neubauten von oder Veränderungen an Straßen und privaten und öffentlichen Gebäuden irgendwelcher Art, auch keine Veränderung der Nutzung von Flächen oder Gebäuden mehr vorgenommen werden, ohne daß sie mit dem Plan übereinstimmten und von der örtlichen oder Distriktskommission genehmigt worden wären. Die Distriktskommission konnte ferner für ihr Gebiet durch allgemeine Regeln und Verordnungen („by-laws and regulations") die Bedingungen festsetzen, unter denen die örtlichen Kommissionen Anträgen auf Baugenehmigungen stattgeben konnten. Hierdurch wurden auch für die Gebiete, für die vorübergehend oder dauernd kein gesetzlich verbindlicher Plan vorhanden ist — unter planerisch besonders schwierigen Verhältnissen wie etwa in Beer Sheva, aber auch in Haifa ist dies gelegentlich der Fall —, gewisse Normen aufrechterhalten.

appointed by the District Commission and were composed of at least four, and at most seven, members of whom at least two were not to be government officials. At this level, the composition was not stipulated in detail by law, but as a rule the Ministry of Labour (through its Office for Public Works), the Ministry of Health, the Planning Department of the Ministry of the Interior and two or three local or regional councils should be represented.

The extent and the boundaries of the planning areas, of which there are approximately 60 in the country, were decided by the Minister of the Interior upon application by the District Commissions. Every planning area was assigned to a Local Commission. In practice, therefore, it was often (though not necessarily) identical with the area of a local authority, i.e., a municipality, a local council, or a regional council. Whenever it seemed expedient and those concerned agreed, a town planning area could embrace the areas of several geographically and functionally connected local or regional councils.[1] All remaining areas which could not be assigned to a definite town planning area, were declared "Regional Town Planning Areas" and were directly subordinate to the District Commissions. Thus, every part of the country was subject to the care and supervision of a planning commission.

The most important task of the commissions with respect to their planning areas was the preparation of "Town Planning Schemes". Such schemes were worked out by the Local Commissions and were submitted to the district commissions for approval. Wherever an "Outline Scheme" was concerned, providing for land use, selection of special areas for public use, site coverage, location of building lines, road patterns, water supply and drainage — matters of far-reaching public interest —, the District Commission had to apply to the Minister of the Interior for authority to put the scheme into force. Where "Detailed Schemes" were concerned, regulating individual matters arising out of the "Outline Schemes", but also large-scale reconstruction projects and the preservation of historical sites — the demarcation between "Outline Schemes" and "Detailed Schemes" was neither very exact nor logically consistent —, the District Commission could at its discretion grant authority to put the scheme into force. In every case, the scheme became law by the approval of the superordinate authority. Once the scheme was put into force, no building could be erected, pulled down or altered, no road laid out or constructed, no land use altered, unless such alterations were provided for in the schemes and had been approved by a Local or District Commission.

By means of by-laws and regulations, the district commissions were further entitled to lay down conditions under which the Local Commissions could grant building permits. Hereby certain basic standards were maintained for those areas which temporarily or permanently were not subject to any legally binding scheme or which suffered from particularly difficult planning conditions, as, for instance, Beer Sheva and in some respects even Haifa.

In addition, the ordinance contained provisions for such regulations as might become necessary in order to implement a scheme, for instance, parcellation, combination and redivision of plots, expropriation, compensation etc. Such regulations, though of crucial importance for planning and reconstruction in densely settled and often privately owned

[1] Zum Beispiel haben sich drei benachbarte Gemeinden in der Haifa Bay, die als Vorstädte Haifas gleichartige Probleme und Interessen hatten, zu einem einheitlichen Planungsgebiet zusammengeschlossen.

[1] For example, three neighbouring local councils in the Haifa Bay which, as suburbs of Haifa, had similar problems and interests, have joined together to form a common planning area.

Daneben enthielt das Gesetz Vorschriften über Maßnahmen, die im Zuge der Durchführung eines Planes etwa notwendig werden konnten, wie Zusammenlegung von Grundstücken, Neuparzellierung, Enteignung, Entschädigung u. ä. Diese Vorschriften konnten für die Planung und für Sanierungsvorhaben in den dichtbesiedelten und vielfach in Privatbesitz befindlichen Küstengebieten von entscheidender Bedeutung werden, kaum aber für die größtenteils auf staatlichem Grund und Boden entstehenden neuen Städte. Theoretisch jedoch konnte auch dort für öffentliche Zwecke entschädigungslos enteignet werden, allerdings nur für Straßen, Spielplätze und öffentliche Freiflächen („recreation grounds"); auch durfte die enteignete Fläche nicht mehr als 25% des Grundstücks eines bestimmten Eigentümers betragen. Enteignungen für andere Zwecke waren ebenfalls möglich, es mußte aber der volle Verkehrswert erstattet werden. Schließlich konnte, wenn durch Neuplanung eines Gebietes der Wert der in Privatbesitz befindlichen Grundstücke erheblich stieg, eine Wertzuwachssteuer („betterment tax") erhoben werden, die bis zu 50% des Wertzuwachses abschöpfen und zur Finanzierung der Planung verwandt werden sollte. Da der Wertzuwachs im einzelnen schwer nachzuweisen war, hat sich diese Bestimmung in der Praxis jedoch nicht bewährt und wurde kaum angewandt.

Ausgenommen von allen im Gesetz vorgesehenen Vorschriften, Verordnungen, Regeln und Instanzen waren Planungs- und Bauvorhaben der öffentlichen Hand selbst. Ausgehend von dem geringen Volumen der staatlichen Bautätigkeit in der viktorianischen Zeit — in der das Gesetz in dieser Beziehung noch wurzelte — und in der Mandatszeit, war eine Unterordnung dieser Bautätigkeit unter eine allgemeingültige gesetzliche Regelung nicht für notwendig erachtet worden.

Die Lücken, die dies Gesetz im Hinblick auf eine umfassende und detaillierte Landesplanung im allgemeinen und im Hinblick auf die Planung neuer Städte im besonderen aufwies, sind offensichtlich. Einmal war keine den Distriktskommissionen übergeordnete Instanz vorgesehen. Jede Distriktskommission war in ihrem Gebiet weitgehend autonom, nur verwaltungsmäßig unterstand sie dem Innenministerium, das jedoch von sich aus keinerlei Initiativrecht in Planungsangelegenheiten hatte. Für eine Koordination der Planungsgrundsätze wie der Arbeit der einzelnen Kommissionen auf nationaler Ebene war also rechtlich keine Vorsorge getroffen, ebensowenig für die Ausführung etwa zentral ausgearbeiteter Landespläne auf örtlicher Ebene. Zum anderen hatte das Gesetz rein formalen Charakter. Es schuf Instanzen, setzte ihre Kompetenzen fest, regelte Instanzenwege, enthielt jedoch keinerlei Vorschriften materialer, d. h. inhaltlicher Art. Allgemeingültige Ausführungsbestimmungen etwa über Flächennutzung, Bebauungsweisen, Ausnützungsgrade, Dichtewerte enthielt es nicht, noch sah es sie vor; diese konnten nur von den Distriktskommissionen für ihr Gebiet gesondert herausgegeben werden. Auch von dieser Seite her war also durch das Gesetz keinerlei Koordination und Angleichung der Planungs- und Bautätigkeit gewährleistet.

Die Planung neuer Städte oder Stadterweiterungen schließlich fiel nach dem Gesetz unter die Initiative und Jurisdiktion der Distrikts- oder gar der örtlichen Kommissionen. Es ist offensichtlich, daß diese Instanzen durch derartige Aufgaben personell wie finanziell weit überfordert waren. Weder war und ist ein Distrikt wie der Süddistrikt mit 1948 21 000, heute 260 000 Einwohnern in der Lage, Pläne für neue Städte mit im Endstadium 650 000 bis 700 000 Einwohnern zu entwerfen und auszu-

coastal areas, were hardly likely to become essential in the new towns which were mostly established on public land. Theoretically, however, even in the new towns it was possible to expropriate land for public use without compensation, but only for roads, playgrounds and recreation grounds, provided that not more than 25% of the plot of any one owner was expropriated. Expropriation for other purposes was also possible, but then the full market value had to be paid. Finally, if as a result of the re-development or re-planning of an area, the value of the properties in private ownership increased considerably, a "Betterment Tax" could be imposed recovering up to 50% of the increment, to be used for financing the schemes. As it was very difficult, however, to prove in detail any increase in value this particular regulation was hardly ever applied in practice.

Exempted from all rules, regulations and procedures provided for in the law were all government planning and building projects. This exemption had its origin in the Victorian era, when the amount of public building was relatively small — as it still was during the period of the Mandate — and subordination of such building to legal restrictions seemed unnecessary.

The gaps which the law shows with respect to comprehensive national planning in general and to the planning of new towns in particular, are obvious. In the first place, no provisions were made for a central authority to which the District Commissions would be responsible. Every District Commission was largely autonomous in its area and was subject to the Ministry of the Interior in administrative matters only. The Ministry itself could exert no initiative of its own in planning matters. Secondly, no provisions were made either for coordination of the basic principles of planning or the work of the individual commissions on a national level, nor were there any regulations for execution of centrally prepared plans on a local level. Thus, the law was of an almost purely formal character. It created authorities, it outlined their field of competence and regulated the official channels, but it did not include any material instructions. No directives were given, nor foreseen, as to generally applicable regulations concerning land use, site coverage, or densities; these could be issued only separately by each District Commission for its own area. In this respect, too, the law did not ensure coordination of planning and building activities.

Finally, the planning of new and the extension of existing towns would, according to the law, be subject to the initiative and jurisdiction of the District or even the Local Commissions. It is quite obvious that these bodies would not be able to cope with such tasks either in terms of personnel or in terms of finance. It has been, and still is, nearly impossible for any district such as the southern one, with a population of 21 000 in 1948 and 260 000 today, to prepare and work out plans for new towns with a final population of 650 000 to 700 000; nor can a new town itself, with perhaps at the moment 10 000 or 15 000 inhabitants, make adequate provision for a future population of 50 000 to 60 000.

In order to bridge the growing discrepancy between the law and planning reality, ad hoc institutions were created early, existing ones altered, and arrangements and agreements made between the various ministries. But none of these institutions or agreements were armed with the full power of law in case of doubt. As first step, soon after the foundation of the State, a National Planning Office was established. This office was at first attached to the Ministry of

arbeiten, noch hat eine neue Stadt selbst mit vielleicht 10 000 oder 15 000 Einwohnern die Möglichkeit, für 50 000 oder 60 000 Vorsorge zu treffen.

Um die wachsende Diskrepanz zwischen Gesetz und planerischer Wirklichkeit zu überbrücken, wurden daher schon früh und ad hoc neue Institutionen geschaffen, bestehende umgewandelt, interministerielle Vereinbarungen und Abmachungen getroffen, ohne daß jedoch diesen Institutionen oder Vereinbarungen im Zweifelsfalle mit der vollen Kraft des Gesetzes Geltung verschafft werden konnte. Als erstes wurde schon kurz nach der Staatsgründung ein Nationales Planungsamt ins Leben gerufen. Dieses Amt war zunächst dem Arbeitsministerium, dann, ab 1950, dem Büro des Ministerpräsidenten, schließlich, seit 1953, als „Planning Department" dem Innenministerium unterstellt. In den ersten Jahren gehörte ihm die Mehrzahl der führenden israelischen Planer und Architekten an, seither haben sich Arbeitsstab und Einflußbereich verkleinert.

Seine wichtigste Aufgabe bestand im Entwurf und der Ausarbeitung von Landesplänen, und zwar vor allem auf dem Gebiet der Bevölkerungsverteilung, des Verkehrswesens und des Landschaftsschutzes. Wenn sie nicht, wie die Bevölkerungsverteilungspläne, ausdrücklich zum Bestandteil der offiziellen Regierungspolitik erklärt wurden, erlangten diese Pläne, wie auch die gleichzeitig ausgearbeiteten Regionalpläne, jedoch keine Gesetzeskraft, sie banden vor allem nicht andere, etwa auf ähnlichem Gebiet tätige öffentliche oder halböffentliche Instanzen.

Neben ihrem zentralen Büro in Jerusalem unterhielt, und unterhält, die Planungsabteilung regionale Dienststellen in den einzelnen Distriktshauptstädten. Diese Dienststellen, obwohl ebenfalls im Gesetz nicht verankert, übten jedoch insofern gesetzliche Funktionen aus, als ihre Leiter als Sekretäre der Distriktsplanungskommissionen amtierten und die im Gesetz vorgeschriebene Bestätigung der „Town Planning Schemes" durch den Innenminister vermitteln oder aussprechen konnten. Auf dieser Ebene waren auch gewisse Möglichkeiten gegeben, durch Erteilung oder Ablehnung von Baugenehmigungen die Entwicklung in die in den Landesplänen vorgesehene Richtung zu lenken.

Zur besseren Koordinierung der Planung wurde ferner schon 1951 durch eine interministerielle Vereinbarung ein Oberster Planungsrat („Supreme Planning Council") mit einer Reihe von Fachausschüssen ins Leben gerufen. Ihm gehörten Vertreter der Ministerien für Inneres, Finanzen, Arbeit, Wohnungsbau, Industrie und Handel, Verkehr, Gesundheit, Landwirtschaft und Verteidigung an, dazu der Jewish Agency und des Jüdischen Nationalfonds. Als Beobachter nahmen je ein Vertreter des Entwicklungsministeriums, der „Land Authority", die den öffentlichen Landbesitz verwaltet, des Berufsverbandes der Ingenieure und Architekten und der Technischen Hochschule in Haifa an den Sitzungen teil. Dieses Gremium hatte die Aufgabe, die Planung der verschiedenen Ministerien und Institutionen aufeinander abzustimmen und den Innenminister in speziellen Fragen zu beraten, die bei der Genehmigung von Leitplänen auftauchen konnten. Als geschäftsführendes Sekretariat, das Vorschläge ausarbeitete und die laufende Tätigkeit des Rates betreute, diente die Planungsabteilung. Der Rat selbst trat jedoch nur zwei bis drei Mal im Jahr zusammen, sein Einfluß war, zumal er nur beratende und vermittelnde, aber keinerlei vollziehende Funktionen ausübte, begrenzt.

Im Hinblick auf die Planung neuer Städte schließlich, deren geographische Verteilung, Zahl und Größe zwar Bestandteil

Labour, then, in 1950, to the Prime Minister's Office, finally, since 1953, as "Planning Department", to the Ministry of the Interior. During the first few years, the majority of the leading Israeli planners and architects worked in this department; since then, both staff and sphere of influence have declined.

The main task of the department consisted in the drafting and elaboration of national plans, especially in the fields of population distribution, communications and preservation of landscape. Unlike the population distribution plans, however, most of the other plans were not explicitly declared part of the official policy of the Government, and thus did neither have the full power of law behind them, nor did they bind other bodies working in the same field. The same applies to the regional plans worked out simultaneously.

Apart from the central offices in Jerusalem, the Planning Department maintained, and still maintains, regional offices in the districts. Although these local offices are lacking legal standing, too, they carry out legal functions so far as their directors act as secretaries of the District Commissions and are entitled to receive or to approve town planning schemes on behalf of the Minister of the Interior. On this level, by granting or withholding permission on building applications, certain possibilities were given to guide development in the direction suggested by national planning.

Moreover, to achieve better coordination in planning matters, as early as 1951, by means of an inter-ministerial agreement, a "Supreme Planning Council" was created. This Council was composed of representatives of the Ministries of the Interior, Finance, Labour, Housing, Commerce and Industry, Transport and Communications, Health, Agriculture and Defence, of the Jewish Agency and the Jewish National Fund. In addition, a number of observers sat on the Council, one from the Ministry of Development, one from the "Land Authority", one from the Association of Engineers and Architects and one from the "Technion", the Israel Institute of Technology, in Haifa. The function of this body was to coordinate the plans of the various ministries and institutions and to advise the Minister of the Interior on special matters which might arise in connection with the approval of outline schemes. The Planning Department acted as managing secretariat which prepared the proposals and organized the current work of the Council. The Council met only two or three times a year, and, as it had only advisory and mediating, but no executive powers, its sphere of influence was limited.

Finally, with respect to the planning of the new towns themselves, the Ministry of Housing stepped into the breach.[1] Although the geographical distribution, the location and the number of new towns to be created were part of national planning — especially of the population distribution plans —, the drafting and preparing of any detailed schemes was far beyond the scope of the Planning Department itself. As in any case the Ministry of Housing was responsible for almost the entire volume of housing construction in the new towns, it seemed only consistent that it should also be entrusted with the master plans for these towns, as well as for most of the extensions of existing towns. In order to ensure current coordination of these plans with the national plans, they were synchronized with the Ministry of the Interior under a Gentlemen's Agreement. As a government body, however, the Ministry of Housing was not by law bound to follow such procedure nor even the rules and regulations issued by the District and

[1] Up to November 1961 the Ministry of Housing was, as "Housing Department", attached to the Ministry of Labour.

der Landes-, vor allem der Bevölkerungsverteilungspläne war, deren Entwurf und Ausarbeitung im einzelnen aber weit über die Möglichkeiten der Planungsabteilung hinausging, sprang das Wohnungsbauministerium[1] in die Bresche. Da es sowieso fast den gesamten Wohnungsbau in den neuen Städten trägt, schien es nur folgerichtig, wenn ihm auch die Generalpläne dieser Städte, wie der meisten Stadterweiterungen, zufielen. Um eine laufende Koordination dieser Pläne mit den Landesplänen zu gewährleisten, wurden sie aufgrund eines Gentlemen's Agreement mit dem Innenministerium abgestimmt. Von Gesetzes wegen war das Ministerium in seiner Eigenschaft als staatliche Behörde jedoch nicht an diesen Instanzenweg und auch nicht an die von den Distrikts- oder örtlichen Planungskommissionen erlassenen Vorschriften und Regeln gebunden. Es baute praktisch, wie es wollte, erzielte aber gerade dadurch, daß die Unabhängigkeit und Zentralisation seines Apparates die Beachtung gewisser Richtlinien auf Landesebene förderte, eine gewisse Vereinheitlichung der Planungsgrundsätze und der städtebaulichen Gestaltung. Zwar unterhält auch das Wohnungsbauministerium seit einiger Zeit regionale Dienststellen in den Distriktshauptstädten, doch war deren Tätigkeit in der Regel auf Änderungen, Ergänzungen und die Kontrolle der Durchführung der zunächst im Ministerium selbst ausgearbeiteten Generalpläne beschränkt, gewinnt allerdings allmählich größere Selbständigkeit.

Weitere Instanzen traten dann in Erscheinung, wenn es sich um die vollständige Erschließung neuer Regionen handelte, wie etwa im Falle des Lakhish-Gebietes. Da die Planung des städtischen Zentrums hier nur Teil eines übergeordneten Ganzen war und die landwirtschaftliche Kolonisation der Siedlungsabteilung der Jewish Agency zusammen mit dem Landwirtschaftsministerium untersteht, wurden alle Pläne für Qiryat Gat mit dem Planungsstab der Jewish Agency abgestimmt. Für Planung und Aufbau von Arad dagegen wurde zunächst ein weitgehend unabhängiger Stab zusammengestellt, der die Pläne am Ort selbst ausarbeitete und gleichzeitig als eine Art Entwicklungsbehörde diente.

In einigen Fällen schließlich wurde, sei es wegen Überlastung der zuständigen Ministerien, sei es aus anderen Erwägungen, die Planung neuer Städte ganz oder teilweise privaten Gesellschaften und deren Architekten überlassen, oder es wurden private Architekten in beratender Funktion hinzugezogen. Ersteres ist bei der Hafenstadt Ashdod der Fall, wo von der Regierung einer privaten Gesellschaft eine Konzession zur Erschließung und Entwicklung des gesamten zukünftigen Stadtgebietes erteilt wurde, die ihrerseits private Architekten mit der Aufstellung des Generalplanes beauftragte. In Elat, dem zweiten neuen Hafen, hat ebenfalls ein privates Büro die Ausarbeitung der Pläne und die Beaufsichtigung und Kontrolle der Bauarbeiten übernommen, nicht aber den Erwerb und Weiterverkauf von Grund und Boden. In allen solchen Fällen wurden die Pläne jedoch in laufendem Kontakt mit den regionalen Dienststellen des Innen- und Wohnungsbauministeriums erstellt und besonderen Kommissionen innerhalb dieser Ministerien zur Bestätigung vorgelegt.

Neben die genannten Instanzen und Institutionen, die direkt mit der Planung der neuen Städte befaßt waren, treten eine Fülle von anderen, deren planende und regulierende Tätigkeit indirekt auf ihre Entwicklung von Einfluß ist, die jedoch meist nur über ihre Vertreter in den Distriktskommissionen oder im Obersten Planungsrat lose damit verbunden sind.

[1] Bis zum November 1961 als Wohnungsbauabteilung des Arbeitsministeriums

Local Town Planning Commissions. It actually built according to its own rules, but as a result of the very independence and centralization of its staff, it furthered the observance of certain directives at national level, thus achieving a standardization of basic principles of planning and design. For some time now, the Ministry of Housing also maintains regional offices in the districts, but their activity so far has been limited to alterations, additions and control of the execution of master plans prepared in the Ministry itself. Gradually, however, these offices are achieving greater independence.

If the overall development of new regions was involved, further authorities came into the picture, as, for instance, in the case of the Lakhish Region. Here, the planning of the urban centre, Qiryat Gat, was only part of a larger scheme, and was — as agricultural planning is subject to the Settlement Department of the Jewish Agency in collaboration with the Ministry of Agriculture — carefully checked with the planning staff of the Jewish Agency. Planning and construction of Arad, on the other hand, was in the hands of a rather independent team (loosely connected with the Ministry of Labour) who worked out the plans on the spot and who at the same time acted as a kind of development authority.

Finally, in one or two cases, either because the responsible ministries were overburdened, or for other reasons, the planning of new towns was left wholly or in part to private companies and their architects, or private architects were called in as consultants. This has been the case in Ashdod, the new port, where a concession was granted to a private company for developing the whole of the future area of the town; this company, in turn, entrusted private architects with the preparation of the master plan. The plans for Elat, the second new port, were also prepared in a private office, but here, this office was responsible only for the control and supervision of construction, and not for the acquisition and resale of properties. In all such cases, however, there was continuous collaboration with the regional offices of the Ministries of the Interior and Housing, and the plans were submitted for approval to special commissions within these Ministries.

Quite apart from the authorities and institutions already mentioned, which are concerned directly with the planning of the new towns, there are numerous others the planning and administrative activities of which exert an indirect influence on these towns. Officially, these authorities and institutions are connected with the development of the new towns only loosely, through their representatives in the District Commissions and in the Supreme Planning Council. Regular cooperation is maintained with the Absorption Department of the Jewish Agency, to which dwellings ready for occupation are reported and which assigns them to new immigrants. Cooperation is maintained further, and increasingly, with the Ministry of Commerce and Industry which endeavours to provide employment. Apart from regional schemes, such as the Lakhish project, the ties with the Settlement Department of the Jewish Agency and with the Ministry of Agriculture are not as close, although the work of just these institutions in the agricultural hinterland could be of crucial interest for the regional functions of the new towns. They are further affected by the activities of the Ministry of Development which is competent for the exploitation of the mineral wealth of the Negev, and of the Ministry of Labour which is responsible for public works. And they are finally affected by the transactions of the Land Authority which decides on the use

Eine geregelte Zusammenarbeit besteht noch mit der Aufnahmeabteilung (Absorption Department) der Jewish Agency, der bezugsfertige Wohnungen gemeldet werden und die die Neueinwanderer einweist, und, in zunehmendem Maße, mit dem Industrie- und Handelsministerium, das sich um die Bereitstellung der erforderlichen Arbeitsplätze bemüht. Weniger eng sind — wenn es sich nicht um regionale Projekte wie Lakhish handelt — die Beziehungen zur Siedlungsabteilung der Jewish Agency und dem Landwirtschaftsministerium, deren Wirken im landwirtschaftlichen Hinterland jedoch von entscheidendem Einfluß auf die regionalen Funktionen der Neugründungen sein kann. Ebenso spüren sie die Tätigkeit des Entwicklungsministeriums, dem vor allem die Erschließung der Bodenschätze im Negev obliegt, und des Arbeitsministeriums, das für öffentliche Arbeiten zuständig ist; schließlich noch der Land Authority, die über die Verwendung des öffentlichen Landbesitzes, und der Wasserbehörde, die über die Zuteilungen aus den beschränkten Wasservorräten des Landes entscheidet.

Das Bild ist bunt, vielfältig, nicht immer ohne Widersprüche und Gegensätze, aber ausgezeichnet durch Beweglichkeit und Improvisation, mittels derer gesetzliche und institutionelle Hürden übersprungen, nicht vorhandene gesetzliche und institutionelle Stützen ersetzt werden. Trotzdem schien seit langem eine straffere Lenkung und wirksamere Koordination der Planungstätigkeit insgesamt erforderlich, die nun durch das neue Planungs- und Baugesetz erreicht werden soll. In dieser Hinsicht sieht das Gesetz vor, daß anstelle des bisherigen, nur auf interministeriellen Vereinbarungen basierenden Obersten Planungsrates eine „National Planning Commission" geschaffen wird, in der — etwa nach dem Vorbild der Distriktskommissionen — neben den üblichen Ministerien und Behörden auch die örtlichen Selbstverwaltungsorgane mit einigem Gewicht vertreten sind, und zwar die drei großen Städte Tel Aviv, Haifa, Jerusalem durch ihre Bürgermeister und die übrigen Städte, Gemeinden und Kreise durch je einen Bevollmächtigten; daß weiter neben den „Outline" und „Detailed Schemes" auch die Regional- und Landespläne im Gesetz verankert und damit zu rechtlich-verbindlichen Instrumenten der Planung erhoben werden. Dabei sollen sich die Landespläne vornehmlich auf nationale Belange wie die Bestimmung der Flächen für Industrie und Bergbau, Verkehr und Erholung, Wasser- und Elektrizitätsversorgung und andere öffentliche Zwecke erstrecken, dazu auf den Denkmalsschutz und, nicht zuletzt, auf die Verteilung der Bevölkerung und der verschiedenen Siedlungstypen — alles dies jedoch unter sorgfältiger Berücksichtigung der etwa für landwirtschaftliche Zwecke geeigneten Böden. Den Regionalplänen obliegen entsprechende Aufgaben auf regionaler Ebene, wobei wieder die Abgrenzung der Flächen für städtische, ländliche und industrielle Entwicklung, das regionale Straßen- und Wegenetz, die Nutzung der Meeresküste und der Denkmalsschutz gesondert erwähnt sind. Um eine Koordinierung der einzelnen Regionalpläne zu gewährleisten, müssen sie — und zwar innerhalb eines Zeitraumes von fünf Jahren — durch die Distriktskommissionen der Nationalen Kommission zur Bestätigung eingereicht werden.

Im gleichen Sinne soll die Beseitigung der Sonderstellung der öffentlichen Bauvorhaben wirken, die nunmehr den gleichen Vorschriften und einem ähnlichen Instanzenweg unterworfen sind wie die privaten Bauten. Für die Planungs- und Bautätigkeit in den Neugründungen ist jedoch eine Sonderregelung vorgesehen. Gebiete, die bisher noch nicht besiedelt waren,

of public land, and the Water Authority which decides on allocations from the limited water resources of the country. The picture is rich and colourful, not always without contrast and contradictions, but distinguished by flexibility and improvisation, allowing legal and institutional handicaps to be overcome, and missing legal and institutional supports to be substituted. Nevertheless, for some time already, it had become obvious that a firmer and more effective coordination of planning activities was needed, a coordination which is now to be achieved by the new Planning and Building Law. In this respect, instead of the present Supreme Planning Council based on interministerial agreement only, a National Planning Commission is provided for, in which — similar to the District Commissions — apart from the usual ministries and agencies, local authorities are to be represented. Such representation includes the three major cities, Tel Aviv, Haifa, and Jerusalem by their mayors, and the remaining municipalities, local and regional councils by one member each. It is further envisaged that, in addition to the outline and detailed schemes, regional and national plans are to be provided for by law and are thus to be made legally binding instruments of planning. The national plans are to deal primarily with matters of national interest such as designating areas for mining and industry, communications and recreation, water and electricity supply, and other public utilities. In addition, they are to deal with the preservation of historical sites, and, not least, with the distribution of the population and the location of the various types of settlement, while at the same time carefully preserving any agricultural land. The regional plans have similar tasks to fulfil at regional level; again special mention is made of delimitation of areas for urban, rural, and industrial development, of the regional road network, the use of the sea coast, and the preservation of historical sites. In order to achieve coordination of the individual regional plans, they have to be submitted for approval by the District Commissions to the National Commission within a five-year term.

Similar aims are to be achieved by the abolishment of the special position of government building, which is to be subject to the same regulations and procedures as private building. Special provisions, however, are made for planning and building in the new towns. Areas which have not yet been settled but are designated for settlement, or areas where 75% of the dwelling units in existence or under construction are erected by public agencies, can be declared "Special Planning Areas". Such areas do not fall within the competence of the nearest Local or District Commission, but of a "Special Planning Commission" of their own. Of the 11 members of this commission, four are representatives of the Ministries of the Interior and Housing (which also supplies the Secretary), another five are government representatives too, and only two are representatives of the local authorities immediately concerned. Thus, the official channels are to be shortened and some flexibility secured with regard to the rapid absorption and accommodation of new immigrants.

All these alterations clearly aim at a concentration and standardization of basic planning principles and of planning in general. In contrast to this is the substantial strengthening of local authorities already indicated in the composition of the National Commission. Up to the present, with the exception of the municipalities, the Local Commissions were composed largely of government representatives appointed by the District Commissions. Now, they, too, will be identical

aber zur Besiedlung bestimmt sind, oder in denen 75 % der vorhandenen oder im Bau befindlichen Wohnungseinheiten durch die öffentliche Hand errichtet werden, können zu „Special Planning Areas" erklärt, aus der Zuständigkeit der örtlichen und Distriktskommissionen herausgenommen und einer „Special Planning Commission" unterstellt werden. Von den 11 Mitgliedern dieser Kommission sind je zwei Vertreter des Innen- und Wohnungsbauministeriums (das auch den Sekretär stellt), fünf weitere ebenfalls Regierungsvertreter, nur zwei gehören den örtlichen Selbstverwaltungseinheiten an, in denen sich das Gebiet befindet. Hiermit soll der Instanzenweg verkürzt und vor allem hinsichtlich der raschen Aufnahme und Unterbringung von Neueinwanderern eine gewisse Beweglichkeit gesichert werden.

In einem gewissen Widerspruch zu diesen Änderungen und Vorschriften, die deutlich auf eine Straffung und Vereinheitlichung der Planungsgrundsätze und der Planung allgemein abzielen, steht eine wesentliche Stärkung der lokalen Selbstverwaltungsorgane, die sich allerdings bereits in der Zusammensetzung der Nationalen Kommission andeutete. Im Gegensatz zu der bisherigen Regelung, nach der sich überall dort, wo es sich nicht um „Municipalities" handelte, die örtlichen Kommissionen weitgehend aus von den Distriktskommissionen ernannten Regierungsvertretern zusammensetzten, werden diese jetzt ebenfalls durch die Gemeinde- bzw. Kreisräte selbst gebildet. Vertreter des Innen-, Wohnungsbau- und Gesundheitsministeriums (gegebenenfalls auch anderer Ministerien) werden zwar in beratender Funktion zu den Sitzungen hinzugezogen, können jedoch nur einstimmig abweichende Ansichten vor die Distriktskommission als die nächsthöhere Instanz bringen. Auch sollen die bislang den Distriktskommissionen unterstehenden „Regional Planning Areas" aufgelöst und den zuständigen örtlichen Kommissionen zugeordnet werden.[1] Inwieweit sich im gegenwärtigen Entwicklungsstand des Landes eine derart weitgehende Dezentralisation und Verselbständigung der Planungstätigkeit, wie sie gerade in diesen Vorschriften enthalten ist, bewähren, inwieweit sie vor allem der in den vergangenen Jahren als dringend notwendig erkannten besseren Koordination der Planung über die örtlichen Grenzen und Interessen hinweg dienen wird, ist zu einem Zeitpunkt, wo das Gesetz kaum in Kraft, die Ausführungsbestimmungen noch nicht bekannt und die Änderungen und Neuerungen, die es mit sich bringt, noch nicht erprobt sind, noch nicht abzusehen.

with the local or regional councils themselves. Representatives of the Ministries of the Interior, Housing and Health (possibly also of other ministries) will attend the meetings of the commissions in an advisory capacity only, and only unanimously can they place differing opinions before the district commission as the superordinate authority. Even the "Regional Planning Areas" which so far were directly subject to the district commissions, are to be dissolved and are to become part of the areas of the Local Commissions involved.[1] The new law has hardly come into existence, the implementing statutes are not yet known, and the alterations and changes are not yet put to the test. It is difficult, therefore, to judge whether, in view of the present stage of development of the country, such far-reaching delegation of planning powers and strengthening of local planning authorities — as contained just in these regulations — will be successful. It also remains to be seen how far the new law can penetrate beyond the local and institutional boundaries and interests and can in fact coordinate the widely scattered planning activities — a need which has been emphasized already for some considerable time.

---

[1] Weitere Bestimmungen des Gesetzes sehen vor, daß die Quote, bis zu der für bestimmte öffentliche Zwecke entschädigungslos enteignet werden kann, von 25 % auf 40 % erhöht, die Zwecke selbst um Grundstücke für Kindergärten und Schulen, religiöse und gesundheitliche Einrichtungen erweitert werden. Die Neufestsetzung der Wertzuwachssteuer, die in dem zunächst vorgelegten Entwurf vorgesehen war, ist dagegen gestrichen und auf das alte Gesetz verwiesen worden. Für später ist eine gesonderte Regelung in Aussicht gestellt. Ebenso wurden alle Sanierungsmaßnahmen einem eigenen Gesetz vorbehalten.

[1] Further regulations provide that 40 % (instead of hitherto 25 %) of the plot of any one owner can be expropriated without compensation for public uses, and that such uses are to include kindergartens, schools, religious and welfare institutions. Re-assessment of the Betterment Tax, which was envisaged in the first draft, has been replaced by reference back to the old law. New regulations are announced for a later date. All measures concerning redevelopment and slum clearance are to be dealt with in a separate law.

Beispiele der Planung und Entwicklung

Qiryat Shemona [1]

Knapp 10 km unterhalb der libanesischen Grenze gelegen, ist Qiryat Shemona die nördlichste und in vieler Hinsicht eine der entlegensten der neuen Städte Israels. Zwar beträgt die Entfernung nach Haifa nur 115, nach Tel Aviv 191 km, doch hat die Straße erhebliche Höhenunterschiede zu überwinden: der kürzeste Weg nach Haifa führt über das bis auf 800 m ansteigende Zefat, der nach Tel Aviv über Tiberias am See Genezareth, das mit 210 m unter dem Meeresspiegel die tiefstgelegene Stadt Israels ist. Eine direkte Omnibusverbindung mit Haifa besteht jedoch mehrmals täglich, die Fahrzeit beträgt knapp drei Stunden.

Das Hula-Gebiet

Die Stadt selbst liegt am nordwestlichen Rande des sogenannten Hula-Beckens, in dem sich die Quellflüsse des Jordan vereinigen und das westlich durch die Ausläufer des Libanon, östlich durch die des Antilibanon, vor allem des Hermon, begrenzt wird. Im Norden wird es durch einen 300 bis 400 m hohen Querriegel gegenüber dem Tal Marj Uyun in Libanon, im Süden durch ein etwa ebenso hohes Plateau gegenüber dem See Genezareth abgeschlossen. Dieser südliche Höhenzug, der vulkanischen Ursprungs ist und den der Jordan auf seinem Weg zu durchbrechen hat, war die Ursache dafür, daß der Fluß hier einen flachen See, den Hula-See, bildete und daß das ganze Gebiet jahrhundertelang sumpfig, malariaverseucht und nahezu unbewohnbar war. Das schmale Bett, das sich der Jordan gegraben hatte, reichte aus, um die normale Wassermenge der vom Hermon herabströmenden Quellflüsse zu übernehmen, nicht aber, um die während der regenreichen Wintermonate auf mehr als das Doppelte anschwellenden Wassermassen abzuleiten. Alljährlich trat der See über seine Ufer und überschwemmte ein Gebiet von gut 3000 ha. Die unberührte Schönheit dieser Sumpflandschaft mit ihrer seltenen Vegetation, den mannshohen Papyrusstauden, den fremdartigen Sumpfvögeln und gelegentlich durch das Schilf brechenden Wasserbüffeln hat einst Pierre Loti zu einer berühmten Schilderung veranlaßt.

In den letzten 16 Jahren hat auch dieser Teil des Landes sein Gesicht grundlegend gewandelt. Schon während der türkischen Zeit und auch während des Mandats waren Ansätze zu einer Trockenlegung der Sümpfe gemacht worden, denen jedoch aus Mangel an Koordination und Mitteln kein großer Erfolg beschieden war. Nach der Staatsgründung wurde ein umfassender Plan zur Urbarmachung des ganzen Gebietes ausgearbeitet und 1951 mit der Verwirklichung begonnen. Die wichtigsten Schritte bestanden in der Erweiterung und Vertiefung des Jordanbettes selbst, in der Ausschachtung zweier großer Abflußkanäle am östlichen und westlichen Rande des Beckens und in der Austrocknung des früheren Sees. Gleichzeitig mit

[1] Vgl. Yehuda Karmon: The Drainage of the Huleh Swamps. The Geographical Review, Vol. L, No. 2, 1960, S. 169–193. Artur Glikson, State of Israel, Ministry of Labour, Housing Administration: Two Case Studies of Rural Planning and Development in Israel. Prepared for the United Nations Seminar on Regional Planning, Tokyo, 28th July – 8th August 1958. October 1961, S. 6ff. Rafael Trifon and Israel Tchetchik: Prospects of Economic Development of the Towns of Kiryat Shemoneh and Hazor, allowing for their Demographic Structure and Regional Position. Prepared as Part of a Regional Survey for the Local Building and Town Planning Commission in Eastern Upper Galilee. Haifa, September 1963 (Hebräisch). H. Darin-Drabkin: Housing in Israel. Economic and Sociological Aspects. Tel Aviv 1957, S. 93–96; Patterns of Cooperative Agriculture in Israel. Published by the Department for International Cooperation, Ministry of Foreign Affairs, for the International Association for Rural Planning. Tel Aviv 1962. S. 219–222

Examples of Planning and Development

Qiryat Shemona [1]

Situated barely six miles south of the Lebanese border, Qiryat Shemona is the northernmost and in many ways also one of the most remote of the new towns of Israel. Although the distance to Haifa is only 72 miles and to Tel Aviv 120 miles, the road has to overcome considerable differences in height. The shortest route to Haifa goes via Zefat, up to an altitude of 2600 feet, the route to Tel Aviv via Tiberias on the Sea of Galilee, 680 feet below sea level and the lowest town in Israel. A direct bus route to Haifa operates several times a day, however, and takes approximately three hours to cover the distance.

The Hula Region

The town itself lies on the north-western rim of the Hula basin, where the sources of the Jordan meet and which is bounded on the west by the foothills of the Lebanon and on the east by those of the Anti-Lebanon, especially of Mount Hermon. On the north it is separated by a transverse barrier 1000 to 1300 feet in height from the valley of Marj Uyun in Lebanon, and on the south by a similar barrier from the Sea of Galilee. The southern range of hills, which is of volcanic origin and which the Jordan has to cross, is the cause of the river forming a shallow lake at this point, Lake Hula. For many centuries the whole area was marshy, malaria ridden and practically uninhabitable. The narrow bed cut by the Jordan was sufficient to absorb the normal quantities of water flowing down from Mount Hermon, but could not deal with almost double the volume during the rainy winter months. Every year the lake rose above its banks and flooded an area of approximately 7500 acres. The untouched beauty of this marshy land with its unusual vegetation, papyrus reeds standing man high, strange marsh birds, and occasional water buffalo breaking through the reeds, once inspired Pierre Loti to a famous description of the area.

During the last sixteen years this part of the country, too, has changed fundamentally. Already during Turkish times and also during the period of the Mandate, attempts were made to drain the marshes, but due to lack of coordination and very limited means, they were not too successful. After the foundation of the State a comprehensive plan was prepared for reclamation of the whole area, and work started already in 1951. The main steps to be taken were the broadening and deepening of the bed of the Jordan itself, the cutting of two big drainage canals at the eastern and western edge of the basin, and the drying out of the former lake. Together with this extensive drainage system, the basic requirements for artificial irrigation of the area during the summer months were met, necessary in spite of the relatively generous pre-

[1] Cf. Yehuda Karmon: The Drainage of the Huleh Swamps. The Geographical Review, Volume L, no. 2, 1960, pp. 169–193. Arthur Glikson, State of Israel, Ministry of Labour, Housing Administration: Two Case Studies of Rural Planning and Development in Israel. Prepared for the United Nations Seminar on Regional Planning, Tokyo, 28 July – 8th August, 1958. October 1961, pp. 6 ff. Rafael Trifon and Israel Tchetchik: Prospects of Economic Development of the Towns of Qiryat Shemona and Hazor, allowing their Demographic Structure and Regional Position. Prepared as Part of a Regional Survey for the Local Building and Town Planning Commission in Eastern Upper Galilee. Haifa, September 1963 (Hebrew). H. Darin-Drabkin: Housing in Israel. Economic and Sociological Aspects, Tel Aviv 1957, pp. 93–96; Patterns of Cooperative Agriculture in Israel. Published by the Department for International Cooperation, Ministry of Foreign Affairs, for the International Association for Rural Planning, Tel Aviv 1962, pp. 219–222

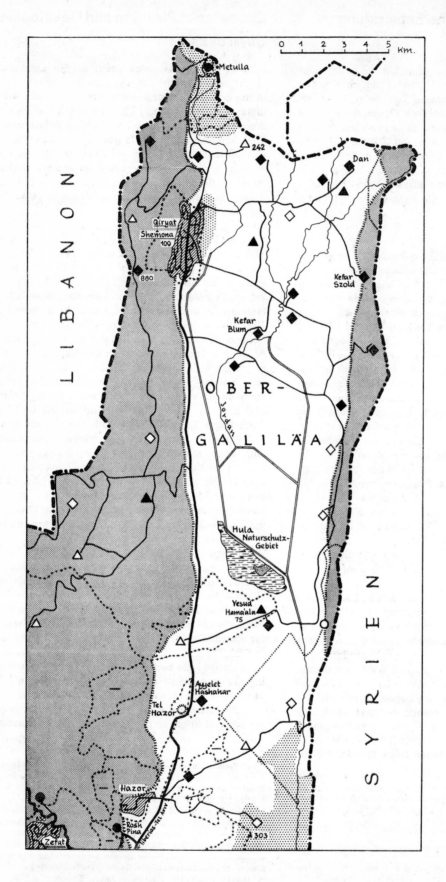

Qiryat Shemona und Ober-Galiläa
Qiryat Shemona and Upper-Galilee
Zeichenerklärung Seite 4
Key page 4

diesem großangelegten Entwässerungssystem wurden die Voraussetzungen für die auch in dieser relativ regenreichen Ecke des Landes notwendige künstliche Bewässerung während der Sommermonate geschaffen. Im Jahr 1958 waren die Arbeiten im wesentlichen abgeschlossen und der größte Teil des frisch gewonnenen Landes bereits bebaut. Heute erinnern nur noch ein Naturschutzgebiet im Nordwesten des ehemaligen Sees und zahlreiche künstliche Fischteiche an das frühere Gesicht der Landschaft. Trotzdem hat das breite, fruchtbare, von kahlen Höhenrücken umrahmte Tal, das von der weithin sichtbaren und auch im Sommer meist schneebedeckten Kuppe des Hermon überragt wird, einen eigenen Reiz, der von Einheimischen wie Fremden gleich stark empfunden wird. Klimatisch ähnelt das Gebiet dem übrigen Lande: heiße, trockene Sommer, kühle, regnerische Winter, doch sind durch die Abgeschlossenheit und die Entfernung von der Küste die Gegensätze größer, die Sommer heißer und die Winter kühler. Die jährliche Regenmenge liegt bei 500 bis 600 mm.

Unter den landwirtschaftlichen Produkten stehen Fische (Karpfen) und Obst, vornehmlich Äpfel, an erster Stelle. An Futterpflanzen werden Luzerne, Mais und eine Hirseart, Sorghum, angebaut, dazu, wenn auch in geringeren Mengen, Baumwolle, Zuckerrüben und Erdnüsse. Auch Geflügelhaltung und Viehzucht sind von einiger Bedeutung, die Milchwirtschaft hingegen ist wegen der erheblichen Absatzschwierigkeiten zurückgegangen. Der in dem früheren Sumpfgebiet reichlich vorhandene Torf wird an einigen Stellen abgebaut und zu Dünger verarbeitet.

Während im Altertum und bis in die Zeiten der Kreuzfahrer hinein die Gegend relativ dicht besiedelt gewesen sein muß — die Stadt Hazor am südlichen Ende des Tales war als mächtige Festung bekannt, die den Weg nach Damaskus, die „via maris", beherrschte —, verließen etwa zu Beginn des 14. Jahrhunderts die letzten Siedler das der völligen Versumpfung anheimfallende Land, und es blieb für fünf Jahrhunderte nahezu unbewohnt. Gegen Mitte des 19. Jahrhunderts errichteten Gruppen von freigelassenen Sklaven, desertierten Soldaten, Flüchtlingen und anderen Ausgestoßenen, die als Stamm der „Ghawarina", der „Leute aus der Senke", bekannt wurden, einige ärmliche Dörfer, die mit Hilfe eines primitiven Bewässerungssystems etwas Landwirtschaft betrieben, aber immer wieder durch Malariaepidemien ausgezehrt wurden. Die ersten jüdischen Siedler kamen schon 1883, im Zuge der ersten Einwanderungswelle, und ließen sich am südwestlichen Ufer des Sees in dem noch heute bestehenden Fischerdorf Yesud HaMa'ala nieder. Da sie mit ihrer geringen Zahl und noch unzulänglichen Methoden weder der Versumpfung noch der Malaria Herr werden konnten, blieben sie lange Zeit hindurch allein. Die nächsten jüdischen Siedlungen entstanden 1896 in dem höher und gesünder gelegenen nördlichen Grenzdorf Metulla, 1916 in dem etwa 4 km südlich Metulla gelegenen Kibbutz Kefar Giladi, 1918 in einem zweiten Kibbutz Ayyelet HaShahar südlich des Sees. In den zwanziger Jahren konzentrierte sich die jüdische Einwanderung im Norden auf das Emeq Yizre'el, und es kam hier zu keinen weiteren Neugründungen. Erst nach fast zwanzigjähriger Pause wurde 1937 in unmittelbarer Nachbarschaft des alten Fischerdorfes Yesud HaMa'ala der Kibbutz Hulata gebaut, in den Jahren bis zur Staatsgründung folgten 15 weitere Kibbutzim und 3 Moshavim, vorwiegend am nordöstlichen Rande des Beckens. Seitdem sind einige weitere Ortschaften hinzugekommen, so daß das Gebiet heute 37 landwirtschaftliche Siedlungen, darunter 24

cipitation in this part of the country. By 1958 the work was mostly completed, and a large part of the newly reclaimed land was already cultivated. Today only a nature reserve to the north-west of the former lake and the numerous artificial fish-ponds are reminiscent of the former character of the landscape. Nevertheless, the broad fertile valley, surrounded by bare mountain ridges and dominated by Mount Hermon, the snow-covered top of which is to be seen from long distances even in summer, exert a peculiar charm strongly felt both by local and by foreign people. The climate of the area is similar to that of the rest of the country: hot, dry summers and cold, rainy winters; the seclusion and distance from the coast, however, accentuate the differences; the summers are hotter and the winters cooler. Precipitation is between 20 and 30 inches a year.

Amongst the agricultural products of the area, fish (carp) and fruit, chiefly apples, stand first. Lucerne, maize and sorghum are grown as fodder crops, cotton, sugar beet and ground nuts, although in smaller quantities, as industrial crops. Of some significance are further poultry farming and cattle raising; the dairy industry, on the other hand, has declined because of the considerable distances to the coast and the resulting difficulties in marketing the produce. Peat, found abundantly in the formerly marshy areas, is cut in a few places and is used as fertilizer.

In ancient times and until the Crusades, the region must have been relatively densely settled — the town of Hazor at the southern end of the valley was known as a big fortress dominating the route to Damascus, the "Via Maris". At the beginning of the fourteenth century the last settlers left the area which was gradually reverting back to marshland, and for nearly 500 years remained almost uninhabited. Towards the middle of the 19th century groups of freed slaves, deserted soldiers, and other outcasts, know as the "Ghawarina", or the "People of the Depression", founded some miserable villages, and by means of a primitive irrigation system started some agriculture, but were repeatedly decimated by malaria. The first Jewish immigrants came as early as 1883, in the course of the "First Aliya", and settled along the south-western shores of the lake, in the little fishing village of Yesud HaMa'ala, still existing today. Due to their small number and the inadequateness of their means, they were unable to conquer either the marshiness or the malaria, and for a long time they remained on their own. The next Jewish settlements were founded in 1896, in the border village of Metulla, situated in the higher and healthier northern parts of the region, in 1916, in the Kibbutz Kefar Giladi, about 2½ miles south of Metulla, and in 1918, in a second Kibbutz, Ayyelet HaShahar, to the south of the lake. During the twenties, Jewish immigration in the north was concentrated in the Emeq Yizre'el and no further settlements were started. Only after a pause of almost twenty years, in 1937, the Kibbutz Hulata was built, in immediate proximity to the old fishing village Yesud HaMa'ala. In the period up to the foundation of the State a further 15 Kibbutzim and 3 Moshavim followed, mostly on the northern edge of the basin. Since then, a few more villages have been added, so that today the region contains 37 agricultural settlements, amongst them 24 Kibbutzim, 9 Moshavim, 1 Moshav Shitufi and 3 villages, comprising in all about 10 000 inhabitants. Most of these settlements are united in a local self-government body, the Regional

[1] The actual size of the natural hinterland of Qiryat Shemona is not easy to define. Although extending southward somewhat beyond the geographical

Kibbutzim, 9 Moshavim, 1 Moshav Shitufi und 3 Dörfer mit zusammen etwa 10 000 Einwohnern umfaßt, die zum größten Teil in einem eigenen Selbstverwaltungsorgan, dem Kreisrat von Ober-Galiläa, zusammengeschlossen sind[1]. Das durch die Trockenlegung von See und Sümpfen gewonnene Land wird zur Zeit noch nicht durch individuelle Siedlungen oder Siedler bewirtschaftet, sondern durch eine 2400 ha große Farm, die Hula Development Corporation, die sich im Besitz der Regierung (50%), der Jewish Agency (30%) und des Jüdischen Nationalfonds (20%) befindet und ihre Arbeiter aus der Stadt bezieht. Nichtjüdische Bevölkerungsgruppen sind kaum mehr vorhanden. Die Bevölkerungsdichte beträgt 98 Einwohner je km², in den südlichen und westlichen Randgebieten ist sie etwas geringer.

Eine städtische Siedlung hat es im Hula-Gebiet seit der Zerstörung Hazors durch die Assyrer nicht mehr gegeben. Im 19. Jahrhundert wurden einige städtische Funktionen durch die heute etwa 10 km nördlich der Grenze gelegene Stadt Jedideth Marj Uyun wahrgenommen, die jedoch mit der Errichtung des Mandats an Libanon fiel. Die nächsten städtischen Siedlungen im Süden waren Zefat in 40 und Tiberias in 55 km Entfernung, beide jedoch nur auf schlechten und kurvenreichen Wegen zu erreichen. So fielen einige administrative und wirtschaftliche Aufgaben dem etwa 4000 Einwohner zählenden arabischen Dorf Khalsa am nordwestlichen Ende des Tales zu, in dem auch die Polizeistation ihren Sitz hatte und ein wöchentlicher Markt abgehalten wurde. Diesen Vorzug verdankte es vor allem der Tatsache, daß es — im Gegensatz zu den Lehm- und Schilfhütten der übrigen Dörfer und Siedlungen — einige Steinhäuser enthielt. Die fensterlosen Ruinen dieser Häuser sind noch heute, nach dem Auszug ihrer Bewohner, in einer dünnen Kette auf dem Kamm eines schmalen, in das Tal hineinragenden Höhenrückens, des sogenannten „Schlangenkopfes", zu sehen.

Als die Masseneinwanderung der ersten Jahre nach der Staatsgründung das Land zu überschwemmen begann, wurde Khalsa, oder was davon übriggeblieben war, als Ort eines Übergangslagers, einer Ma'abara, ausersehen. Die günstige Lage an der Straße und die reichliche Wasserversorgung gaben den Ausschlag. Da mit dem Beginn der Trockenlegungsarbeiten genügend Beschäftigungsmöglichkeiten vorhanden waren und die Gewinnung zusätzlichen landwirtschaftlichen Bodens eine stetige Entwicklung des ganzen Gebietes versprach, wurde 1950 unmittelbar neben dem Übergangslager aus Zelten und Wellblechbaracken mit dem Bau einer Stadt begonnen. Nach einer Gruppe jüdischer Siedler, die 1920 in Kämpfen an der libanesischen Grenze gefallen waren, erhielt sie den Namen Qiryat Shemona, die „Stadt der Acht". Einige Jahre später, 1953, wurde am südlichen Ende des Tales, in unmittelbarer Nähe des angesehenen alten Rothschild-Dorfes Rosh Pinna, eine weitere städtische Siedlung, das neue Hazor, gegründet, das jedoch auch heute noch mit erheblichen Anfangsschwierigkeiten zu kämpfen hat und für Qiryat Shemona unmittelbar keine Konkurrenz darstellt.

Council of Upper Galilee.[1] The land reclaimed by the drainage of the lake and the marshes is not yet worked by individual settlements or settlers, but by a farm of 6000 acres, the "Hula Development Corporation", owned 50% by the Government, 30% by the Jewish Agency and 20% by the Jewish National Fund, and which gets its labourers from the towns. Non-Jewish population groups are an exception. The population density is 35 inhabitants per square mile except in the southern and western areas where it is somewhat lower.

Since Hazor was destroyed by the Assyrians, the Hula region has lacked any urban settlement. During the 19th century a few urban functions were carried out by the town of Jedideth Marj Uyun, about 6 miles north of the border, which fell to Lebanon after the establishment of the Mandate. The nearest urban settlements in the south were Zefat, about 25 miles, and Tiberias, about 35 miles distant, both accessible only by poor and winding roads. Therefore, a few administrative and economic tasks fell to the Arab village of Khalsa at the north-western end of the valley, with 4000 inhabitants, where the police was stationed and a weekly market held — mostly thanks to the privilege of having a few stone houses, in contrast to the clay and reed huts of the other settlements. The inhabitants have moved away, but the windowless ruins of these houses can still be seen today, as a thin chain on the back of a narrow ridge penetrating into the valley, known as the "Snake's Head".

When in the first few years after the foundation of the State mass immigration flooded the country, Khalsa, or what remained of it, was selected for a transitional camp, a "Ma'abara", mostly due to its favourable location along the road and the ample water supply. As with the beginning of the drainage scheme and the reclamation of additional land, a steady development of the area and adequate employment seemed assured, in 1950 a start was made with a new town, immediately adjacent to the tents and huts and barracks of the transitional camp. In memory of a group of Jewish settlers who had lost their lives in 1920, in battles along the Lebanese border, the town was called Qiryat Shemona, the "Town of the Eight". A few years later, in 1953, at the southern end of the valley and in close proximity to the old Rothschild village of Rosh Pinna, another urban settlement was founded, the new Hazor. Even today, however, this town has considerable difficulties getting started, and for the time being offers no competition whatsoever for Qiryat Shemona.

---

[1] Die Entscheidung, was eigentlich als das natürliche Hinterland von Qiryat Shemona zu betrachten sei, ist nicht einfach. Obgleich es südlich etwas über das die geographische Grenze des Hula-Beckens bildende Plateau hinausreicht, haben wir uns für das Gebiet des Kreisrates entschieden, der hier einen besonders engen Zusammenhalt hat und für den auch statistisches Material verfügbar ist.

boundary created by the southern transverse barrier, we have decided in favour of the area of the Regional Council which has a particularly strong position in this area and for which statistical material is at hand.

Flächennutzung und Bebauung

Vom städtebaulichen Standpunkt aus ist die Lage der Stadt nicht günstig. Eingeengt zwischen den Bergen, die die westliche Begrenzung des Hula-Beckens bilden und die erst sanft, dann relativ steil bis auf etwa 700 m Höhe ansteigen, und dem schmalen Kamm im Osten, erstreckt sie sich als längliches

Land Use and Layout

From a town planning point of view, the site of the town is not promising. Squeezed in between the mountains forming the western boundary of the Hula basin (which rise at first smoothly, then relatively steeply to approximately 2300 feet) and the small ridge to the east, it stretches like a thin ribbon

Qiryat Shemona – Generalplan 1:20 000
Qiryat Shemona – general plan
(scale 1:20 000)

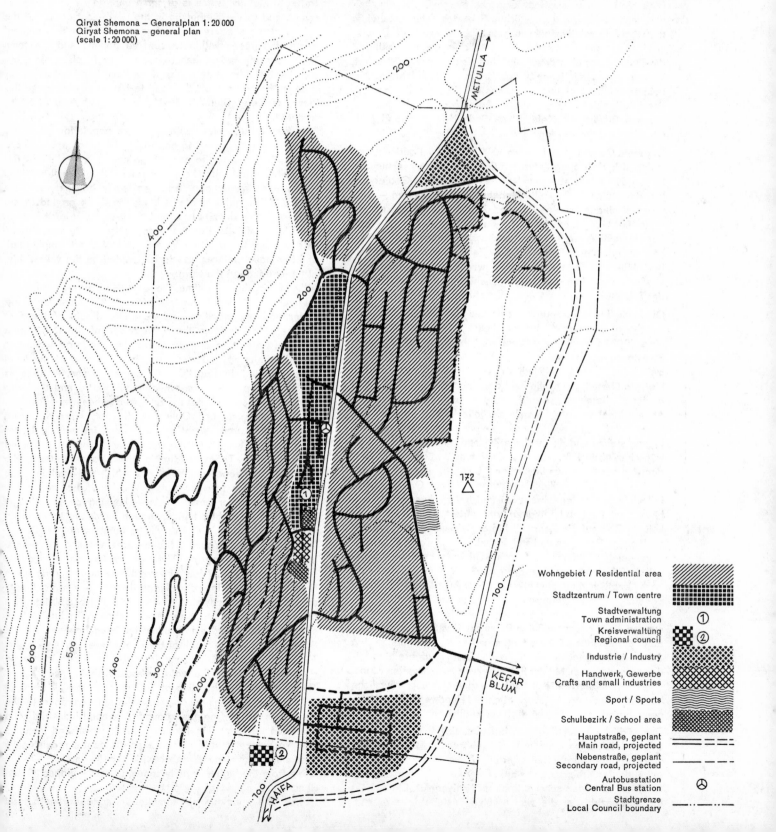

Wohngebiet / Residential area

Stadtzentrum / Town centre

Stadtverwaltung
Town administration ①

Kreisverwaltung
Regional council ②

Industrie / Industry

Handwerk, Gewerbe
Crafts and small industries

Sport / Sports

Schulbezirk / School area

Hauptstraße, geplant
Main road, projected

Nebenstraße, geplant
Secondary road, projected

Autobusstation
Central Bus station

Stadtgrenze
Local Council boundary

Band fast genau in nordsüdlicher Richtung. Das Stadtgebiet umfaßt zur Zeit 745 ha, die bebaute Fläche zieht sich in etwa 3 km Länge und 1 bis 1,5 km Breite längs des Talbodens und bis auf etwa 250 m Höhe am Hang entlang hin. Es wird in seiner ganzen Länge durchschnitten von der hier fast schnurgeraden Hauptstraße nach Norden, auf der der gesamte Verkehr nach Metulla, das als Sommerfrische einige Bedeutung hat, und nach den in der nordöstlichen Ecke des Tales gelegenen und ebenfalls relativ viel besuchten Kibbutzim verläuft. Da dieser Verkehr sich heute noch in erträglichen Grenzen hält und die Stadt bisher eher davon profitiert als darunter gelitten hat, ist der Plan einer jenseits des Kammes verlaufenden Umgehungsstraße vorläufig zurückgestellt. Dafür soll innerhalb des Stadtgebietes selbst die Straße nach den südöstlich gelegenen Siedlungen Kefar Blum, Sede Nehemiya und Amir günstiger geführt werden.

Der erste Generalplan, für etwa 15 000 Einwohner gedacht, bemühte sich, den topographischen Gegebenheiten Rechnung zu tragen. Das relativ ebene und gärtnerisch nutzbare Gebiet östlich der Hauptstraße sollte Nebenerwerbssiedlungen — vorwiegend eingeschossige Ein- und Zweifamilienhäuser mit jeweils 1000 bis 2000 m² Nutzfläche — enthalten, das ansteigende Terrain westlich zwei- bis dreigeschossige Reihen- und Etagenhäuser in dichterer Bebauung. Das Zentrum war etwa auf halber Höhe des Ortes, unmittelbar westlich der Durchgangsstraße, vorgesehen, das Industriegebiet am Ortseingang auf der Talseite.

Obgleich die Bevölkerung inzwischen die ursprünglich vorgesehene Zahl erreicht hat und heute für das Doppelte, für etwa 30 000 Einwohner, geplant wird, bestimmt dieser erste Plan in seinen positiven und negativen Auswirkungen auch weiter das Gesicht der Stadt. Am verhängnisvollsten hat sich, hier wie überall, die große Zahl der Nebenerwerbssiedlungen erwiesen, die einen großen Teil des ebenen Stadtgebietes in Anspruch nehmen und für andere Möglichkeiten verbauen. Solange jedoch anderwärts noch genügend Bauplätze zur Verfügung stehen und der bauliche Zustand der Häuser nichts zu wünschen übrig läßt, muß eine Sanierung zurückgestellt werden. Am nördlichen und östlichen Rande des ursprünglich nur für Ein- und Zweifamilienhäuser vorgesehenen Gebietes sind jedoch in den letzten Jahren zwei- und dreigeschossige Etagenhäuser entstanden. Im übrigen konzentriert sich die Bautätigkeit zur Zeit auf die Zonen dichterer Bebauung am Hang, wo noch einige Reserven vorhanden sind. Bis auf wenige Ausnahmen — einige Einfamilienhäuser und ein oder zwei anspruchsvollere Etagenhäuser — ist der gesamte Wohnungsbau heute noch öffentlich, nur nimmt allmählich der Anteil der im Rahmen der staatlichen Programme für Bausparer und junge Ehepaare gebauten Wohnungen gegenüber den Neueinwandererwohnungen einen etwas größeren Raum ein. Das Stadtzentrum hat den vorgesehenen Platz erhalten und auch die in den ersten Jahren in Wellblechhütten längs der Straße aufgereihten Läden aufgenommen. Mit der Fertigstellung eines zweiten Kinos, eines Hotels und weiterer Läden werden sich auch räumliche Lücken verkleinern. Autobusstation und Handwerks- und Kleingewerbezone schließen nördlich und südlich an.

Das südliche Industriegebiet befindet sich teils auf städtischem, teils schon auf zum Kreis gehörenden Boden — entsprechend sind die Betriebe verteilt —, auch das Verwaltungsgebäude des Kreisrates, das auf den ersten Blick den Eingang zur Stadt zu bilden scheint, liegt auf Kreisgebiet. Ein zweiter Industriebezirk, der die zwei größten Textilbetriebe enthält,

from north to south. At the moment the town area covers approximately 1850 acres; the built-up zones stretch over a length of about 2 miles and a width of ½ to 1 mile along the bottom of the valley and roughly 800 feet up the slopes. Almost in its entire length it is cut by the main road to the north, running dead straight in this area. This road carries nearly all the traffic to Metulla, which is of some importance as a summer resort, and to the Kibbutzim in the north-east corner of the valley, also visited relatively frequently. As at the moment this traffic keeps within reasonable bounds and the town tends to profit rather than to suffer from it, plans for a by-pass on the other side of the ridge have been put aside for the time being. Instead, the road to the south-eastern settlements of Kefar Blum, Sede Nehemiya, and Amir is to be rerouted.

The first master plan, with a target population of 15 000 inhabitants, did its best to cope with the topographical conditions. The area to the east of the main road, relatively flat and suitable for cultivation, was reserved for small-holdings with predominantly one- and two-family houses, each set in 1200—2400 square yards of land; the rising ground to the west for higher density two- and three-storey terrace houses and blocks of flats. For the town centre a site was chosen half way up, immediately to the west of the through road, and the industrial area was to be located on the valley side, at the entrance to the town.

Although in the meantime the population has reached the original target and today plans for 30 000 inhabitants are under way, the positive and negative effects of the first scheme still determine the outer shape of the town. Most disastrous are, here as everywhere else, the large number of small-holdings which keep a considerable part of the level sites occupied, barring them for any other use. As long as sufficient other sites are available elsewhere and the condition of the houses is not too bad, comprehensive redevelopment has to be shelved. Only along the northern and eastern edges of this area, meant originally also for one- and two-family houses, two- and three-storey blocks have been erected in recent years. Today building is mostly concentrated in the higher density zones on the slopes which still contain some reserves. With a few exceptions — a handful of one-family houses and higher quality flats — housing construction is still entirely in public hands, though gradually there is an increase in the number of dwellings built under the "Saving for Housing" and "Young Couples" schemes, and a decrease in new immigrant housing. The town centre has received its scheduled place, and has absorbed the shops sprung up in Nissen huts along the road during the first few years. Empty spaces will disappear step by step with the completion of a second cinema, an hotel and further shops. The bus station, craft workshops and small industries have been located to the north and to the south of the central area.

The southern industrial zone is partly on urban, partly on regional ground, and the factories are distributed accordingly. The administrative building of the regional council which at the first sight seems to dominate the very entrance to the town, is in fact on regional ground. A second industrial zone has been developed to the north of the town and includes the two biggest textile plants; a sports centre provisionally accommodating also cultural activities, to the east.

Apart from the higher density zones along the slopes, Qiryat Shemona, like most of the other new towns, still has a loosely knit and spacious appearance. In spite of the natural

hat sich im Norden der Stadt entwickelt, ein Sportzentrum, das vorerst auch noch größeren kulturellen Veranstaltungen als Heimstatt dient, im Osten.

Wie die meisten israelischen Neugründungen wirkt Qiryat Shemona, abgesehen von den Zonen dichterer Bebauung am Hang, noch weitläufig und locker. Das bedeutet aber auch, daß trotz der natürlichen Begrenzung der Lage einem gewissen Wachstum auch über das gegenwärtige Planziel von 30 000 Einwohnern hinaus nichts im Wege steht. Eine Verdichtung, besonders in der Gegend des Zentrums, kann dem Stadtbild nur zum Vorteil gereichen. Eine Erweiterung des südlichen Industriegebietes dürfte auf Schwierigkeiten stoßen, dafür steht im Norden noch genügend Raum zur Verfügung. Lohnend scheint es, den steilen Kamm im Osten der Stadt in irgendeiner Form städtebaulich zu betonen, sei es als Erholungsgebiet, sei es für einen anderen öffentlichen Zweck, der den landschaftlichen Reiz und besonderen Charakter dieses „Schlangenkopfes" hervorhebt.

Die Bevölkerung

Gegen Ende des Jahres 1964 hatte die Stadt rund 15 000 Einwohner. Abgesehen von einer gewissen Stagnation zu Beginn der fünfziger Jahre, als die neuankommenden Siedler wegen mangelnder·Beschäftigungsmöglichkeiten die Stadt zu Scharen wieder verließen, hat die Entwicklung einen stetigen Verlauf genommen. Auch hat Qiryat Shemona unter allen Städten des Nordens — mit Ausnahme von Nazerat Illit und Akko — die günstigsten Wanderungsverhältinsse aufzuweisen.[1] Von einem spontanen Wachstum kann jedoch trotzdem noch nicht die Rede sein. Die überwiegende Mehrzahl der Zuziehenden wird von der Jewish Agency eingewiesen und besteht aus Neueinwanderern, bislang vorwiegend afrikanischer oder asiatischer Herkunft. 17,5% aller Haushalte bestehen aus 6 und mehr Personen, die durchschnittliche Haushaltsgröße beträgt 4,7 Personen, 46% aller Einwohner sind noch nicht 15 Jahre alt. Einige „Vatiqim", Facharbeiter, gehobene Angestellte, Akademiker, sind erst mit besonderer Unterstützung der Regierung in die Stadt gekommen. Anders als in manchen anderen Neueinwandererstädten, die näher an den alten Zentren gelegen und von diesen im Pendelverkehr zu erreichen sind, wohnen sie jedoch auch dort und tragen das Ihre dazu bei, daß die städtische Führungsschicht — sei es, daß sie, wie der Bürgermeister, aus dem Irak, wie der Direktor der größten Bankfiliale, aus Westeuropa oder, wie der Tierarzt, aus dem Lande selbst stammt — einen lebendigen und aufgeschlossenen Eindruck hinterläßt. Überall ist eigene Initiative, das Bewußtsein einer selbständigen Entwicklung und — auch Zorn über scheinbar vorenthaltene Chancen und Möglichkeiten zu spüren.

Beschäftigung und Industrie

Trotz des unbestreitbaren Aufschwungs der letzten Jahre ist die Beschäftigungslage noch immer schwierig. Zwar dürfte sich seit der Volkszählung der Anteil der Landarbeiter — damals 29,5% — vermindert, der in Industrie und Handwerk Beschäftigten — damals 18,1% — entsprechend erhöht haben, doch ist der Dienstleistungssektor noch immer sehr schwach entwickelt, und auch die Zahl der Notstandsarbeiter — 416 im Jahresdurchschnitt 1964 — ist wesentlich höher als in anderen Städten vergleichbarer Größe. Daneben wird vor allem über fehlende Arbeitsplätze für berufsschulentlassene Jugendliche geklagt. Diese Verhältnisse sind umso problematischer, als die ländlichen Arbeitgeber, allen voran die Kibbutzim, auch

limitations of the site, it may well be possible to increase the population beyond the present target of 30 000 inhabitants. Higher densities, especially in the central area, can only be of advantage to the townscape. Difficulties may arise in extending the southern industrial area; the northern area, on the other hand, has ample reserves. From an architectural point of view, it should be tempting to exploit the steep ridge to the east, either as a recreational area or for any other public use which would emphasize the scenic value and the rather special character of the "Snake's Head".

The Population

Towards the end of 1964 the town had approximately 15 000 inhabitants. Apart from some stagnation at the beginning of the fifties, when newly arrived settlers left again in droves for lack of employment, development was fairly steady. Amongst all the towns of the north — with the exception of Nazerat Illit and Akko — Qiryat Shemona has the most favourable migration balance.[1] All the same, there can hardly be any question of a spontaneous growth yet. The majority of people moving into the area are new immigrants sent by the Jewish Agency, hitherto mostly of African or Asian origin. 17.5% of all households have 6 or more persons, the average size is 4.7 persons,

Einwohnerzahlen / Population figures

1950	1 364
1952	3 350
1954	3 700
1956	8 500
1958	10 000
1960	11 800
1962	13 900
1964	15 000

and 46% of all inhabitants are under 15 years old. Only with the help of special support by the Government have a few "Vatiqim" — skilled workers, qualified employees, and professionals — moved into the town. Other than in some other new immigrant towns situated nearer to the old centres and to be reached by commuting, this group, too, live in the town and contribute their share to the urban "upper class" leaving a lively and open-minded impression — whether they come from the Iraq, like the mayor, from Western Europe, like the director of one of the banks, or from other parts of Israel, like the veterinarian. Everywhere personal initiative and the consciousness of an independent development are to be felt, but anger as well, where chances and possibilities seem to have been withheld.

Employment and Industry

In spite of the undeniable progress of the last few years, the employment situation is still difficult. Since the population census the proportion of persons engaged in agriculture (at that time 29.5%) may have declined, and the numbers employed in industry and crafts (at that time 18.1%) may have risen somewhat, but the service industry is still rather limited in its scope, and the number of relief workers — 416 on average

---

[1] Binnenwanderungsindex: 72

[1] Internal migration index: 72

hier laufend bestrebt sind, sich durch Rationalisierungsmaßnahmen und Produktionsumstellungen unabhängig von fremden Arbeitskräften zu machen.

Insofern sind die Hoffnungen der Stadt ganz auf die weitere
Industrialisierung gerichtet, das bedeutet zur Zeit vor allem
auf die Fertigstellung einer neuen, im Bau befindlichen Textil-

Geförderte Betriebe mit 10 und mehr Beschäftigten
(31. 12. 1964) [1]

	Beschäftigte	Kapital (in 1000 IL)
Spinnerei	320	11 400.0
Packhaus für Obst	110	700.0
Reparatur, Garage, Transport	105	756.7
Kraftfutter	50	1 178.0
Geflügelschlächterei	50	920.0
Metallwaren	50	240.0
Strickwaren	44	130.0
Konfektion	40	25.0
Wäscheklammern	29	45.0
Kühlhaus	25	4 750.0
Konfektion	24	65.0
Keramik	17	17.0
Bäckerei	16	485.0
Bäckerei	16	220.0
Baumwollentkernung	15	412.8
Baumaterial	10	620.0
Erdarbeiten	10	200.0
Erdarbeiten	10	120.0
Reparaturwerkstätte	10	33.0
Tischlerei	10	13.0
Wäscherei	10	14.0
Insgesamt	971	22 344.5

fabrik, die TE'UZ — einer zu je 50% im Besitz der Regierung und der Histadrut befindlichen Gesellschaft zur industriellen Entwicklung neuer Gebiete — gehört und mehrere
hundert Arbeitsplätze vorsieht. Unter den übrigen größeren
Unternehmen sind die große Maschinen- und Service-Station,
das Kühlhaus, die Geflügelschlächterei und die Kraftfutter-
fabrik Eigentum der umliegenden ländlichen Siedlungen und
in der Industriezone des Kreises gelegen, beschäftigen aber
zum größten Teil Arbeiter und Angestellte aus der Stadt.

Trotz der erheblichen Regierungshilfen — insgesamt wurden
68 Betriebe gefördert, von deren Gesamtkapital von 22,6 Mill.
IL allein 9,6 Mill. aus öffentlichen Anleihen stammen — ist es
nicht einfach, weitere Betriebe und Unternehmen nach Qiryat
Shemona zu ziehen. Eine zu diesem Zweck gegründete örtliche Entwicklungsgesellschaft (Grundkapital 350 000 IL), an
der die Stadt (26%), die Histadrut (35%), SOLEL BONEH,
die große Baugesellschaft (36%), und der Kreisrat (3%) beteiligt sind, versucht ebenfalls, durch Vermittlung günstiger
Kredite anregend zu wirken. Das erste Kino, das Ladenzentrum, einige Bureaus und kleinere Fabrikhallen sind ihrer
Initiative zu danken, auch für das zweite Kino und das neue
Hotel wurde der Anstoß gegeben. In letzter Zeit treten dabei
auch ortsansässige Geldgeber — Bauunternehmer, Geschäftsleute und Handwerker, die beim Aufbau gut verdient haben —
als Partner auf. Diese Entwicklung, die durchaus noch nicht in
allen neuen Städten spürbar ist, scheint günstig, da auf die
Dauer nur ein wachsendes Ausmaß von örtlicher Initiative und
Eigenfinanzierung zu einer engeren Bindung der Einwohner

[1] Industrie- und Handelsministerium: Bericht über die Industrialisierung der
Entwicklungsgebiete, a. a. O., S. 11

during 1964 — is considerably higher than in other towns of
similar size. Complaints about lack of work for adolescents
leaving vocational schools are frequent. These conditions are
all the more problematical since the rural employers, first of
all the Kibbutzim, strive to become independent of hired labour, whether by rationalization measures or by changes in production. The hopes of the town are therefore based primarily

Approved Enterprises with 10 or more Employees
(31. 12. 1964) [1]

	Employees	Capital (in 1000 IL)
Spinning-mill	320	11 400.0
Fruit packing and grading	110	700.0
Garage, repairs and transport	105	756.7
Concentrated feed	50	1 178.0
Poultry slaughter house	50	920.0
Metal goods	50	240.0
Knitted goods	44	130.0
Ready-made clothes	40	25.0
Clothes-pegs	29	45.0
Cooling plant	25	4 750.0
Ready-made clothes	24	65.0
Ceramics	17	17.0
Bakery	16	485.0
Bakery	16	220.0
Cotton gin	15	412.8
Building materials	10	620.0
Earth works	10	200.0
Earth works	10	120.0
Repair shops	10	33.0
Joinery	10	13.0
Laundry	10	14.0
Total	971	22 344.5

on further industrialization, at the moment on the completion
of a new textile factory still under construction. Half of it belongs to TE'UZ, a company for the development of new regions, owned 50% by the Government, and 50% by the Histadrut. Of the other large firms, the garage, the cooling plant,
the poultry slaughter house and the concentrated feed factory belong to the surrounding agricultural settlements and
are situated in the industrial zone of the region, but to a large
extent employ workers from the town.

In spite of considerable help from the Government, it is still
difficult to attract new firms and enterprises to Qiryat Shemona. Altogether 68 establishments have been assisted, and
9,6 million IL of public loans have been granted. Similar aims
are pursued by a local development corporation with an initial
capital of 350 000 IL, owned 26% by the town, 35% by the
Histadrut, 36% by SOLEL BONEH, the big building company,
and 3% by the Regional Council. This corporation also
endeavours to encourage and stimulate new enterprises by
offering favourable loans. The first cinema, the shopping
centre, a few offices and standard factories are due to its
initiative, and so are the second cinema and the new hotel.
Recently, local financiers have come in as partners — most
of them tradesmen, builders, and businessmen who have
earned good money during the last few years. This development, which is by no means evident in all new towns, seems
promising since in the long run only a growing amount of
local initiative and self-financing can root the inhabitants

[1] Ministry of Commerce and Industry: Report on the Industrialization of
Development Regions, op.cit., p. 11

an ihre Stadt und damit auch zu einer wirtschaftlichen Konsolidierung führen kann. Für ihren laufenden Etat ist die Stadt jedoch noch stark auf staatliche Hilfe angewiesen. Die Steuereinnahmen decken kaum ein Fünftel der ordentlichen Ausgaben, der überwiegende Teil wird durch die „Grants-in-Aid" des Innenministeriums gedeckt.

Kultur und Erziehung

An kulturellen und sozialen Institutionen, die einerseits Beschäftigung bieten, andererseits ebenfalls Niveau und Anziehungskraft der Stadt bestimmen, verfügt Qiryat Shemona über die üblichen zwei höheren Schulen, die eine religiös, die andere allgemein, die, erst 1960 mit nur zwei Klassen begonnen, inzwischen aber voll ausgebaut, einem bitter empfundenen Mangel abgeholfen haben. Auch die beruflichen Ausbildungsmöglichkeiten, die lange Zeit hindurch angesichts der wachsenden Einwohnerzahlen zu gering waren, sind durch die Eröffnung einer großen neuen „Comprehensive School" wesentlich verbessert worden. Erziehungsarbeit wird auch durch ein Jugendzentrum, das Weiterbildungsmöglichkeiten bietet, und durch das Gewerkschaftshaus, in dem Vorträge und Abendkurse abgehalten werden, geleistet. Für kleinere Theateraufführungen steht der bisherige Kinosaal zur Verfügung, für größere und anspruchsvollere Gastspiele ist die Bühne jedoch nicht ausreichend. Das zweite Kino soll hier Abhilfe schaffen. Die ärztliche Versorgung ist durch ein Ambulatorium der Allgemeinen Krankenkasse (Kupat Holim) und durch ein kleines Entbindungsheim gesichert, ein Krankenhaus gibt es nicht. Stationäre Fälle werden nach Tiberias oder Zefat gebracht. Bis zur Fertigstellung des neuen Hotels muß ein sehr bescheidenes Gasthaus ausreichen; anspruchsvollere Besucher übernachten daher in den wesentlich komfortableren Gästehäusern der umliegenden Kibbutzim, vor allem in dem vorzüglich geführten des großen alten Kibbutz Ayyelet HaShahar. Für das gesellschaftliche Leben der Stadt spielen der Rotaryklub und eine örtliche Gruppe der Junior Chamber of Commerce eine große Rolle; nicht umsonst ist es gerade das Fehlen solcher Kontakte und Möglichkeiten, das viele „Vatiqim" — und vor allem ihre Frauen — davon abhält, sich in den neuen Städten niederzulassen.

Stadt und Region

Wenn Qiryat Shemona heute, trotz mancher ungelöster Probleme und trotz der noch immer unbefriedigenden Beschäftigungslage, den Anfangsschwierigkeiten entwachsen und auf dem Wege zu einer selbständigen Entwicklung scheint, so verdankt es dies nicht zuletzt der großzügigen und weitsichtigen Hilfe des Kreisrates als der Vertretung seiner ländlichen Umgebung. Von Anfang an haben die Mitglieder des Rates, im Bewußtsein ihrer Verantwortung gegenüber den Neueinwanderern, denen sie die bessere Kenntnis des Landes und in den meisten Fällen auch die bessere Schul- und Ausbildung voraushatten, eine Art Patenschaft für die junge Stadt übernommen. Bis zum Jahre 1955, als Qiryat Shemona eine eigene gewählte Stadtverwaltung erhielt, haben sie Verwaltungsaufgaben erfüllt. Sie haben auch in wirtschaftlicher Hinsicht nach Kräften geholfen und de facto die Rolle einer Entwicklungsbehörde übernommen. Ebenso ist es der Kreisrat gewesen, auf dessen Anregung hin eine gemeinsame Planungskommission (Joint Planning Commission), der außer Vertretern der ländlichen Gemeinden auch Vertreter der Stadt angehören, gebildet und erstmalig bei der Technischen Hochschule in Haifa eine grundsätzliche Untersuchung über die geographischen,

more solidly in their towns, at the same time creating economic consolidation. For its current budget, however, the town is still dependent on government help; income from taxes covers hardly a fifth of the regular expenditure, four fifths coming from the already mentioned "Grants in Aid" of the Ministry of the Interior.

Culture and Education

In terms of cultural and social institutions which on the one hand offer employment, on the other hand increase both the standards and the attractiveness of the town, Qiryat Shemona is equipped with the usual two secondary schools, one religious, the other general. These schools started in 1960 with only two classes, but have been fully developed in the meantime and fill a badly felt need. Vocational training facilities which for a long time were far too limited for the increasing number of inhabitants, have been considerably improved by the recent opening of a large new comprehensive school. Vocational training is also supplied by a youth centre offering possibilities for continuation classes, and by the Trade Union House providing lectures and evening courses. For smaller theatre performances the cinema hall is used, but for larger and more ambitious guest performances the stage is too small. The second cinema is to remedy this deficiency. Medical care is supplied by a clinic of the general health insurance (Kupat Holim) and a small maternity home. A hospital does not exist; in-patients are taken to Tiberias or Zefat. Until the new hotel is completed, a modest hostel with ten beds has to serve; more demanding visitors stay in the much more comfortable guest houses of the surrounding Kibbutzim, especially in the well-renowned of the big old Kibbutz Ayyelet HaShahar. Of great importance to the social life of the town is the Rotary Club and the local group of the Junior Chamber of Commerce. Very often the very lack of such contacts and meetings prevents many "Vatiqim" — and particularly their wives — from settling in the new towns.

Town and Region

If, in spite of many unsolved problems and the still unsatisfactory employment situation, Qiryat Shemona has outgrown at least some of its teething troubles and seems well on its way to an independent development, it owes such advantages not least to the generous and far-sighted help of the Regional Council representing its rural hinterland. Right from the outset members of this council, conscious of their responsibility to the new immigrants whom they were ahead of by better knowledge of the country and better education, had accepted a kind of sponsorship for the young town. Until 1955, when the town elected its own local council, they were responsible for administration and management. In economic matters, too, they helped as much as they could, and de facto assumed the role of a development agency. It was also the Regional Council who suggested that a Joint Planning Commission should be set up, consisting of representatives of both the rural communities and the town. On the proposal of this Commission the Israel Institute of Technology in Haifa was asked to carry out a fundamental survey of the geographic, economic and social potential of town and region — with the aim of preparing a comprehensive regional plan.

In addition, the location of the regional administration and the regional industrial zone in immediate proximity to the town are evidence of the deliberate intention to allow the

wirtschaftlichen und sozialen Möglichkeiten von Stadt und Region — mit dem Ziel der Aufstellung eines umfassenden Regionalplanes — in Auftrag gegeben wurde.

Daneben zeugt vor allem die Verlegung der Kreisverwaltung und der regionalen Industriezone in die unmittelbare Nachbarschaft der Stadt von der bewußten Absicht, die neue Stadt am Wirtschaftspotential der Region teilhaben und ihr echte Zentralfunktionen zukommen zu lassen. Zwar hat auch Qiryat Shemona keine eigentlichen Verwaltungsaufgaben gegenüber seinem Hinterland — Sitz der Bezirksverwaltung ist Zefat —, doch werden durch die Anwesenheit der Kreisverwaltung mehr Siedler aus der Umgebung in die Stadt gezogen als üblich. Ähnlich sind auch die Marktfunktionen, die früher das arabische Dorf Khalsa innehatte, fortgefallen: 80% der Bewohner des Kreises leben in Kibbutzim, deren Absatz und Versorgung mit ländlichen und industriellen Produkten und Konsumgütern an der Stadt vorübergeht, und auch die Bevölkerung der Moshavim und der Dörfer deckt höchstens einen Teil ihres Bedarfes außerhalb der eigenen genossenschaftlichen Großläden; trotzdem bieten die in der regionalen Industriezone konzentrierten Dienstleistungsbetriebe und eine große Baumschule, die ganz Ober-Galiläa versorgt, Beschäftigung und wirtschaftliche Anregung. Auch ist die Industrialisierung der einzelnen Kibbutzim in dieser Gegend noch nicht so weit fortgeschritten wie etwa im Emeq HaYarden oder im Emeq Yizre'el. Einige mittlere und kleinere Betriebe sind allerdings auch hier auf dem flachen Lande angesiedelt, etwa eine Schuhfabrik mit 66 Arbeitern, eine Fabrik für Küchen- und Haushaltartikel, die 25 bis 30, eine für Bewässerungs- und Feuerlöschapparaturen, die 20 Leute beschäftigt, dazu Betriebe zur Herstellung von industriellen Formen, von Traktorteilen und von Spielzeug, eine Fruchtsaftfabrik, eine Buchbinderei, ein Transportunternehmen mit 20 Schwerlastwagen, Packhäuser und Futtertrocknungsanlagen. In diesen Betrieben, die ausschließlich Kibbutzim gehören, sind zusammen etwa 270 Personen beschäftigt, von denen der größte Teil aus Qiryat Shemona kommt.

Weit schwieriger zu überbrücken sind die demographischen und sozialen Unterschiede zwischen Stadt und Land: Während von den Stadtbewohnern nur 27,8% im Lande geboren und 70,6% erst nach 1948 eingewandert sind, sind von den Kreisbewohnern bereits 48,8% im Lande geboren und nur 31,8% erst nach der Staatsgründung hinzugekommen. Unter den Eingewanderten ist der Anteil der Orientalen in der Stadt mit 72,1% mehr als zweieinhalbmal so groß wie auf dem Land, wo er nur 27,9% beträgt. Einwanderer europäischer Herkunft dagegen gibt es in der Stadt nur zu 19,4%, auf dem Land zu 51,4%.[1] Dem entspricht die unterschiedliche berufliche Qualifikation: Lange Zeit hindurch beherbergte die Stadt fast ausschließlich ungelernte oder in ihren bisherigen Berufen nicht unterzubringende Arbeiter, das Land hingegen hochqualifizierte landwirtschaftliche, technische und administrative Fachkräfte; allmorgendlich zogen die ungelernten von der Stadt aufs Land, die gelernten vom Land in die Stadt. Wenn die Stadt heute auch über ihre eigene berufliche Führungsschicht verfügt, so ist der prozentuale Anteil der gelernten Kräfte an der städtischen und an der ländlichen Bevölkerung doch noch nicht zu vergleichen.

Ebenso groß ist das kulturelle Gefälle. Wie überall haben die Kibbutzim ihre eigenen höheren Schulen; nach Ayyelet HaShahar und Kefar Blum werden auch Kinder aus benachbarten Siedlungen mit dem Autobus gefahren. Dan hat ein Internat,

new town to share the economic potential of the region and to take over genuine central functions. Although even Qiryat Shemona has no administrative duties towards its hinterland — the seat of the sub-district administration is Zefat —, nevertheless the very presence of the Regional Council attracts more rural settlers from the vicinity into the town than usual. Similarly, market functions such as had sustained the former Arab village of Khalsa had disappeared; 80% of the regional population live in Kibbutzim, and both the supply and the marketing of agricultural and industrial goods and products by-passes the town. Even the inhabitants of the Moshavim and the villages satisfy their needs only to a limited extent outside their own cooperative shops. Nevertheless, the service industries concentrated in the regional industrial zone, and also a large tree-nursery supplying the whole of Upper Galilee, offer employment and economic stimulus. Moreover, the industrialization of the individual Kibbutzim in this area has not yet proceeded to such an extent as, for instance, in the Bet She'an region or in the Emeq Yizre'el. Only a few medium-sized and small plants have been established in the settlements themselves, such as a shoe factory with 66 workers, a factory for kitchen and household goods with 25—30 employees, and a factory with 20 workers for irrigation and fire extinguishing equipment. In addition there are plants manufacturing industrial moulds, spare parts for tractors, toys, a fruit juice factory, a bookinder's shop, a transport cooperative with approximately 20 heavy lorries, packing and grading and fodder drying plants. All these enterprises, which belong exclusively to Kibbutzim, employ some 270 workers, most of whom come from Qiryat Shemona.

Much more difficult to bridge are the demographic and social differences between town and region. While of the urban population only 27.8% were born in the country and 70.6% had come only after 1948, of the rural population 48.8% were born in the country, and 31.8% had come after 1948. Immigrants from Oriental countries are two and a half times as frequent in the town as in the region, 72.1% as against 27.9%. Immigrants of European origin, on the other hand, account for only 19.4% of the urban population, but for 51.4% of the rural population.[1] The differences in vocational and professional qualification correspond to these figures. For a long time the town harboured almost exclusively unskilled workers or persons unable to follow their previous careers, while the rural areas were blessed with highly qualified agricultural, technical and administrative staff. Every morning the unskilled people moved from the town to the country, and the skilled from the country into the town. Although today Qiryat Shemona has its own professional class, the proportion of qualified workers in the town is not to be compared with the proportion of qualified workers in the rural areas.

The cultural differences are just as great. As in all other regions the Kibbutzim have their own secondary schools; to Ayyelet HaShahar and Kefar Blum children are brought by bus also from neighbouring settlements; Dan has a boarding school, most of the others have smaller institutions for their own youth. As these schools have a rich reservoir of potential teachers amongst the older Kibbutz members, the standard is sometimes superior to that of the urban schools which have difficulties to attract good teachers to the somewhat remote area. Children from the Moshavim and the villages

[1] The Settlements of Israel, Part III, a. a. O., S. 32, 142/143; Demographic Characteristics of the Population, Part II, a. a. O., S. 108, 146/147

[1] The Settlements of Israel, Part III, op. cit., pp. 32, 142/143; Demographic Characteristics of the Population, Part II, op.cit., pp. 108, 146/147

die übrigen unterhalten kleinere Anstalten nur für den eigenen Nachwuchs. Auch das Niveau dieser Schulen, die unter den alten Kibbutzmitgliedern über ein reiches Reservoir an potentiellen Lehrkräften verfügen, ist dem der städtischen Schulen mitunter überlegen, die es nicht leicht haben, in die entlegene Gegend gute Lehrer zu ziehen. Die Kinder aus den Moshavim und Dörfern besuchen zwar eher die städtischen Schulen, nicht wenige aber auch Landwirtschaftsschulen in anderen Teilen des Landes. Die neue Berufsfachschule mag hier eine Änderung bringen.

Im Gegensatz zu den bescheidenen städtischen Möglichkeiten können in den Amphitheatern der Kibbutzim (700 bzw. 1600 Sitze) Aufführungen jeglicher Größe und Schwierigkeit stattfinden, Gastspiele des Habimah-Theaters oder anderer großer Tel Aviver Bühnen sind keine Seltenheit. Ein naturwissenschaftliches Museum in Dan, ein Musik- und Kunstzentrum in Kefar Giladi vervollständigen das Bild eines lebendigen, anspruchsvollen und durchaus selbstgenügsamen ländlichen Kulturlebens.

Es nimmt kaum wunder, daß sich daher, trotz der unbestreitbaren und zu Zeiten geradezu lebenswichtigen Verdienste des Landes um die Stadt, gerade mit deren wachsendem Selbstbewußtsein ein gewisser Antagonismus herausgebildet hat. Die Stadt sieht und beklagt sich bitter, daß das Land ihr nicht alle Dienste abverlangt, deren Erfüllung ihre eigene wirtschaftliche und soziale Situation erleichtern und konsolidieren könnte. Sie übersieht dabei, daß ein kollektivistisch oder genossenschaftlich organisiertes Hinterland aufgrund eben dieser seiner Organisationsform auch bei gutem Willen kaum in der Lage ist, sie zu verlangen. Sie empfindet schließlich eindringlich die soziale Unterlegenheit, die besonders den in den Kibbutzbetrieben beschäftigten städtischen Arbeitern täglich und anschaulich vor Augen tritt.

Das Land seinerseits muß — auch wenn dies nicht mit ähnlicher Schärfe ausgesprochen wird — sich bewußt sein, daß die Stadt auf dem Wege ist, ihm zunächst rein quantitativ den Rang abzulaufen. Im Jahre 1948 lebten im Gebiet des Kreises Ober-Galiläa 5800 jüdische Einwohner, bis zum Jahr 1954 hatte sich ihre Zahl auf 9700 erhöht, bis 1961 kaum noch. Im gleichen Zeitraum ist die Bevölkerung von Qiryat Shemona von 0 über

rather attend urban schools, but quite a few go to agricultural institutions in other parts of the country. In this respect, too, the new vocational school in Qiryat Shemona may bring about some changes.

In contrast to the modest possibilities in the town, the openair theatres in the Kibbutzim (with 700—1600 seats) offer facilities for productions of any size and difficulty. Guest performances by the Habimah or some other well known Tel Aviv theatre are no rarity. A natural history museum in Dan, and a music and arts centre in Kefar Giladi complete the picture of a lively, ambitious and entirely self-sufficient rural cultural life.

It is hardly surprising that, in spite of the undeniable and at times vital merits of the region for Qiryat Shemona, just with the growing self-esteem of the town a certain antagonism has come up. The town is well aware of the fact and complains bitterly that the region does not demand all those services which it could offer, and which would help to ease and consolidate the economic and social situation. It overlooks the other fact that a hinterland organized on a collective or cooperative basis cannot, even with the best intentions, demand such services. It finally is all too conscious of its social inferiority which is daily and clearly brought home to the urban workers employed in the Kibbutz factories.

The region in its turn must — though this is not expressed with equal sharpness — be aware of the fact that the town is well on the way to surpass it at least in quantity. In 1948 there were 5800 Jewish inhabitants in the area of the Regional Council; by 1954 this number had risen to 9700, by 1961 to only 10 000. During the same periods the population of Qiryat Shemona increased from 0 to 3700 to 11 800, and the population of Hazor to 4650. In relation to the total population the proportion of the urban population was 0% in 1948, 32.3% in 1954, and 60.5% in 1961. If only immigration does not stop, this increase will continue. Although in view of the clear separation of urban and rural self-government bodies any overruling of the country by the town is not to be expected, a shift in weight is to be foreseen — becoming fully apparent only when the sons and daughters of the new immigrants, who have been educated in the country, gain maturity.

Tabelle 28 / *Table 28*

Entwicklung der städtischen und ländlichen Bevölkerung in Ober-Galiläa 1948—1961
Growth of Urban and Rural Population in Upper Galilee 1948—1961

	Bevölkerung *Population*									
	1948		1951		1954		1957		1961	
	abs./No.	%	abs./No.	%	abs./No.	%	abs./No.	%	abs./No.	%
Qiryat Shemona	—	—	3 755	29.8	3 700	24.6	10 100	41.4	11 796	43.4
Hazor	—	—	—	—	1 150	7.7	3 600	14.8	4 650	17.1
Kreisgebiet *Regional Council*	5 832	100	8 442	66.9	9 669	64.4	10 079	41.4	10 030	36.9
davon: *comprising:*										
Kibbutzim	5 039	86.4	6 395	50.7	6 815	45.4	7 163	29.5	7 064	26.0
Moshavim	275	4.7	1 051	8.3	1 649	11.0	1 836	7.5	1 877	6.9
Dörfer *Villages*	518	8.9	996	7.9	1 205	8.0	1 080	4.4	1 089	4.0
Nichtjüdisches Dorf *Non-Jewish Village*	—	—	420	3.3	500	3.3	590	2.4	717	2.6
Insgesamt *Total*	5 832	100	12 617	100	15 019	100	24 369	100	27 193	100

Quelle/Source: The Settlements of Israel, Part I, op. cit., passim

3700 auf 11 800 gestiegen, die von Hazor auf 4650. Betrug der Anteil der städtischen Bevölkerung an der Gesamtbevölkerung der Region 1948 0 %, so 1954 32,3 %, 1961 60,5 %. Und er wird — ein Anhalten der Einwanderung vorausgesetzt — weiter steigen. Wenn auch angesichts der reinlichen Trennung der städtischen und ländlichen Selbstverwaltungsorgane mit einer Majorisierung des Landes durch die Stadt nicht zu rechnen ist, so ist doch eine Gewichtsverlagerung abzusehen, die sich voll allerdings erst nach dem Heranwachsen der bereits im Lande ausgebildeten Söhne und Töchter der städtischen Neueinwanderer auswirken wird.

Nur auf diesem Hintergrund ist auch das Ringen um die Zukunft der Hula Development Corporation zu verstehen, um deren 2400 ha guten landwirtschaftlichen Bodens sich mehrere Interessenten bemühen: das Dorf Metulla, das durch die Grenzziehung einen Teil seines Gebietes an Libanon verloren hat, die Kibbutzim, die durch die Aufteilung der Farm unter sich ihre wirtschaftliche Basis zu erweitern hoffen, und die Stadt, die die Arbeitsmöglichkeiten für ihre Bewohner nicht verlieren möchte — im Jahresdurchschnitt beschäftigt die Farm immerhin 150 ständige und 300 Saisonarbeiter — oder aber eine Aufteilung auf individuelle Dörfer oder zumindest Moshavim vorziehen würde. Bei der für das Hula-Gebiet festgesetzten Hofgröße von 3 ha würden sich dabei Siedlerstellen für etwa 800 Familien ergeben, von denen die Stadt eine Stärkung ihrer zentralen Funktionen erwarten könnte. Einer Entscheidung ist man bislang bewußt dadurch aus dem Wege gegangen, daß der Status quo erhalten wurde.

Wenn Qiryat Shemona zur Zeit auch noch für sein Bestehen und für sein Wachstum in entscheidendem Ausmaß auf äußere Hilfe und äußere Initiative angewiesen ist — Regierungsbeihilfen für seinen Etat, staatliche Kredite für seine Betriebe, gelenkte Einwanderung für seine Bevölkerung, öffentliche Mittel für seine Wohnungen —, so scheinen doch, mehr als in vielen anderen neuen Städten, einige Faktoren am Werk, die eine selbständige Entwicklung begünstigen. Mit an erster Stelle steht dabei gerade ein scheinbares Handicap, die Entlegenheit der gesamten Region. Diese zwingt auch die neue städtische Führungsschicht zum Wohnen am Ort — ein Vorzug, um den Qiryat Gat zum Beispiel lange Zeit zu kämpfen hatte. Weiter dürfte sich, bei nur etwas qualifizierterem und reichhaltigerem Angebot sowohl an Waren wie an Dienstleistungen, die private Nachfrage aus der ländlichen Umgebung mehr als bisher auf die Stadt konzentrieren; Haifa als nächste ernsthafte Konkurrenz ist für einen Tagesausflug auch bei guten Verbindungen etwas weit. Wächst Qiryat Shemona im bisherigen Tempo weiter, so wird sich auch sein Gewicht gegenüber der heute schon zahlenmäßig überflügelten Bezirkshauptstadt Zefat verstärken, und es ist die Frage, ob nicht einige der dort zusammengefaßten Verwaltungsfunktionen auf die Stadt übertragen werden sollten.

Trotz aller Reibungsflächen ist schließlich die Bedeutung der Aufgeschlossenheit und Initiative des Kreisrates auch für die weitere Zukunft der Stadt nicht zu unterschätzen. Dieser ist sich der bei aller Verschiedenheit eng verknüpften Interessen und des Aufeinanderangewiesenseins von Stadt und Land wohl bewußt und daher bemüht, der Region eine gemeinsame Entwicklung zu bahnen. Voraussetzung für diese Entwicklung ist jedoch, für die Stadt mehr noch als für das Land, eine befriedigende Lösung des Beschäftigungsproblems. In der Verarbeitung der landwirtschaftlichen Erzeugnisse der Umgebung werden kaum noch Reserven liegen; auch ein Abbau der ge-

Only against this background is it possible to understand the discussions about the future of the Hula Development Corporation, with more than one party interested in its 6000 acres of good agricultural soil: the village of Metulla because as a result of the new borders it has lost part of its area to Lebanon; the Kibbutzim because they hope to expand their economic basis; not least the town because it does not wish to lose employment possibilities for its inhabitants — the farm employs 150 persons permanently and about 300 seasonally —, or because it would prefer a partition of the land among the individual villages or at least the Moshavim. As the usual size for a farm in the Hula region is about 7 acres, such a partition would result in a further 800 families being settled, who would help to strengthen the economic and social functions of the town. So far a decision has been avoided by just accepting the status quo.

At the moment Qiryat Shemona is still dependent for its very existence and growth on outside help and initiative: on government help with its budget, on public loans for its factories, on guided immigration for its population, on public funds for its housing. All the same, more than in many of the other new towns, factors seem to be at work which favour independent development. Of great importance is a seeming handicap, the remoteness of the whole region. This remoteness forces the new urban elite to live in the town, a privilege for which Qiryat Gat, for instance, had to fight for a long time. Moreover, with only a slightly richer and more qualified choice of both goods and services, private demand from the rural surroundings would certainly concentrate more on the town. Haifa as the nearest serious competitor is somewhat far for a day's excursion, even with good communications. If Qiryat Shemona continues to grow at its present rate, it will still more outgrow the sub-district capital of Zefat, which it already exceeds in numbers, and it should be considered whether some of the administrative functions concentrated there could not be transferred to the town.

Finally, despite various sources of friction, the significance of the initiative and open-mindedness of the Regional Council for the future of the town must not be underestimated. With all differences in mind, the Council is well aware of the closely-knit interests and the inter-dependence of town and country and therefore endeavours to blaze the trail for a joint development of the region. A basic condition for this development, for the town even more than for the country, is a satisfactory solution to the employment problem. Processing of regional produce offers hardly any reserves; mining the low-grade iron ore on the western slopes of the valley, a project discussed from time to time, does not seem to promise much hope either. Over a longer period the service sector certainly contains some possibilities, but its expansion is dependent first on a rising standard of living of the urban population itself. There remains a further and consistent development of industry which, however, would have to be preceded by a thoroughgoing analysis of the branches in question in view of possible locational advantages.

ringwertigen Eisenerzvorkommen am Westhang des Tales, von dem von Zeit zu Zeit die Rede ist, scheint nicht aussichtsreich. Der Dienstleistungssektor enthält zweifellos auf die Dauer noch einige Möglichkeiten, doch ist sein Ausbau abhängig von einem steigenden Lebensstandard der städtischen Bevölkerung selbst. So bleibt zunächst nur die weitere konsequente Industrialisierung, der jedoch auch hier eine gründliche Untersuchung der in Frage kommenden Zweige auf etwaige Standortvorteile hin vorauszugehen hätte.

Afula

Unter allen Städten mit einem früheren Kern, die nach der Staatsgründung eine Erneuerung erfuhren, ist Afula die einzige, bei der dieser Kern von Anfang an rein jüdisch war. 1925 begonnen, war die Stadt auch die einzige von vornherein städtische Neugründung außerhalb der Küstenzone und hatte 1948 bereits eine zwar nicht sehr bedeutsame, dafür an manchen Affairen und Anekdoten reiche Geschichte hinter sich. Trotzdem kann man die zweieinhalbtausend Menschen, die damals dort lebten, kaum als entscheidende Basis für die heute 16 600 Einwohner zählende Stadt ansprechen. In diesem Sinne ist sie so neu wie Qiryat Shemona, Dimona und Elat und genießt daher auch alle den Entwicklungsstädten zustehenden Vorteile und Erleichterungen. Hier steht sie stellvertretend einmal für alle Versuche, in einiger Entfernung bestehender Ortskerne neue Stadtteile oder Neustädte anzulegen, zum anderen wieder für die Schwierigkeiten und Probleme, denen die Planung regionaler Zentren in Landstrichen begegnet, die vor, neben und gänzlich unabhängig von diesen Zentren ihre eigenen Lebens- und Organisationsformen entwickelt haben.

Das Emeq Yizre'el
Afula liegt im südlichen Teil Galiläas, etwa auf halbem Wege zwischen der Küste und der jordanischen Grenze, inmitten des Emeq Yizre'el, eines der wenigen weiten und fruchtbaren Täler des Landesinnern. Es ist Hauptort und Sitz der Verwaltung des Bezirks Yizre'el, der mit seinen 1200 km² allerdings weit über das Tal hinausgreift und Ende 1964 144 000 Einwohner, darunter 83 000 Juden und 61 000 Nichtjuden, hatte. Die nichtjüdische Bevölkerung ist größtenteils im Norden und Osten des Bezirks, außerhalb des eigentlichen Emeq, konzentriert. Die Entfernung nach Haifa beträgt 45 km, nach Tel Aviv 90 km. Nazareth, die Distriktshauptstadt des Nordens, ist nur 12 km entfernt, Bet She'an, der ebenfalls uralte, aber seit der Staatsgründung völlig neu aufgebaute Hauptort des südlichen Jordantales, 26 km. Zur Zeit seiner ersten Gründung lag Afula an einem der wichtigsten Eisenbahnknotenpunkte des Landes, an dem die Bahn nach Nablus von der Hauptstrecke nach Damaskus abzweigte. Inzwischen sind beide Strecken außer Betrieb und teilweise demontiert. Dafür hat die Stadt ihre Bedeutung als Straßenkreuzungspunkt behalten. Hier teilt sich die Hauptstraße von Tel Aviv nach dem Norden, die den Umweg über Haifa vermeidet, in die Straßen nach Nazareth, Tiberias und Bet She'an. Wer heute, vom Zentrum oder vom Süden des Landes kommend, nach Galiläa fährt, berührt unfehlbar Afula. Dagegen hat die einstige, schon im Altertum viel benutzte Kammstraße von Nazareth über Nablus und Ramallah nach Jerusalem, neben der Küstenstraße die zweite große Lebensader Palästinas, ihre Bedeutung verloren. Der Grenzübergang ist hermetisch verriegelt.

Afula

Among all towns based on an existing core which were revived after the foundation of the State, Afula is the only one where right from the beginning this core was purely Jewish. Started in 1925, the town is also the only one outside the coastal strip which from the very outset was to have a genuine urban character. By 1948 it had lived through a history not very significant in events, but rich in incidents and anecdotes. All the same, the two and a half thousand inhabitants who lived there at that time, can hardly be considered a decisive basis for the town of today with its 15 900 citizens. In this sense, Afula is as new as Qiryat Shemona, Dimona and Elat, and is eligible for the same assistance and benefits as other development towns. Here it has been chosen as an example both of all attempts to create new towns or sections of towns in some distance from the original core, and, again, of the difficulties and problems met in the planning of regional centres in areas which had previously developed their own ways of life and their own institutions, alongside and quite independently of these centres.

The Emeq Yizre'el
Afula is situated in the southern part of Galilee, about half way between the coast and the Jordan border, in the centre of the Emeq Yizre'el, one of the few wide and fertile valleys in the interior of the country. It is the capital and the seat of administration of the Yizre'el sub-district which covers 470 sq. miles, stretching far beyond the actual valley, with 144 000 inhabitants in 1964 of which 83 000 were Jews and 61 000 non-Jews. The non-Jewish population is largely concentrated in the north and the east of the sub-district, outside the actual Emeq. The distance to Haifa is approximately 28 miles and to Tel Aviv 56 miles. Nazareth, the capital of the Northern District, is only 7 1/2 miles away, Bet She'an, the main town of the southern Jordan valley, very old but completely rebuilt since the foundation of the State, 16 miles. When Afula was first founded, it was sited at one of the most important railway junctions in the country, where the line to Nablus branched off from the main route to Damascus. At present, both lines are no longer operated and are partly dismantled. However, the town has retained its importance as a road junction where the main road from Tel Aviv to the north, avoiding the detour via Haifa, branches out into the roads to Nazareth, Tiberias and Bet She'an. Thus anybody travelling to Galilee from the centre or from the southern parts of the country, has to pass Afula without fail. Only the former ridge route from Nazareth, via Nablus and Ramallah, to Jerusalem, much used already during Antiquity, has lost its rank. Together with the coastal road, it had been the second big communication line in Palestine. Today, the crossing point at the frontier is hermetically shut.

Das Emeq Yizre'el, als dessen Mittelpunkt Afula gedacht war, ist ein flaches, breites Tal, im Norden begrenzt durch die Ausläufer des galiläischen Berglandes, deren südlichster Vorposten, der Berg Tabor, als runder Kegel weithin sichtbar aus der Ebene aufsteigt; im Südwesten durch die Kette des Karmel, im Südosten durch die Berge von Gilboa. Ein weiterer Hügel, der Giv'at Hamore, leitet im Osten zu einer kargeren Hochebene über, die sich bis zur Jordansenke hinzieht. Das Klima, vor allem auf dem Talboden, ist feucht und heiß mit relativ milden Wintern; die jährliche Regenmenge schwankt zwischen 500 und 600 mm. Während der Karmel und das galiläische Bergland stets, auch in türkischer Zeit, dicht besiedelt waren, war das Emeq Yizre'el, trotz der Fruchtbarkeit seines tiefschwarzen Bodens, lange Zeit hindurch gemieden. Sümpfe und Malaria beherrschten das Feld.

Bis zum Jahre 1920, als es dem jüdischen Nationalfonds gelang, einen großen Teil des Tales von arabischen Grundbesitzern zu kaufen, hatte sich, kurz vor dem ersten Weltkrieg, nur eine einzige jüdische Kolonie dort niedergelassen, der Kibbutz Merhavia, nur wenig östlich des heutigen Afula. Dann jedoch folgen sie in dichter Reihe: 1921 wurde in Nahalal der erste Moshav des Landes gegründet, im gleichen Jahr die Kibbutzim En Harod, Tel Yosef und Geva'; bis 1931 entsteht ein gutes Dutzend weiterer Kolonien, teils Kibbutzim, teils Moshavim. In

The Emeq Yizre'el of which Afula was to be the central point, is a flat wide valley bounded to the north by the foothills of the Galilean highlands, whose most southerly outpost, Mount Tabor, can be seen from far as a round cone rising out of the plain; to the south by the chain of the Karmel, and to the south east by the mountains of Gilboa. In the east another hill, Giv'at Hamore, forms the transition to a bare plateau, which in turn stretches towards the Jordan valley. The climate, especially in the valley, is humid and hot, with relatively mild winters; precipitation varies between 25 and 30 inches a year. While the Karmel and the Galilean highlands were always densely settled, even in Turkish times, the Emeq Yizre'el, despite the fertility of its black soil, was avoided. Marshes and malaria dominated the scene.

Up to 1920, when the Jewish National Fund succeeded in buying a large part of the valley from Arab landowners, only one Jewish colony had settled in the region, only slightly to the east of today's Afula: the Kibbutz Merhavia, founded shortly before the first world war. After 1920, however, they come in a long line: in 1921 the first Moshav of the country was established in Nahalal, followed in the same year by the Kibbutzim En Harod, Tel Yosef and Geva'. By 1931 a round dozen further colonies had sprung up, partly Kibbutzim, partly Moshavim. During the second half of the thirties, in the

Afula und das Emeq Yizre'el
Afula and the Emeq Yizre'el

Zeichenerklärung Seite 4
Key page 4

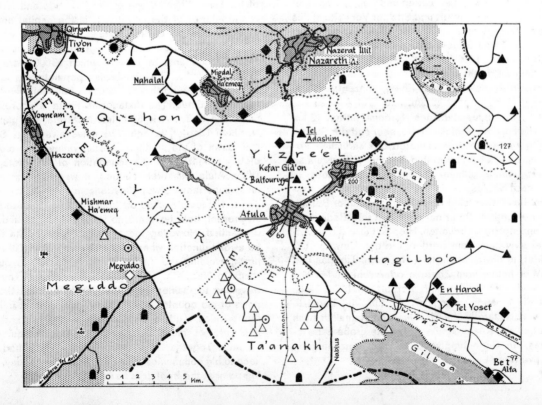

der zweiten Hälfte der dreißiger Jahre kommt, im Zuge der deutschen Einwanderung, noch einmal eine Reihe von Kibbutzim hinzu. Weitere Siedlungen folgen erst nach der Staatsgründung, und zwar vor allem im Süden, im sogenannten Ta'anakh-Gebiet, wo zwischen 1953 und 1958 im Rahmen eines detaillierten Regionalplanes sieben Moshavim und zwei ländliche Zentren entstanden. Heute umfaßt das Emeq Yizre'el etwa 40 ländliche Siedlungen, 17 Kibbutzim und 23 Moshavim, die in vier Kreisen — Qishon, Megiddo, Yizre'el und Gilboa —, die jedoch teilweise über das Tal hinausgreifen, zusammengeschlossen sind.

Bis auf die zuletzt hinzugekommenen Ta'anakh-Siedlungen hatte sich der größte Teil der ländlichen Kolonisten am nördlichen und südlichen Rande des Tales niedergelassen. Hier, an den Hängen, waren die klimatischen Verhältnisse günstiger, von hier zog man aus, die versumpfte und malariaverseuchte Ebene urbar zu machen. Nach den kaum vorstellbaren Mühen und Anstrengungen der ersten Jahre begann die Fruchtbarkeit des Bodens bald, ihren Lohn abzuwerfen. Heute zählt das Emeq Yizre'el zu den ertragreichsten Gebieten des Landes. Die Hauptanbauzweige sind Zuckerrüben, Weizen, Gerste, Mais, Sorghum, Baumwolle, Obst- und Weinbau, in dem tiefergelegenen südöstlichen Teil auch Grapefruit, dazu Milch- und Geflügelwirtschaft.

Afula 1925—1948

Rückblickend erscheint es fast selbstverständlich, daß im Zuge der Urbarmachung und Besiedlung des Tals der Gedanke auftauchte, in seiner Mitte, als Marktort und regionales Zentrum, eine Stadt zu gründen. Angesichts der Verkehrsmittel der zwanziger Jahre war Haifa relativ weit entfernt; Nazareth, auch damals schon Distriktshauptstadt des Nordens, war eine rein arabische Stadt. So wurde 1925 durch eine zu diesem Zwecke geschaffene zionistische Gesellschaft, Qiryat Zion, Boden gekauft, nicht am Hang, wie es die erfahreneren ländlichen Siedler vorgezogen hatten, sondern mitten im Tal, in unmittelbarer Nähe des Eisenbahnknotenpunktes, und eine Stadt gegründet: Afula. Von vornherein erfreute sie sich jedoch nicht der Unterstützung der älteren zionistischen Organisationen, die die landwirtschaftliche Kolonisation des Tales finanziert und getragen hatten und deren Ideologie eine städtische Neugründung zuwiderlief. So war die Stadt von Anfang an im Verhältnis zu ihrem potentiellen Hinterland isoliert und auf sich gestellt. Auch war damals schon die Bevölkerung dieses Hinterlandes der der Stadt überlegen. Zwar kamen beide Gruppen aus Osteuropa; während es sich bei den ländlichen Siedlern jedoch um begeisterte Zionisten handelte, die, von der Idee der Rückkehr des jüdischen Volkes auf das Land besessen, bewußt alle Mühen und Härten des bäuerlichen Lebens auf sich nahmen, kam ein großer Teil der städtischen Einwanderer aus polnischen und litauischen Kleinstädten, mit dem Ziel, dem gleichen Kleinhandel und -gewerbe nachzugehen, mit dem sie in ihrer alten Heimat ihr Brot verdient hatten. Die eschatologische Inbrunst und der missionarische Eifer der ersten ländlichen Siedler konnten der Ankunft und Niederlassung der neuen Städter nur mit kühler Verachtung begegnen.

Es kam hinzu, daß eine große Anzahl der städtischen Bauparzellen mit großem Werbeaufwand und auf spekulativer Basis in aller Welt verkauft wurde, ohne daß die Käufer auch nur daran dachten, sich in Afula niederzulassen oder wenigstens ihre Grundstücke durch andere bebauen zu lassen. So dämmerte Afula als unbedeutendes Landstädtchen dahin, das höchstens gelegentlich durch irreale Projekte (im Volkswitz: den Bau

course of the German immigration, another group of Kibbutzim were created. Additional settlements follow only after the foundation of the State, especially in the south, in the Ta'anakh region, where between 1953 and 1958, within the framework of a comprehensive regional plan, seven Moshavim and two rural centres were established. Today the Emeq Yizre'el comprises approximately 40 rural settlements, 17 Kibbutzim and 23 Moshavim, which are united in four regional councils, the areas of which stretch somewhat beyond the boundaries of the valley: Qishon, Megiddo, Yizre'el and Gilboa.

Apart from the most recent Moshavim in the Ta'anakh region, the majority of the rural colonists had settled on the northern and southern periphery of the valley. Here, along the slopes, the climatic conditions were more favourable, and from here they set out to conquer and cultivate the marshy and malaria-infested plain. After the first few years of almost unimaginable labour and exertion, the fertility of the soil offered its reward. Today the Emeq Yizre'el is one of the most fertile regions of the country. The main crops are sugar-beet, wheat, barley, maize, sorghum, cotton, fruit and grapes, in the lower south-eastern parts also grapefruit; in addition, dairy and poultry farming is of some importance.

Afula 1925—1948

Retrospectively, it seems all too obvious that, following the reclamation and settlement of the valley, the idea should have come up of creating a town as a market and regional centre. In view of the means of communication of the twenties, Haifa was rather far away, and Nazareth, then already the district capital of the north, was a purely Arab town. Thus, in 1925, a Zionist company — Qiryat Zion —, especially created for this purpose, bought land, not along the slopes where the more experienced rural colonists had preferred to settle, but in the very midst of the valley, in immediate proximity to the railway junction, and founded a town: Afula. Right from the start the town did not have the backing of the older Zionist organizations who had financed and supported the agricultural colonization of the valley and whose ideology was strongly opposed to the establishment of a new urban centre. As a result, from the very outset the town was isolated from its potential hinterland and entirely on its own. Moreover, even then the population of the hinterland was superior to that of the town. Actually both groups came from Eastern Europe; the rural settlers, were enthusiastic Zionists, obsessed with the idea of the return to the soil by the Jewish people, and consciously accepting all toil and hardship of peasant life. The urban immigrants, on the other side, came mostly from small towns in Poland and Lithuania, hoping to follow the same trades and crafts with which they had earned their bread at home. Thus the very appearance of the first townsfolk could only be met with cool scorn by the esoteric fervour and missionary zeal of the rural settlers.

Moreover, a large number of the urban plots were sold all over the world with enormous propaganda on a speculative basis, without the buyers having the slightest intention of either settling in Afula or only leasing their property to be used by others. Thus, Afula pottered on as an insignificant little country town, talked about only occasionally when folk humour suggested unrealistic projects such as building an opera house, or because of the provincial naiveté and sleepiness of its inhabitants. Even the first plan designed by

einer Oper) oder durch die zu mancherlei Spott Anlaß gebende provinzielle Naivität und Verschlafenheit seiner Bewohner von sich reden machte. Der erste, von Kaufmann entworfene Plan vermochte ebenfalls nicht, den Eindruck einer Stadt zu vermeiden, in der, wie es der ebenso geistvolle wie scharfzüngige hebräische Dichter Bialik ausdrückte, „alle Häuser außerhalb der Stadt stehen". Bei Staatsgründung, im Jahr 1948, hatte die Stadt genau 2504 Einwohner.

Flächennutzung und Bebauung

Die Bemühungen um eine gleichmäßigere Verteilung der Bevölkerung und die Masseneinwanderung der folgenden Jahre legten den Gedanken nahe, auch Afula zu einer Wiedergeburt zu verhelfen. Von vornherein war dabei weniger an eine unmittelbare Erweiterung des bestehenden Ortes gedacht als an die Errichtung einer Neustadt in einiger Entfernung, am Hang des 515 m hohen Giv'at Hamore, jedoch unter einheitlicher Verwaltung. Für die Verlegung an den Hang sprachen einmal die klimatischen Verhältnisse, die dort wesentlich günstiger waren als in der alten Stadt, wo die stickig-feuchte Hitze des Emeq Yizre'el vor allem in den Sommermonaten schwer erträglich ist, dann aber auch bessere Bodenbedingungen. Das alte Afula stand zwar auf gutem landwirtschaftlichen, aber auf sehr schlechtem Baugrund. Senkungen und Mauerrisse waren die Regel. Hinzu kam, daß sich das für eine Erweiterung in Frage kommende unmittelbare Umland in Händen alteingesessener ländlicher Siedlungen befand, die sich kaum freiwillig davon trennen würden, und die Eigentümer der noch unbebauten innerstädtischen Parzellen — eine Folge der Bodenspekulation früherer Jahre — in aller Welt verstreut saßen, aber ebensowenig geneigt waren, sie zu veräußern. Auch wenn vielleicht der eine oder andere Bauplatz hätte erworben werden können, eine Möglichkeit zu großzügiger Neuplanung ergab sich damit noch nicht. Schließlich mag mitgespielt haben, daß man die bisherige, etwas unglückliche Geschichte der Stadt nicht als moralische Hypothek übernehmen, sondern lieber einen neuen Anfang machen wollte. Zunächst bestand daher die Hoffnung, daß die gesamte zukünftige Entwicklung am Hang stattfinden und das alte Afula zu einer relativ unbedeutenden Vorstadt zusammenschrumpfen werde. Die Dinge haben jedoch einen anderen Gang genommen.

Wer heute von Süden nach Afula kommt, trifft zunächst auf die alte, einst nach dem Plan von Kaufmann angelegte Stadt, mit rechtwinkeligen Straßen, einem liebevoll bepflanzten kleinen Boulevard, einem ovalen, ländlich-bescheidenen Zentrum, meist niedrigen Häusern mit kleinen Gärten, alles recht locker gebaut und im Laufe der Jahre zugewachsen, dazwischen und in den Randbezirken neue drei- und viergeschossige Etagenhäuser. Hier befinden sich auch der größte Teil der Geschäfte, ein Kino, Cafés, ein Restaurant, der Sitz des Bürgermeisters und der Bezirksverwaltung, der Krankenkasse und der Gewerkschaft. Das Industriegebiet als breiter Keil schließt südöstlich an das Zentrum an. Die ursprüngliche Einwohnerzahl hat sich inzwischen fast verdreifacht, heute wohnen hier rund 7000 Menschen.

Dann verläßt man die Stadt wieder, auf der Hauptstraße nach Tiberias, und fährt etwa 3 km leicht ansteigend durch frisch angepflanzte Orangenhaine, die dem benachbarten Moshav Balfouriyya gehören, bis rechts der Straße zunächst der große Komplex des noch aus der Mandatszeit stammenden Bezirkskrankenhauses mit seinen weitläufigen Wirtschaftsgebäuden auftaucht. Kurz danach beginnt Neu-Afula, Afula Illit, und zwar mit einer ausgedehnten Industrieanlage auf einem die Ebene

Richard Kaufmann did not succeed in avoiding the impression of a town characterized by the brillant and sharp-tongued Hebrew poet, Bialik, as a place where "all houses stand outside the town." At the time of the foundation af the State, in 1948, Afula had exactly 2504 inhabitants.

Land Use and Layout

All plans for a more even distribution of the population, together with the mass immigration of the following years, suggested the idea of helping even Afula to a rebirth. Right from the beginning, however, it was less a question of expanding the existing than of building a new town, at some distance, on the slopes of Giv'at Hamore (1675 ft.), but with a common administration for the two places. A relocation of the town on the slopes was encouraged first by the climatic conditions, which were more favourable uphill than in the old town where the damp and humid heat of the Emeq Yizre'el was difficult to bear particularly in the summer months; then by the better sub-soil. The old Afula stood on good agricultural but on very poor building land; subsidence and cracked walls were the rule. Moreover, all land suitable for expansion in the immediate vicinity was in the hands of firmly-rooted rural settlements which would hardly be willing to give up any acre; on the other hand, the owners of vacant plots within the old town itself were — a result of the real estate speculation of the earlier years — scattered all over the world and equally loathe to part with their land. Even if it might have been possible to acquire one or two sites, this would scarcely be sufficient for a generous new development plan. A last factor affecting the decision may have been a certain reluctance to continue the somewhat unfortunate history of the town, with all its emotional mortgages, and preference was given to a new start. At first there was good hope that all future development would take place up on the hill, and that the old Afula would shrink into a relatively unimportant suburb. However, things took a different path.

Whoever approaches Afula from the south, first enters the old town, laid out according to Kaufmann's plan, with rectangular roads, a carefully planted little boulevard, a modest oval centre — mostly one-storey houses with small gardens, all loosely knit and filled in over the years; in between and on the outskirts new three- and four-storey blocks of flats. Here are the vast majority of the shops, a cinema, cafés, a restaurant, the seat of the Mayor and the Subdistrict Administration, the Health Insurance Office and the Trade Union House. The industrial zone forms a broad wedge to the south-east of the centre. The original population has almost trebled, and today there are some 7000 inhabitants in the old town.

Leaving the town in the direction of Tiberias, one drives for approximately two miles along a slightly rising road through freshly planted orange groves belonging to the neighbouring Moshav Balfouriyya, till on the right hand side of the road there appears the large building of the district hospital, with its ample annexes, erected during the period of the Mandate. Shortly beyond, the new Afula, Afula Illit, commences with an extensive industrial site, right on a plateau dominating the lower plain. Originally, despite all the hopes placed on the future of the town, the question of a separate industrial area for the new Afula had not even been raised. Later on, it may not necessarily have been the intention of planning

Afula – Generalplan 1:50 000

Afula – general plan (scale 1:50 000)

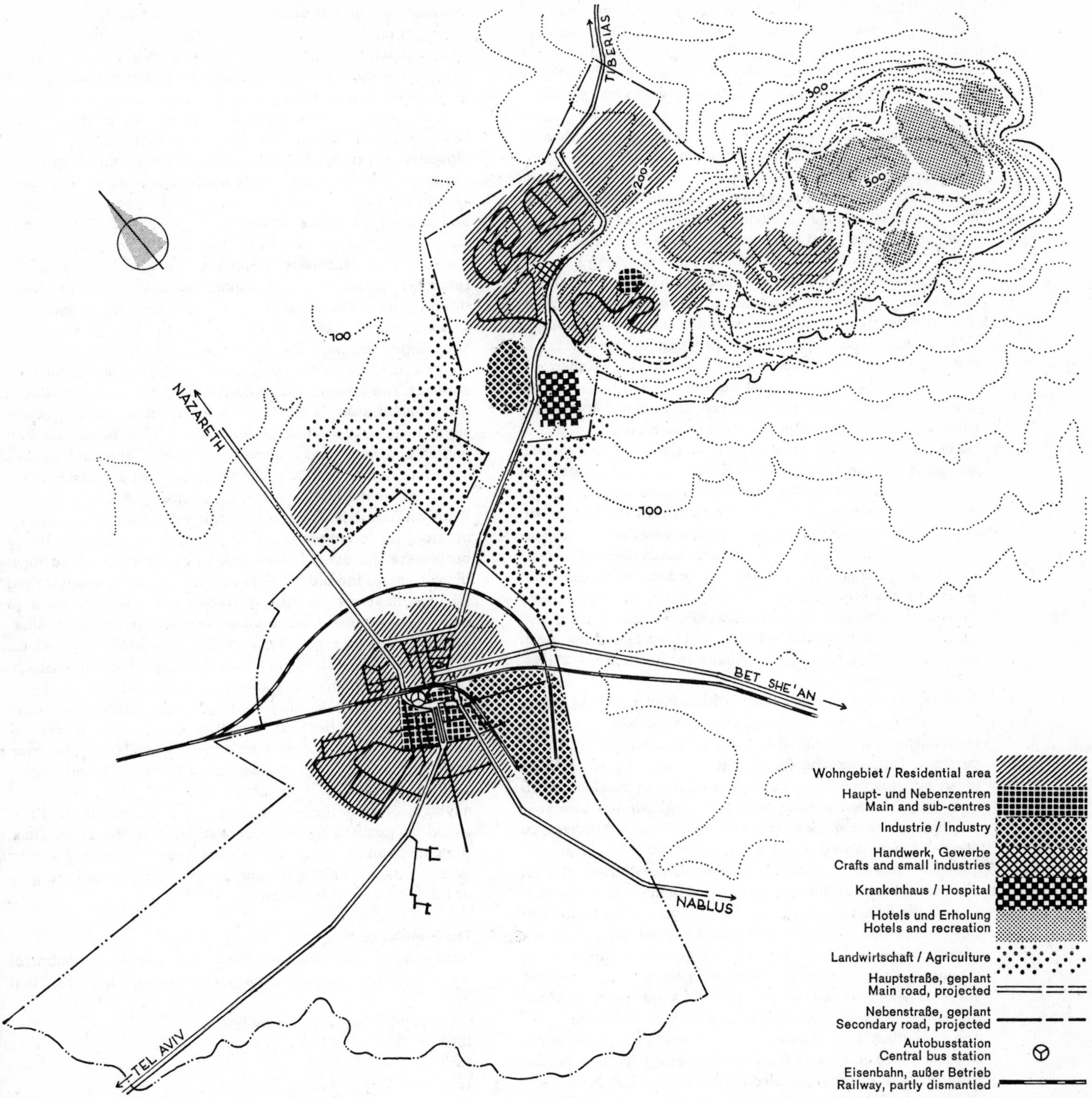

TIBERIAS

NAZARETH

BET SHE'AN

NABLUS

TEL AVIV

300

500

200

100

100

Wohngebiet / Residential area	
Haupt- und Nebenzentren Main and sub-centres	
Industrie / Industry	
Handwerk, Gewerbe Crafts and small industries	
Krankenhaus / Hospital	
Hotels und Erholung Hotels and recreation	
Landwirtschaft / Agriculture	
Hauptstraße, geplant Main road, projected	
Nebenstraße, geplant Secondary road, projected	
Autobusstation Central bus station	
Eisenbahn, außer Betrieb Railway, partly dismantled	
Stadtgrenze Local Council boundary	

überragenden Plateau. Ursprünglich war – trotz aller Hoffnungen, die in die Zukunft der Stadt gesetzt wurden – an ein eigenes Industriegebiet für das neue Afula überhaupt nicht gedacht worden, und auch später mag es nicht unbedingt in den Absichten der Planung gelegen haben, gerade diesen landschaftlich bevorzugten Platz, der im Gesamtbild von Stadt und Hügel eine beherrschende Stellung einnimmt, für industrielle Zwecke zu reservieren. Doch gilt hier wie so oft, daß Wünsche finanzkräftiger Investoren, die Arbeitsplätze und Beschäftigung für viele Einwohner versprechen, ihre eigenen Gesetze schaffen. Bald hinter der Fabrik folgt, ebenfalls links der Straße, das erste der neuen Wohnviertel, sehr locker gebaut, ehemals wieder meist Nebenerwerbssiedlungen, heute vorwiegend Zwei- und Vierfamilienhäuser mit Gärten. Außer einer kleinen Ladengruppe verfügt dieses Viertel, das etwa 3000 Menschen beherbergt, über keinen zentralen Kristallisationspunkt.

In scharfer Kehre biegt nun eine Straße rechts von der Hauptstraße ab und führt in einigen Serpentinen am Hang hinauf in das eigentliche Ober-Afula mit noch einmal knapp 7000 Einwohnern. Hier wurde von vornherein dichter gebaut, viel zweigeschossige Reihen- und Terrassenhäuser, dreigeschossige Zeilen und, neuerdings, einige Gruppen achtgeschossiger Punkthäuser, die, geschickt an die Talseite der Straßen gestellt, der Silhouette der neuen Stadt, etwa von Nazareth aus gesehen, einen großzügig-modernen und relativ kompakten Charakter zu geben beginnen. Neben einigen aus dem üblichen Rahmen fallenden Haustypen, die sich um eine Synthese europäischer und orientalischer Stilelemente bemühen, gibt es ein ebenfalls gut gelungenes Einkaufszentrum, das sich jedoch, da Verwaltung, Banken und andere zentrale Funktionen in der unteren Stadt konzentriert sind, vorerst auf einige Geschäfte für den täglichen Bedarf und bescheidene Gemeinschaftseinrichtungen beschränkt. Ein größeres Zentrum, auf gleicher Höhe etwas weiter südlich gelegen, ist geplant, eine neue Zufahrtsstraße bereits im Bau. Die Bebauung zieht sich zur Zeit bis auf etwa 300 m Höhe am Hang hinauf hin, doch sind oberhalb noch reichlich Reserven für weitere Wohngebiete ausgewiesen.

Auch ohne eingehendere Kritik wird klar sein, daß eine solche Zerstreuung, ja Trennung von Gebiet und Bevölkerung für die einheitliche Entwicklung der Stadt eine schwere Belastung darstellt. Gelegentliche Pläne, die alte und die neue Stadt durch ein zwischen beiden gelegenes Zentrum miteinander zu verbinden, werden vorerst, wenn sie je realisierbar sein sollten, nicht zu verwirklichen sein. Die Gemeinde Balfouriyya, zu der der hierzu erforderliche Baugrund gehört, hat nach einigem Hin und Her, jedoch nicht ohne Unterstützung der an einer Erhaltung landwirtschaftlicher Böden interessierten Stellen, mit der Pflanzung der Orangenplantagen ein Fait accompli geschaffen, das so leicht nicht aus der Welt zu räumen ist. Überdies: ein Zentrum, oder ein einigermaßen verdichtetes Wohngebiet, oder auch nur Sportanlagen, wie sie ebenfalls vorgeschlagen wurden, von rund 3 km Länge würden nur auf der Basis einer Gesamtbevölkerung möglich sein, die heute und vermutlich auch in Zukunft weit über alles, was durch die wirtschaftliche Basis der Stadt gerechtfertigt ist, hinausgeht. Städtebaulich gesehen, ist also auf absehbare Zeit hinaus weder mit einem spontanen noch mit einem planmäßig lenkbaren Zusammenwachsen der beiden Stadt-Teile zu rechnen.

Die Bevölkerung

Ein solches Zusammenwachsen ist um so weniger zu erwarten, als die Einwohnerzahlen seit geraumer Zeit stagnieren bzw.

to reserve for industrial purposes a site that has the most striking scenic advantages, broadly overlooking town and valley, but here, as often, the wishes of influential investors offering employment for many inhabitants, created their own laws. A short distance beyond, also on the left hand side of the road, the first of the new residential areas appears, again originally mostly small-holdings, but today predominantly two- and four-family houses with gardens. Apart from a small group of shops, this quarter, which has approximately 3000 inhabitants, has no focal point.

In a sharp bend to the right, the road now turns off the main route, and with one or two serpentines up the hill, reaches Upper Afula proper, with a further 7000 inhabitants. Right from the beginning, densities were much higher here, with many two-storey row and terrace houses and three-storey blocks, and recently a series of eight-storey point blocks cleverly built on the valley side of the road, their silhouette, seen for instance from Nazareth, giving the new town a modern and relatively compact character. Apart from another row of houses differing from the usual types by trying a kind of synthesis of European and Oriental elements, there is a good-looking shopping centre which at the moment, however – is still restricted to a few shops for daily needs and to some community services. The administration, banks and other central functions are concentrated in the lower town. A larger centre, at the same level, but somewhat further south, is being planned and an approach road is already being built. The built-up area stretches nearly 1000 feet up the slopes; ample reserves for additional residential areas are further up the hill.

Even without exhaustive analysis, it will be clear that such a division, if not scattering of area and population must be a heavy burden for the overall development of the town. Occasional plans to unite the old with the new town by a commercial and administrative centre lying between them, will be hard to carry out for some time to come, and may never materialize. The land needed for such plans belongs to Balfouriyya, which, after some discussions and with the help of the bodies entrusted with the preservation of agricultural land, planted it with orange groves, thus creating a fait accompli difficult to do away with. Besides, a centre or a reasonably densely built residential area, or even sports grounds, as has been suggested recently, all approximately 2 miles in length, would only be possible with a total population going far beyond anything which – today and even in the foreseeable future – would be justified by the economic basis of the town. Thus, from the town planning point of view, it seems entirely unrealistic to count on either a spontaneous or a planned merging of the two parts of the town.

The Population

Such a merger is even less likely now, since the number of inhabitants has stagnated for some considerable time, that

Einwohnerzahlen / Population figures

1948	2 504
1950	6 200
1952	9 600
1954	10 000
1956	11 900
1958	13 200
1960	13 800
1962	15 000
1964	16 600

weit weniger zunehmen, als durch das natürliche Wachstum und die immer wieder, wenn auch nicht sehr zahlreich eingewiesenen Neueinwanderer gegeben wäre.[1] Die Abwanderung muß also beträchtlich sein, und zwar aus der alten wie aus der neuen Stadt. Die demographischen Unterschiede sind, da auch das untere Afula nach der Staatsgründung kräftig mit Neueinwanderern aufgefüllt wurde, weniger einschneidend, als man vielleicht hätte annehmen können. Von den heutigen Einwohnern der alten Stadt sind 37,1% im Lande geboren, von denen der neuen 31,4%.[2] Unter den Eingewanderten sind in der neuen Stadt allerdings 95,9% erst nach 1948 ins Land gekommen, in der alten nur — aber immerhin — 75,7%. Entsprechend differiert der Anteil an Orientalen, der oben 60,4%, unten nur 40,2% erreicht. Trotzdem ist, im Vergleich zu anderen Neugründungen, das europäische Element auch in Afula Illit mit 33,3% relativ stark vertreten. Im ganzen sind Unterschiede zwar deutlich sichtbar, aber nicht so entscheidend, daß auch von hier aus eine unüberbrückbare Kluft zwischen Alt- und Neustadt aufgerissen wäre. Daher ist, obwohl die städtische Führungsschicht aus traditionellen Gründen größtenteils in der alten Stadt ansässig (und begütert) ist, auch das soziale Gefälle zwischen unten und oben relativ gering. Zwar besteht eine gewisse Neigung, vom Hang in die Ebene zu ziehen, weil sich die meisten Arbeitsstätten dort befinden und auch für die auswärts Beschäftigten die Verkehrsverhältnisse günstiger sind; doch hat auch die obere Stadt wegen der besseren klimatischen Bedingungen und der Möglichkeit, eher ein Grundstück zu erhalten, ihre Anziehungskraft. Es ist also nicht so, daß, wer oben zu Geld gekommen ist, nach unten zieht. Wer in Afula, ob oben oder unten, zu Geld kommt, zieht nach Haifa oder gar nach Tel Aviv, wie es ein angesehener Bürger etwas resigniert ausdrückte — der aber selbst bereits ein Grundstück in Haifa erworben hatte.

Beschäftigung und Industrie

Dabei lassen Beschäftigungslage und -struktur — im Vergleich etwa zu Qiryat Shemona — wenig zu wünschen übrig. Bei etwa gleicher Einwohnerzahl waren im Durchschnitt des Jahres 1964 nur 127 Personen mit Notstandsarbeiten beschäftigt, auch junge Leute finden im allgemeinen Arbeitsplätze in der Stadt. In der Landwirtschaft arbeiteten nur 8,2% aller Beschäftigten, davon etwa die Hälfte ständig, die Hälfte saisonal, in Industrie und Handwerk 25,5%, davon allerdings ein gutes Drittel in den Industriebetrieben der umliegenden Kibbutzim, im Baugewerbe 14,3%. Auffallend dicht besetzt ist der Dienstleistungssektor (34,5%), eine Folge der verschiedenen Afula als Bezirkshauptstadt zufallenden öffentlichen Funktionen, nicht zuletzt des regionalen Krankenhauses, das allein 350 Personen beschäftigt.[3] Auch hier spielen innerhalb der örtlichen Industrie Textilbetriebe die größte Rolle, und zwar eine erst 1961 mit peruanischem Kapital gebaute Wollspinnerei und -weberei, eine Jerseystrickerei und eine Fabrik für Nylonstrümpfe, die zusammen mehr als 850 Arbeiter und Angestellte beschäftigen. Von Bedeutung ist daneben nur noch die Zuckerfabrik, nach der von Qiryat Gat die größte im Lande, von deren 290 Arbeitsplätzen jedoch 140 nur saisonal besetzt sind. Geplante

is, has increased much less than could have been expected from the natural increase and the influx of new immigrants, sent continuously, though not numerously, to the town.[1] Accordingly, the exodus must be considerable, from both the old and the new town. The demographic differences are not as pronounced as might be assumed, as both Lower and Upper Afula have been filled up with new immigrants ever since the foundation of the State. Of the present inhabitants of the old town, 37.1% were born in the country; in the new town 31.4%.[2] In the new town, 95.9% of the immigrants had arrived in the country only after 1948, in the old town also as much as 75.7%. The proportion of Oriental Jews differs correspondingly: in the upper town it is 60.4%, in the lower town 42.2%. Nevertheless, in comparison with other new towns, the European element is rather strong, 33.3%. In general, though differences are evident, they are not of such decisive character as to result in an unbridgeable cleft between the old and the new town. Similarly, social differences between the upper and the lower town are relatively small, despite the fact that the urban upper class, for traditional reasons, lives (and owns land) largely in the old town. On the one hand, there is a certain tendency to move from the hill to the valley, where most of the places of work are situated and where, for those working outside Afula, transport facilities are more satisfactory. On the other hand, the upper town is not without attraction either, since it offers better climatic conditions, and the possibility of obtaining a parcel of land. Thus it can hardly be said that those who come into money in the upper town move down to the lower town; whoever comes into money in Afula moves to Haifa, or even to Tel Aviv, as it was expressed somewhat resignedly by a distinguished citizen — who himself had already bought a plot in Haifa.

Employment and Industry

Compared with Qiryat Shemona, the employment situation and structure leaves little to be desired. With an approximately similar number of inhabitants, during 1964 only an average of 127 persons were occupied on public relief work; young people, too, generally find work in the town. Only 8.2% of the labour force are engaged in agriculture, about half of them permanently, the other half seasonally; 25.5% are in industry and crafts, of these, however, a good third in the industrial enterprises of the surrounding Kibbutzim; and 14.3% are in the building industry. Exceptionally high is the number of persons employed in service industries (34.5%), presumably a consequence of the administrative functions of the town as Subdistrict capital and, not least, of the regional hospital which alone employs as many as 350 persons.[3] Here, too, among the local industries textile factories play the most important part, in the first place a spinning and weaving mill built with Peruvian capital in 1961, then a jersey knitting factory and a factory for nylon stockings, which between them account for more than 850 jobs. In addition to these, only the sugar factory is of any significance, apart from the one in Qiryat Gat the second in the country; of its 290 jobs, however, 140 are only

---

[1] Vgl. Tabelle 16, S. 34
[2] The Settlements of Israel, Part III, S. 30, 134/135. Die Abweichungen zwischen dem mittleren und dem eigentlichen Ober-Afula sind so gering, daß beide Stadtteile zusammengefaßt werden konnten.
[3] Vgl. Tabelle 22, S. 49. Bis auf einen etwas höheren Anteil an in Industrie und Handwerk Beschäftigten, der vor allem der Erweiterung der Textilfabriken zuzuschreiben ist, dürften sich die Zahlen seit der Volkszählung wenig verschoben haben.

[1] See Table 16, p. 34
[2] The Settlements of Israel, Part III, pp. 30, 134/135. Variations between middle and upper Afula proper are so insignificant that both parts have been considered together.
[3] See Table 22, p. 49. Apart from a somewhat higher proportion of employees in industry and crafts, resulting primarily from the extension of the textile factories, the figures should not have changed very much since the last census.

Geförderte Betriebe mit 10 und mehr Beschäftigten
(31. 12. 1964) [1]

	Be-schäftigte	Kapital (in 1000 IL)
Wollspinnerei und -weberei	430	17 381.0
Zucker	290 (140)	11 168.0
Jerseystrickerei	285	1 370.0
Nylonstrümpfe	140	1 320.0
Konfektion	40	32.0
Packhaus	40	350.0
Plastikartikel	35	220.0
Bäckerei	18	238.0
Baumaterial	15	60.0
Baumaterial	15	45.0
Mühle	12	82.0
Insgesamt	1 320	32 266.0

Approved Enterprises with 10 or more Employees
(31. 12. 1964) [1]

	Em-ployees	Capital (in 1000 IL)
Wool spinning and weaving	430	17 381.0
Sugar	290	11 168.0
Jersey knitting	285	1 370.0
Nylon stockings	140	1 320.0
Ready made clothing	40	32.0
Packing and grading	40	350.0
Plastic goods	35	220.0
Bakery	18	238.0
Building materials	15	60.0
Building materials	15	45.0
Mill	12	82.0
Total	1 320	32 266.0

Erweiterungen und Neubauten halten sich in bescheidenen Grenzen, so daß von hier aus nicht allzu große Impulse für ein weiteres Wachstum der Stadt zu erwarten sind. Angesichts der geringen Bedeutung des landwirtschaftlichen Sektors und der stabilen Dienstleistungen dürfte die Beschäftigung für die derzeitige Bevölkerung allerdings gesichert sein.

An sozialen und kulturellen Institutionen verfügt die Stadt, neben den beiden üblichen höheren Schulen, über eine landwirtschaftliche Fachschule, eine weitere Berufsfachschule und eine dem Krankenhaus angegliederte Krankenpflegeschule, bis auf die Krankenpflegeschule alle im unteren Afula gelegen. Alle diese Anstalten werden zu einem gewissen Teil auch von Schülern und Schülerinnen aus der ländlichen Umgebung besucht, allerdings nur aus Moshavim und Dörfern, die Kibbutzim bevorzugen hier wie überall ihre eigenen Ausbildungsstätten. Für kleinere Theateraufführungen steht wieder der Kinosaal zur Verfügung, andere kulturelle Veranstaltungen, Vorträge und Kurse im Rahmen der Erwachsenenbildung finden im Gewerkschaftshaus statt. Für anspruchsvollere Bedürfnisse ist Haifa kaum eine Autobusstunde entfernt.

Die Verteilung der Arbeitsplätze und Institutionen auf die alte und die neue Stadt läßt ein deutliches Übergewicht der alten erkennen. Von den größeren Beschäftigungsstätten sind die Wollspinnerei und -weberei und die Fabrik für Nylonstrümpfe am Hang gelegen, dazu das Krankenhaus. Die Mehrzahl der übrigen Betriebe, der Büros und Verwaltungsdienststellen, der Läden und vor allem der Vergnügungsstätten befindet sich jedoch in der alten Stadt. Sofern sie nicht sogar außerhalb beschäftigt sind, fahren die meisten Bewohner von Afula Illit täglich zur Arbeit ins Tal.

Trotz der Ungunst ihrer Lage dient die alte Stadt also nach wie vor als „City" — eine Tatsache, die sich besonders deutlich am frühen Freitagnachmittag, zur Hauptgeschäftszeit, zeigt, wenn die hübsche neue Ladengruppe am Hang wie ausgestorben daliegt, während man sich, ob von oben oder unten, zahlreich in den kleinen Geschäften und Cafés des alten Zentrums begegnet. Statt sich zurechtzuschrumpfen und die zukünftige Entwicklung der neuen Stadt zu überlassen, hat die alte ihre Chance wahrgenommen und die schon bestehenden Funktionen durch die administrative, kommerzielle und kulturelle Versorgung der neuen Stadtteile erheblich erweitert. Vielleicht vermag das geplante größere Zentrum auch für Afula Illit einen eigenen Schwerpunkt zu schaffen — vorläufig stehen selbst zwischen den wenigen bisherigen Geschäften noch Läden leer.

seasonal. At the moment, extensions or new establishments under construction or under planning are of a very modest scale, so that from this angle there is hardly any great impulse for further growth of the town to be expected. In view of the small proportion of workers engaged in agriculture and the rather stable services (administration, hospital), employment for the existing population should at any rate be assured.

In terms of social and cultural institutions the town has the usual two secondary schools, an agricultural school, another vocational school, and a nursing school attached to the hospital, except for the nursing school all situated in lower Afula. To a certain extent all these institutions are attended also by students from the adjoining rural areas, mostly from the Moshavim and villages; the Kibbutzim prefer, here as everywhere else, their own educational facilities. For smaller theatre performances the cinema hall is available; other cultural events, lectures, adult education courses and the like are accommodated in the Trade Union House. For more ambitious demands Haifa is hardly more than an hour away.

The distribution of places of employment and institutions between the old and the new town shows a clear preponderance of the old town. Of the more important establishments only the spinning and weaving mill and the factory for nylon stockings are located upon the hill. The majority of the remaining firms, offices and administrations, the shops and in particular all places of entertainment have their place in the old town. As far as they are not employed outside the town, most of the inhabitants of Afula Illit travel daily downhill for their work.

Despite all the disadvantages of its location, the old town still serves as a kind of "city" — a fact becoming particularly evident on a Friday afternoon (the main shopping time), when the attractive new shopping centre up on the hill is deserted while people from both the upper and the lower towns meet numerously in the small shops and cafés of the old centre. The old town, instead of duly shrinking and leaving future development to the new town, has made the most of its chance and expanded considerably, not least by taking over administrative, economic, social and cultural functions for its annex up on the hill. Possibly the large new centre planned for Afula Illit may create a focus of its own — for the time being even the few existing shops are difficult to let.

[1] Bericht über die Industrialisierung der Entwicklungsgebiete, a. a. O., S. 17

[1] Ministry of Commerce and Industry: Report on the Industrialization of Development Regions, op.cit., p. 17

Stadt und Region

Trotz der Vervielfachung seiner Bevölkerung seit der Staatsgründung haben sich die wirtschaftlichen, sozialen und kulturellen Bande, die Afula mit seinem Hinterland verknüpfen, kaum vermehrt. Abgesehen von den administrativen Funktionen, die die Stadt als Sitz der Bezirksverwaltung innehat, ist sie nach wie vor isoliert. Keiner der ganz oder teilweise im Emeq Yizre'el gelegenen Kreise hat seinen Schwerpunkt in Afula. Auch der Kreis Yizre'el, dessen Gebiet die Stadt auf fast allen Seiten umschließt, hat es vorgezogen, sich bei Tel Adashim, kaum 5 km entfernt, sein eigenes kleines Verwaltungs- und Kulturzentrum zu schaffen. Die anderen Kreise haben ihre Zentren in oder bei Nahalal (Qishon), En Harod (Gilboa) oder südwestlich Mishmar HaEmeq, schon außerhalb des Tales (Megiddo), jeweils also auf dem flachen Lande. Auch ist es nicht gelungen, irgendeine der regionalen Industriezonen unmittelbar mit der Stadt zu verbinden.[1] Die Verarbeitung landwirtschaftlicher Produkte in Afula selbst beschränkt sich auf die Zuckerfabrik und auf einige kleinere Mühlenbetriebe und Getreidesilos in der unteren Stadt. Dafür ist die Industrialisierung des ländlichen Hinterlandes weit fortgeschritten. Ein großer Teil der Kibbutzim hat bedeutende Industrien aufgebaut: der im Zuge der deutschen Einwanderung gegründete Kibbutz Hazorea eine Möbelfabrik, Merhavia eine Fabrik für Plastikröhren, Bet Alfa für Thermostaten, Mizra für hydraulische Pressen, um nur einige zu nennen; dies alles neben der Verarbeitung eigener oder regionaler Produkte in Baumwollentkernungsanlagen, Geflügelschlächtereien, Konserven- und Fleischfabriken und Bäckereien oder Dienstleistungsbetrieben wie Pack- und Kühlhäusern, Service-Stationen und Reparaturwerkstätten.

Beispielhaft ist in dieser Hinsicht das Industriegebiet, das sich in und um die drei Kibbutzim En Harod (Ihud), En Harod (Me'uhad)[2] und Tel Yosef und den unmittelbar angrenzenden Sitz des Kreisrates von Gilboa gebildet hat. In unterschiedlichem Besitz, aber in dichter räumlicher Nachbarschaft haben sich hier angesiedelt:

Besitzer	Produktion	Beschäftigte (1962)
En Harod Ihud	Kücheneinrichtungen aus rostfreiem Stahl	83
En Harod Ihud	Möbelschreinerei	24
En Harod Ihud	Packpapier und Papierbedruckerei	4
En Harod Me'uhad	Geräte aus rostfreiem Stahl	82
En Harod Me'uhad	Kistenschreinerei	31
Tel Yosef	Landwirtschaftliche Maschinen	4
Tel Yosef	Druckerei	25
Tel Yosef	Taschenlampen	4
Kreis Gilboa	Geflügelschlächterei und -verpackung	60—65
Kreis Gilboa	Packhaus für Grapefruit	10 ständig 100 Saison
Kreis Gilboa	Service-Station und Reparaturwerkstätte für schwere Maschinen	15

[1] In letzter Zeit konnte dafür wenigstens ein Teil der regionalen Betriebe des Kreises Qishon in der unmittelbaren Nachbarschaft einer anderen Neugründung – Migdal HaEmeq – konzentriert werden.

[2] Der alte Kibbutz En Harod hatte sich 1952 aus ideologischen Gründen geteilt und verschiedenen Verbänden, eben Ihud Hakevutzot ve'Hakibbutzim und Hakibbutz Hame'uhad, angeschlossen.

Town and Region

Although the population has increased considerably since the foundation of the State, the economic, social and cultural ties connecting Afula with its hinterland have scarcely been strengthened. Apart from its administrative functions as seat of the sub-district offices, the town is still isolated. None of the regional councils have their centre in Afula, whether they are situated entirely or only partly in the Emeq Yizre'el. Even the region of Yizre'el itself, surrounding the town on all sides, has preferred to create its own little administrative and cultural centre in Tel Adashim, hardly three miles away. The other regions have their centres either in or near Nahalal (Qishon), En Harod (Gilboa), or south-west of Mishmar HaEmeq, already beyond the valley (Megiddo), in each case in the open country. Attempts to combine one of the regional industrial zones with the town have not been successful.[1] The processing of agricultural goods in Afula is restricted to the sugar factory and to one or two smaller mills and granaries, all situated in the lower town. The industrialization of the rural hinterland, on the other hand, has made considerable progress. A large number of Kibbutzim have set up important industries: the Kibbutz Hazorea, founded in the course of the German immigration, a furniture factory, Merhavia a factory for plastic pipes, Bet Alfa for thermostats, and Mizra for hydraulic presses, to name but a few; all this in addition to the processing of local or regional products in cotton gins, poultry slaughter houses, canneries, meat and sausage factories, bakeries, and to the usual services such as packing and grading, cold storage, tractor and service stations etc.

Noteworthy in this respect is the industrial centre grown up around the three Kibbutzim En Harod (Ihud), En Harod (Me'uhad), and Tel Yosef and the immediately adjoining seat of the regional council of Gilboa.[2] In various ownerships but in close vicinity there are the following factories:

Owner	Production	Employed Persons (1962)
En Harod Ihud	Stainless steel kitchen furnishings	83
En Harod Ihud	Furniture	24
En Harod Ihud	Packing-sheets, paper printing	4
En Harod Me'uhad	Stainless steel tools	82
En Harod Me'uhad	Manufacture of boxes	31
Tel Yosef	Agricultural machinery	4
Tel Yosef	Printing	25
Tel Yosef	Flash-lamps	4
Gilboa Regional Council	Poultry slaughtering and packing	60—65
Gilboa Regional Council	Heavy equipment service and repair station	15
Gilboa Regional Council	Grapefruit packing	10 regular 100 seasonal
Gilboa and Bet She'an Regional Councils	Transport cooperative (70 20—30 tn. lorries)	113
Gilboa Regional Council and others	Canning of olives	13
TNUVA	Dairy, collecting point for agricultural produce	144 regular 404 seasonal

[1] Recently at least some of the regional enterprises of the Qishon region could be concentrated in the immediate neighbourhood of one of the other new towns, Migdal Ha'Emeq.

[2] In 1952, for ideological reasons the old Kibbutz En Harod has split in

Kreis Gilboa und Kreis Bet She'an	Transportunternehmen mit 70 Lastwagen (20—30 to)	113
Kreis Gilboa und andere	Olivenkonservierung	13
TNUVA	Großmolkerei, Sammelstelle für landwirtschaftliche Produkte	144 ständig 404 Saison

Außerdem die Wasser-Genossenschaft der Region, die zwar nur wenige Personen beschäftigt, aber einen erheblichen wirtschaftlichen Einfluß besitzt. Nimmt man noch die Geschäftsstelle des Kreisrates mit ihren 15 bis 20 Angestellten hinzu, so hat sich hier im Laufe der Zeit ein Wirtschafts- und Beschäftigungspotential konzentriert, wie es unter anderen als israelischen Verhältnissen zweifellos den Ansatzpunkt für eine städtische Agglomeration bilden würde — und wie es in seiner Vielseitigkeit und festen Verankerung in den Produkten und Bedürfnissen der unmittelbaren ländlichen Umgebung zweifellos weniger krisenempfindlich ist als die Textilbetriebe der Stadt. Dabei scheint es nicht ausgeschlossen, daß bei größerer Aufmerksamkeit der eine oder andere dieser Betriebe, vor allem die Gemeinschaftsunternehmungen mehrerer Siedlungen, nach Afula hätte wandern können; nicht immer haben die Städte den Unternehmungsgeist und die Phantasie, vorhandene Chancen zu entdecken und auszunutzen.

Auch wenn ein ähnliches Ausmaß regionaler Initiative in den anderen Kreisen nicht zu finden ist, so sind sie darum nicht mehr auf die wirtschaftlichen und kulturellen Dienste der Stadt angewiesen. 50 % bis 70 % ihrer Bewohner leben in Kibbutzim und verfügen kaum über individuelle Kaufkraft, und auch die Mitglieder der großen alten Moshavim decken ihren Bedarf entweder in ihren eigenen Genossenschaftsläden oder in Haifa. Lediglich die Neusiedler aus dem Ta'anakh-Gebiet und einige arabische Bauern kommen regelmäßig nach Afula, um ihre Erzeugnisse zu verkaufen und ihre wöchentlichen Besorgungen zu erledigen.

Das Ta'anakh-Gebiet, etwa 7 km südlich Afula gelegen, mit einer Fläche von 6000 ha und einer geplanten Bevölkerung von 2500 bis 3000 Menschen, war daher nicht zuletzt als Ersatz für das bisher fehlende Hinterland gedacht und in seiner Konzeption auf die Stadt als wirtschaftliches und soziales Zentrum ausgerichtet.[1] Nur die täglich benötigten Dienste sollten in kleinen, zwischen je drei Dörfern gelegenen ländlichen Zentren bereitstehen. Die Neueinwanderer, vorwiegend orientalischer Herkunft, die dort angesiedelt wurden, verfügten jedoch lange Zeit über zu wenig Kaufkraft, als daß ihre Ankunft für die Stadt einen spürbaren Aufschwung mit sich gebracht hätte; erst mit dem Heranwachsen der frischgepflanzten Citruskulturen kommen sie zu größerem Wohlstand und tragen in der Tat das Ihre zu einer gewissen Belebung des Warenumschlags bei.

Im allgemeinen jedoch haben sich die soziologischen und demographischen Unterschiede zwischen Afula und dem Emeq Yizre'el durch die Auffüllung der Stadt mit afrikanischen und asiatischen Einwanderern nur verstärkt. Trotz seiner nun vierzigjährigen Geschichte gewinnt der Ort mehr und mehr den Charakter einer Neueinwandererstadt — die umliegenden Kreise

In addition, there is the water cooperative for the region which, although employing only a few people, exerts considerable economic influence. If the offices of the Regional Council with 15 to 30 employees are also included, it is all too obvious that gradually an economic and employment potential has concentrated here, which, under conditions other than Israeli ones, would certainly form the nucleus of an urban agglomeration and which, in its diversity and solid basis in the products and needs of the immediate neighbourhood, is far less prone to economic crises than are the textile factories of the town. Yet it does not seem to be out of the question that, if only more careful watch had been kept, at least some of these enterprises — in particular the joint projects of several settlements — could have been attracted to Afula; not always do the towns have the enterprise and imagination to explore existing chances and to make the most of them.

Even if the other regional councils do not show a similar amount of regional initiative, they are no more dependent, economically or culturally, on the services of the town. 50 % to 70 % of their inhabitants live in Kibbutzim and have scarcely any means of their own to spend, and also the members of the big old Moshavim meet most of their needs either in their own cooperative shops, or in Haifa. Only the new settlers from the Ta'anakh area and a few Arab farmers come regularly to Afula to sell their products and to make their weekly purchases.

The Ta'anakh region, situated approximately 4 miles south of Afula, with an area of 15 000 acres and a target population of 2500 to 3000, was expressly designed as a compensation for the missing hinterland, and in its structure and organization was orientated economically and socially towards the town.[1] Only daily needs were to be supplied by small rural centres, situated one between every three villages. For a long time, however, the new immigrants, predominantly of Oriental origin, who had been settled there, had too little spending power for their arrival to influence the development of the town; only with the maturing of the freshly-planted citrus groves will they acquire greater wealth and in fact may help to stimulate the urban market.

On the whole, however, the sociological and demographic differences between Afula and the Emeq Yizre'el have been rather accentuated by filling the town with immigrants of African and Asian origin. Despite its now forty years, Afula gives more and more the impression of a new immigrant town, while the sorrounding regions are among the oldest and richest in tradition in the State. Yizre'el, for instance, has the highest proportion of Israeli born settlers in the country, 52.3 %, and nearly all of them, as well as those who have come later, are of European origin. In the other regions the situation is similar. Even in Gilboa, which includes the Ta'anakh settlements, more than half of those who have not yet been born in the country, came from Central and Eastern Europe. Together with the regions round the Sea of Galilee and the southern Jordan valley, the Emeq Yizre'el constitutes, socially and culturally, one of the strongholds of the old "Yishuv" and is looked upon with pride and reverence, people coming from near and far to its meetings and festivities. The Museum of

two parts which have joined different associations, i.e., Ihud Hakevutzot ve'Hakibbutzim and Hakibbutz Hame'uhad.

[1] Vgl. State of Israel: International Seminar Conference on Housing, 4th—31st May 1960. S. 92 ff. H. Darin-Drabkin: Patterns of Cooperative Agriculture in Israel, a. a. O., S. 222/223

[1] Cf. State of Israel: International Seminar Conference on Housing, 4th—31st May, 1960, pp. 92 ff.; H. Darin-Drabkin: Patterns of Cooperative Agriculture in Israel, op. cit., pp. 222/223

dagegen gehören zu den ältesten und traditionsreichsten des Staates. Yizre'el zum Beispiel weist mit 52,3% den höchsten Anteil an geborenen Israelis im Lande auf, und fast alle diese wie auch die überwiegende Mehrzahl der später Hinzugekommenen sind europäischen Ursprungs. In den anderen Kreisen liegen die Verhältnisse ähnlich. Auch in Gilboa, zu dessen Gebiet die Ta'anakh-Siedlungen gehören, stammt noch immer mehr als die Hälfte der nicht im Lande Geborenen aus Mittel- und Osteuropa.

Zusammen mit dem Gebiet um den See Genezareth und dem südlichen Jordantal gehört das Emeq Yizre'el daher auch in sozialer und kultureller Beziehung zu den Hochburgen des „Yishuv", auf die jedermann mit Stolz und Hochachtung blickt und zu deren Festen und Veranstaltungen man von nah und fern zusammenkommt. Das Museum antiker und fernöstlicher Kleinplastik in Hazorea, das auch ausgezeichnete Wechselausstellungen veranstaltet, die heimatkundliche Sammlung in En Harod, das Schul- und Erziehungszentrum in Mishmar HaEmeq — all dies hat großstädtisches Niveau. Auch die Gastspiele Tel Aviver Bühnen in den Amphitheatern in Nahalal oder En Harod, etwa mit Dürrenmatts „Besuch der Alten Dame" oder Frischs „Physikern", erfüllen jeden Anspruch. Auch der kulturelle Alltag läßt kaum etwas zu wünschen übrig. Von den 17 Kibbutzim des Tales haben 12 höhere Schulen, teils für sich allein, teils gemeinsam mit benachbarten Siedlungen gleicher Richtung. Jeder Kibbutz hat seinen Gemeinschaftssaal für Kino und Theater, Vorträge und Diskussionen. Das Kulturzentrum des Kreises Yizre'el enthält ein gutes kleines Heimatkundemusum, das auch laufend mit Wanderausstellungen beschickt wird, dazu Räume für Zeichenunterricht, Volkstanz und Laienspiele. Auch diese lokalen Veranstaltungen bewegen sich durchaus nicht auf dörflicher oder kleinstädtischer Ebene, sondern entsprechen — dank dem hohen Bildungsstand und den vielseitigen Interessen der Kibbutzmitglieder, die enge Bande zu Verwandten und Freunden in aller Welt unterhalten — eher großstädtischen Zirkeln. Hier werden Maßstäbe gesetzt, an deren Erreichung die neuen Städte auch auf längere Sicht hin

Antique and Far Eastern Sculpture in Hazorea, which also offers excellent exhibitions, the Folklore Museum in En Harod, and the school and educational centre of Mishmar HaEmeq, all reach a standard usually found only in big cities. The guest performances of Tel Aviv ensembles in the open-air theatres of Nahalal or En Harod, presenting, for instance, Dürrenmatt's "Visit of an Old Lady", or Frisch's "The Physicists" satisfy the most ambitious demands. Neither is anything missing from everyday cultural life. Of the 17 Kibbutzim in the valley, 12 maintain secondary schools, partly only for themselves, partly together with neighbouring settlements of similar outlook. Every Kibbutz has its community hall for cinema and theatre, lectures and discussions. The cultural centre of the Yizre'el Regional Council contains a carefully selected little folklore museum regularly presenting also touring exhibitions, and it has ample room for drawing lessons, folk dancing and amateur theatre. Thanks to the high standard and the many-sided interests of the Kibbutz members who maintain close relationships with friends and relatives all over the world, such local events are far beyond the typical village or small town level. The standards set here are such that — even for a considerable time to come — they can hardly be reached by the new towns, and that they still serve as constant stimulus and example to the big old cities.

The superiority is so unequivocal and undeniable and is acknowledged so far beyond the valley that opposition or even antagonism as, for instance, between Qiryat Shemona and the Regional Council of Upper Galilee, is difficult to conceive. Besides, the Emeq Yizre'el is larger and less clearly defined, and town and region are less dependent on each other. Other towns along the northern and southern boundaries of the valley, which have grown up during the last few years, such as Migdal HaEmeq, Yoqneam and the new Nazareth, help to spread the polarity between town and region over a broader basis. Finally, a certain lack of vitality which Afula has always suffered from and which made it peacefully accept its modest fate, may have passed over to the new town.

Tabelle 29 | *Table 29*
Einwanderungsdatum und Herkunftsländer der jüdischen Bevölkerung im Emeq Yizre'el 1961
Jewish Population in the Emeq Yizre'el, by Period of Immigration and Countries of Origin, 1961

| | Afula | | Kreis Regional Council | | | | | | | |
| | | | Qishon | | Megiddo | | Yizre'el | | Gilboa | |
	abs./No.	%	abs./No.	%	abs./No.	%	abs./No.	%	abs./No.	%
In Israel geboren *Born in Israel*	4 652	33.7	3 466	50.3	2 502	46.7	2 304	52.3	4 082	47.3
Eingewandert *Immigrated*	9 168	66.3	3 419	49.7	2 852	53.3	2 098	47.7	4 543	52.7
Insgesamt *Total*	13 820	100.0	6 885	100.0	5 354	100.0	4 402	100.0	8 625	100.0
Datum der Einwanderung *Period of Immigration*										
vor 1948 *up to 1948*	1 070	11.7	1 801	52.6	1 108	38.8	1 140	54.3	1 681	37.0
seit 1948 *since 1948*	8 098	88.3	1 618	47.4	1 744	61.2	958	45.7	2 862	63.0
Herkunftsländer *Countries of Origin*										
Europa *Europe*	3 746	40.8	2 588	75.7	1 531	53.6	1 637	78.0	2 274	50.1
Asien/Afrika *Asia/Africa*	4 837	52.8	562	16.4	911	32.0	163	7.8	1 986	43.7
Anderes und unbekannt *Other Countries and Unknown*	585	6.4	269	7.9	410	14.4	298	14.2	283	6.2

Quelle/Source: The Settlements of Israel, Part III, pp. 30, 134; Demographic Characteristics of the Population, Part II, pp. 108/109, pp. 144—153

nicht denken können, die aber auch den großen alten Städten noch immer als Vorbild und Anregung dienen.

Die Überlegenheit ist so eindeutig, unbestritten und weit über das Tal hinaus anerkannt, daß ein Aufbegehren oder gar ein Antagonismus — wie etwa zwischen Quiryat Shemona und dem Kreis Ober-Galiläa — kaum denkbar ist. Auch ist das Gebiet weiter, weniger genau umrissen, das Aufeinanderangewiesensein weniger spürbar. Andere Städte am Rande des Tales, die in den letzten Jahren herangewachsen sind — Migdal HaEmeq, Yoqneam und das neue Nazareth —, verteilen die Polarität zwischen Stadt und Land auf eine breitere Basis. Auch ein gewisser Mangel an Vitalität, der Afula von eh und je anhaftete und zur Selbstbescheidung bestimmte, mag auf die neue Stadt übergegangen sein.

In jedem Falle sind die Aussichten nicht sehr günstig. Die geringe Entfernung von Haifa, das für die westlich gelegenen Siedlungen in kaum einer halben Stunde zu erreichen ist und bei fortschreitender Motorisierung noch näherrücken wird, läßt eine entscheidende Stärkung der wirtschaftlichen und sozialen Zentralfunktionen auch bei wachsendem Wohlstand nicht erwarten. Gleichzeitig erwächst der Stadt in dem neuen, nur 12 km entfernten jüdischen Nazareth eine deutliche Konkurrenz — weniger um die Gunst des Hinterlandes, dessen Vertreter dort außerhalb der Distriktsverwaltung ebensowenig anzutreffen sind wie in Afula, als um die Verteilung der öffentlichen Hilfen und Mittel. Von Mai 1961 bis Ende 1964 hat Afula seine Bevölkerung um 20,3 % erhöht, Nazerat Illit um 130 %. Und während in Nazerat eine Reihe großer neuer Betriebe im Bau und weitere geplant sind — in den nächsten Jahren sollen dort mehr als 2000 zusätzliche Arbeitsplätze entstehen —, liegen für Afula nur wenig Anträge vor. Der schnelle Aufbau eines starken jüdischen Zentrums in unmittelbarer Nachbarschaft der größten arabischen Stadt des Landes genießt Priorität.

Hinzu kommt, daß mit der Errichtung der Neustadt am Hang eine Situation geschaffen ist, deren konsequente Überwindung ebenso schwerwiegender wie unpopulärer Entscheidungen bedürfte. Ist einmal klar, daß mit einem Zusammenwachsen der beiden Stadt-Teile auf absehbare Zeit hinaus nicht zu rechnen ist — und jede nüchterne Analyse muß zu diesem Schluß kommen —, so schiene eine klare Trennung die beste Lösung. Diese würde aber für die untere Stadt eine schmerzhafte Amputation bedeuten, die den bescheidenen Aufschwung der letzten Jahre wieder gefährdete, und für die obere die Notwendigkeit, erhebliche Mittel in den Aufbau auch nur einer eigenen Verwaltung zu investieren. So wird der Status quo, so unglücklich und wenig zukunftsweisend er ist, erhalten bleiben — zumal keine akuten Probleme, keine drohende Arbeitslosigkeit, keine verdrossene Bevölkerung nach einer schnellen Lösung drängen. Inwieweit Afula in späterer Zeit noch einmal eine Chance als Satellitenstadt eines noch mehr als bisher über seine Ufer tretenden Haifa erhält oder aber von der Ausstrahlung des vergrößerten Nazareth profitiert, kann heute noch nicht übersehen werden.

On the whole, the prospects are not too favourable. The short distance to Haifa, which can be reached from the western settlements in less than half an hour (and with increasing motorization will even come nearer) implies that a decisive strengthening of the economic and social functions is hardly to be expected, even if the standard of living rises. At the same time, there arises strong competition from the new Jewish Nazareth only 7 1/2 miles away, less a competition for the favours of the hinterland the representatives of which are not to be met there (outside the district administration) any more than in Afula, but competition for the allocation of public help and means. During the period from May 1961 to December 1964, Afula's population has increased by 20.3 %, the population of Nazerat Illit by 130 %. And while in Nazerat Illit a number of large new factories are under construction or under planning — an additional 2000 jobs are envisaged for the next few years —, there are no such schemes for Afula. The speedy development of a strong Jewish centre in immediate proximity to the biggest Arab town of the country has definite priority.

Moreover, the location of the new town up on the hill has created a situation to be overcome only by difficult and unpopular decisions. Once it becomes obvious that for some considerable time there is no hope for the two parts to merge — and every objective analysis must come to this conclusion — a clear separation would be the best solution. For the lower town this, however, would mean a painful amputation jeopardizing the modest upswing of the last few years, and for the upper town it would imply the necessity of investing considerable means only to build up its own administration. Thus the status quo — however unsatisfactory and unfortunate it is — will remain, especially since there are no acute problems, no threatening unemployment and no grumbling population to force the issue. Whether at a later date, Afula will have another chance as a satellite town to Haifa, which is growing more and more beyond its present boundaries, or will profit from the influence of an enlarged Nazareth, is not yet to be foreseen.

Qiryat Gat

Unter allen neuen Städten Israels nimmt Qiryat Gat eine Sonderstellung ein, die ihm von Anfang an das Interesse der Regionalplaner und -forscher aus aller Welt sicherte. Ist es doch als erste und bisher einzige Stadt des Landes im Rahmen eines

Qiryat Gat

Amongst all the new towns in Israel Qiryat Gat occupies a privileged place which right from the beginning aroused the interest of regional planners and scientists from all over the world. Up to the present day it is the only town in the country

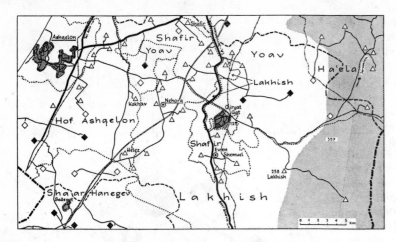

Qiryat Gat und das Lakhish-Gebiet
Qiryat Gat and the Lakhish region
Zeichenerklärung Seite 4
Key page 4

established within the framework of a both comprehensive and detailed regional plan. This plan was to achieve the intensive cultivation and settlement of a semi-arid area in the southern part of the country, which so far had been inhabited only by a few colonists and had otherwise been used as pasture land. After one of the Canaanite towns of Biblical times, it was given the name of Lakhish, just as Qiryat Gat itself was named after the old Philistine town, Gat, situated only a few miles to the east. The assumptions, methods, proceedings and results of this plan, which was carried out by the Settlement Department of the Jewish Agency with a staff of architects, engineers, agronomists, water and road engineers, have been described so often that they need not be recapitulated here in detail.[1] Our interest is limited to what is directly connected with the town of Qiryat Gat as the regional centre towards which the hierarchy of settlements was to be orientated.

ebenso umfassenden wie detaillierten Regionalplanes entstanden, der die intensive Kultivierung und Besiedlung eines semiariden Gebietes im südlichen Teil des Landes zum Ziel hatte, das bis dahin nur von wenigen Kolonisten bewohnt und im übrigen als Weideland genutzt worden war. Nach einer der kanaanitischen Städte biblischer Zeit erhielt es den Namen Lakhish, wie auch Qiryat Gat selbst auf die nur wenige Kilometer östlich der heutigen Stadt gelegene Philisterstadt Gat Bezug nimmt. Voraussetzungen, Methoden, Durchführung und Erfolg dieser Planung, die von der Siedlungsabteilung der Jewish Agency mit einem Stab von Architekten, Ingenieuren, Agronomen, Wasserwirtschaftlern und Straßenbauern durchgeführt wurde, sind oft genug beschrieben worden, als daß sie im einzelnen wiederholt werden müßten.[1] Hier interessiert nur, was in unmittelbarem Zusammenhang mit der Stadt Qiryat Gat als dem regionalen Zentrum, auf das die Hierarchie der Siedlungen ausgerichtet sein sollte, steht.

Das Lakhish-Gebiet

Obwohl Baumgruppen, Kaktushecken und weite Strecken Präriegrases Vegetationsmöglichkeiten erkennen ließen, war hier, ganz anders als im Norden, schon der Atem der Wüste spürbar. Karg und verlassen wie die Gegend noch vor wenigen Jahren gewirkt haben mag, waren jedoch die Voraussetzungen für eine intensive Besiedlung günstig. Im Westen ist das Gebiet eben und fruchtbar, im Osten leicht hügelig und als Weideland geeignet. Auch die Verkehrsverhältnisse sind gut. Die Hauptstraße von Tel Aviv nach Süden, nach Beer Sheva und dem Negev, führt mitten hindurch, ebenso eine der Verbindungen zwischen Ashqelon und Jerusalem. Die Entfernung nach Tel Aviv beträgt knapp 60 km, nach Beer Sheva 52 km, nach Jerusalem 55 km und nach Ashqelon, zur Küste, 20 km. Auch der im Bau befindliche Tiefwasserhafen Ashdod, der Ein-

The Lakhish Area

Although groups of trees, hedges of cacti, and wide stretches of prairie grass indicated vegetation, here, in contrast to the north, the spirit of the desert was already to be felt. Barren and deserted as the whole area may have appeared only a few years ago, nevertheless conditions for intensive settlement were favourable. To the west the region is level and fertile, towards the east it is gently undulating and suitable for pasture land. Communications are good. The main road from Tel Aviv southwards to Beer Sheva and the Negev, leads right through it, as does one of the routes connecting Ashqelon and Jerusalem. The distance to Tel Aviv is barely 38 miles, to Beer Sheva 33 miles, to Jerusalem 35 miles and to Ashqelon and the coast 12 1/2 miles. The deep water port of Ashdod, still under construction, which is to handle the import and export of goods from the south, is hardly 28 miles away. The railway from Tel Aviv to Beer Sheva, finally, completed in 1956, runs right down the entire length of the area.

The decisive factor preventing further development was shortage of water. Annual precipitation is at best 20 to 25 inches and is restricted to the winter months; there is no surface water, and so far no springs have been detected either. Any further cultivation and settlement was thus dependent on bringing in sufficient resources from other parts of the country. This requirement was met in 1955 when the so-called Yarkon line was completed, pumping every year 36 hundred million cubic feet of water from the coastal strip north of Tel Aviv to the South. The opening of this line was the starting-point for a project that right from the beginning enjoyed an exceptional amount of support and help from all government bodies, especially from Ben Gurion, Prime Minister of many years standing.

---

[1] Vgl. u. a.: Artur G l i k s o n : Two Case Studies of Rural Planning and Development in Israel, a. a. O., S. 22 ff. M. B l a c k and K. K. A b t : Economic Survey of Qiryat Gat. (Basic Research for the Planning of an Experimental Neighbourhood in Qiryat Gat. Coordinator of the Research: A. Glikson) March 1959 (Unveröffentlichtes Manuskript). H. D a r i n - D r a b k i n : Patterns of Cooperative Agriculture in Israel, a. a. O., S. 215–219. A. D o u d a i : Regional Planning and the Relation between the Rural Hinterland and the Urban Centre, in: State of Israel. International Seminar Conference on Housing. 4th – 31st May 1960. S. 94–99

[1] Cf. Arthur G l i k s o n : Two Case Studies of Rural Planning and Development in Israel, op. cit., pp. 22 ff. M. B l a c k and K. K. A b t : Economic Survey of Qiryat Gat (Basic Research for the Planning of an Experimental Neighbourhood in Qiryat Gat. Coordinator of the Research: A. Glikson), March 1959 (Unpublished Manuscript). H. D a r i n - D r a b k i n : Patterns of Cooperative Agriculture in Israel, op. cit., pp. 215–219. A. D o u d a i : Regional Planning and the Relation between the Rural Hinterland and the Urban Centre, in: State of Israel, International Seminar Conference on Housing, 4th – 31th May, 1960, pp. 94–99

und Ausfuhr für den Süden übernehmen wird, ist kaum 45 km entfernt. Schließlich kreuzt die 1956 fertiggestellte Eisenbahnlinie von Tel Aviv nach Beer Sheva ebenfalls das Gebiet in ganzer Länge.

Entscheidender Hinderungsgrund für eine weitere Erschließung war jedoch stets der Mangel an Wasser. Die jährlichen Niederschläge betragen höchstens 400 bis 500 mm und sind auf die Wintermonate konzentriert; Oberflächenwasser ist nicht vorhanden, auch größere Quellen wurden bisher nicht gefunden. Jede weitere Kultivierung und Besiedlung war daher abhängig von der Heranführung ausreichender Wassermengen aus anderen Teilen des Landes. Diese Bedingung wurde im Jahre 1955 durch die Fertigstellung der sogenannten Yarkon-Linie erfüllt, die jährlich etwa 100 Mill. m³ Wasser aus der Küstenebene nördlich Tel Aviv nach Süden pumpt. Sie gab den Startschuß für ein Projekt, das sich von vornherein in ganz besonderem Ausmaß der Unterstützung und Förderung aller Regierungsstellen, besonders des langjährigen Ministerpräsidenten Ben Gurion, erfreute.

Umfang und Grenzen des Planungsgebietes wurden fast ausschließlich durch wasserwirtschaftliche Gesichtspunkte bestimmt und durch einen Verwaltungsakt festgesetzt; natürliche Gegebenheiten irgendwelcher Art spielten nur eine geringe Rolle. Im Westen erstreckt es sich bis an die Sanddünen von Ashqelon, im Osten bis an das judäische Hügelland kurz vor der jordanischen Grenze. Im Norden und Süden sind die Linien weniger deutlich, sie verlaufen etwa 8 km nördlich und 10 km südlich der Stadt Qiryat Gat. Die Fläche wird mit 70 000 bis 75 000 ha angegeben, davon etwa 40 % guter landwirtschaftlicher Boden und 60 % Weideland. Inwieweit das ganze Gebiet wirklich als Hinterland Qiryat Gats anzusprechen ist, wird erst die Zukunft zeigen. Heute tendieren die westlichen Siedlungen noch nach dem für sie verkehrsmäßig wesentlich günstiger gelegenen Ashqelon, wo auch die Bezirksverwaltung ihren Sitz hat, und die nördlichen nach der alten Landstadt Rehovot.

Die Planung allerdings sieht eine strenge administrative, wirtschaftliche und kulturelle Rangordnung der Siedlungen, mit Qiryat Gat an der Spitze, vor, dazu eine Interdependenz von Produktion, Verarbeitung und Dienstleistungen, die Stadt und Land eng miteinander verbindet (vgl. Abb.). Die Größe der einzelnen Höfe wurde auf etwa 4 ha festgesetzt; jeweils 80 bis 100 Höfe sollten auf genossenschaftlicher Grundlage ein Dorf, also einen Moshav, bilden. Um den einzelnen Moshavim wirtschaftliche, soziale und kulturelle Dienste auf einer Ebene zu sichern, wie sie sie allein nicht leisten könnten, würden immer 4 bis 6 Moshavim mit zusammen 1500 bis 2000 Einwohnern ein kleineres Dienstleistungszentrum erhalten, das nicht mehr als 2 bis 3 km von den einzelnen Siedlungen entfernt sein, selbst aber keine Landwirtschaft betreiben sollte. Für die Moshavim selbst waren nur Kindergärten einschließlich der ersten Volksschulklasse, Synagogen, Stationen für Erste Hilfe, einfache Läden und die Büros der örtlichen Selbstverwaltung vorgesehen, für die Zentren dagegen vollständige Volksschulen, größere Ambulatorien mit fachärztlicher Betreuung und Säuglingsberatungsstellen, dazu ein Postamt, Garagen und Reparaturwerkstätten für landwirtschaftliche Maschinen, einige Handwerker, eine Art landwirtschaftliches Lagerhaus, aus dem kleinere Maschinen und Werkzeuge, Saatgut, Kunstdünger und dergleichen bezogen werden können, schließlich größere Läden für seltener benötigte Lebensmittel, Kleidung, Hausrat und andere Artikel des nicht unmittelbar täglichen Bedarfs. Das heute am weitesten entwickelte dieser Zentren, Nehora, ver-

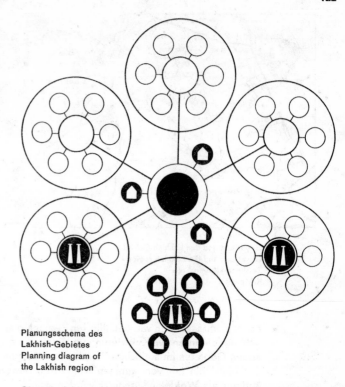

Planungsschema des
Lakhish-Gebietes
Planning diagram of
the Lakhish region

Size and boundaries of the planning area were determined almost exclusively by the available water supply, and were fixed by an administrative act; natural factors played only a secondary role. Towards the west it reaches as far as the sand dunes of Ashqelon, towards the east up to the Judean hills, just short of the Jordan border. To the north and to the south the lines are less clearly defined; they run approximately 5 miles north and 6 miles south of the town of Qiryat Gat. The size of the area is given as between 175 000 and 190 000 acres of which approximately 40 % is good agricultural soil and 60 % pasture land. In how far the whole area is in fact to be considered the hinterland of Qiryat Gat only the future can tell. Today the western settlements still tend towards Ashqelon which is in easy reach and where the sub-district administration has its seat, and the northern settlements towards the old country town of Rehovot.

Planning, however, provides for a rigid administrative, economic and cultural hierarchy of settlements, with Qiryat Gat right at the top, and for an interdependence of production, processing and services which is to bind town and country closely together (see diagram). The size of the individual farms was fixed at approximately 10 acres, 80 to 100 farms forming a village on a cooperative basis, i.e., a Moshav. In order to supply the individual Moshavim with economic, social and cultural services at a level they could not afford by themselves, every four to six Moshavim were to have a common rural service centre, not more than 1 to 1 1/2 miles distant from the individual settlements, and not engaging in agriculture itself. Within the Moshavim there were to be only kindergartens including the first primary school class, synagogues, first aid stations, small shops, and the offices of the local authorities. The rural centres, on the other hand, were to be supplied with complete primary schools, infants advisory clinics, health centres with visiting specialists, post offices, tractor and service stations, a few craftsmen, large stores for agricultural equipment, tools, seeds, fertilizers and the like, and, finally, shops for clothing, household goods and other

fügt außerdem noch über ein vielbesuchtes Gemeinschaftshaus mit Bücherei, Ausstellungs- und Vortragsräumen, Kino- und Theatermöglichkeiten, einen Jugendclub und Sportanlagen. Auch werden die landwirtschaftlichen Produkte der Umgebung dort gesammelt und weitergeleitet.

Etwa in der geographischen Mitte des Planungsgebietes gelegen, sollte Qiryat Gat in jeder Beziehung die übergeordnete Instanz des neuen Siedlungsraumes sein; und zwar einmal als Sitz des Planungsstabes, der auf lange Zeit hinaus als eine Art Entwicklungsbehörde dient und daneben die meisten administrativen Aufgaben in Lakhish wahrnimmt, bis zum Jahre 1958 auch den Vorsitzenden der städtischen Selbstverwaltung stellte, dann aber auch als Sammel- und Verarbeitungsstelle für alle regionalen Produkte, die, um der Stadt diese Funktionen zu sichern, von vornherein im Hinblick auf die industrielle Verwertbarkeit ausgewählt wurden. Baumwolle, Zuckerrüben, Erdnüsse und Ölsaaten spielen eine große Rolle, dazu Vieh- und Geflügelzucht. Die Citruspflanzungen, die im Westen vorherrschen, liefern allerdings direkt an die zentralen Sammelstellen der Küstenzone. Bei der Planung der Beschäftigung war nicht nur an die eigentlichen Stadtbewohner gedacht, sondern auch an die zweiten und dritten Söhne der Siedler, die auf dem elterlichen Hof keine Arbeitsmöglichkeiten finden würden, die ganz aus dem Familienverband und in die großen Städte zu entlassen jedoch der patriarchalischen Ordnung der überwiegend orientalischen Familien widersprach.

Schließlich sollte die Stadt noch als Handels-, Bank- und Einkaufsplatz für Güter höherer Ordnung dienen, als Sitz höherer allgemeiner und Fachschulen und solcher kulturellen Einrichtungen, die über die Möglichkeiten der ländlichen Zentren hinausgingen. Von der vorgesehenen Einwohnerzahl des gesamten Gebietes von 36 000 Menschen sollten rund 18 000 auf landwirtschaftliche Siedlungen, 4000 auf ländliche Zentren und 14 000 auf Qiryat Gat selbst entfallen.

Soweit der Plan. In den zehn Jahren seit Eröffnung der Yarkon-Leitung, die die Voraussetzungen zu seiner Durchführung schuf, ist er in erstaunlichem Ausmaß Wirklichkeit geworden. Die Siedlungen, die bereits zwischen 1948 und 1955 vor allem im Westen und Norden des späteren Planungsraumes entstanden waren, sind konsolidiert und durch die zusätzliche Bewässerung in ihrer Ertragskraft um ein Vielfaches gesteigert worden. 1955 und 1956 wurden 14 neue Siedlungen gegründet, in der Mehrzahl Moshavim. Aus der gleichen Zeit stammen die beiden ländlichen Zentren Nehora und Even Shemuel und eine Reihe staatlicher Versuchs- und Schulfarmen. Damit war die Besiedlung zunächst abgeschlossen, zur Zeit sind lediglich noch einige ländliche Zentren geplant.

Während in den schon vor 1955 gegründeten Ortschaften ungarische, rumänische und polnische Einwanderer in der Überzahl gewesen waren, kamen die neuen Siedler vorwiegend aus Nordafrika oder aus dem Vorderen Orient. Bewußt wurde dabei die Politik verfolgt, ethnisch homogene Gruppen – Kurden, Yemeniten, Perser, Marokkaner – geschlossen, d. h. in Moshavim für sich, anzusiedeln, größere Zusammenballungen gleicher Nationalitäten aber zu vermeiden. Da manche der orientalischen Gemeinschaften in großen Clans zu 40 bis 60 Kleinfamilien gekommen waren, wurde ihnen damit einerseits das Verbleiben im vertrauten Verband ermöglicht, andererseits durch den Verkehr mit andersartigen Nachbarsiedlungen und das Zusammentreffen in den ländlichen Zentren der Austausch und die Gewöhnung an die neuen Landsleute gefördert.[1]

¹ Über die vorbildliche landwirtschaftliche Schulung der meist aus anderen Berufen kommenden Neusiedler und ihre langsame Vorbereitung auf die selb-

articles of no immediate daily need. Nehora, today the most developed of these centres, also has a very popular community centre with library, exhibition and lecture rooms, facilities for film and theatre performances, a youth and a sports club. The agricultural products of the area are collected here and sent on to the big cities.

Situated approximately in the geographical centre of the planning region Qiryat Gat was to serve in every respect as the superordinate centre for the whole area; first of all as seat of the planning staff which for a considerable time acted as a kind of development authority, at the same time fulfilling most of the administrative functions in the region, as well as supplying, up to 1958, the chairman of the local council; then as a place for collecting and processing all regional products which right from the outset had been chosen with regard to their serving as raw material for local industries. Cotton, sugar beet, ground nuts and oil seeds are of great importance, as is cattle and poultry. Citrus fruit, however, grown mostly in the west, is sent directly to the central collecting points along the coast. When employment was first conceived, consideration was given not only to the inhabitants of the town but also to the second and third sons of the rural settlers who would not find work on their fathers' farms, but whom to let move from the fireside to the big cities would be in sharp contrast to the patriarchal pattern of the predominantly Oriental families.

Finally the town was to serve as trade, banking and shopping centre for more specialized goods, and as seat of secondary, vocational and technical schools and such cultural institutions as could not be provided by the rural centres. Of the anticipated total population of 36 000 inhabitants, 18 000 were to live in the agricultural settlements, 4000 in the rural centres, and 14 000 in Qiryat Gat itself.

So much for the plan. In the ten years since the opening of the Yarkon-line as the vital prerequisite for any further development, it has been realized to an amazing extent. The settlements which had already sprung up betwen 1948 and 1955, particularly in the west and in the north of the future planning region, are consolidated, and their yields have been increased many times by artificial irrigation. In 1955 and 1956, 14 new settlements were founded, most of them Moshavim. During the same period, the two rural centres Nehora and Even Shemuel, as well as a number of government research and school farms were established. With these, settlement was completed for the time being; at present only another two or three rural centres are being planned.

While in the places established before 1955 the inhabitants were mainly of Hungarian, Rumanian and Polish origin, the new settlers came mostly from North Africa and the Middle East. With these the policy was pursued to settle ethnically homogeneous groups – Kurds, Yemenites, Persians, Moroccans – in closed communities, that is, in Moshavim of their own, but to avoid larger concentrations of similar nationality. As some of the Oriental immigrants had come in large clans of 40 to 60 families, they were thus allowed to stay together in familiar surroundings and still were obliged to establish contacts with neighbouring settlements, whether by exchanging goods or services or by meeting in the community halls of the rural centres.[1]

¹ For further information on the exemplary agricultural schooling of new settlers coming mostly from other occupations, and their gradual preparation for independent farming, see Levy A r g o v : Rural Settlement in Israel. **Seminar** Conference on Housing, op. cit., pp. 116 ff.

Trotz der straffen Zentralisation der Planung und der zeitlichen Nachbarschaft der Gründungen ist der Aufbau der örtlichen Selbstverwaltung eigene und gelegentlich recht verschlungene Wege gegangen. Die Grenzen der Kreise, zu denen sich die Siedlungen zusammenschlossen, verlaufen denkbar unregelmäßig, greifen tief ineinander oder bilden Enklaven. Keiner dieser Kreise hat seinen Mittelpunkt in der Stadt. Die größte Einheit bildet der Kreis Lakhish selbst, mit Sitz in Nehora, der auch als einziger nicht über die Grenzen des Planungsraumes hinausreicht. Der Kreis Yo'av, dem die meisten Kibbutzim angehören, hat sein Zentrum in Mashmia, auf halbem Wege nach Rehovot, der Kreis Shafir, dem sich vor allem religiös orientierte Siedlungen angeschlossen haben, in dem gleichnamigen Moshav mit seiner Talmudschule. Die im Westen und Südwesten gelegenen Ortschaften gehören den Kreisen Hof Ashqelon und, seltener, Sha'ar HaNegev an. Damit sind auch die Gründe für diese Entwicklung schon angedeutet: die Interessenverwandtschaft der sonst hier in der Minderzahl befindlichen Kibbutzim, die auch hinsichtlich der Zusammensetzung ihrer Mitglieder in der üblichen Weise — mehr geborene Israelis, mehr Einwanderer europäischer Herkunft — von den übrigen Siedlungen abweichen; die religiöse Orientierung einiger orientalischer Gruppen, die in der Verbindung mit Glaubensgenossen gleicher Richtung Halt und Stütze suchen; schließlich die geographische Lage im Einzugsbereich anderer Schwerpunkte.

Flächennutzung und Bebauung

Für die Wahl des Standortes der Stadt selbst war die günstige Verkehrslage in der Nähe der Straßenkreuzung Tel Aviv — Beer Sheva und Ashqelon — Jerusalem maßgeblich gewesen, dazu die Lage auf der Grenze zwischen flachem Ackerbau- und leicht hügeligem Weideland. Das weitgehend ebene Gelände, 750 ha etwa 125 m ü. M. gelegen, das der Stadt zufiel und das nur durch einige Wadis durchschnitten wird, bot keinerlei topographische Schwierigkeiten und konnte, eine richtige Beachtung der vorherrschenden Winde vorausgesetzt, gewissermaßen „frei" verplant werden. Mit den topographischen Schwierigkeiten fehlten aber auch landschaftliche Akzente, die ihr von vornherein ein eigenes Gesicht verliehen hätten. Der flache Hügel im Nordosten, der Tel Gat, auf dem Ausgrabungen steinzeitliche Siedlungen und Reste aus der jüdischen Königszeit zutage gefördert haben, und die zarte Silhouette des judäischen Berglandes in der Ferne beleben zwar bei klarer Sicht den Horizont, stellen aber keine unmittelbar prägende Kulisse dar. Wie im gesamten Lakhish-Gebiet ist es eine neue, noch ungestaltete und ungegliederte Landschaft, eine Landschaft noch ohne Atmosphäre und Charakter, die von sich aus keine sinnfälligen Anknüpfungspunkte bietet.

Obgleich nicht mehr in die volle Blütezeit gartenstädtischer Ideen fallend, kamen diese doch der Konzeption Qiryat Gats als einer mittleren Landstadt so weit entgegen — waren damals auch noch nicht eindeutig durch andere, „urbanere" Vorstellungen abgelöst —, daß man ihnen auch heute noch auf Schritt und Tritt begegnet. Der erste Generalplan, auf 14 000 Einwohner berechnet — inzwischen wird für 70 000 bis 80 000 geplant —, hatte die drei wichtigsten Wohnviertel, durch Wadis voneinander getrennt, locker östlich, südwestlich und nordwestlich um das Zentrum herum gruppiert. Dieses Zentrum besteht zur Zeit im wesentlichen aus einer kleinen ländlichen Piazza mit Stadtverwaltung, Gemeinschaftshaus, zwei Kinos, Restaurant

ständige Übernahme ihrer Höfe vgl. Levy A r g o v : Rural Settlement in Israel. Seminar Conference on Housing, a. a. O., S. 116 ff.

Despite the firm centralization of planning, and despite the fact that most of the settlements had been founded almost simultaneously, the formation of the local authorities went its own, and often rather devious, ways. The boundaries of the regional councils which the settlements constituted are as irregular as possible, often interlocking or forming enclaves. None of these regional councils has its centre in the town. Largest in size is the regional council of Lakhish itself, with its seat in Nehora, the only one the boundaries of which do not extend beyond the actual planning area. The regional council of Yo'av, which most of the Kibbutzim have joined, has its centre in Mashmia, half-way towards Rehovot. Shafir, to which the majority of the religious settlements belong, has its focus in the Moshav of the same name with its well-known Yeshiva school. The places situated on the western and southwestern outskirts of the area have joined the regional councils Hof Ashqelon and, in a few cases only, Sha'ar HaNegev. The reasons for this development are all too obvious: the similarity of interests of the Kibbutzim which are in the minority here and which again differ from the other settlements by a higher proportion of members born already in the country, or coming from Europe; the religious outlook of some Oriental groups who are looking for stay and support among communities of like beliefs; finally the geographical location within the sphere of influence of other centres of gravity.

Land Use and Layout

The factors determining the choice of the site for the town were first the excellent communications guaranteed by the immediate proximity of the cross-roads Tel Aviv — Beer Sheva and Ashqelon — Jerusalem, then the location right on the boundary between flat arable and gently undulating pasture land. The mostly level area of 1850 acres, about 400 feet above sea level, which was designated for the town, was crossed only by a few wadis and offered hardly any topographical difficulties. If only the direction of the prevalent winds was taken into account, planning had a relatively free hand. The lack of topographical difficulties implied, on the other side, a lack of outstanding scenic accents which would have given the place character right from the beginning. The low hill to the northeast, the Tel Gat, where excavations have brought forth remains from the Stone Age and from Biblical times, and the delicate silhouette of the Judean mountains in the distance adorn the horizon on clear days but do not offer any immediate, decisive backdrop. Like the whole of the Lakhish area, it is a new, still formless and unstructured landscape, a landscape without atmosphere and character, which does not by itself offer any obvious motif.

Although falling already beyond the full bloom of Garden City ideas, these ideas were so well suited to the conception of Qiryat Gat as a medium-sized country-town (and were at that time not yet replaced by more urban visions) that even today they can be met at every step. The first master plan, with a target population of 14 000 — in the meantime the target has been raised to 70 000 to 80 000 — loosely grouped the three main residential areas to the east, to the south-west and to the north-west of the centre, separating them from each other by wadis. For the time being, the centre consists mainly of a small rustic piazza, with administrative offices, community hall, two cinemas, a restaurant and the usual shops, but, as the town expands, it is to be enlarged into an impressive complex of public buildings, offices, places of entertainment, shopping parades and public open spaces.

Qiryat Gat – Generalplan 1:40 000

Qiryat Gat – general plan (scale 1:40 000)

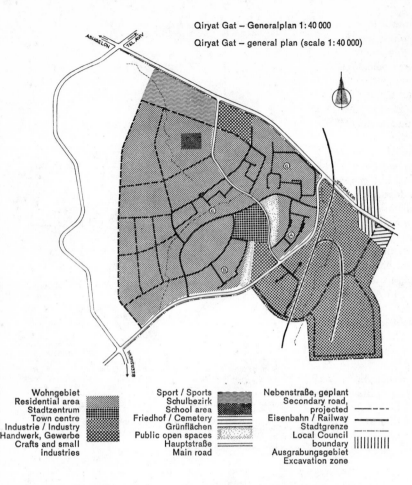

Wohngebiet Residential area	Sport / Sports Schulbezirk School area	Nebenstraße, geplant Secondary road, projected
Stadtzentrum Town centre	Friedhof / Cemetery Grünflächen	Eisenbahn / Railway
Industrie / Industry Handwerk, Gewerbe Crafts and small industries	Public open spaces Hauptstraße Main road	Stadtgrenze Local Council boundary Ausgrabungsgebiet Excavation zone

Most of the present development takes place in the north-east where, immediately adjacent to the Ashqelon—Jerusalem road, the afore-mentioned model neighbourhood for 950 families is being built, and in the north-west and west, where several hundred dwellings are under construction and where the main reserves for further extension of the residential areas are situated. In the same quarter generous provision is made for sports grounds and for a separate school area with all kinds of secondary and vocational institutions. The industrial zone to the east, too, is allowing for future expansion; for the time being it terminates along the Tel Aviv—Beer Sheva railway running close by the town; beyond the tracks, however, there are ample reserves. Workshops and small industries occupy the place between the industrial zone and the centre. The main access road, finally, which for a long time led in a wide circle around half the town just to end in a narrow and not very presentable street, has been shortened and now offers a more suitable approach.

In Qiryat Gat, more than in any other of the new towns, it is possible to read — from the very way of building and the types of houses — the history of Israeli town planning over the last decade, even to the year of construction of the particular streets and houses. Quarter A, to the east of the centre, built first, contains almost exclusively the well-known single-storey one- and two-family houses, not any more with 1200 to 2400 square yards, but still with about 800 square yards of ground. In quarter B, to the south-west of the centre, built somewhat later, one-family houses still prevail, but the plots are smaller, densities are higher, and the first (though still single-storey) terrace houses appear. On the edge of this quarter a few three-storey blocks have been added in the last few years. Only quarter C, to the north-west of the centre, comprises mostly two- and three-storey blocks of flats of more recent design, but of differing standard. To accentuate the shift, four elongated blocks, each more than 90 yards in length, have been inserted between the somewhat uniform architecture of the earlier years. With their brilliant blue mouldings and balconies, they give a gay and colourful touch. The model neighbourhood, G, indicates a further step forward. In the adaptation of layout and design to the climatic conditions and the habits and needs of the new inhabitants of the country it has achieved a distinctive character of its own. Modern and rather compact urban design prevails in the new quarters in the north-west as well.

Indicative of the development embodied in the individual quarters are the varying densities: in A, the gross density is only 2 dwellings per acre; in B it is already 12 dwellings per acre, in C, which is not completed yet, it is at the moment approximately 11, but will be increased to 12 dwellings per acre as well. The model neighbourhood, with 18 units per acre, clearly surpasses all of these.

Detailed data about size and type of the existing dwellings are available only for the year 1963; nevertheless, they are of interest both for the town and for the housing situation in gen-

und den üblichen Läden, soll aber mit dem weiteren Wachstum des Ortes erheblich vergrößert und in einen stattlichen Komplex von öffentlichen und privaten Verwaltungsgebäuden, Büros, Hotels und Geschäften verwandelt werden.

Erweiterungen finden im Augenblick vor allem im Nordosten statt, wo, unmittelbar an der Straße Ashqelon—Jerusalem, eine Mustersiedlung für 950 Familien entsteht, dann aber auch im Nordwesten und Westen, wo ebenfalls einige hundert Wohnungen im Bau sind und wo auch die Hauptreserven für eine weitere Ausdehnung der Wohnbezirke liegen. Dort sind auch großzügige Sportanlagen und ein eigener Schulbezirk für allgemeine und berufsbildende höhere Schulen vorgesehen. Auch das Industriegebiet im Osten ist auf Zuwachs berechnet, vorerst schließt es etwa mit der Bahnlinie Tel Aviv—Beer Sheva ab, die unmittelbar an der Stadt vorbeiführt; jenseits des Bahndamms ist jedoch noch reichlich Gelände vorhanden. Handwerk und Gewerbe nehmen den Raum zwischen dem eigentlichen Industriegebiet und dem Zentrum ein. Die Zufahrt schließlich, die lange Zeit in einem weiten Bogen um die Stadt herumführte, um dann in eine schmale und nicht sehr ansehnliche Straße einzumünden, ist inzwischen verkürzt und ein angemessener Zugang geschaffen worden.

Fast mehr noch als in allen anderen Neugründungen ist in Qiryat Gat schon aus Bebauungsart und Haustyp die Chronik des israelischen Städtebaus der letzten Jahre abzulesen, bis hin zum Baujahr der einzelnen Straßenzüge und Häuser. Das zuerst gebaute Viertel A, östlich des Zentrums, enthält fast ausschließlich die zunächst üblichen eingeschossigen Ein- und Zweifamilienhäuser, zwar nicht mehr mit 1000 oder 2000, aber immerhin noch mit etwa 750 m² Grund. Auch in dem etwas

Size of dwellings in 1963

215 – 325 sq.ft.	12.4 %
325 – 430 sq.ft.	17.2 %
430 – 540 sq.ft.	40.0 %
540 – 645 sq.ft.	15.1 %
645 – 755 sq.ft.	12.3 %
755 or more sq.ft.	3.0 %
Total	100.0 %

später entstandenen Viertel B, südwestlich des Zentrums, herrschen noch Einfamilienhäuser vor, jedoch sind die Grundstücke deutlich kleiner, die Bebauung ist dichter, und die ersten, allerdings auch noch eingeschossigen Reihenhäuser kommen hinzu. Auch sind in den letzten Jahren am Rande einige dreigeschossige Zeilen errichtet worden. Erst im Viertel C, nordwestlich des Zentrums, finden sich überwiegend zwei- und dreigeschossige Etagenhäuser neuerer Bauart, jedoch unterschiedlichen Niveaus. Als belebender Akzent wurden vor einiger Zeit vier 80 m lange Blocks zwischen die etwas einförmige Architektur der früheren Jahre gesetzt, die mit ihren leuchtend blau getönten Gesimsen und Balkonen auch farblich gut gelungen sind. Einen weiteren Schritt nach vorn bedeutet die Mustersiedlung G, die in ihrer Anpassung an die klimatischen Bedingungen des Landes und in dem vom üblichen abweichenden Charakter der Bauelemente auch äußerlich ein eigenständiges Gepräge hat, auf ihre Weise auch die relativ kompakte Bebauung der neuerschlossenen Gebiete im Nordwesten.

Bezeichnend für die in den einzelnen Vierteln zutage tretende Entwicklung sind die unterschiedlichen Dichten: In A beträgt die Bruttodichte überhaupt nur 6 WE/ha, in B schon 31 WE/ha. Im Viertel C, das noch nicht völlig bebaut ist, lag sie zuletzt bei 27 WE/ha, wird sich aber ebenfalls auf 30 bis 32 WE/ha erhöhen. Die Mustersiedlung mit etwa 45 WE/ha geht noch deutlich darüber hinaus.

Über Art und Größe der vorhandenen Wohnungen stehen detaillierte Angaben nur für das Jahr 1963 zur Verfügung; trotzdem sind sie auch heute noch und über die Stadt hinaus von Interesse. Damals befand sich noch mehr als die Hälfte aller

Wohnungsgrößen Anfang 1963

20 – 30 m²	12.4 %
30 – 40 m²	17.2 %
40 – 50 m²	40.0 %
50 – 60 m²	15.1 %
60 – 70 m²	12.3 %
70 und mehr m²	3.0 %
Insgesamt	100.0 %

Wohnungen, 51,5 %, in eingeschossigen, nur 9 % in zweigeschossigen und 39,5 % in dreigeschossigen Häusern. Bei den Wohnungsgrößen herrschten 40 bis 50 m² vor, kleinere Einheiten wurden kaum mehr gebaut, größere überschritten noch die im allgemeinen für Neueinwanderer gesetzten Grenzen. Auch heute noch wird die überwiegende Mehrzahl der Wohnungen, bis zu 95 %, durch das Wohnungsbauministerium gebaut, allerdings nimmt allmählich der Anteil der Wohnungen für Bausparer und junge Ehepaare zu. Auch auf kommerzieller Basis arbeitende Unternehmen wie SOLEL BONEH und RASSCO beginnen seit einiger Zeit, in eigener Regie Wohnungen höheren Standards zu errichten — unter anderem eine Reihe von Einfamilienhäusern am westlichen Rande der Stadt —, die zweifellos das Ihre zu der immer wieder geforderten Verbesserung des Wohnangebots beitragen dürften. Auch hier besteht jedoch die Gefahr, daß angesichts des reichlich vorhandenen Baugrundes an der Peripherie gerade der Stadtkern mit den ersten Vierteln auf lange Zeit hinaus eine verdünnte und etwas eintönige Zone bildet, die einem ästhetisch und funktional sinnvoll abgestuften Stadtbild entscheidend im Wege steht. Dem neuen Generalplan, der sich seit kurzem in Vorbereitung befindet, steht hier eine wichtige Aufgabe bevor.

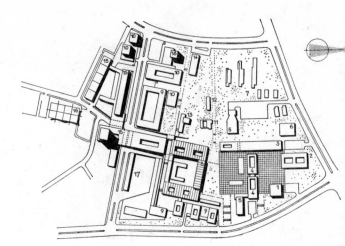

Entwurf Stadtzentrum von Qiryat Gat
Layout of town centre for Qiryat Gat

1 Stadtverwaltung Town administration	11 Frauenverband / Women's club
2 Regierungsbüros Government offices	12 Gewerkschaft / Trade Union house
3 Kulturzentrum / Cultural centre	13 Post / Post office
4 Bürogebäude / Office buildings	14 Ambulatorium / General clinic
5 Kino / Cinema	15 Großmarkt / Market hall
6 Berufsschule / Vocational school	16 Detailmarkt / Retail market
7 Schule / School	17 Autobusstation Central bus station
8 Einkaufszentrum / Shopping centre	18 Hotel, Wohnungen Hotel, housing
9 Geschäfte, Büros / Shops, offices	
10 Geschäfte, Wohnungen Shops, housing	

eral. In 1963 more than half of all dwellings (51.5 %) were in single-storey houses, 9 % in two-storey, and 39.5 % in three-storey houses. The size was mostly between 400 to 500 square feet, smaller units were not built any more, larger units would have exceeded the limit set for new immigrant housing. Even today, the overwhelming majority of all dwellings, up to 95 %, is built by the Ministry of Housing; gradually, however, there is an increase in the proportion of dwellings built under the "Saving for Housing" and "Young Couples" schemes. Besides, semi-public companies such as SOLEL BONEH and RASSCO have started construction of higher standard dwellings, for instance a series of one-family houses on the western outskirts of the town, which will contribute their share to meeting the growing demand for better housing. In view of the ample reserves of building land on the outskirts, this development (desirable as it is) accentuates the danger of just the core of the town, together with the first quarters, constituting for a long time a rather sparse and dull zone which prevents the evolution of an aesthetically and functionally well-graded townscape. In this respect, too, the new master plan which is being prepared has to fulfil an important task.

Die Bevölkerung

Wegen ihrer bevorzugten Position im Rahmen der Lakhish-Planung ist die Stadt rasch und konsequent aufgefüllt worden und hatte Ende 1964 mit 14 700 Einwohnern ihr ursprüngliches Planziel bereits überschritten. Im neuesten Bevölkerungsverteilungsplan ist sie bereits mit 38 000 Einwohnern eingesetzt. Da die Siedlungsabteilung der Jewish Agency darauf gedrungen hatte, daß die Mitglieder ihres Planungsstabes mit ihren Familien von vornherein am Ort wohnten, hatte sie auch in bezug auf die Zusammensetzung ihrer Bevölkerung einen bevorzugten Start. Die Architekten, Agronomen, Ingenieure und Techniker, meist erfahrene „Vatiqim" oder sogar geborene Israelis, die im Lakhish-Gebiet tätig waren, übernahmen zusammen mit einigen Dutzend ehemaliger Kibbutzmitglieder neben ihrer beruflichen Tätigkeit eine gewisse soziale Führungsrolle, die erheblich zum raschen Aufbau einer leistungsfähigen Verwaltung und zur reibungslosen Unterbringung der nachfolgenden Neueinwanderer beitrug. Diese kamen zunächst in der Mehrzahl aus Osteuropa, vor allem aus Polen und Rumänien. Diejenigen, die Verwandte in den großen Städten oder an der Küste hatten, blieben nicht lang. Dann folgten für einige Jahre fast ausschließlich nordafrikanische Familien, erst in jüngster Zeit kommen wieder mehr Rumänen. Die Wanderungsverhältnisse haben sich inzwischen entscheidend gebessert, ein Rückstrom zur Küste ist kaum mehr zu spüren. Wenn auch nur zögernd, so folgen allmählich auch weitere „Vatiqim", Lehrer, Techniker und Facharbeiter aus anderen Teilen des Landes. Seit bessere Wohnungen verfügbar sind, vermindert sich auch die Zahl der Pendler, die aus Tel Aviv, Rehovot, Rishon Leziyyon und anderen älteren Siedlungen täglich nach Qiryat Gat zur Arbeit fahren.

Trotz des raschen Wachstums dürfte sich das demographische Bild im großen und ganzen seit der Volkszählung wenig verändert haben. Damals waren noch mehr als drei Viertel der Bewohner erst nach 1948, 70% erst nach 1952 ins Land gekommen. Unter den Eingewanderten stammten — eine Folge der ersten großen Welle — 31% aus Europa, mehr als in den meisten anderen Neugründungen der fünfziger Jahre, die übrigen vorwiegend aus Nordafrika. Eine völlige Integration der verschiedenen ethnischen Gruppen hat auch hier bis heute noch nicht stattgefunden. Soziologische Untersuchungen stoßen immer wieder auf deutliche Grenzen — und gelegentliche Spannungen — zwischen Europäern und Orientalen, Ashkenazim und Sephardim, die so stark sind, daß sie die sonst übliche Scheidung zwischen „Vatiqim" und „Olim" überschneiden.[1]

Beschäftigung und Industrie

Die Beschäftigungslage, die in den ersten Jahren oft schwierig war — im Januar 1959 mußte noch mehr als ein Drittel aller Erwerbstätigen mit Notstandsarbeiten unterhalten werden —, ist heute weitgehend stabilisiert. Notstandsarbeiten werden nicht mehr vergeben, dafür bemüht sich die Stadt lebhaft um die Heranziehung qualifizierter Arbeitskräfte. Auffallend ist der hohe Industrialisierungsgrad, der inzwischen fast 40% erreicht hat und der unter den neuen Städten nur von der Wüstenstadt Dimona mit ihren großen Textilfabriken übertroffen wird.[2] Rund 15% der Beschäftigten sind aber auch heute noch in der umliegenden Landwirtschaft tätig, während der Dienstleistungs-

[1] Vgl. E. C o h e n (Hebrew University, Jerusalem): Development Towns — Social Dynamics of „Planted" Communities (in Vorbereitung). E. C o h e n, L. S h a m g a r, Y. L e v y : Absorption of Immigrants in a Development Town — Final Research Report (in Hebrew), Two Volumes, Jerusalem, Department of Sociology, The Hebrew University, 1962 (mimeographed)
[2] Vgl. Tabelle 22, S. 49

The Population

On account of its privileged status within the framework of the Lakhish regional plan, the town had been filled up rapidly and consistently, and by the end of 1964, with 14 700 inhabitants, had already passed its original target. In the most recent population distribution plan it appears with 38 000 inhabitants. As the Settlement Department of the Jewish Agency had insisted on the members of the planning team with their families living in the town right from the outset, it had a privileged start with respect to the population structure as well. The architects, agronomists, engineers and technicians who were working in

Einwohnerzahlen / Population figures

1956	1 804
1957	4 400
1958	6 600
1960	9 600
1962	12 000
1964	14 700

the Lakhish region, were mostly experienced "Vatiqim" or even "Sabras". Together with a few dozen former Kibbutz members they assumed, apart from their professional work, a certain social leadership role contributing decisively to the speedy constitution of an efficient town administration, and to the smooth assimilation of the succeeding new immigrants. The majority of these came at first from Eastern Europe, especially from Poland and Rumania. Those who had relatives in the big cities or on the coast did not remain for long. During the next few years they were followed almost exclusively by North African families, only recently again by groups of Rumanians. In the meantime, the migration balance has improved considerably, and a backflow to the coast is hardly noticeable any more. Gradually, if somewhat hesitantly, more "Vatiqim", teachers, technicians and skilled workers from other parts of the country, have moved in. With growing supply of better housing the number of people commuting daily from Tel Aviv, Rehovot, Rishon Leziyyon and other older settlements, is declining.

In spite of the rapid growth of the town, the overall demographic structure should not have changed very much since the last census. At that time, more than three quarters of the population had entered the country only after 1948, and 70% only after 1952. As a result of the first great wave, 31% of the immigrants came from Europe, more than in most of the other new towns of the fifties, the others mainly from North Africa. Complete integration of the various ethnic groups has not yet been achieved, even here. Sociological research infallibly comes across distinctive separation lines — and occasional tensions — between Europeans and Orientals, Ashkenazim and Sephardim, which are strong enough to cut across the usual categories of "Vatiqim" and "Olim".[1]

Employment and Industry

The employment situation which was often difficult during the first few years — in January 1959 more than a third of the working population had to be supported with public relief work — is largely stabilized. Public relief work does not exist any more. Instead, the town makes great efforts to attract qualified work-

[1] Cf. E. C o h e n (Hebrew University, Jerusalem): Development Towns — Social Dynamics of "Planted" Communities (in preparation). E. C o h e n, L. S h a m g a r, Y. L e v y : Absorption of Immigrants in a Development Town, Final Research Report (in Hebrew), 2 volumes, Jerusalem, Department of Sociology, The Hebrew University, 1962 (mimeographed)

bereich dünner besetzt ist als in vielen anderen Neugründungen. Vor allem aber spielen trotz der lebhaften Bautätigkeit Bau- und öffentliche Arbeiten nicht die überragende Rolle, die ihnen in den meisten anderen Neugründungen zufällt.

Geförderte Betriebe mit 10 und mehr Beschäftigten
(31. 12. 1964) [1]

	Beschäftigte	Kapital (in 1000 IL)
Spinnerei (Wolle)	495	17 875.0
Spinnerei (Baumwolle)	360	11 600.0
Zucker	340	17 815.0
Strickerei	50	135.0
Landwirtschaftliche Maschinen und Reparatur	44	150.0
Baumwollentkernung	40	1 242.0
Webereispulen	40	470.0
Weberei	40	620.0
Elektronische Geräte	37	291.0
Regenmäntel	36	15.0
Konfektion	30	30.0
Chemikalien	28	700.0
Schlosserei	25	60.0
Radioteile	20	40.0
Reinigungsmittel	20	50.0
Konfektion	20	36.0
Konfektion	20	30.0
Kunstgewerbe	20	15.0
Weberei	17	340.0
Bäckerei	16	345.0
Tischlerei	16	50.0
Ventilatoren	15	245.0
Chemikalien	12	50.0
Tischlerei	10	50.0
Garage und Reparaturwerkstätte	10	50.0
Elektrische Geräte	10	10.0
Insgesamt	1 771	52 314.0

Diese gute und auch strukturell ausgeglichene Beschäftigungslage verdankt die Stadt — neben ihrer großen Zuckerfabrik, die allerdings starken saisonalen Schwankungen unterliegt — vor allem wieder zwei tatkräftigen Textilfabriken, einer Woll- und einer Baumwollspinnerei, die sich in den letzten Jahren erheblich vergrößert und eine Ausdehnung ihres Fertigungsprogramms vorgenommen haben. Daneben verfügt sie über eine ganze Reihe mittlerer und kleinerer Betriebe, von denen der größte Teil ebenfalls laufend Wachstumschancen wahrnimmt. Auch die Stadtverwaltung selbst macht Versuche, über eine örtliche Entwicklungsgesellschaft — Grundkapital 750 000 IL, in Händen der Histadrut (49%), des Industrie- und Handelsministeriums (25%) und der Stadt (26%) — weitere Betriebe heranzuziehen und auch den Dienstleistungssektor zu beleben. Das zweite Kino ist ihrer Initiative zu danken, ein Schwimmbad ist geplant, Werkstätten und Bürogebäude stehen ebenfalls auf dem Programm.

Kultur und Erziehung
Initiative und Optimismus machen sich auch im sozialen und kulturellen Bereich bemerkbar. Zur Ergänzung der üblichen höheren Schulen wurde auch hier eine größere Berufsfachschule gebaut. Jugendliche, die erst nach Abschluß ihrer Schul-

[1] Bericht über die Industrialisierung der Entwicklungsgebiete, a. a. O., S. 48

ers. Exceptional is the high degree of industrialization which has reached nearly 40% and which among the new places is surpassed only by Dimona, the desert town, with its large textile factories.[1] Even today, however, about 15% of the employed persons are engaged in agriculture, whereas the service sector is even less developed than in many of the other new towns. In spite of all the construction work going on, building and public works do not play the same outstanding role as elsewhere.

Approved Enterprises with 10 or more Employees
(31. 12. 1964) [2]

	Employees	Capital (in 1000 IL)
Spinning mill (wool)	495	17 875.0
Spinning mill (cotton)	360	11 600.0
Sugar	340	17 815.0
Knitting	50	135.0
Agricultural machinery and repairs	44	150.0
Cotton gin	40	1 242.0
Weaving spools	40	470.0
Weaving	40	620.0
Electronic equipment	37	291.0
Raincoats	36	15.0
Ready made clothes	30	30.0
Chemicals	28	700.0
Locksmith	25	60.0
Radio parts	20	40.0
Detergents	20	50.0
Ready made clothes	20	36.0
Ready made clothes	20	30.0
Arts and Crafts	20	15.0
Weaving	17	340.0
Bakery	16	345.0
Joinery	16	50.0
Ventilators	15	245.0
Chemicals	12	50.0
Joinery	10	50.0
Garage and repairs	10	50.0
Electrical equipment	10	10.0
Total	1 771	52 314.0

This rather favourable and well-balanced employment situation derives — apart from the big sugar refinery which, however, is subject to considerable seasonal fluctuations — from two vigorous textile factories, one spinning wool, the other cotton. Both of these have been enlarged during the last few years, at the same time diversifying their manufacturing programme. Besides, there are quite a few small and medium-sized concerns the majority of which make use of every opportunity to expand. By means of a local development corporation with a capital of 750 000 IL, owned 49% by the Histadrut, 25% by the Ministry of Commerce and Industry and 26% by the town, the town administration itself is attempting to attract new enterprises and in particular to strengthen the service sector. The second cinema is due to the initiative of this corporation, a swimming pool is being planned, and workshops and office buildings are projected.

[1] See Table 22, p. 49
[2] Ministry of Commerce and Industry: Report on the Industrialization of Development Regions, op. cit., p. 48

bildung und mit oft unzureichenden Kenntnissen eingewandert sind, erhalten in einem Jugendzentrum ergänzenden Unterricht. Zwei Ambulatorien, eines davon unter fachärztlicher Leitung, sorgen für gesundheitliche Betreuung, ein Krankenhaus ist jedoch nicht vorhanden. Stationäre Fälle werden entweder nach Beer Sheva oder in das große Regierungskrankenhaus in Kefar Bilu bei Rehovot überwiesen. Einmal wöchentlich tagt das Friedensgericht aus Ashqelon. Das städtische Kulturzentrum mit einer umfangreichen Bibliothek, Vorträgen, Diskussionen und Studiengruppen, drei Nachbarschaftsklubs, ein Klub für alte Leute, Frauen- und Jugendverbände, Sportvereine, Einwandererorganisationen für die verschiedenen ethnischen Gruppen, schließlich der örtliche Rotary-Klub sorgen für ein abwechslungsreiches soziales Leben, das vor allem im Hinblick auf die Integration der Neueinwanderer nach Kräften gefördert wird. Auch die Besucher aus aller Welt, die mit Hilfe eines eigenen Informationszentrums, reichlich mit Plänen, Statistiken und Prospekten versehen, täglich durch Stadt und Region geleitet werden, nehmen der Stadt den Hauch von Isolierung und Verlassenheit, der den Neugründungen so oft anhaftet. Qiryat Gat genießt Wohlwollen und Publizität.

Stadt und Region

In welchem Ausmaß die Stadt dabei aus der Region heraus lebt, wieviel Aufgaben, Arbeitsplätze, Gelder ihr von dort her zufließen, inwieweit sie die ihr im Rahmen des Planes zugedachten Funktionen übernommen hat, überhaupt übernehmen konnte, wird schwer zu entscheiden sein. Sitz der Bezirksverwaltung ist nach wie vor Ashqelon. Der Planungsstab der Jewish Agency, der zusammen mit einer Vertretung des Landwirtschaftsministeriums weiterhin die Leitung und Durchführung des Lakhish-Projektes innehat, ist jedoch noch in Qiryat Gat ansässig. Von hier aus werden die über die ganze Region verteilten Instruktoren, Ingenieure und Techniker überwacht und gelenkt, nimmt der weitere Ausbau der einzelnen Siedlungen und der ländlichen Zentren, die Ergänzung des Straßennetzes und der Versorgungsleitungen ihren Ausgang. Noch heute erhält auch jeder Siedler von hier alljährlich einen genauen Bestellungs-, Wasser-, Arbeits- und Finanzplan, der einerseits den landwirtschaftlich noch wenig erfahrenen Neueinwanderern einen großen Teil der schwierigeren Dispositionen abnimmt, andererseits für eine laufende Anpassung ihrer Produktion an die Marktverhältnisse sorgt. In diesem Sinne ist die Stadt zweifellos Zentrum und Herz des ganzen Planungsraumes. Bis jetzt entfaltet auch noch keiner der unmittelbar in ihrem Einflußbereich gelegenen Kreise — Lakhish, Yo'av, Shafir — eine nennenswerte regionale Aktivität, die ihre eigenen Möglichkeiten beschneiden würde; die zukünftige Entwicklung etwa nach Abschluß des Projektes und Abzug des Planungsstabes ist jedoch nicht vorauszusehen. Viel wird von der Initiative und der Anziehungskraft der Stadt selbst abhängen.

Auch die wirtschaftliche Verflechtung zwischen Stadt und Region ist schwer abzuschätzen. Zwar wird immer wieder betont, daß die Verarbeitung der regionalen Produkte der Stadt die industrielle Basis liefere, doch zeigt sich bei näherer Betrachtung, daß dies nur in sehr begrenztem Umfang der Fall ist. Selbst die Zuckerfabrik greift mit ihrem Einzugsbereich weit über die Grenzen des Lakhish-Gebietes hinaus, die Textilfabriken vollends beziehen nur einen kleinen Teil ihres Rohmaterials an Baumwolle und Wolle aus der Gegend, ja aus dem Lande selbst. Der weit größere Teil wird importiert. So bleiben nur einige kleinere Betriebe — die Baumwollentkernungsanlage, die Erdnußsalzerei, eine kleine Konservenfabrik —, die wirk-

Culture and Education

Enterprise and optimism are no less conspicuous in the social and cultural field. To supplement the usual secondary schools here, too, a large vocational school has been built. Boys and girls who entered the country only after having finished their schooling, and often with insufficient knowledge, can get supplementary education at a youth centre. There are two clinics, one under specialist supervision, but no hospital. In-patients are taken either to Beer Sheva or to the big government hospital in Kefar Bilu, near Rehovot. The arbitration court from Ashqelon sits once a week. An active and varied social life is assured by the municipal cultural centre with its well-furnished library, lecture courses, discussion and study groups, by three neighbourhood clubs, a club for old people, youth and women's clubs, sports clubs, immigrant associations for the various ethnic groups, and, finally, the local Rotary Club, all of these very much encouraged in view of the integration of the new immigrants. Visitors from all over the world who by means of a special information centre, generously equipped with plans, statistics, prospectuses, are guided daily through town and region, relieve the town from that touch of loneliness and isolation characteristic of so many of the new places. Qiryat Gat enjoys goodwill and publicity.

Town and Region

It will be difficult to assess to what extent the town lives on the region, how many functions, how many jobs, how much money accrue to it from the region, and how far it has (or could) assume the functions anticipated in the plan. Seat of the sub-district administration is, and remains, Ashqelon. The planning team of the Jewish Agency, however, which — together with a representative of the Ministry of Agriculture — continues to be responsible for the control and execution of the Lakhish project, is still located in Qiryat Gat. From here the instructors, engineers and technicians working throughout the area are steered and supervised; from here is started any further extension of the individual settlements and the rural centres, of the road network and the utilities; from here, every settler gets exact prescriptions as to the growing of particular crops, as to water consumption, labour organization and financing, which on the one side relieve the relatively inexperienced new immigrants from difficult dispositions and, on the other side, assure continuous adjustment of agricultural production to market conditions. In this sense the town is without any doubt the centre and the heart of the whole planning area. So far, none of the regional councils situated within the town's sphere of influence — Lakhish, Yo'av and Shafir — have developed any regional activity which would restrict the possibilities of the town. Future trends which may arise when the project is wound up and the planning team leaves, cannot, however, be foreseen as yet. Much will depend on the initiative and attraction of the town itself.

Equally difficult to assess is the degree of economic interdependence of town and region. Time and again it has been emphasized that the processing of regional products is to supply the industrial basis for the town. A closer look shows, however, that this is the case to only a very limited extent. Even the sugar refinery draws its raw material from far beyond the boundaries of the Lakhish area, and the textile factories get their cotton and wool still less from the region, and not very much from other parts of the country either; the greater part is imported. There remain a few small and medium-sized concerns which in fact are exclusively based on regional pro-

lich ausschließlich auf regionalen Erzeugnissen beruhen. Dafür erwächst der Stadt auch bis jetzt aus ländlichen Betrieben keine Konkurrenz. Die Zahl der Kibbutzim ist begrenzt, ihre Industrialisierung steckt noch in den Anfängen.

Inwieweit die zahlreichen kleinen und mittleren Handwerksbetriebe — Tischlereien, Schlossereien, Reparaturwerkstätten — örtliche, inwieweit sie regionale Dienste leisten, ist noch weniger zu trennen. Dem Plan nach sollten gerade solche Dienste sowieso nicht der Stadt, sondern den ländlichen Zentren vorbehalten sein. Diesen obliegen auch fast alle Marktfunktionen: die Sammlung und Weiterleitung der landwirtschaftlichen Erzeugnisse, die Verteilung von Saatgut, Kunstdünger, Werkzeug und Maschinen. Allerdings wird — entgegen den vertraglichen Verpflichtungen der Siedler, jedoch mit milder Duldung der Siedlungsbehörde — ein Teil der Erzeugnisse um gewisser Preisvorteile willen direkt in Qiryat Gat verkauft. Dieser öffentliche Markt, zu dem zweimal in der Woche mehrere hundert Bauern in die Stadt kommen, hat mit der Zeit regionale Bedeutung erlangt; es werden nicht nur landwirtschaftliche Produkte gehandelt, sondern auch Hausrat, Küchenartikel, Werkzeug, Kleidung, die bei den Siedlern, die allmählich die schwierigen Anfangszeiten überwunden haben, guten Absatz finden. Mit der Erweiterung der bewässerten Flächen und dem Heranwachsen der Citruspflanzungen in einigen Jahren dürfte der Wohlstand auf dem Lande weiter wachsen und sich, wenn sie nur ihr Angebot in Qualität und Vielfalt darauf einstellt, auch fernerhin auf die Einkünfte der Stadt auswirken. Immer jedoch wird auch die Konkurrenz von Ashqelon zu spüren sein, das zumindest von den westlichen Siedlungen aus leichter zu erreichen ist und besonders in den Sommermonaten mit der Nähe des Meeres und der Atmosphäre eines Badeortes zusätzliche Anziehungspunkte bietet.

Angesichts der überall geringen Entfernungen wird hier die Problematik der mit großem ideologischen Aufwand vertretenen Siedlungshierarchie besonders deutlich. So wichtig es erscheint, gewisse täglich benötigte Dienste und Waren, Schulen, Sportanlagen, fachärztliche Hilfe, Gemeinschaftsräume, Geschäfte für den täglichen Bedarf, in größtmöglicher Nähe der ländlichen Siedlungen und doch in einer Qualität bereitzustellen, wie sie sich jede Siedlung allein nicht leisten kann, also eben in Dienstleistungszentren oder auch in größeren Dörfern — eine Lösung allerdings, die in Israel nirgends angestrebt wurde[1] —, so fraglich muß eine Zersplitterung aller weiteren Zentralfunktionen sein. Even Shemuel ist weniger als 5 km von Qiryat Gat entfernt, Nehora, bei schlechten Straßen- und Autobusverbindungen, etwa 11 km, in der Luftlinie jedoch nur 7 km, und eine direkte Straße ist geplant. Bei fortschreitender Motorisierung rücken diese Zentren bis auf wenige Auto- bzw. Autobusminuten an die Stadt heran. Um so mehr scheint zweifelhaft, inwieweit größere Investitionen, die auf eine weitgehende wirtschaftliche Autarkie solcher Subregionen abzielen, auf die Dauer gerechtfertigt sind. Besonders gilt dies für alle Pläne, sie auch noch durch die Ansiedlung kleinerer Industriebetriebe zu ergänzen. Wo Schwerpunktbildung, Konzentration, Ökonomie der Kräfte oberstes Gebot scheint, ist eine volkswirtschaftliche Rentabilität solcher Streubetriebe in keinem Fall zu erwarten.

Der Stadt Qiryat Gat werden derartige Pläne allerdings kaum

ducts, such as a cotton gin, a peanut salting factory, and a small cannery. On the other hand, there is no competition from rural enterprises yet. The number of Kibbutzim is limited; their industrialization is still in its infancy.

Even more difficult to determine is the extent to which small and medium-sized workshops — cabinet makers, locksmiths, repair shops — satisfy local or regional needs. According to planning such needs were in any case to be satisfied not by the town but by the rural centres. These were also supposed to fulfil most market functions: the collection and forwarding of agricultural products, the distribution of seeds, fertilizer, tools and machinery. In contrast to the contractual obligations of the settlers, however (but quietly tolerated by the Settlement Department), some of the products are sold directly in Qiryat Gat, where certain price advantages can be obtained. This public market which is held twice a week and is attended by several hundred farmers, has gradually achieved regional significance. Items traded include not only agricultural products but also household goods, kitchen equipment, tools, clothes, which all find a ready sale with the settlers who have gradually outgrown initial financial difficulties. As the irrigated areas expand and the citrus groves mature within the next few years, their income should continue to increase and should also, if only adequate quality and variety of goods and services is offered, influence the income of the town. The competition of Ashqelon, however, will always be felt; it is within easy reach at least from the western settlements and, moreover, exerts special attraction in the summer months when the proximity of the sea and the atmosphere of a bathing resort act as additional magnets.

In view of such relatively short distances, the uncertainties of the anticipated hierarchy of settlements become particularly obvious. However important it may be to supply goods and services, schools, sports facilities, medical aid, community halls, and shops for daily needs in immediate proximity of the rural settlements, and in a quality not to be afforded by the individual Moshavim, that is, in rural centres or in larger villages — a solution which has not been envisaged anywhere in Israel[1] —, the scattering of further central functions remains all too questionable. Even Shemuel is less than 3 miles away from Qiryat Gat, Nehora, with poor road and bus connections, 7 miles, but the shortest distance is only 4 miles, and a direct road is being planned. With further progress in motorization, these centres will come within a few minutes reach from the town. All the more dubious are all investments intended to achieve far-reaching economic self-sufficiency of such subregions. This applies in particular to all projects aiming at the attraction of small and medium-sized industrial concerns. If concentration, economy of effort, and the formation of centres of gravity seems to be of paramount importance, an economic profitability of such scattered enterprises is by no means to be expected.

For Qiryat Gat, however, such plans are hardly likely to be of disadvantage any more. The original target of 14 000 inhabitants has already been exceeded and regarding both employment potential and actual employment the town has grown well beyond its regional basis and will continue to do so. Whereas the absorption capacity of agriculture is largely exhausted — since 1957, when systematic settlement was com-

---

[1] Als Grund wird gelegentlich genannt, daß eine — geplante — Bevorzugung einzelner Siedlungen nur zu einem unerwünschten Wettbewerb und zu Kontroversen führen würde. In der Tat dürfte angesichts der genossenschaftlichen oder kollektivistischen Organisationsform eine solche Lösung mit dem Grundsatz der unbedingten Gleichheit schwer zu vereinen sein.

[1] The reason occasionally given is that planned privileges for particular settlements might lead to undesirable competition and controversies. In fact, in view of the collective and cooperative structure of the settlements such a solution would be difficult to equate with the principle of absolute equality.

noch zum Nachteil gereichen. Sie hat die ihr ursprünglich zugedachte Bevölkerung von 14 000 Einwohnern bereits überschritten und ist sowohl hinsichtlich ihres Beschäftigungspotentials wie hinsichtlich ihrer tatsächlichen Beschäftigung längst über die regionale Basis hinausgewachsen. Und sie wird dies weiter tun. Während die Aufnahmefähigkeit der Landwirtschaft weitgehend erschöpft ist — seit 1957, als die planmäßige Besiedlung etwa abgeschlossen war, hat sich die ländliche Bevölkerung kaum noch vermehrt —, entwickelt sich die Stadt kräftig weiter. Dazu dürfte ihr in den zweiten und dritten Söhnen der Farmer weiteres Beschäftigungspotential zuwachsen, wenn nicht sogar in diesen selbst, sofern sie angesichts der Kleinheit ihrer Höfe und der zunehmenden Mechanisierung nicht voll ausgelastet sind. Wie die Dinge heute liegen, bedeutet eine solche Reserve für Qiryat Gat keine Konkurrenz, sondern eine willkommene Ergänzung.

Begünstigt wird diese Entwicklung durch das geringe soziale Gefälle zwischen Land und Stadt, das das Lakhish-Gebiet im Vergleich zu den meisten anderen Regionen des Landes auszeichnet. Von den Kibbutzim des Yo'av-Kreises abgesehen, ist durch die Gleichzeitigkeit der Besiedlung die Bevölkerung weitgehend homogen. Zwar hat die Stadt einen geringeren Anteil an geborenen Israelis als ihre ländliche Umgebung, doch ist dies nicht zuletzt durch ihre geringere Kinderzahl bedingt: waren in Qiryat Gat 43,3 % der Bevölkerung unter 15 Jahre alt, so in Lakhish 51,6 %, in Shafir 50,4 %. Auch wird dieser „Nachteil" aufgewogen durch die größere Anzahl von Einwanderern europäischer Herkunft.

Von der gewohnten kulturellen Überlegenheit des flachen Landes ist daher wenig zu spüren. Die Kibbutzim, die sonst durch Initiative und Niveau hervortreten, sind entweder selbst zu jung und noch zu arm oder zu isoliert, um ein über ihre unmittelbaren Bedürfnisse hinausgehendes kulturelles Leben zu entfalten. Eigene Schulen für ihre Kinder sind allerdings auch hier die Regel; die meisten Kibbutzkinder besuchen die höhere Schule in dem traditionsreichen alten Kibbutz Gat. Die Moshavim, noch ohne Wurzeln in ihrer Landschaft, geschweige denn im größeren Zusammenhang des Landes, leben von dem,

pleted, the rural population has hardly increased — the town grows vigorously. A further increase of the labour potential is to be expected from the second and third sons of the farmers, if not from the farmers themselves, who, in view of the small size of the farms and impending mechanization, are not always fully employed. As things stand, an additional manpower supply offers no competition for Qiryat Gat but rather a welcome reserve.

Such trends are encouraged by the relatively small social differences between town and region which distinguish the Lakhish area from many other parts of the country. Apart from the Kibbutzim of the Yoav region, the population is rather homogeneous, mainly due to the almost simultaneous settlement of the whole area. Compared with the rural surroundings, the town does have a smaller proportion of Israeli born inhabitants, but this is at least partly due to the smaller number of children: in Qiryat Gat 43.3 % of the population were under 15 years old, in Lakhish 51.6 % and in Shafir 50.4 %. Moreover, this "disadvantage" is offset by a larger number of immigrants of European origin.

Thus, the usual cultural superiority of the countryside is hardly to be felt. The Kibbutzim which generally stand out by initiative and standards, are either too young, or too poor, or too isolated to afford any cultural life beyond their immediate needs. Here too, however, it is the rule to have their own schools; most of the Kibbutz children attend the secondary school in the old Kibbutz Gat, rich in traditions. The Moshavim, still without roots in their immediate neighbourhood, and even less within the larger context of the country, live on what was preserved from the past within the family circle and the clan, or on what is conveyed to them with great zeal in the rural centres. Where often the parents themselves are illiterate, only few children attend secondary schools, if at all, either in Qiryat Gat or, from Nehora and the western settlements, in Ashqelon. Families with a marked religious outlook prefer the Yeshiva school in Shafir. Great popularity is enjoyed by the excellent agricultural school in Kefar Silva, corresponding to the notions of further education of agricultural settlers far

Tabelle 30 / *Table 30*

Einwanderungsdatum und Herkunftsländer der jüdischen Bevölkerung im Lakhish-Gebiet 1961
Jewish Population in the Lakhish Region, by Period of Immigration and Countries of Origin, 1961

| | Qiryat Gat | | | | Kreis *Regional Council* | | | | | | | |
| | | | Lakhish | | Shafir | | Yo'av | | Hof Ashqelon | |
	abs./No.	%	abs./No.	%	abs./No.	%	abs./No.	%	abs./No.	%
In Israel geboren *Born in Israel*	2 157	21.5	1 429	38.5	2 112	45.0	1 784	50.0	2 078	41.5
Eingewandert *Immigrated*	7 873	78.5	2 279	61.5	2 578	55.0	1 787	50.0	2 928	58.5
Insgesamt *Total*	10 030	100	3 708	100	4 690	100	3 571	100	5 006	100
Datum der Einwanderung *Period of Immigration*										
vor 1948 *up to 1948*	253	3.2	69	3.0	208	8.1	710	39.8	306	10.5
seit 1948 *since 1948*	7 620	96.8	2 210	97.0	2 370	91.9	1 077	60.2	2 622	89.5
Herkunftsländer *Countries of Origin*										
Europa *Europe*	2 430	30.9	162	7.1	690	26.8	1 051	58.8	987	33.7
Asien/Afrika *Asia/Africa*	5 006	63.6	2 035	89.3	1 797	69.7	463	25.9	1 632	55.8
Anderes und unbekannt *Other Countries and Unknown*	437	5.5	82	3.6	91	3.5	273	15.3	309	10.5

Quelle/Source: The Settlements of Israel, Part III, op. cit., pp. 32, 142; Demographic Characteristics of the Population, Part II, op. cit., pp. 108/109, pp. 144—153

was von Früherem im Kreis der Familie und des Clans bewahrt wird, oder von dem, was ihnen mit großem Eifer in den ländlichen Zentren vermittelt wird. Wo die Eltern selbst oft noch Analphabeten sind, besuchen auch nur wenige Kinder höhere Schulen; wenn überhaupt, dann entweder in Qiryat Gat oder, von Nehora und den westlichen Siedlungen aus, in Ashqelon. Religiös eingestellte Familien ziehen in jedem Falle die Talmud-Schule in Shafir vor. Großer Beliebtheit erfreut sich die ausgezeichnete Landwirtschaftsschule in Kefar Silva, die den Vorstellungen ländlicher Siedler von einer weiterführenden Ausbildung näherkommt als die rein theoretische Fortbildung in einem Gymnasium. Hat die neue, große Berufsfachschule in Qiryat Gat einmal einen gewissen Ruf erlangt, so mag sich auch in dieser Beziehung eine stärkere Ausrichtung auf die Stadt ergeben.

Nach Beer Sheva und Ashdod, die jedoch anderen Größenordnungen zuzurechnen sind, hat Qiryat Gat unter allen neuen Städten des Landes den raschesten Aufschwung genommen und eine vielversprechende Zukunft vor sich. Die gründliche und umfassende Art der Planung und das öffentliche Wohlwollen, dessen sich die Stadt von Anfang an erfreute, haben dabei die Rolle der Initialzündung gespielt. Die heutige Entwicklung speist sich jedoch aus anderen Quellen: in erster Linie der mit allen Mitteln vorangetriebenen Erschließung des Südens, zu dem das Lakhish-Gebiet und die Stadt räumlich wie psychologisch einen Übergang bilden. Nah genug an den alten Zentren gelegen, um die Übersiedlung von Menschen und Betrieben nicht zu einem Sprung ins Ungewisse und in die Isolation werden zu lassen, ist sie dennoch mit dem Nimbus (und den materiellen Vorteilen) einer die „frontier" überschreitenden Pioniertat umgeben. Gleichzeitig hat sie gute Chancen, von den beginnenden Verstopfungserscheinungen im Tel Aviver Raum zu profitieren. Die ausgezeichneten Verkehrsverhältnisse, eine aktive Stadtverwaltung, ausreichend und billiger Grund und Boden und ein wachsendes Arbeitskräftepotential kommen ihr zur Hilfe. Auch die Ausstrahlung Ashdods und seines „Booms" ist zu spüren. In welchem Ausmaß auch immer die Stadt von ihren regionalen Funktionen leben kann und wird — ihre Zukunft liegt in der Aufnahme überschüssiger Industrien aus dem Zentrum des Landes.

Beer Sheva

Nachdem schon zweimal, in den Jahren 1943 und 1946, einzelne Siedlergruppen nach Süden aufgebrochen waren, wurde mit dem Augenblick der Staatsgründung der Vorstoß in den Negev, die Erschließung, Besiedlung und Fruchtbarmachung der Wüste, zum großen, ja visionären Ziel der Nation. Beer Sheva ist Ausgangspunkt, Hauptquartier und Nachschubdepot dieses Vorstoßes zugleich.

Das alte Beer Sheva

Ort und Name der Stadt sind nicht neu. Auf dem relativ flachen und gut zugänglichen Plateau des Negev gelegen, mit reichen Brunnen ausgestattet und die einzige Furt beherrschend, auf der der Wadi Sheva, wenn er Wasser führt, überschritten werden kann, hatte der Ort von alters her als Kreuzungspunkt der Handels- und Karawanenwege von Kanaan nach Ägypten und vom Mittel- zum Roten Meer Bedeutung. Durch die Bibel ist er uns vertraut: Von Beer Sheva aus führte Abraham seinen Sohn Isaak zum Opferfelsen Moriah, zog Jakob auf Brautschau und

better than the purely theoretical curriculum of the ordinary secondary school. Once the new vocational school in Beer Sheva has achieved some reputation, this may well lead to a shift in emphasis in this respect, too.

Apart from Beer Sheva and Ashdod, which however are of different magnitude, Qiryat Gat, amongst all the new towns in the country, has made the fastest progress and has a promising future ahead. The careful and comprehensive way of planning the town enjoyed right from the beginning were vital to the initial start; today's chances, however, are fed from other sources: in the first place from the general development of the south which is being pushed ahead by all available means and to which the Lakhish area and Qiryat Gat form a certain transition, geographically as well as psychologically. Close enough to the old centres not to make a transfer of people and firms appear a jump into uncertainty and isolation, it enjoys yet all the nimbus (and the material advantages) bestowed on any pioneering beyond the "frontier". At the same time it stands a good chance to profit from the growing congestion in the Tel Aviv region. The excellent communications, an active town administration, sufficient cheap land, and a growing employment potential are further assets. To be felt as well is the influence of Ashdod and its boom. To whatever extent the town may, and will, live from its regional functions, its future lies in the absorption of surplus industries from the central parts of the country.

Beer Sheva

Twice already, in 1943 and 1946, individual groups of settlers had set out for the South; the moment the State was established the advance into the Negev, the settlement and cultivation of the desert, became the great visionary aim of the nation. Beer Sheva is starting point, headquarters and supply base for this advance all at once.

The Old Beer Sheva

Site and name of the town are not new. Situated on the relatively flat and easily accessible plateau of the Negev, it has a generous supply of wells and is dominating the only ford where the Wadi Sheva can be crossed when carrying water. Ever since Antiquity the town has been of significance as the crossing-point of trade and caravan routes from Canaan to Egypt and from the Mediterranean to the Red Sea. It is familiar to us from the Bible. It was from Beer Sheva that Abraham led his son Isaac to the sacrificial rock Moriah; from here Jacob went forth to seek his bride, and many years later, as an old man on the journey to Egypt, he sacrificed at the altar of his father, Isaac.

opferte viele Jahre später, als Greis auf der Reise nach Ägypten, am Altar seines Vaters Isaak.

Damals wie später stand die Stadt nicht allein. Besonders aus nabatäischer Zeit sind, in regelmäßigen Abständen an den Karawanenstraßen gelegen, neben vielen kleineren fünf große Siedlungen bekannt: Haluza, Shivta, Avdat, Nizzana und Mamshit (Kurnub).[1] Sie alle bestanden bis in die byzantinische Herrschaft hinein und sind dem heutigen Israel vor allem deswegen Vorbild und begehrtes Forschungsobjekt, weil sie sämtlich mit Hilfe eines wohldurchdachten, nur auf der Speicherung von Tau und Regenwasser beruhenden Bewässerungssystems bescheidene Landwirtschaft betrieben. Mit dem Einbruch der Araber im 7. Jahrhundert und der Eröffnung der Seewege verfielen Straßen und Städte, und der Negev wurde zu dem, was er lange Jahrhunderte hindurch war und zum größten Teil heute noch ist: zur Wüste. Nur umherziehende Beduinenstämme, Militär- und Polizeiposten und einige Mönche waren geblieben.

Beer Sheva teilte dieses Schicksal. Eine armselige Karawanserei, die seltene Reisende mehr schlecht als recht versorgte, ein unter freiem Himmel abgehaltener Markt, auf dem die Beduinen Kamele und Pferde handelten, waren bis zum Beginn des 20. Jahrhunderts die einzigen Anzeichen der natürlichen Bedeutung des Platzes. Erst die jungtürkische Bewegung, die die Nomaden des weiten, im Verfall befindlichen Reichs einer strengeren Ordnung unterwerfen wollte, brachte Beer Sheva eine seltsame Renaissance: In den Jahren vor dem ersten Weltkrieg wurde die Stadt nach den Plänen eines deutschen Vermessungsingenieurs in der türkischen Armee wiederaufgebaut, nach einem an römischen Vorbildern orientierten Grundriß und aus den Steinen byzantinischer Ruinen. Ein strenges Schachbrettmuster teilte sie in regelmäßige, 60 x 60 m große Quadrate, diese wiederum in je vier 30 x 30 m große und um einen Innenhof angeordnete Felder. Dieses starre Schema mit seinen schnurgeraden Straßen und sauber rechtwinkligen Ekken, das noch heute das Bild der Altstadt beherrscht, muß in sonderbarem Kontrast gestanden haben zu dem kärglichen und etwas abgerissenen, aber doch abenteuerlich bunten und bewegten Leben, das sich während des ersten Weltkrieges darin abspielte, als Beer Sheva vorübergehend der türkischen Armee als Hauptquartier diente und sogar eine Schmalspurbahn, von der heute nur noch Dämme und Brücken zu sehen sind, die Stadt mit der Sinai-Grenze verband. Damals und auch noch während der Mandatszeit, als sie Sitz der britischen Bezirksverwaltung für den Negev war, beherrschten Soldaten, einige Verwaltungsbeamte und Ingenieure, Laden- und Caféhausbesitzer, Händler aus Gaza und Jaffa, nicht zuletzt Beduinen in ihrer malerischen Tracht das Feld, dazu ein Troß an Glücksrittern und -ritterinnen, wie er stets im Gefolge einer solchen Zunft auftritt. Alles in allem sind es nie mehr als 5000 Menschen gewesen, die in diesen Jahren die Stadt bewohnten.[2] Als gegen Ende des Unabhängigkeitskrieges, am 22. Oktober 1948, israelische Truppen Beer Sheva besetzten, hatten auch diese sie verlassen. Grundriß und Häuser waren weitgehend erhalten, aber die Stadt war leer.

Schon der erste Blick auf die Karte zeigt, daß auch für das neue Israel Beer Sheva entscheidende Bedeutung gewinnen mußte. Zwar hatte die alte Kreuzung der Handelswege, die

[1] Das nabatäische Königreich bestand vom 4. Jahrhundert vor bis 106 nach Christus, als es von Trajan unterworfen wurde. Von Petra, in den Bergen von Edom im heutigen Jordanien, aus beherrschte es die südlichen Handelswege zwischen dem Mittelmeer und Arabien und errichtete zu ihrem Unterhalt und Schutz auch im Negev zahlreiche Marktstädte und -siedlungen.

[2] 1922: 2356; 1931: 2959; 1944: 5570. Vital Statistics Tables 1922–1945, a. a. O., S. 4 u. 7

At that time, as well as later, the town did not stand alone. Especially from the Nabatean period, apart from many smaller places, five big settlements are known, all situated at regular intervals along the caravan routes: Haluza, Shivta, Avdat, Nizzana and Mamshit (Kurnub).[1] Most of these existed right into the period of Byzantine rule. For the Israel of today they are of special interest and offer a favourite field of research mainly because all of them engaged in some kind of agriculture which was based on artificial irrigation depending exclusively on carefully devised schemes of storing rainwater and dew. With the invasion of the Arabs in the 7th century and the opening of the sea-routes, towns and roads decayed and the Negev reverted to what it had been for many hundreds of years and to a large extent still is today: a desert. What remained were a few wandering Bedouin tribes, military and police patrols and a handful of monks.

Beer Sheva shared this fate. A poor caravanserai, offering primitive shelter to occasional travellers, a market under the open skies where the Bedouins traded camels and horses, were the only indication, up to the 20th century, of the natural importance of the place. Only the Young Turks movement which tried to subject the nomads of the declining empire to a stricter regime, brought even Beer Sheva a freak renaissance. During the years before the First World War, the town was rebuilt according to the plans of a German land surveyor in the Turkish army, following a layout based on Roman examples, and from stones of the Byzantine ruins. A strict gridiron pattern divided it into squares of about 200 x 200 feet, and these in turn into four smaller squares of 100 x 100 feet, grouped around an inner courtyard. This rigid system, with its straight roads and right-angled corners which still characterizes the old town today must have made a strange contrast with the poor and somewhat ragged but yet adventurous and colourful life that went on in it during the First World War. At that time Beer Sheva served as temporary headquarters of the Turkish army, with even a narrow gauge railway joining the town to the Sinai border, of which today only embankments and bridges remain.

During that period and also during the period of the Mandate, when the town was the seat of the British district administration for the Negev, the scene was dominated by soldiers, a few civil servants and engineers, owners of shops and cafés, traders from Gaza and Jaffa, and last but not least Bedouins in their picturesqe garbs, and to boot a baggage of adventurers, male and female, such as always appear in the wake of such sets. All in all there were never more than 5000 people inhabiting the town in these years.[2] When towards the end of the War of Independence, on October 22nd, 1948, Israeli troops occupied Beer Sheva, even these had gone. Streets and houses were largely preserved, but the town was empty.

The very first glance at the map indicates that for the new Israel, too, Beer Sheva must gain decisive importance, even though the old intersection of the trade routes, which was still visible in the road network of the period of the Mandate, has lost its significance, and the big ridge route from Jerusalem via Hebron to Beer Sheva and on across the Sinai penin-

[1] The Nabataean kingdom existed from the 4th century B.C. to 106 A.D., when it was conquered by Traian. From Petra in the mountains of Edom in Jordan, it dominated the southern trade routes between the Mediterranean and Arabia and in order to maintain these routes and protect them it erected numerous market towns and settlements, even in the Negev.

[2] 1922: 2356; 1931: 2959; 1944: 5570. Vital Statistics Tables 1922–1945, op. cit., pp. 4 and 7

auch in dem Straßensystem der Mandatszeit noch sichtbar war, ihren Sinn verloren: Die große Kammstraße von Jerusalem über Hebron nach Beer Sheva und weiter über die Sinai-Halbinsel nach Ägypten ist durch die Grenzen zerschnitten. Von Norden, vom Zentrum des Landes her, führt nur noch eine Straße zur Stadt. Hier gabelt sie sich jedoch in alle die Wege, die für die Erschließung des Negev von Bedeutung sind: in die Straße nach Elat, die große Lebensader des südlichen Negev, an der auch die beiden kleinen Wüstenstädte Yeroham und Mizpe Ramon aufgereiht sind; in die Straße nach Dimona und Sedom, von der eine Abzweigung zu den Phosphatlagern von Oron führt, und in die Straße nach Arad, der neuesten aller Wüstenstädte, die von der alten Straße nach Hebron in östlicher Richtung abzweigt. Wer heute, von Norden kommend, irgendeine Stelle des Negev von historischem, landschaftlichem oder wirtschaftlichem Interesse aufsuchen will, kommt zuerst nach Beer Sheva. Auch wenn die Wüste schon einige Kilometer vorher, nachdem Siedlungen seltener und die Vegetation dürftiger geworden sind, ihr Gesicht zeigt, in Beer Sheva fängt sie unwiderruflich an. Auch die Zivilisation wird kärglicher, mühseliger, teurer. Wer sie nicht entbehren oder sich nicht auf die Dauer in einem der vorgeschobenen Posten niederlassen will, schlägt hier sein Standquartier auf.

Die Entfernungen sind nicht groß, die Verkehrsverhältnisse günstig. Beer Sheva selbst ist vom Zentrum des Landes, von Tel Aviv und Jerusalem aus in 2 bis 2½ Stunden zu erreichen, auf der Straße (110 km) oder auch mit der Eisenbahn, die, 1956 fertiggestellt, die Stadt an das aus der Mandatszeit übernommene Netz anschloß. 1965 wurde die Linie nach Dimona weitergeführt, von dort nach Oron ist sie im Bau.[1] Nach Dimona sind es 29 km, nach Oron 53 km, nach Sedom 71 km, nach Arad 49 km. Nur die Fahrt nach Elat, 234 km lang, geht über einen Tagesausflug hinaus. Dorthin wie auch nach Tel Aviv und Haifa bestehen jedoch regelmäßige Flugverbindungen. Der Verkehr auf allen Strecken ist relativ dicht; insofern sind sie auch nur begrenzt mit den Risiken einer Wüstenfahrt belastet. Trotzdem läßt die Spärlichkeit menschlicher Siedlungen, die Seltenheit von Tankstellen und Hilfsstationen die psychologischen Entfernungen über den tatsächlichen liegen.

Der Negev

Wie in der Geschichte, so ist auch heute das Geschick Beer Shevas durch das Geschick des Negev bestimmt, durch seine Güter, Wege, Menschen. Der Negev, ein langgezogenes, fast gleichschenkliges Dreieck, das westlich durch die Sinaihalbinsel, östlich durch die Fortsetzung der Jordansenke südlich des Toten Meeres, die sogenannte Arava, begrenzt ist und im Süden in einem schmalen Küstenstreifen am Roten Meer endet, umfaßt mit rund 8300 km² etwa 40 % des israelischen Staatsgebietes. Die Grenze im Norden ist weniger leicht zu bestimmen. Sie dürfte heute 10 bis 20 km nördlich der Stadt, etwa an der Vegetationsgrenze, verlaufen, gelegentlich wird aber auch der Wadi Sheva selbst, an ihrem südlichen Rande, als Scheidelinie genannt.[2] Der Verwaltungsbezirk Beer Sheva, mit

[1] Über Technik, Kosten und volkswirtschaftlichen Nutzen des Bahnbaus im Negev vgl. Dietrich Regling/Reimar Voss: Die Bahn der drei Meere. Veröffentlichungen der List Gesellschaft Band 31, Basel/Tübingen 1963
[2] Diese Unsicherheit rührt nicht zuletzt daher, daß diese Grenze mit den Jahren fast unmerklich immer weiter nach Süden rückte. Als sich die jüdische Kolonisation noch auf die mittlere und nördliche Küstenzone und Galiläa beschränkte, fing, jedenfalls in der Vorstellung der Siedler, der Negev schon auf der Höhe von Ashqelon an: Die im Zuge der sogenannten „Operation Negev" an einem Tage, dem 4. Oktober 1946, gegründeten 11 Kibbutzim reichten von Gal'on im heutigen Lakhish-Gebiet bis nach Nevatim, östlich Beer

sula to Egypt, has been cut by the border. From the north and from the centre of the country only one route leads to the town. Here, however, it branches out into all those routes which are of fundamental importance for the development of the Negev: first of all the road to Elat, the big artery of the southern Negev, along which the two small desert towns of Yeroham and Mizpe Ramon are built; then the road to Dimona and Sedom, with a branch to the phosphate deposits of Oron; finally the road to Arad, the newest of all the desert towns, branching off to the east from the old road to Hebron. Whoever, coming from the north, wants to visit any place of historic, scenic or economic interest in the Negev, first comes to Beer Sheva. Even though the desert shows its face already a few miles earlier, as settlements become fewer and vegetation sparser, it is in Beer Sheva that it irrevocably begins. Beyond the town civilization becomes scarcer, more difficult to achieve and more expensive. Whoever cannot forgo it, or does not want to settle for good in one of the outposts, sets up headquarters here.

Distances are not great, and traffic conditions are favourable. The town itself can be reached within 2 or 2½ hours from the centre of the country, from Tel Aviv and Jerusalem, either via the road (68 miles) or by the railway which, completed in 1956, joined Beer Sheva to the network left from the period of the Mandate. In the meantime it has been continued to Dimona, and is under construction to Oron.[1] The distance to Dimona is 18 miles, to Oron 33 miles, to Sedom 44 miles, and to Arad 31 miles. Only a trip to Elat, 146 miles, takes more than a day. There are regular air connections, however, to Elat as well as to Haifa and Tel Aviv. Traffic on all routes is relatively dense; thus the risks of a desert tour are rather small. Nevertheless, the sparsity of human settlement, the rarity of petrol and service stations makes actually short distances seem psychologically much longer.

The Negev

Today, just as throughout history, the fate of Beer Sheva is determined by the fate of the Negev, by its products, routes, and people. Forming an elongated isosceles triangle, the Negev is bounded on the west by the Sinai peninsula and on the east by the continuation of the Jordan valley south of the Dead Sea, the Arava. To the south it ends in a narrow coastal strip along the Red Sea. It comprises an area of about 3300 square miles, nearly 40 % of the whole area of the State of Israel. The boundary to the north is much more difficult to define. Today it may run approximately 6 to 12 miles north of the town, along the limit of vegetation. Occasionally, however, a line is drawn along the Wadi Sheva, at the southern end of the town.[2] The sub-district of Beer Sheva, with an area of over 5100 square miles the largest in the country, reaches in the north somewhat beyond any of these lines.[3]

[1] For techniques, cost and economic advantages of the construction of a railway in the Negev see: Dietrich Regling/Reimar Voss: Die Bahn der drei Meere. Veröffentlichung der List Gesellschaft Band 31, Basel/Tübingen 1963.
[2] This uncertainty results to some extent at least from the fact that the boundary has moved southwards almost unnoticed during the years. When Jewish colonization was limited to the central and northern coastal zone and to Galilee, at least in the minds of the settlers the Negev started already somewhere off Ashqelon. When in the course of the "Operation Negev" 11 Kibbutzim were founded on one day, the 4th of October, 1946, these spread from Gal'on in the Lakhish area to Nevatim, to the east of Beer Sheva. The more the boundary of settlement was pushed southwards into unknown regions, the more southerly was the beginning of the Negev, somehow the symbol of these unknown regions.
[3] As for the Negev alone no statistics are available, all data about popula-

12 835 km² der Fläche nach der größte des Landes, greift in jedem Falle im Norden etwas über dieses Gebiet hinaus.[1]
Geographisch sind vier Zonen zu unterscheiden: die östlich an den Gazastreifen anschließende Küstenzone, die aus landwirtschaftlich nutzbaren Böden besteht und bei ausreichender künstlicher Bewässerung gute Erträge verspricht; das eigentliche Negev Plateau, etwa 400 bis 600 m hoch, das von der jordanischen Grenze südlich Hebron bis nach Elat reicht, jedoch nur im Norden und in der Mitte einige Striche Löß enthält, sonst vorwiegend Sand, Granit, Basalt, Glimmer, Feuerstein; eine bis zu 1000 m hohe Gebirgskette, die dieses Plateau

Sheva. Je mehr sich mit der Siedlungsgrenze die unbekannte Weite nach dem Süden verschob, desto südlicher fing auch der Negev, gewissermaßen als Symbol dieser unbekannten Weite, an.
[1] Da uns für den Negev allein keinerlei statistische Daten zur Verfügung stehen, beziehen sich alle Angaben über Bevölkerung, Anzahl der Siedlungen, Siedlungsdichte und landwirtschaftliche Nutzflächen auf diesen.

There are four different geographical zones: the coastal zone adjoining the eastern edge of the Gaza strip, with good fertile soil, which with sufficient irrigation promises good yields; the actual Negev plateau, approximately 1300 to 1950 feet high, stretching from the Jordan border south of Hebron to Elat, with one or two loess deposits in the north and in the centre, otherwise chiefly sand, granite, basalt, mica and flint; a mountain range, reaching heights of 3250 feet, cutting across this plateau from south-west to north-east and characterized by interesting formations known as "Makhteshim", canyon-like erosion craters dropping straight down for 1000 to 1300 feet; finally, the Arava depression, stretching from the southern end of the Dead Sea to the Gulf of Elat, which, despite its salty surface layer, is suitable for agriculture at least in some pla-

tion, population density, number of settlements, and agricultural products refer to the sub-district.

Der nördliche Negev
The northern Negev

Zeichenerklärung Seite 4
Key page 4

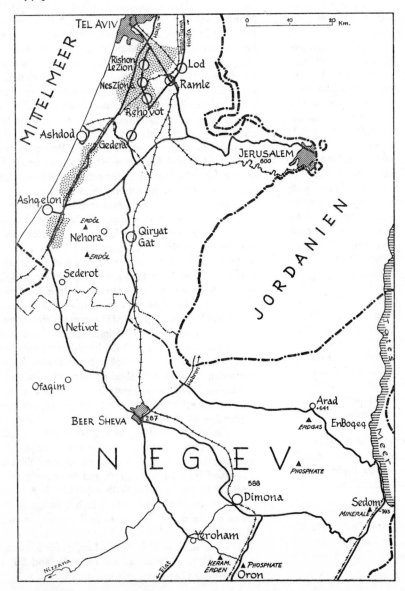

von Südwesten nach Nordosten durchschneidet und durch die geologisch interessanten Formationen der sogenannten Mörser (Makhteshim) gekennzeichnet ist, cañonartige Erosionskrater, die 300 bis 400 m tief senkrecht abfallen; schließlich die Arava, die sich vom Südende des Toten Meeres bis zum Golf von Elat erstreckt und trotz ihrer salzig verkrusteten Oberfläche bei künstlicher Bewässerung stellenweise ebenfalls landwirtschaftlich nutzbar ist. Von einigen Vorposten und Versuchsstationen abgesehen, konnten bis jetzt jedoch nur Teile der Küstenzone urbar gemacht werden. Ein großangelegter Plan, nach dem Vorbild des Lakhish-Gebietes auch die Gegend um den Wadi Besor, zwischen dem südlichen Teil des Gaza-Streifens und Beer Sheva, landwirtschaftlich zu erschließen, hängt von den in den nächsten Jahren verfügbaren Wassermengen ab.

Bis auf die Stadt Beer Sheva selbst, eine Handvoll Grenz- und Polizeiposten und, nach 1943, einige kleine jüdische Kolonien war das Gebiet in der Mandatszeit nicht besiedelt. Im Jahr 1944 betrug die gesamte seßhafte Bevölkerung des Bezirks Beer Sheva 5720 Personen, darunter 150 Juden.[1] Um so größer war die Zahl der Beduinen, rund 50 000, die allerdings, bei starker Fluktuation über die Grenzen, ebenfalls größtenteils im Norden und Nordwesten konzentriert waren; bis auf einige Stämme mit damals etwa 13 000 Angehörigen verließen auch sie nach der Gründung des jüdischen Staates das Land.

Schon zwischen 1948 und 1951 wurden 24 neue Siedlungen gegründet, 9 Kibbutzim, 14 Moshavim und ein Dorf, vorwiegend wieder im Nordwesten, die Kibbutzim unmittelbar an der Grenze, die Moshavim etwas weiter landeinwärts. Bis 1954 kamen noch einmal 19 Siedlungen hinzu, darunter einige bereits tief im Negev, wie der berühmte Kibbutz Sede Boqer 53 km südlich Beer Sheva, dem sich Ben Gurion angeschlossen hat, und En Gedi, die Oase am Toten Meer. Dann werden es weniger, bis 1959 entstehen nur noch 10 Kolonien, dann lange Zeit nichts mehr. Nicht der Gründungswille, die Bewässerungsmöglichkeiten waren erschöpft. Sehr bald schon schlossen sich diese Siedlungen zu sieben Kreisen zusammen, von denen, der Bevölkerungsdichte entsprechend, fünf mit zusammen rund 15 000 Einwohnern im Norden und Nordwesten gelegen sind und nur zwei mit zusammen kaum 1000 Einwohnern im Osten und Süden. Im Kreis Hevel Ma'on, unmittelbar am Gazastreifen, herrschen Kibbutzim vor, ebenso in den beiden eigentlichen Negev-Kreisen, in den anderen Moshavim.

Statt dessen verlagert sich das Gewicht auf die städtische Kolonisation. Als erstes wird, schon 1951, Yeroham gegründet, 1954 folgt, 56 km weiter südlich und dicht am Rande des „Großen Mörsers", des Makhtesh Ramon, Mizpe Ramon. Ein Jahr später kommt Dimona hinzu, bisher die kräftigste und erfolgreichste aller Wüstenstädte, schließlich, 1955 und 1956, Netivot und Ofaqim, beide als regionale Zentren für die schon bestehenden Landwirtschaftsgebiete im Nordwesten gedacht. Arad, 1962 begonnen, steht erst am Anfang. Außer Dimona, das Ende 1964 bereits 16 900 erreicht hatte, haben die meisten dieser Städte zwischen 5000 und 10 000 Einwohnern. Nur Mizpe Ramon, mit rund 1500 Bewohnern, bleibt darunter. Heute entfallen von der seßhaften Bevölkerung des Gebiets mehr als fünf Sechstel auf die Städte, weniger als ein Sechstel auf das Land.

Durch diese planmäßige Besiedlung hat sich die jüdische Bevölkerung des Bezirks in den 16 Jahren von Ende 1948 bis Ende 1964 von 1200 auf 124 000 erhöht, die arabische gleichzeitig von 13 000 auf 21 000. Der Anteil an der Gesamtbevölke-

[1] Vital Statistics Tables 1922–1945, a. a. O., S. 6

ces if artificial irrigation is supplied. So far, apart from a few outposts and research stations, only some sections of the coastal zone have been put to the plough. A comprehensive regional plan, based on the example of the Lakhish area, aims at cultivating the region around the Wadi Besor, between the southern part of the Gaza strip and Beer Sheva, but depends on the amount of water available during the next few years.

Except for the town of Beer Sheva itself, a handful of border and police posts, and, after 1943, a few Jewish colonies, the region was not inhabited during the period of the Mandate. In 1944 the established population of the entire sub-district of Beer Sheva was 5720 persons, among them 150 Jews.[1] Much greater was the number of Bedouins, roughly 50 000, who were concentrated mostly in the north and north-west, with considerable movement across the border. Apart from a few tribes with at that time about 13 000 members, they too left the country after the foundation of the Jewish State.

Already between 1948 and 1951, 24 new settlements were established, 9 Kibbutzim, 14 Moshavim and one village, most of them in the north-west — the Kibbutzim immediately along the border, the Moshavim somewhat further inland. Up to 1954 another 19 settlements were founded, a few of these already deep in the Negev, such as the famous Kibbutz Sede Boqer, 33 miles south of Beer Sheva, of which Ben Gurion is a member, and En Gedi, the oasis on the Dead Sea. Then the numbers decline: up to 1959 only 10 colonies were added, after that for a long time no more. Not the will to found new settlements, but the water resources were exhausted. Early already, the Kibbutzim and Moshavim constituted seven regional councils. In accordance with the population density, five of these, with a total of about 15 000 inhabitants, are situated in the north and north-west, and only two, with together hardly a thousand inhabitants, in the east and the south. In the regional council of Hevel Ma'on, immediately adjacent to the Gaza strip, Kibbutzim prevail, as they do in the two actual Negev regional councils, in the others, Moshavim.

Instead, the emphasis shifted towards urban colonization. In 1951 the first town, Yeroham, was founded, followed, in 1954, by Mizpe Ramon, 35 miles further south, close to the edge of the "Makhtesh Ramon". A year later, Dimona was established, up to the present the most vigorous and successful of the desert towns; finally, in 1955 and 1956, Netivot and Ofaqim were added, both meant as regional centres for the agricultural areas in the north-west. Arad, begun in 1962, is only in its infancy. With the exception of Dimona, which by the end of 1964 had already reached 16 900 inhabitants, most of these towns have between 5000 and 10 000 inhabitants; only Mizpe Ramon, with barely 1500, remains below the average. Today more than five sixths of the established population is living in towns, and somewhat less than one sixth in rural settlements.

As a result of this systematic settlement policy, the Jewish population of the sub-district increased in the sixteen years from the end of 1948 to the end of 1964 from 1200 to 124 000, while the Arab population grew in the same period from 13 000 to 21 000. In relation to the total population, the proportion has increased from 1.7 % to 5.7 %, and the density per square mile from 0.4 to 4.2 persons. With regard to the composition and origin of the population, the south belongs to the "newest" areas of the State; only one third were born in the country, 94.3 % of those immigrated had come only after 1948, and 73.1 % from Oriental countries. Except for a somewhat greater number born in Israel (between 40 % and 50 %), the rural

[1] Vital Statistics Tables 1922–1945, op. cit., p. 6

rung ist von 1,7 % auf 5,7 % gestiegen, die Dichte pro km² von 1,1 auf 11,3 Personen. Nach Zusammensetzung und Herkunft seiner Bewohner gehört der Süden denn auch zu den jüngsten Gebieten des Staates. Nur ein Drittel ist bereits im Land geboren, unter den übrigen sind 94,3 % erst nach 1948 eingewandert, 73,1 % aus orientalischen Ländern. Bis auf einen etwas größeren Anteil an geborenen Israelis, zwischen 40 % und 50 %, weicht die ländliche Bevölkerung in ihrer Zusammensetzung auch nur wenig von der städtischen ab. Nur die vorgeschobenen Siedlungen, die oft von Söhnen und Töchtern älterer Kibbutzim aus dem Norden gegründet wurden, bestehen sogar zu zwei Dritteln aus „Sabras", unter den wenigen Eingewanderten kommt fast die Hälfte aus Europa. Hier sind auch 84 % der Mitglieder noch keine 30 Jahre alt. Typisch für ein Kolonisationsgebiet ist der Männerüberschuß: Im Bezirk Beer Sheva insgesamt kommen auf 100 Männer 93 Frauen, in den Gebieten nahe der ägyptischen Grenze 80, in den südlichen Kibbutzim sogar nur 74.

Die 21 000 Beduinen, 19 Stämme von 100 bis zu mehreren tausend Angehörigen, sind heute größtenteils im Raum nordöstlich Beer Shevas konzentriert. Wenn nicht Wassermangel und Dürre sie zum Ausweichen nach Norden zwingen, weiden sie hier ihre Herden, säen aber auch mit modernen Maschinen, die von den Scheichs gemietet werden, Gerste und Weizen, 1961/62 rund 40 000 ha. Geerntet wird nur alle zwei bis drei Jahre, wenn höhere Niederschläge ausreichende Erträge versprechen. Spärliche Anzeichen eines selteneren Wechsels ihrer Standorte sind zu erkennen: Brunnen werden mit eisernen Schlössern und Türen versehen, Wellblechhütten ersetzen die — viel teureren — Zelte; Männer nehmen im Straßen- oder Wohnungsbau regelmäßige Arbeit an, besuchen Berufslehrgänge, Frauen gehen zur Entbindung ins Krankenhaus. Die Regierung unterstützt diese Tendenzen nach Kräften, legt Wasserleitungen zu den Tränkstellen, richtet an Schwerpunkten, die als Kristallisationskerne für eine spätere Niederlassung der Stämme in festen Dörfern geeignet erscheinen, Schulen und ärztliche Sprechstunden ein. Haus- und Siedlungstypen, die der Lebensweise der Beduinen entgegenkommen, sind in Vorbereitung. Wie auch immer man diese Entwicklung beurteilen mag — von der Ungebundenheit des Zeltes oder der Hütte unter dem freien Himmel und in der großen Weite der Wüste ins Dorf oder gar in die Stadt scheint der Weg noch weit.

Das Wirtschaftspotential, das seit 1948 im Negev aufgebaut wurde, ist mit Zahlen weit schwerer zu messen. Die Landwirtschaft, wie die Mehrzahl der ländlichen Siedlungen vorwiegend im Nordwesten konzentriert, liefert heute auf bewässerten Flächen vor allem Zuckerrüben, Kartoffeln, Baumwolle und Erdnüsse, auf unbewässerten Gerste und Weizen. Bei Zuckerrüben (1580 ha) machte die angebaute Fläche 1961/62 ein Drittel der Gesamtanbaufläche des Landes aus, bei Kartoffeln (2160 ha) sogar 40 %. Bei Gerste (13 450 ha) waren es im jüdischen Sektor 43,5 %, bei Weizen (9200 ha) 29,1 %; der arabische ist wegen der großen Abhängigkeit von Witterungsschwankungen kaum zu erfassen. Den Wirtschaftsraum von Beer Sheva selbst berührt jedoch vor allem der jüdische Sektor nur wenig. Zwischen der Stadt und der Küste gelegen, ist er weit mehr nach den dort angrenzenden, landwirtschaftlich stärker genutzten Gebieten und deren Sammelstellen und Umschlagplätzen hin orientiert.

Die Bodenschätze hingegen, fast die einzigen des Landes, befinden sich alle jenseits der Stadt, im eigentlichen Negev. Aus der Mandatszeit übernommen wurden nur die Anlagen der „Palestine Potash Company", die den Mineralgehalt des Toten

population does not differ markedly from the urban. Only the frontier settlements, often founded by sons and daughters of older Kibbutzim from the north, have almost two-thirds "Sabras", and among the few immigrants, more than half are European; 84 % of the members are not yet 30 years old. Typical for colonization areas is the surplus of men: in the sub-district of Beer Sheva as a whole there are 93 women to 100 men, in the region near the Egyptian border 80, and in the Kibbutzim further south only 74.

The 21 000 Bedouins, 19 tribes with anything from 100 to several thousand members, are located mostly in the area northeast of Beer Sheva. If water shortage and drought do not force them to move northwards, they graze their herds here, grow barley and wheat (in 1961/62 about 100 000 acres), often with modern machines hired by the sheikhs, but they harvest only every two or three years, whenever more generous precipitation promises sufficient yields. There are some indications that they start changing their location somewhat less frequently: wells are covered with doors and locks, Nissen huts replace the expensive tents; men accept regular work at road or housing construction, and attend vocational courses; women go to the hospital to have their babies. The government favours such tendencies as much as possible. Pipes are laid to the watering places, schools and medical aid are provided at points of concentration which are to serve as nuclei for proper villages. However one may assess this development — the path from the freedom of the tent or the hut under the open sky and in the vastness of the desert to the village or (even more) to the town seems still long.

Far more difficult to measure is the economic potential built up in the Negev since 1948. Farming, like most of the rural settlements, is concentrated largely in the north-west. Irrigated crops include sugar beet, potatoes, cotton and groundnuts, unirrigated crops chiefly barley and wheat. In 1961/62 sugar beet areas (3950 acres) accounted for a third of the total national area, potatoes (5400 acres) for 40 %, barley (33 600 acres) for 43.5 % and wheat (23000 acres) for 29.1 %. Arab crops, not included here, are difficult to estimate because of their dependence on fluctuations in precipitation. In any case, the economic potential of Beer Sheva is affected very little even by Jewish farming. Situated between the town and the coast, it is orientated largely towards the agricultural areas adjoining to the west and to their collecting and distribution points.

Mineral resources, on the other hand, almost the only ones in the country, are all found beyond the town, in the actual Negev. Taken over from the period of the Mandate is only the Palestine Potash Company which had exploited the mineral content of the Dead Sea already since 1930/31 and which was succeede by a public company, the Dead Sea Works, largely in the hands of the government. The somewhat dated installations have been modernized, and after considerable expansions in 1956 and 1964, the Dead Sea Works have been producing 320 000 tons of potash in 1964/65, not including bromine, bromine derivatives, and common salt. By means of a dyke 28 miles long, a sheet of water 40 square miles in extent is being cut off at the southern end of the Sea (where it is only 10 to 20 feet deep) and is to be transformed into one huge evaporation pan. Already in 1965/66 production is to rise to 600 000 tons, and after the dyke is complete and the corresponding installations on land have been built, is to be further increased to 900 000 to 1 million tons. New plants for the production of bromine and table salt are under construction as well.

Meeres am Nordufer schon seit 1930/31, am Südufer seit 1937, ausgebeutet hatte. Ihr Erbe traten die staatlichen „Dead Sea Works" an, die die inzwischen veralteten Anlagen umbauten und, nach einer Erweiterung im Jahr 1964, 1964/65 schon 320 000 to Pottasche, dazu Brom, Bromderivate und andere Salze, auch Tafelsalz, herstellten. Mit Hilfe eines 45 km langen Deiches wird zur Zeit eine 100 km² große Wasserfläche am Südende des Meeres, das hier nur 3 bis 6 m tief ist, abgedeicht und in eine einzige große Verdunstungspfanne verwandelt. Schon für 1965/66 wird mit einer Erhöhung der Produktion auf 600 000 to gerechnet, nach völliger Fertigstellung des Deiches und der entsprechenden Installationen an Land auf 900 000 bis 1 Mill. to. Erweiterte Anlagen für die Gewinnung von Brom und Tafelsalz sind ebenfalls im Bau.

Der Abbau der Phosphate in Oron, im Tagebau, geschieht durch eine andere, ebenfalls weitgehend in staatlichem Besitz befindliche Gesellschaft, die „Chemicals and Phosphates Ltd.". Da der Gehalt an dem für die Weiterverarbeitung zu Kunstdünger wesentlichen Phosphorpentoxyd (P_2O_5) mit 21 % bis 24 % gering ist — die Lagerstätten in Marokko und Florida haben 29 % bis 31 % —, müssen sie mittels eines kostspieligen Verfahrens auf 29 % angereichert werden, bevor sie für den Export geeignet sind. Im Jahr 1963/64 betrug die Produktion insgesamt 270 000 to, davon 160 000 to für den Export. Neuartige, im Lande selbst entwickelte Brennmethoden können den bisher mechanischen Veredelungsprozeß jedoch wesentlich verbilligen, dabei den Gehalt an P_2O_5 auf 38 % erhöhen. Eine entsprechende Anlage wurde vor kurzem fertiggestellt. Ab 1965 wird mit einer Jahresproduktion von 400 000 to hochwertiger Phosphate gerechnet, die zu einem großen Teil für den Export bestimmt sind. Etwas weiter nördlich, im Raum Arad, sind ebenfalls größere Vorkommen mit einem natürlichen Gehalt von 29 % P_2O_5 bekannt, die jedoch noch nicht abgebaut werden. Bei Rosh Zohar schließlich, nur wenig südlich Arad, wurden vor einigen Jahren Erdgasquellen entdeckt, deren Reserven auf 2 Mill. to geschätzt werden. Zur Zeit führen Leitungen nach Sedom, Oron und Dimona, auch Arad selbst ist angeschlossen.

Das Vorhandensein der drei wichtigsten Komponenten zur Kunstdüngerherstellung — Kalisalze (Pottasche), Phosphate und Erdgas — in dichter Nachbarschaft, dazu die ausgezeichnete Marktlage auf diesem Gebiet ließen den Gedanken aufkommen, die gesamte Kunstdüngerproduktion, die zunächst ihren Schwerpunkt in Haifa hatte, im Raum Oron/Arad zu konzentrieren und in Verbindung hiermit eine petrochemische Industrie aufzubauen. Pläne und Verhandlungen sind bereits relativ weit gediehen, als erstes sollen — zur Hälfte mit amerikanischem Kapital — umfangreiche Anlagen zur Herstellung von Phosphorsäure (etwa 150 000 to im Jahr) entstehen. Auch die Mehrzahl der übrigen in diesem Gebiet gelegenen Produktionsstätten paßt sich der Konzeption eines derartigen Kombinats schon an. Die in Haifa freiwerdenden Kapazitäten könnten von der bisherigen Massenproduktion auf chemische Spezialerzeugnisse, die für eine Herstellung im Negev sowieso nicht in Frage kommen, umgestellt werden. Ob in Haifa oder Oron/Arad veredelt, sind jedoch jegliche Massengüter des Negev noch mit außerordentlich hohen Transportkosten belastet, die — trotz erheblicher Subventionen — die Rentabilität aller dieser Unternehmen einschränken.

Quantitativ von geringerer Bedeutung sind die Vorkommen an feuerfesten Tonerden, Quarzsanden, Gips, Mangan und Fluor in den Mörsern, die von der „Negev Ceramic and Fine Sand Company" ausgebeutet werden. Die Quarzsande, von denen

Open-cast mining of phosphates at Oron is handled by another company, «Chemicals and Phosphates Ltd.", also mostly in government ownership. As the content of phosphorous pentoxide (P_2O_5), essential for the manufacture of artificial fertilizer, is only 21 % to 24 % (the deposits in Morocco and Florida have 29 % to 31 %), they have to be enriched to 29 % by means of an expensive process to be suitable for export. In 1963/64 total production was 270 000 tons, of which 160 000 tons were for export. New calcination methods which have been developed in the country will replace the so far purely mechanical process and will lower costs considerably, at the same time increasing the P_2O_5 content to 38 %. A huge calcination kiln has been mounted recently and from 1965 onwards a yearly production of 400 000 tons of high-grade phosphate, largely intended for export, is anticipated. Somewhat further north, in the Arad region, another deposit with a natural content of 29 % P_2O_5 has been discovered, but is not mined yet. Near Rosh Zohar, finally, to the south of Arad, natural gas been found a few years ago, with reserves estimated at 2 million tons. Pipes to Sedom, Oron, Dimona as well as to Arad have been laid.

The existence of the three main components for the production of artificial fertilizer — potash, phosphate, and natural gas — in close neighbourhood, together with the excellent market situation in this field, have suggested the idea to concentrate fertilizer production in this area, instead of Haifa, and to connect it with a large petro-chemical combine. Plans and negotiations have made relatively fast progress, and to begin with a large phosphoric acid factory (with a capacity of 150 000 tons a year) is to be built, financed 50 % by American capital. Factories already in existence in this area can be easily fitted into such a combine. Capacities released in Haifa could be used for the manufacture of specialized chemicals which are unsuitable for production in the Negev anyhow. Whether refining is located in Haifa or in Oron/Arad, however, any production of bulk goods in the Negev is burdened with exceptionally high transport costs jeopardizing the profitability of any such enterprises, even if heavily subsidized.

Of less significance quantitatively are the deposits of flint-clay, glass sand, gypsum, manganese and fluoride, found in the Makhteshim and exploited by the "Negev Ceramic and Fine Sand Company". The glass sands of which 43 000 tons were mined in 1963/64 are processed only to a very limited extent locally, either in Mizpe Ramon or in Beer Sheva, otherwise in the north, again mostly in Haifa. The transport of delicate glass products over long distances would in no case be profitable. Clays and kaolin, on the other hand, of which 26 000 tons were won in 1963/64, serve as the basis for a ceramic industry in Beer Sheva itself.

Copper, another important product of the south, affects the region of Beer Sheva only marginally. The production of the copper mines at Timna, 14 miles north of Elat, recently 9500 tons, is intended exclusively for export; half of it is shipped via Elat, half via Haifa. The oil wells near Helez and Kokhav, roughly between Ashqelon and Qiryat Gat, are beyond the boundaries of the Beer Sheva region anyway. Local industries built up in other towns in the Negev — of which only the textile factories in Dimona, with more than 2000 employees, and Ofaqim, with 590 employees, are of importance — influence the economy of Beer Sheva only indirectly, by stimulating its central functions. The development of new businesses exerts a far greater influence, as planning, financing, super-

im Jahr 1963/64 43 000 to gewonnen wurden, werden jedoch nur zum geringsten Teil am Ort, etwa in Mizpe Ramon oder auch in Beer Sheva, verarbeitet, sonst im Norden, vor allem wieder in Haifa. Der Transport empfindlicher Glasprodukte über weite Strecken zu den Hauptverbrauchszentren wäre in keinem Falle rentabel. Die Tonerden und Kaoline, 1963/64 26 000 to, dienen jedoch, sofern sie nicht exportiert werden, einer keramischen Industrie in Beer Sheva selbst als Grundlage.

Ein weiteres wichtiges Erzeugnis des Südens, Kupfer, streift den Raum von Beer Sheva ebenfalls nur am Rande. Die Produktion der Kupferminen von Timna, 26 km nördlich Elat, zuletzt 9500 to, ist ausschließlich für den Export bestimmt und wird etwa zur Hälfte über Elat selbst, zur Hälfte über Haifa verschifft. Die Ölquellen bei Helez und Kokhav schließlich, etwa zwischen Ashqelon und Qiryat Gat, befinden sich sowieso schon jenseits seiner Grenzen. Auch die in den anderen Städten des Negev aufgebauten lokalen Industrien — unter denen bis jetzt allerdings nur die Textilbetriebe in Dimona mit mehr als 2000 und Ofaqim mit 590 Arbeitern nennenswerte Bedeutung haben — wirken sich auf die Wirtschaft Beer Shevas nur noch mittelbar, durch die Vermehrung seiner zentralen Funktionen, aus. Die Entwicklung neuer Beschäftigungszweige hingegen ist stärker spürbar, da Planung, Finanzierung, Bauleitung, Transporte und Erstausstattung größtenteils über die Stadt laufen.

Ähnliches gilt für den Straßen- und Eisenbahnbau, der Beer Sheva schon in der Vergangenheit wesentliche Antriebskräfte zugeführt hat und dies auch in Zukunft weiter tun wird. Gegen Ende der Mandatszeit war im Negev außer den Zugangsstraßen von Norden und der Straße nach Ägypten keinerlei festes Straßennetz, ja kaum eine gebahnte Piste vorhanden. 1953 wurde daher zunächst die Straße Beer Sheva—Sedom fertiggestellt; 1958 folgte, nach zwei provisorischen Vorläufern, die erste asphaltierte Straße nach Elat, die noch laufend verbessert wird; 1963 wurde, mit Hilfe eines Weltbankkredits, die neue Straße nach Arad vollendet, 1964 von Arad nach Sedom weitergeführt. Auch die wichtige Verbindung von Sedom durch die Arava nach Elat, über die ein guter Teil der Pottasche-Exporte läuft, wurde vor kurzem dem Verkehr übergeben. In die Zwischenzeit fällt eine Reihe von Abzweigungen und Querverbindungen, weitere sind geplant. Nicht zuletzt kommt die Fortführung der Eisenbahn nach Dimona—Oron, mit dem Fernziel Elat, der Stadt zugute.

Hinzu kommt, was auch immer in Vergangenheit, Gegenwart und Zukunft an archäologischen Expeditionen, geologischen, hydrologischen und landwirtschaftlichen Forschungsgruppen den Negev systematisch nach Altertümern, Bodenschätzen, landwirtschaftlich nutzbaren Gebieten und Wasser absucht, schließlich die große Zahl der Touristen, die ein bequemes Standquartier für archäologische, historische und landschaftliche Streifzüge braucht. Für sie alle ist Beer Sheva Verwaltungszentrum, Einkaufsort, Treffpunkt, Unterhaltungsstätte, nicht zuletzt Wohnsitz ihrer Familien.

Die geographische Lage der Stadt selbst, vom Zentrum des Landes in wenigen Stunden zu erreichen, mehr am Eingang als in der Mitte des Negev, kommt dem entgegen. Das Wüstenplateau hat hier eine Höhe von 250 bis 300 m, ist leicht gewellt und wird nur von einigen Wadis, von denen der Wadi Sheva bei weitem der größte und tiefste ist, durchschnitten. Der Boden besteht vorwiegend aus Löß, die Niederschläge, etwa 200 mm jährlich, reichen jedoch im allgemeinen für eine natürliche Vegetation nicht aus. Die wolkenbruchartigen Schauer der Wintermonate können die Wadis allerdings binnen weni-

vision of construction, transports, and initial equipment in one way or another all affect the town.

The same applies to the construction of roads and railways, which have been an essential driving force for Beer Sheva in the past, and certainly will be so in the future. Towards the end of the Mandate, apart from the roads from the north and the road to Egypt, there was no efficient road network in the Negev, hardly even beaten tracks. First of all, in 1953, the road from Beer Sheva to Sedom was built, followed, in 1958, by the first hard surface road to Elat which replaced two earlier provisional routes and is being improved constantly; in 1963, by means of a loan from the World Bank, the new road to Arad was completed and in 1964 it was continued from Arad to Sedom. Another important connection, the Arava road from Sedom to Elat, which handles a large proportion of the potash exports from the Dead Sea, was opened for traffic only recently. In the interim periods a number of branch roads and cross connections have been built, and additional routes are being planned. No less advantageous for the town is the continuation of the railway to Dimona—Oron and perhaps, later on, even to Elat.

To be added are the numerous archaeological, geological, hydrological and agricultural research groups which in the present no less than in the past and no doubt also in the future systematically comb the Negev for ancient relics, mineral resources, arable land, and water; then the larger number of tourists wanting comfortable headquarters for archaeological, historical or just sight-seeing excursions. For all of them Beer Sheva is supply base, shopping centre, meeting point and place of entertainment, and last but not least the home of their families.

For all such purposes, the geographical situation of the town, within easy reach from Tel Aviv and Jerusalem, more the entrance to than the centre of the Negev, is of advantage. Here the desert plateau is only 800 to 1000 feet high, gently undulating and dissected only by a few wadis, of which the Wadi Sheva is by far the biggest and deepest. The soil is predominantly loess, but precipitation, about 10 inches per year, is insufficient for natural vegetation. The cloud-bursts in the winter-months can, however, change the wadis within a few hours into raging rivers. The average temperatures are little higher than along the coast but fluctuations, typical for a desert climate, are somewhat bigger. In August 1964, for instance, the daily maximum temperature in Beer Sheva was on average 32.7° C and in Tel Aviv 29.4° C, but the minimum temperature was in Beer Sheva only 18.2° C and in Tel Aviv 21.9° C. Besides, the heat is drier and less oppressive; relative humidity is on average 59 %, in Tel Aviv 71 %. Sandstorms occur only occasionally; when they do come they cover the town right into the remotest corners with a fine layer of dust. In general, however, here as in most parts of the northern Negev, the climate does not present any real barriers to human settlement.

Land Use and Layout

The topographical conditions, too, are favourable. The only obstacle to be taken into account, and which actually led to placing the new town to the north and not to the south of the old town, was the course of the Wadi Sheva with its steep banks difficult to cross especially during the winter floods. Otherwise, planning had a relatively free hand. The present area of the town, 6700 acres about half of which are built up, is largely level. It is dissected only by both arms of a small

ger Stunden in reißende Flüsse verwandeln. Die Temperaturen sind kaum höher als an der Küste, die Schwankungen, typisch für Wüstenklima, jedoch größer. Im August 1964 zum Beispiel lag die tägliche Maximaltemperatur in Beer Sheva im Durchschnitt bei 32,7°, in Tel Aviv bei 29,4°, die Minimaltemperatur dagegen in Beer Sheva bei 18,2°, in Tel Aviv bei 21,9°. Auch ist die Hitze trockener — die relative Luftfeuchtigkeit beträgt im Jahresdurchschnitt 59%, in Tel Aviv 71% — und daher leichter zu ertragen. Sandstürme treten nur wenige Male im Jahr auf, überdecken die Stadt dann allerdings bis in die entferntesten Winkel mit einer feinen Staubschicht. Hier wie in den meisten Gegenden des nördlichen Negev setzt das Klima menschlichen Ansiedlungen im allgemeinen jedoch keinen nennenswerten Widerstand entgegen.

Flächennutzung und Bebauung

Auch die topographischen Verhältnisse sind günstig. Nur der Verlauf des Wadi Sheva, dessen steile Ufer vor allem bei winterlichen Sturzfluten auch heute noch schwer zu überschreiten sind, ließ es angeraten sein, die neue Stadt nördlich, und nicht südlich, an die alte anzuschließen. Im übrigen hatte die Planung relativ freie Hand. Das derzeitige Stadtgebiet, 2700 ha groß, davon etwa die Hälfte bebaut, ist weitgehend eben. Es wird lediglich durchschnitten von den beiden Armen eines kleineren Wadi, der südöstlich der Altstadt in den Wadi Sheva einmündet, jedoch kein unüberwindliches Hindernis darstellt. Trotzdem gilt Beer Sheva heute selbst bei israelischen Architekten als das Musterbeispiel einer Fehlplanung, deren grundsätzliche und schwer zu behebende Irrtümer die Stadtverwaltung vor kaum lösbare Probleme stellen. Ideen und Vorstellungen, die zur Zeit des ersten Generalplanes, im Jahre 1950, gang und gäbe waren und in allen damaligen Stadtplänen zu erkennen sind, wurden hier schon durch die Größe des Projekts und die Diskrepanz zwischen Modell und landschaftlicher und klimatischer Wirklichkeit ad absurdum geführt. Die einstöckigen Häuschen, weitläufigen Grundstücke, schattenlosen, gewundenen Straßen und reichlichen Freiflächen einer englischen Gartenstadt mußten sich mitten in der Wüste, wo ein Baum eine Kostbarkeit, eine Blume ein Kleinod und ein Rasen, selbst aus stacheligem Büffelgras, einen teuer bezahlten Luxus darstellt, wo der einzige Schutz vor der Sonne, aber auch vor den Sandstürmen der Schatten der Hauswände ist, zum Verhängnis auswachsen; ebenso die verschwenderische Länge der Straßen, die eine ebenso verschwenderische Länge des Elektrizitätsnetzes, der Wasserleitungen, des Kanalisationssystems nach sich zieht.

Der erste Generalplan war sich — im vollen Gefühl seiner Übereinstimmung mit den Erkenntnissen der Zeit — solcher Konsequenzen nicht bewußt. Schon damals für 60000 Einwohner berechnet, sah er eine lockere Anordnung von 6 Wohnvierteln mäßiger Dichte mit je 5000 bis 10000 Bewohnern um ein neues, etwa in der Mitte gelegenes Geschäfts- und Verwaltungszentrum vor. Die alte „City" sollte aller derartigen Funktionen entkleidet und, soweit möglich, ebenfalls als Wohnviertel saniert werden. Einige „Gartenvorstädte" am Rande der Stadt würden in die freie Landschaft überleiten, Landschaft würde aber auch in die Stadt vordringen: Grünanlagen und öffentliche Freiflächen sollten bis dicht an das Zentrum vorstoßen, ein großer Park, nördlich daran anschließend, könnte auch das geplante regionale Krankenhaus aufnehmen. Den Übergang zu dem großzügig abgesteckten Industriegelände im Osten würde ein ebenfalls an das Zentrum anschließendes Handwerks- und Gewerbegebiet, das auch Transport- und Waren-

wadi, which merges into the Wadi Sheva to the south-east of the old town, but does not form an insurmountable barrier. Nevertheless, Beer Sheva is considered today, even by Israeli architects, the classical example of a planning blunder, the fundamental and well-nigh irrevocable mistakes of which leave the town's administration with almost insoluble problems. Ideas and conceptions which were quite common when the first master plan was drawn up in 1950 and which are recognizable in all master plans of that period, must prove an absurdity here, as a result of both the size of the project and the discrepancy between the model and the realities of landscape and climate. Single-storey houses with extensive plots of land, winding streets without any shade but with a generous provision of open spaces, all modelled on an English garden city, were bound to be doomed in the very heart of the desert, where a tree is a treasure, a flower a jewel, and a lawn, even of prickly buffalo grass, a costly luxury, and where the only protection from the sun and the sand-storms is the shade from the walls of the houses; no less doomed were the lavishly long roads, which implied equally long electricity lines, water pipes, and drains.

The first master plan — in full agreement with the established principles of the time — did not foresee such consequences. Already at that time intended for a population of 60000, it envisaged a loose layout of six residential quarters of medium density, each with approximately 5000 to 10000 inhabitants, grouped around a new centrally-located shopping and administrative area. The old "city" was to be stripped of all such functions and was to be redeveloped as a residential area. A few "garden suburbs" on the outskirts were to be the link between the town and the open countryside, just as the countryside was to penetrate into the town; green strips and ample public open spaces were to reach close to the centre, and a large park, adjoining the centre on the north, was to encompass the regional hospital. Adjoining the centre to the east was a zone for crafts and workshops including haulage contractors and transport firms, merging into the actual industrial area staked out generously somewhat farther outwards. Apart from the rather strange and stiff gridiron pattern of the old town a plan "lege artis" as it could equally well have been designed for a satellite town outside London in green England.

As it stands today, Beer Sheva clearly portrays elements and tendencies resulting from this plan, but at the same time, just as in the case of many other new towns, it embodies a piece of planning and building history. To the south there is the old town, strictly regular, which, despite all efforts to the contrary, has retained its position as the trade, banking and entertainment centre regained soon after the occupation. During the last few years additional banks and offices have been built in its two main shopping streets. Given the choice whether to erect their head offices in the new centre where there was plenty of space, or in the tight old "city", many firms preferred the old "city" where far more passenger movement and a certain amount of chance customers were to be expected. Other concerns with a similar structure followed their example, so that today, although it had actually been condemned to die out, considerable new investments are tied up in the old "city".

The first extensions, starting with a kind of temporary settlement and a hardly less makeshift group of small-holdings, were located on both sides of the Wadi Sheva south of the old town. Apart from a small modern bungalow quarter, all

Beer Sheva – Generalplan 1: 40 000
Beer Sheva – general plan (scale 1: 40 000)

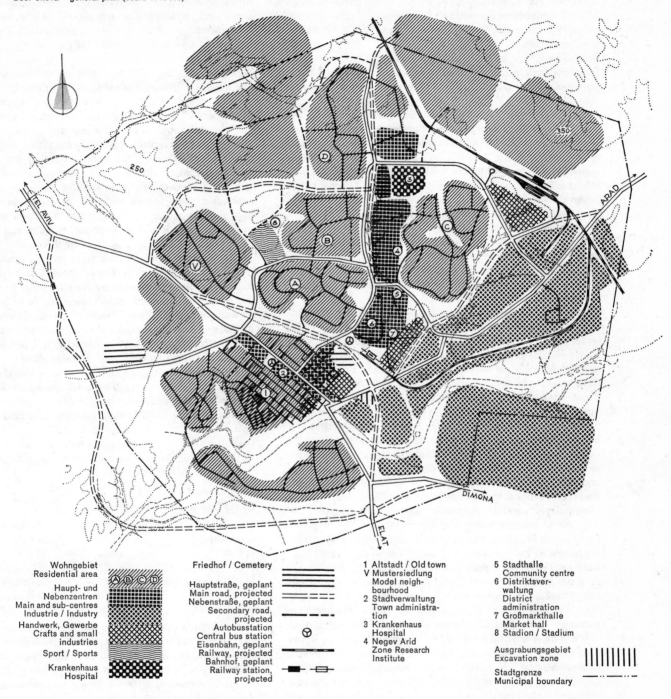

Wohngebiet Residential area	Friedhof / Cemetery	1 Altstadt / Old town V Mustersiedlung Model neigh- bourhood
Haupt- und Nebenzentren Main and sub-centres	Hauptstraße, geplant Main road, projected	2 Stadtverwaltung Town administra- tion
Industrie / Industry	Nebenstraße, geplant Secondary road, projected	3 Krankenhaus Hospital
Handwerk, Gewerbe Crafts and small industries	Autobusstation Central bus station	4 Negev Arid Zone Research Institute
Sport / Sports	Eisenbahn, geplant Railway, projected	
Krankenhaus Hospital	Bahnhof, geplant Railway station, projected	

5 Stadthalle
  Community centre
6 Distriktsver-
  waltung
  District
  administration
7 Großmarkthalle
  Market hall
8 Stadion / Stadium

Ausgrabungsgebiet
Excavation zone

Stadtgrenze
Municipal boundary

umschlagsunternehmen enthielte, bilden. Ein Plan lege artis, wie er, mit Ausnahme des etwas fremd und hölzern wirkenden Schachbrettmusters der Altstadt, ebensogut für eine der Londoner Trabantenstädte im grünen England hätte entworfen werden können.

Beer Sheva, wie es sich heute darbietet, trägt deutlich die Elemente und Tendenzen dieses Planes zur Schau, es verkörpert gleichzeitig aber auch, ebenso wie die meisten anderen Neugründungen, ein Stück Bau- und Planungsgeschichte: im Süden, in strenger Regelmäßigkeit, die Altstadt, die trotz aller gegenteiligen Bemühungen ihre Position als Handels-, Bank- und Vergnügungsmittelpunkt, die sie bald nach der Besetzung wiedererlangt hatte, bewahrt hat. An ihren beiden Hauptgeschäftsstraßen sind in den letzten Jahren neue Bank- und Bürogebäude entstanden. Vor die Wahl gestellt, ihre Zentralen in dem geplanten neuen Zentrum, wo reichlich Raum zur Verfügung stand, oder in der engen Altstadt zu errichten, zogen vor allem die Banken die alte „City", die weit mehr Publikumsverkehr und auch ein gewisses Maß an Laufkundschaft versprach, vor. Andere Unternehmen ähnlicher Struktur folgten ihrem Beispiel, so daß heute in der eigentlich zum Aussterben verurteilten Altstadt erhebliche neue Investitionen festgelegt sind.

Die ersten Stadterweiterungen, zunächst eine Art Behelfssiedlung, dann eine kaum weniger provisorische Gruppe von Hilfswirtschaften, schlossen sich diesseits und jenseits des Wadi Sheva südlich an die Altstadt an. Alle weitere Entwicklung dagegen ging — bis auf ein modernes kleines Bungalowviertel im Südwesten — im Norden vor sich. Zentrale Achse der neuen Stadt ist ein leicht geschwungener, nordöstlich längs des einen Wadi-Armes verlaufender Straßenzug, in den die Sammel-Straßen aus den einzelnen Wohnvierteln einmünden. Die beiden ältesten, A und C, noch ganz nach dem ersten Plan angelegt, enthalten in der Mehrzahl zweigeschossige Häuser für je vier Familien, viele davon in der Eile des ersten Aufbaus und unter dem Druck der täglich eintreffenden Neueinwanderer in Fertigbauweise nach dem amerikanischen System „Tournalayer" erstellt. Angesichts der Geschwindigkeit, mit der gebaut werden mußte, und der im ganzen Lande gleich schwierigen Frage der Pflege und des Unterhalts solcher Bauten nimmt es kaum wunder, daß diese Viertel der Stadt heute nicht zur Zierde gereichen. Besonders unglücklich ist, daß gerade das unansehnlichste Viertel A unmittelbar an der neuen Hauptstraße, die bereits wesentlich höheren Ansprüchen genügt, gelegen ist, und genau gegenüber den modernen Verwaltungs- und Geschäftsbauten des neuen Zentrums. Das nördlich an A anschließende Viertel B enthält dagegen schon eine ganze Reihe dreigeschossiger Blocks, und D schließlich, noch weiter nördlich, ist bereits nach neueren Gesichtspunkten gebaut, mit geraden, rechtwinkligen Straßen, ausschließlich in drei- und viergeschossigen Reihen und Zeilen. Als Zeichen der endgültigen Abkehr von früheren Vorstellungen hat die Stadt, unmittelbar östlich des Ortseingangs von Tel Aviv her, eine Mustersiedlung erhalten. Von mehreren namhaften Architekten geplant, teilweise noch im Bau, teilweise schon fertiggestellt, enthält sie die verschiedensten Typen und Elemente, die an-

Bruttowohndichte in verschiedenen Vierteln

A	(1951—52)	48 WE/ha
C (Süd)	(1952—53)	44 WE/ha
C (Nord)	(1953, 1960)	61 WE/ha
B	(1955—56)	63 WE/ha
Mustersiedlung	(1956—57)	65 WE/ha
D	(1961)	103 WE/ha

subsequent development took place in the north. Central axis of the new town is a gently curved street, stretching north — south along one of the wadi arms, with the feeder roads from the various residential quarters running into it. The two oldest residential quarters, A and C, designed exactly according to the first layout, contain mostly two-storey houses for four families apiece. In the hurry and haste of the first building period and under the pressure of immigrants arriving every day, many of these were built on the American prefabrication system "Tournalayer". In view of the fact that speed was imperative, and the question of maintenance and repairs difficult (as throughout the country), it is hardly surprising that these quarters are not precisely the show pieces of the town today. Particularly unfortunate is the location of the least presentable quarter, A, immediately alongside the new main street (which satisfies already considerably higher standards) and exactly opposite the modern administrative buildings and shops of the new centre. Residential quarter B, adjoining to the north of A, contains already a number of three-storey houses; D, finally, even further to the north, is built according to a new layout, with straight, right-angled streets, and comprises exclusively three- and four-storey blocks of flats. To demonstrate the full renunciation of earlier ideas the town has been bestowed with a model neighbourhood, immediately to the east of the approach road from Tel Aviv. Planned by several well-known architects, partly already completed, partly under construction, it contains all those types and elements which could be of interest with regard to the particular climatic and social conditions of the country, from three-storey blocks, 270 yards long, of slight French influence, to one- or two-storey terrace houses and courtyard houses grouped in a kind of "carpet" pattern. Here, too, in contrast to most of the naturally "grown" towns, densities increase, rather than decrease, from the centre to the outskirts. They are lowest in quarters A and C (south) and highest in quarter D.

Gross Densities in Residential Quarters

A	(1951—52)	19 dwellings per acre
C (north)	(1952—53)	18 dwellings per acre
C (south)	(1953, 1960)	24 dwellings per acre
B	(1955—56)	25 dwellings per acre
Model neighbourhood	(1956—57)	26 dwellings per acre
D	(1961)	41 dwellings per acre

In the first plan the centre of the new town was sited northeast of the old town, with the clear intention to form a link between the two parts of the town, old and new, and to create a new focus. Today there are already a few public buildings, the district administration, a shopping centre, some offices, a cinema, the community centre, a few hotels, the central synagogue and the big market hall. All the same, the new central area is still considerably inferior to the old "city" in liveliness, variety, richness of experience, and even more so in the number of people roaming around. Many of the workshops and crafts have remained in their old location in the old "city", too, whereas the larger industrial enterprises and the transport companies have settled, according to plan, in the industrial area to the east.

The two public transport termini, bus and railway, are situated at opposite ends of the town, corresponding, however, to the location of their respective customers: the bus station tightly wedged in the centre of the old town, the railway station on

gesichts der besonderen klimatischen und sozialen Bedingungen des Landes von Interesse sein konnten, von 250 m langen, dreigeschossigen Blocks leicht französischen Einschlags über ein- und zweigeschossige Reihenhäuser bis zu Atriumhäusern in Teppichbebauung. Umgekehrt wie in den meisten „gewachsenen" Städten nimmt also auch hier die Wohndichte von innen nach außen zu und nicht ab, am niedrigsten ist sie in den Vierteln A und C Süd, am höchsten in D.

Das Zentrum der neuen Stadt war im ersten Plan nordöstlich der Altstadt vorgesehen, mit dem deutlichen Ziel, durch die Lage zwischen den beiden Stadtteilen Alt- und Neustadt miteinander zu verbinden und einen neuen Schwerpunkt zu schaffen. Hier finden sich heute auch schon einige öffentliche Bauten, die Distriktsverwaltung, ein Einkaufszentrum, einige Bürogebäude, Kino, Stadthalle, einige Hotels, eine große Synagoge, die Großmarkthalle. Trotzdem steht die neue City der alten an Lebendigkeit, Abwechslungsreichtum und „Erlebnisdichte", vor allem aber an Menschen noch erheblich nach. Auch viele Handwerks- und Gewerbebetriebe haben ihren Standort in der Altstadt behalten, während sich größere Industrie- und Transportunternehmen planmäßig auf dem Industriegelände im Osten angesiedelt haben.

Die Endstationen der beiden öffentlichen Verkehrsmittel, Autobus und Eisenbahn, liegen an entgegengesetzten Enden der Stadt, entsprechen damit jedoch in etwa dem Schwergewicht ihrer Transportleistung: die Autobusstation sehr eingeengt inmitten der Altstadt, der Bahnhof am nordwestlichen Rande der neuen Stadt, günstig zum Industriegebiet.

Daß angesichts der wachsenden Bedeutung Beer Shevas — das erste Planziel von 60 000 Einwohnern ist bereits überschritten — weder der ursprüngliche Generalplan noch das, was inzwischen daraus geworden ist, den Aufgaben und Bedürfnissen und auch den ästhetischen Ansprüchen mehr genügt, liegt auf der Hand. Ein neuer Plan ist daher in Vorbereitung, seine Ausarbeitung bedeutet in keinem Fall eine leichte Aufgabe. Die bereits Gestalt gewordenen Elemente der ersten Konzeption sind mit den mehr oder weniger spontanen, in der gegenwärtigen Entwicklung sichtbaren Tendenzen und mit einer zukünftigen Dynamik, die für das Jahr 2000 mit 220 000 bis 250 000 Einwohnern rechnen läßt, in Übereinstimmung zu bringen. Dies gilt, in enger gegenseitiger Abhängigkeit und Verflechtung, in erster Linie für das Straßensystem, das dringend einer Revision bedarf, für die Sanierung derjenigen Viertel und Bezirke, die am meisten den ersten Vorstellungen und Möglichkeiten und am wenigsten den heutigen oder gar zukünftigen Ansprüchen mehr entsprechen, schließlich für das Stadtzentrum selbst, bei dem Plan und Wirklichkeit am stärksten auseinanderklaffen.

Trotz ihrer zunehmend peripheren Lage hat sich die Altstadt-City allen bisherigen Versuchen, sie ihrer zentralen Stellung und Funktionen zu entkleiden, mit Erfolg widersetzt. 58 % aller Büros, 48 % aller Geschäfte sind dort versammelt, ein Nachlassen der Bautätigkeit ist nicht zu spüren, an vielen Stellen entstehen neue Geschäftsräume, Läden, Vergnügungsstätten — weit mehr als in dem neuen Zentrum, das seit geraumer Zeit stagniert. Im Wohnungsbau dagegen liegt das Schwergewicht zur Zeit im Viertel D, wo bereits rund die Hälfte der Gesamtbevölkerung, etwa 30 000 Menschen, konzentriert ist und wo auch moderne neue Einkaufszentren und Gemeinschaftseinrichtungen, wie sie bisher noch in keiner der alten „Nachbarschaften" vorhanden sind, im Bau sind. Deutlich ist das Heranwachsen eines zweiten Gravitationszentrums zu spüren. Der Weg von hier zur Altstadt beträgt 4 bis 5 km, und er führt durch

the north-western outskirts of the new town, suitably placed for the industrial area.

The initial target of 60 000 inhabitants has already been reached and the importance of Beer Sheva is still increasing. It is all too obvious that the original master plan, even with all subsequent alterations, can no longer meet either the requirements and challenges or the aesthetic demands made upon it. A new plan is therefore being prepared, and it is certainly not an easy task. The main problem is to coordinate those elements of the first conception which have already taken shape with the more or less spontaneous tendencies of the present development, as well as with the dynamics of the future which are supposed to result in 220 000 to 250 000 inhabitants by the year 2000. This applies in particular to a number of closely interrelated and interdependent matters: in the first place to the road network which is in urgent need for revision; secondly, to the reconstruction of those quarters and areas which correspond most closely with the early ideas (and practical possibilities) and least with the needs of today or tomorrow; finally, to the town centre itself where plan and reality diverge most obviously.

Despite the fact that the old town "city" is occupying an increasingly peripheral site, it has so far successfully opposed any attempts to divest it of its central status and functions. 58 % of all offices and 48 % of all shops are concentrated there; no decline in building activity is noticeable yet, and on many sites new offices, shops and places of entertainment are being built, far more than in the new centre which has been stagnating for some time. New housing is being erected mainly in quarter D, where nearly half of the total population (about 30 000 inhabitants) are concentrated already, and where modern shopping centres and community buildings are under construction, achieving a standard which has never been reached in the old neighbourhoods. The development of a second centre of gravity can be clearly felt. The distance from here to the old town is about two to three miles, with a relatively sparse and scanty zone between. There is actually a broad new road, but on one side are the rather unsightly quarters B and (even worse) A, and on the other side open spaces followed by the scattered buildings of the new centre.

Even at an earlier date the suggestion has been made to develop this road as the central axis of Beer Sheva by making it into an impressive business area appropriate to the importance of the town. This area would then correspond to the concept — found already in other places — of a linear centre. At a later date motor vehicles could be rerouted to a lower level along the floor of the wadi, and the present road could be reserved for pedestrians (see plate XXIV). Although in the long run such plans seem practicable, they are handicapped in the more immediate future by the fact that there are still reserves of land available in the old town (which doubtless will be used first unless a strict building prohibition is issued) and that unless the new centre is to become purely an administrative district, it urgently needs to be enlivened and densities will have to be increased. If these gaps are filled and the town continues to grow, then in fact the development may well push northwards along the new axis. The imminent rerouting of the approach road from Tel Aviv into a broad cutting between the old and the new towns, which will also imply relocating the central bus station as the focus for receiving and distributing visitors and residents, may encourage this development as well. The reconstruction of quarter A remains a problem, al-

eine relativ dünne, dürftige Zone, eine repräsentative Straße zwar, auf der einen Seite jedoch die nicht sehr ansehnlichen Viertel B, mehr noch A, auf der anderen zunächst Freiflächen, dann die locker angeordneten Bauten des neuen Zentrums.

Schon früher ist daher der Vorschlag gemacht worden, diese Straße, als die zentrale Achse der Stadt, zu einem stattlichen, dem Gewicht des Ortes angemessenen Geschäftsbezirk auszubauen, wie er etwa der auch an anderen Orten vordringenden Idee eines linearen Zentrums entspräche. Dabei könnte der motorisierte Verkehr später in eine untere, im Bett des Wadi verlaufende Ebene verlegt, die bisherige Straßenebene dem Fußgängerverkehr vorbehalten werden (s. Tafel XXIV). So einleuchtend solche Pläne auf längere Sicht hin scheinen, so steht ihnen doch für die nähere Zukunft entgegen, daß in der Altstadt selbst durchaus noch Reserven vorhanden sind, die, erläßt man nicht ein striktes Bauverbot, zweifellos zuerst genutzt werden, und daß, soll es nicht zu einem reinen Verwaltungsbezirk werden, das bisherige neue Zentrum dringend einer Belebung und Verdichtung bedarf. Sind diese Lücken gefüllt und wächst die Stadt weiter, so dürfte die Entwicklung allerdings in der Tat längs der neuen Achse nach Norden drängen. Auch die bevorstehende Verlegung der Zufahrtsstraße von Tel Aviv in eine breite Schneise zwischen Alt- und Neustadt, die auch die Verlegung der zentralen Autobusstation als Empfangs- und Verteilungsort für ankommende Besucher und Einheimische nach sich zieht, mag dem zugute kommen. Problematisch bleibt die Sanierung des Viertels A, die an und für sich, vor allem im Hinblick auf eine Aufwertung des neuen Zentrums, vordringlich wäre. Seine Lage unmittelbar in der Expansionsrichtung der City weist ihm jedoch als Reservegebiet für zentrale Funktionen, oder zumindest für gehobene Wohnansprüche, ein Gewicht zu, das auch eine intermediäre Bebauung im Rahmen des heutigen öffentlichen Wohnungsbaues wenigstens zweischneidig erscheinen läßt. Ein neuer Plan muß also — auch oder gerade wenn er mit einer Fortsetzung der bisherigen Dynamik rechnen kann — in jedem Falle flexibel gehalten werden, dabei aber eine weitere Streuung zentraler Einrichtungen über die immerhin beträchtliche potentielle Kernzone hin vermeiden.

Die Bevölkerung

Diese Dynamik spiegelt sich am deutlichsten in den Einwohnerzahlen wider, die von Jahr zu Jahr kräftig gestiegen sind. Schon in den ersten drei Jahren nach der Staatsgründung waren mehr als 13 000 Neueinwanderer teils in die verlassenen arabischen Häuser, teils in Übergangslager oder halb provisorische Neubauten eingezogen. Dann folgte eine kurze Periode der Stagnation, durch die sinkende Einwanderung und die Notwendigkeit der Konsolidierung bedingt. Seit 1954 wächst die Stadt wieder jährlich um einige tausend Menschen, am 31. 12. 1964 hatte sie 62 200 Einwohner erreicht, nach Groß-Tel Aviv, Haifa und Jerusalem die viertgrößte Stadt des Landes. In der Zusammensetzung ihrer Bevölkerung weicht sie trotzdem auf den ersten Blick nicht allzusehr von den übrigen Neugründungen ab. Trotz der 21 000 Beduinen im Umkreis sind die in der Stadt wohnenden Araber zu zählen: auf die 43 516 Einwohner am Tage der Volkszählung kamen nicht mehr als 10 Moslem, 177 Christen und 21 Drusen. Unter den Juden ist der Anteil der geborenen Israelis mit 31,6% relativ hoch, ebenso, unter den Eingewanderten, der der „Vatiqim" mit 5,5%. Die Quote der Einwanderer europäischer Herkunft, 30,9%, entspricht etwa dem Durchschnitt der neuen Städte, liegt aber erheblich über der in anderen Negev-Siedlungen wie Dimona

though in fact it seems rather urgent in view of the necessary upgrading of the new centre. Its position directly on the future expansion line of the city gives it some importance as a reserve area for central facilities or at least for housing of higher standard. This means that intermediate building within the framework of today's public housing would at least seem double-edged. Even if (or just when) a continuation of the present dynamics can be expected, a new master plan must in any case be kept rather flexible, at the same time avoiding further scattering of central facilities outside the already generously measured central area.

The Population

These dynamics are reflected most clearly in the number of inhabitants which have increased vigorously from year to year. Already during the first three years after the foundation of the State more than 13 000 new immigrants moved into the

Einwohnerzahlen / Population figures

1949	1 800
1950	8 300
1951	13 500
1952	14 000
1954	16 300
1956	26 200
1958	35 200
1960	42 100
1962	51 600
1964	62 200

town, partly into the abandoned Arab houses, partly into transitional camps, partly into more or less temporary new buildings. This was followed by a short period of stagnation, resulting from a decline in immigration and the need for consolidation. Since 1954 the town has grown again by several thousand a year. On December 31st, 1964, it had reached

(14,1%), Yeroham (13%) oder Ofaqim (2,6%). Auch waren unter den 9100 Europäern bereits 1300 vor 1948 im Lande ansässig gewesen, ein Zeichen für einen — im Vergleich zu anderen Neugründungen — beträchtlichen spontanen Zuzug aus dem Zentrum oder dem Norden, der sich seither eher vermehrt als vermindert hat.

Beschäftigung und Industrie

Dieses Bild eines selbständigen, auf einer günstigen Beurteilung der zukünftigen Entwicklung beruhenden Wachstums wird bestätigt durch die im großen und ganzen ausgeglichene Beschäftigungslage. Arbeitslosigkeit hat es in Beer Sheva praktisch seit Jahren nicht mehr gegeben; die Zahl der Notstandsarbeiter hält sich mit 70 bis 80 bei fast 20 000 Beschäftigten auf dem Minimum, das durch den unvermeidbaren Bodensatz an Arbeitskräften gegeben ist, der wegen mangelnder beruflicher Qualifikation nicht anderweitig untergebracht werden kann. Doch weist die Beschäftigungsstruktur auch hier noch einige Besonderheiten auf, die einerseits durch die charakteristischen Aufgaben und Funktionen der Stadt, andererseits durch die fast allen Neugründungen eigenen Strukturmängel bedingt sind und die auf die Dauer das wirtschaftliche Gleichgewicht empfindlich stören können.

Beschäftigung nach Branchen (1962) [1]

	Beer Sheva abs.	%	andere Städte [2] %
Landwirtschaft	350	2.3	7.1
Industrie in der Stadt	2 700	17.4	
auswärts (Oron, Sedom, Dimona)	1 000	6.5	32.2
Bau und öffentliche Arbeiten	3 900	25.2	11.9
Elektrizität, Gas, Wasser	150	1.0	2.3
Handel und Banken	1 900	12.2	12.9
Transport und Verkehr	850	5.5	5.2
Dienstleistungen	4 650	29.9	28.4
Insgesamt	15 500	100.0	100.0

Dies betrifft vor allem das Mißverhältnis zwischen der Zahl der Arbeitsplätze im industriellen und im Bausektor. In Industriebetrieben aller Art arbeiteten 1962 — die Anteile haben sich seither kaum verschoben — nur 24% aller beschäftigten, davon 6,5% auch noch außerhalb, in Oron, Sedom, Dimona. Werden etwa, wie auf längere Sicht hin vorgesehen, diese Arbeitskräfte nach Dimona selbst oder nach Arad abgezogen, so verbleibt ein Anteil an Industriebeschäftigten, der nur wenig über der Hälfte des in anderen Städten Üblichen liegt. Genau umgekehrt liegen die Verhältnisse auf dem Bausektor, der mit 25,2% mehr als doppelt so dicht besetzt ist wie im Landesdurchschnitt, dichter sogar als in den meisten anderen Neugründungen mit Ausnahme von Ashdod, das durch den beschleunigten Aufbau von Stadt und Hafen aus dem Rahmen fällt. Eine Aufgliederung nach Stadt und Region steht nicht zur Verfügung, doch dürfte sich hier direkt oder indirekt ein guter Teil der Bautätigkeit im Negev widerspiegeln. Handel

[1] Institute of Social and Economic Research (MIDUA): Beer Sheva. Wege zur wirtschaftlichen und sozialen Entwicklung, Tel Aviv 1963 (Hebräisch), S. 71. Die Abweichungen gegenüber den Ergebnissen der Volkszählung von 1961 dürften vor allem auf eine genauere Erfassung der dort nicht aufgegliederten Restgruppe (häufig Bau- und Gelegenheitsarbeiter!), auf inzwischen erfolgte Erweiterungen der Industrieanlagen im Negev und auf gewisse definitorische Unstimmigkeiten bei den Branchen „Handel und Banken" und „Dienstleistungen" zurückzuführen sein.
[2] Mit Ausnahme von Tel Aviv, Haifa, Jerusalem

62 200 inhabitants, after Greater Tel Aviv, Haifa and Jerusalem the fourth biggest town in the country. In the composition and structure of the population, however, it does not differ markedly from other new towns. In spite of the 21 000 Bedouins in the neighbourhood, the number of Arabs living in the town can quickly be counted. Of the 43 516 inhabitants on census day, not more than 10 were Moslems, 177 Christians, and 21 Druses. Amongst the Jews, the proportion of Israeli-born is relatively high (31.6%), and so is, amongst those immigrated, the proportion of "Vatiqim" (5.5%). The number of immigrants of European origin (30.9%) is similar to the average for other new towns, but exceeds by far other Negev towns such as Dimona (14.1%), Yeroham (13%) or Ofaqim (2.6%). Amongst the 9100 Europeans as many as 1300 were already resident in the country before 1948, a fact which indicates — as compared with other new towns — considerable spontaneous movement from the centre or the north, a tendency which is increasing rather than decreasing.

Employment and Industry

This picture of independent growth based on a favourable assessment of the development is confirmed by the more or less balanced employment situation. There has been virtually no unemployment in Beer Sheva for many years; a figure of 70 to 80 public relief workers, out of a total of 20 000 employable persons (March 1964), is insignificant in view of the usual residue of unemployable persons not to be placed in

Employment by Industrial Classification (1962) [1]

	Beer Sheva No.	%	Other towns [2] %
Agriculture	350	2.3	7.1
Manufacturing industry in the town	2 700	17.4	32.2
in the region (Oron, Sedom, Dimona)	1 000	6.5	
Building and public works	3 900	25.2	11.9
Electricity, gas, water	150	1.0	2.3
Commerce and banking	1 900	12.2	12.9
Transport and communications	850	5.5	5.2
Service industries	4 650	29.9	28.4
Total	15 500	100.0	100.0

any alternative work for lack of vocational qualification. Even here, however, the employment structure shows some characteristic features resulting, on the one hand, from the particular functions and tasks of the town and, on the other hand, from certain structural deficiencies found in nearly all the new towns, and which in the long run can exert a negative influence on the economic balance.

This applies in particular to the disproportion between the number of jobs in the industrial and the building sectors. In 1962 — the figures have hardly changed since —, industrial enterprises of all types accounted for only 24% of all em-

[1] Institute of Social and Economic Research (MIDUA): Beer Sheva. Paths towards Economic and Social Development. Tel Aviv 1963 (Hebrew), p. 71. The fact that these figures differ in some respects from those of the population census of 1961, is to be explained firstly as the result of a more detailed breakdown of the "Not Known" group which is often made up of construction workers and casuals, secondly by the industrial development of the Negev, and thirdly by certain discrepancies in the definitions of the "Commerce and banking" and "Services" sector.
[2] With the exception of Tel Aviv, Haifa and Jerusalem

und Banken, Transport und Verkehr, auch die sonstigen Dienstleistungszweige stimmen dagegen erstaunlich genau mit der Gesamtheit der übrigen Städte überein und übertreffen damit erheblich den Stand entsprechender Sektoren in anderen neuen Städten. Diese Sektoren vor allem werden es auch sein, die den Zuzug aus anderen Teilen des Landes angeregt und absorbiert haben, und zwar nicht zuletzt auch den Zuzug gehobener Berufsgruppen, auf den immer wieder stolz hingewiesen wird; die Gesamtzahl der Akademiker und Fachleute aller Art („professionals") wird mit mehr als 1000 angegeben.

So gering die Zahl der industriellen Arbeitsplätze insgesamt ist, so haben auch hier noch das größte Gewicht die Zulieferbetriebe für das Baugewerbe, zu denen sowohl die Hersteller eigentlicher Baumaterialien als auch ein großer Teil der holz- und metallverarbeitenden Werkstätten zu rechnen sind. Typisch hierfür ist eine Fabrik für Eisenkonstruktionen, die fahrbare Baukräne nach einer englischen Lizenz herstellt. In der dicht besetzten Kategorie „Metall, Maschinen, Transportmittel" verbergen sich auch die für Beer Sheva charakteristischen und außerordentlich wichtigen Maschinenparks und Reparaturwerkstätten, in denen die meisten der im Negev verkehrenden Lastwagen stationiert sind; eigentliche Fabrikationsbetriebe sind dagegen in der Minderzahl. Daneben haben nur Textilien, Chemikalien und Nahrungsmittel einiges Gewicht.

Beschäftigte in der Industrie nach Industriezweigen (1962) [1]

	Beer Sheva abs.	%	Israel insgesamt %
Bergwerke und Steinbrüche	55	2.1	1.7
Nahrungsmittel	273	10.0	14.5
Textil und Bekleidung	585	21.4	19.3
Holz und Holzprodukte	110	4.0	7.9
Druck und Papier	30	1.1	6.0
Öl und Chemikalien	285	10.4	7.7
Baumaterialien	522	19.2	6.7
Diamanten	49	1.8	3.5
Metall, Maschinen, Transportmittel	794	29.1	30.8
Verschiedenes	25	0.9	1.9
Insgesamt	2728	100.0	100.0

Ein Blick auf die Liste der geförderten Betriebe mit 10 und mehr Beschäftigten bestätigt etwa dieses Bild, wenn auch wegen der überwiegend kleineren Betriebe in der Baumaterialien- und Holzbranche die anderen Industriezweige ein größeres Gewicht zu gewinnen scheinen. An erster Stelle steht wieder eine große Textilfabrik, die größtenteils importierte Wolle verarbeitet. Von Bedeutung sind weiter eine Fabrik für keramische Produkte — Wasch- und Spülbecken, sanitäre Anlagen, Fliesen u. ä. —, die auf den Tonerden und Kaolinen des Negev basiert, und ein chemisches Werk, das ebenfalls in den Mörsern gewonnene Mineralien verarbeitet, außerdem noch eine Fabrik für Eisenkonstruktionen und einige kleinere Baumaterialien- und Konfektionsbetriebe. Hinzu kommen zwei große Service-Stationen und Reparaturwerkstätten, die hier nicht aufgeführt sind, die eine staatlich, die andere gewerkschaftseigen, mit zusammen fast 500 Beschäftigten, und eine große Zahl von kleinen und kleinsten Werkstätten mit zusammen ebenfalls 500 Arbeitern. Ein Vergleich mit Qiryat Gat zum Beispiel, wo bei knapp 15000 Einwohnern kaum weniger industrielle Arbeitsplätze vorhanden waren, fällt also nicht günstig aus.

[1] MIDUA-Bericht, a. a. O., S. 138

ployed persons, and of these 6.5% worked outside the town, in Oron, Sedom, and Dimona. If in the long run these workers are transferred to Dimona or Arad, as is anticipated, the proportion of persons employed in industry will be only slightly above half of that known from other towns. Conditions in the building sector are exactly reverse: with 25.2% there are almost twice as many employed in the building trade as on the national average, and even more than in most of the other new towns with the exception of Ashdod which, however, is not typical because of the speedy construction of port and town. A breakdown into town and region is not available, but it can be assumed that the building sector reflects — directly or indirectly — a large proportion of the development work going on in the Negev. Commerce and banking, transport and communications, and even the other service industries show striking similarities to the national average for all other towns and thus exceed considerably the figures for the corresponding sectors in the new towns. Presumably these sectors are responsible for stimulating and absorbing the influx from other parts of the country, not least of the professional groups always referred to with pride. The total number of professionals, academics and specialists of all kinds is given as being more than 1000.

Numbers of Employees in Various Branches of Industry (1962) [1]

	Beer Sheva No.	%	Israel total %
Mines and quarries	55	2.1	1.7
Food	273	10.0	14.5
Textiles and clothing	585	21.4	19.3
Wood and wood products	110	4.0	7.9
Printing and paper	30	1.1	6.0
Oil and chemicals	285	10.4	7.7
Building materials	522	19.2	6.7
Diamonds	49	1.8	3.5
Metal and metal products, machinery, vehicles	794	29.1	30.8
Miscellaneous	25	0.9	1.9
Total	2728	100.0	100.0

Even though the total figure for industrial jobs is relatively small anyway, here too, the subcontractors for the building industry are most important. These include both the actual manufacture of building materials and the workshops processing wood and metal. A typical example is a factory manufacturing mobile building cranes under a British license. The category "Metal products, machinery and vehicles" includes also the transport depots and repair workshops which are typical and very important for Beer Sheva and in which most of the lorries used in the Negev are stationed. Actual factories are, however, in the minority. The only other industries of any significance are textiles, chemicals and food industries.

A glance at the list of Approved Enterprises with 10 or more employees roughly confirms this picture, although — because of the mostly small firms in the building materials and timber industries — other branches seem of greater significance than they actually are. A large textile factory chiefly processing imported wool heads the list. Of importance are further a factory manufacturing ceramic products — basins, sanitary installations, tiles, etc. — based on the clays and kaolin of the the Negev; a chemical plant processing minerals from the

[1] MIDUA-Report, op. cit., p. 138

Geförderte Betriebe mit 10 und mehr Beschäftigten
(31. 12. 1964) [1]

	Be-schäftigte	Kapital (in 1000 IL)
Wollspinnerei, -weberei, -färberei	500	9 500.0
Keramische Produkte	320	13 322.8
Chemikalien	233	7 000.0
Erdnußsortierung (Saisonarbeit)	110	114.5
Eisenkonstruktionen	125	642.0
Baumaterialien	80	2 003.5
Konfektion	70	80.0
Ziegelei	58	5 000.0
Konfektion	42	107.0
Brom und Bromprodukte	38	2 346.1
Schlosserei	29	146.5
Mühle	27	3 000.0
Plastik	27	52.3
Bäckerei	26	280.0
Tischlerei	23	25.0
Fußbälle	19	20.0
Tischlerei	18	35.5
Schlosserei	17	82.7
Druckerei	14	75.0
Insgesamt	1 776	43 832.9

Für eine Stadt von der Größe Beer Shevas erstaunlich ist das allerdings auch aus anderen Entwicklungsstädten bekannte Fehlen mittlerer Konsumgüterfabriken — etwa für Kleidung, Schuhe, Möbel, Hausrat —, die hier schon wegen der Entfernung und Größe des lokalen Marktes eine Chance hätten. Auch für die Zukunft scheint sich jedoch vorerst weder in bezug auf das Gewicht des industriellen Sektors insgesamt noch auf das der einzelnen Zweige eine wesentliche Änderung anzubahnen. Beer Sheva ist, zusammen mit einigen kleineren und als schwierig bekannten Neugründungen wie Hazor, Shlomi, Netivot und Sederot, eine der wenigen Städte, in denen, außer einigen Werkstätten, zur Zeit überhaupt keine nennenswerten neuen Betriebe oder Betriebserweiterungen im Bau sind. Zwar soll diese Lücke, die plötzlich allgemein Befremden erregte, in den kommenden Jahren durch eine weitere Textilfabrik, eine Möbelfabrik, eine große Molkerei und eine Reihe weiterer Anlagen und Werkstätten geschlossen werden, auch von einem metallverarbeitenden Großbetrieb, um den sich jedoch auch noch andere Konkurrenten bewerben, ist die Rede, doch befinden sich alle diese Unternehmen erst im Stadium der Planung und werden auch im besten Falle nur einige Hundert zusätzliche Arbeitsplätze bereitstellen.

Weit spontaner und vielseitiger entwickelt sich der Dienstleistungssektor, auf dem die Stadt bereits ein bemerkenswertes Niveau erreicht hat. Als Sitz der Distriktsverwaltung für den gesamten Süden und der Bezirksverwaltung für den Bezirk Beer Sheva fallen ihr zunächst die üblichen administrativen Funktionen zu. Regionale Vertretungen aller Ministerien sind vorhanden, auch der Planungsabteilungen des Innen- und Wohnungsbauministeriums, denen die Genehmigung aller öffentlichen und privaten Bauvorhaben obliegt, dazu ein ständiger Gerichtshof, die Regionalverwaltung der Jewish Agency, von der, zusammen mit dem Landwirtschaftsministerium, die gesamte landwirtschaftliche Siedlungstätigkeit im Negev ausgeht, schließlich spezielle Dienststellen für die Betreuung und Förderung der im Distrikt lebenden Beduinen. Daneben befinden sich aber auch die Verwaltungen der meisten staatlichen

[1] Bericht über die Industrialisierung der Entwicklungsgebiete, a. a. O., S. 54

Approved Enterprises with 10 or more Employees
(31. 12. 1964) [1]

	Em-ployees	Capital (in 1000 IL)
Wool spinning, weaving and dyeing	500	9 500.0
Ceramic products	320	13 322.8
Chemicals	233	7 000.0
Sorting of ground nuts (seasonal work)	110	114.5
Iron constructions	125	642.0
Building materials	80	2 003.5
Ready-made clothing	70	80.0
Bricks	58	5 000.0
Ready-made clothing	42	107.0
Bromine and bromine products	38	2 346.1
Locksmith	29	146.5
Mill	27	3 000.0
Plastics	27	52.3
Bakery	26	280.0
Joinery	23	25.0
Footballs	19	20.0
Joinery	18	35.5
Locksmith	17	82.7
Printing	14	75.0
Total	1 776	43 832.9

Makhteshim, a factory for iron constructions, and a few smaller concerns for building materials and ready-made clothing. To be added are two large service stations and repair workshops which are not listed here, one of them owned by the Government, the other by the Histadrut, which between them employ more than 500 workers, and a large number of small and very small workshops with altogether another 500 employees. Compared with Qiryat Gat where with barely 15 000 inhabitants there were almost the same number of industrial jobs, Beer Sheva does not come off too well.

Although typical for many of the development towns, it is yet surprising that even in a town the size of Beer Sheva medium-sized consumer goods industries are almost missing, such as footwear, furniture, pottery, glassware, and other household goods. In view of the distance and the size of the local market, it would appear that such production could be profitable. For the foreseeable future, however, there are no indications of any decisive shifts, either in the individual branches or in the industrial sector as a whole. Together with some small places known to be difficult (such as Hazor, Shlomi, Netivot and Sederot), Beer Sheva is one of the few towns in which, apart from several workshops, no new factories or extensions of factories worth mentioning are under construction. This gap, which suddenly created surprise, is to be closed in the next few years by another textile plant, a furniture factory, a large dairy and a number of other factories and workshops. There is also some discussion about a large metal processing factory for which, however, there are other competitors, too. All these enterprises are only in the planning stage though, and will at best supply a few hundred additional jobs.

Services, on the other hand, are developing far more spontaneously and have already reached an exceptional standard. As the seat of the district administration for the entire south and the sub-district administration for the sub-district of

[1] Ministry of Commerce and Industry: Report on the Industrialization of Development Regions, op. cit., p. 54

und halbstaatlichen Gesellschaften, die im Negev tätig sind, in der Stadt.

Dem entspricht das Volumen der Bankumsätze, von denen allerdings — am Beispiel einer der größten Bankfilialen gemessen — wiederum etwa 40% auf die Finanzierung der Bautätigkeit entfallen. Vergleichbare Handelsfunktionen hat Beer Sheva dagegen nicht; Verkauf bzw. Export der im Negev erzeugten Produkte laufen unmittelbar über die staatlichen Gesellschaften, und auch deren Bedarf an technischen und maschinellen Anlagen wird entweder in Haifa oder direkt in Übersee gedeckt. Dafür profitiert die Stadt als Einkaufsort von der wachsenden Kaufkraft nicht nur ihrer eigenen Bewohner, sondern aller derer, die im Negev leben oder arbeiten, und kann sich — Symbol solchen Wohlstandes — seit kurzem als erste und einzige der neuen Städte eines vielbewunderten Supermarktes rühmen. Auch die Beduinen betrachten sie weiterhin als ihr Handels- und Einkaufszentrum. Noch immer findet allwöchentlich, an jedem Donnerstag, ihr Kamel- und Pferdemarkt statt; anschließend sind die Straßen der Altstadt voll von malerischen Gestalten, die hier ihren Geschäften nachgehen.

Kultur und Erziehung

Schul- und Ausbildungsmöglichkeiten gehen ebenfalls weit über das Gewohnte hinaus. Neben den üblichen höheren Schulen gibt es eine Talmudschule, drei Handelsschulen, eine Schwesternschule, ein Lehrerbildungsseminar und, vor allem, ein Technikum etwa auf der Ebene einer höheren Technischen Lehranstalt, dessen Kurse von Professoren und Dozenten aus Haifa und Rehovot abgehalten werden. Auch die Aus- und Fortbildungsmöglichkeiten für verschiedene andere Berufsgruppen, die Regierung und Stadtverwaltung gemeinsam eingerichtet haben, zielen auf akademisches Niveau. Ein Musikkonservatorium erfreut sich großen Ansehens, ein französisches Kulturzentrum erteilt französischen Unterricht, englische Kurse stehen ebenfalls zur Verfügung. Schließlich hat eine der bedeutendsten Forschungsstätten des Landes, das „Negev Arid Zone Research Institute" unter der Leitung von Nelson Glueck seinen Sitz in der Stadt; von hier aus werden land- und wasserwirtschaftliche Experimentalstationen im ganzen Negev unterhalten und betreut. Ein großes Krankenhaus mit 400 Betten, zahlreichen Ambulanzwagen, einem Hubschrauberdienst für dringende Fälle in entlegenen Gegenden und einem besonderen Gesundheitszentrum für die Beduinen wirkt gleichfalls weit über die Grenzen der Stadt hinaus.

Obwohl Beer Sheva noch über keine entsprechenden Räumlichkeiten verfügt, erfüllen Theater- und Konzertaufführungen großstädtische Ansprüche. Jährlich finden drei Konzerte des Israelischen Philharmonischen Orchesters statt, auch das Habimah-Theater gastiert regelmäßig. Für größere Aufführungen reicht die auch hier provisorisch in einem Kino installierte Bühne allerdings nicht aus, sie werden meist in das 2500 Sitze fassende Amphitheater des Kreises Sha'ar HaNegev bei Sederot verlegt.

Schließlich hat auch das Hotel- und Gaststättengewerbe erhebliches Gewicht. Neben einigen Luxushotels, die ganz auf die Bedürfnisse ausländischer, vorwiegend amerikanischer Touristen zugeschnitten sind, die von hier aus den Negev besuchen, gibt es eine ganze Anzahl mittlerer und kleinerer Hotels, in denen israelische und ausländische Techniker und Experten wohnen, die an den verschiedenen Entwicklungsprojekten im Süden mitwirken; dazu eine Fülle kleiner Restaurants und Cafés, an deren Tischen sich nach der Arbeit Straßen-

Beer Sheva the town has to fulfil the usual administrative functions. There are regional representatives of all the Ministries, including the planning departments of the Ministries of the Interior and Housing which have to approve all public and private building, there is a regular law court, there are the regional offices of the Jewish Agency which, together with the Ministry of Agriculture, initiates all further agricultural settlement in the Negev; there is, finally, a special centre for Bedouin affairs. Besides, the head offices of most of the public or semi-public companies working in the Negev have gradually been transferred to the town.

The volume of the banking returns reflect these conditions although — judging by the figures of one of the biggest branch offices — even here 40% of the financing concerns building activities. Commercial functions, on the other hand, are not of similar importance. The sale, or export, of the Negev products is handled directly via government companies, and their stock of technical plant and machinery is also supplied directly from Haifa or even from overseas. All the same, as a shopping centre the town profits from the increasing purchasing power not only of its own inhabitants but of all those living and working in the Negev, and it boasts, as a symbol of this affluence and as the first and the only of the new towns, of a much admired supermarket. The Bedouins, too, continue to regard Beer Sheva as their trading and shopping centre; early every Thursday morning they meet here for their camel and horse market, and afterwards the streets of the old town are filled with picturesque figures going about their affairs.

Culture and Education

Facilities for schooling and further education by far exceed the usual, too. In addition to the ordinary secondary schools there is a Yeshiva school, three commercial schools, a nursing school, a teachers training college and, last but not least, a technical school with a standard similar to a technical college, the courses of which are given by professors and lecturers from Haifa and Rehovot. An equally high standard is aimed at in various further education courses established jointly by the government and the local authorities. A musical school enjoys high reputation, a French cultural centre supplies French lessons, and English courses are available as well. Finally, one of the best known research institutes of the country — the Negev Arid Zone Research Institute under the direction of Nelson Glueck — is located in the town; from here a series of agricultural and hydrological research stations throughout the Negev are controlled and supervised. A large hospital with 400 beds, numerous clinics, a helicopter service for urgent cases in outlying areas — all exert an influence far beyond the boundaries of the town.

Although Beer Sheva does not yet offer suitable premises, theatre and concert performances satisfy even ambitious demands. The Israeli Philharmonic Orchestra gives three concerts a year, and the Habimah Theatre performs regularly. For larger productions, however, the stage installed provisionally in a cinema is inadequate, and they generally are transferred to the amphi-theatre of the Regional Council Sha'ar HaNegev near Sederot, seating 2500 people.

No less significant is the tourist trade. Apart from a few luxury hotels geared to the needs of foreign, especially American tourists visiting the Negev from here, there are a number of small and medium-sized hotels accommodating Israeli and foreign technicians and experts who work on various development projects throughout the south; and there

bauer und Lastwagenfahrer, Landvermesser und Prospektoren, Arbeiter aus Sedom und Oron, Planer aus Arad oder auch junge Leute aus entlegenen Siedlungen treffen, die gerade in Beer Sheva zu tun haben oder auch nur für einige Stunden der Einsamkeit der Wüste entrinnen möchten.

Mehr als irgendeine der Neugründungen ist Beer Sheva damit wahrhaft und unbestritten kolonisatorisches, wirtschaftliches, kulturelles und soziales Zentrum, ja Lebensmittelpunkt seiner Region. Wie auch immer die Bevölkerung in Stadt und Land beschaffen sein mag, wie groß der Anteil an geborenen Israelis, Alteinwanderern, Europäern im einzelnen ist, welche sozialen und kulturellen Institutionen auch außerhalb der Stadt vorhanden sind — Dimona zum Beispiel verfügt seit einiger Zeit über eine gute Textilfachschule —, die Überlegenheit der Stadt steht nicht in Frage. Jede weitere Erschließung des Negev, jedes Wachstum der bestehenden, jede Gründung neuer Siedlungen, jeder Aus- oder Neubau industrieller Anlagen kann ihr nur zugute kommen, zunächst direkt, solange sie solchen Vorhaben als organisatorischer und technischer Ausgangspunkt dient, später indirekt über eine Vermehrung ihrer zentralen Funktionen.

Ob und inwieweit sie dabei auch ihre Stellung als bisher einziges Transport- und Verkehrszentrum des Südens wird halten können, ist allerdings noch nicht abzusehen. Die Fertigstellung der geplanten nördlichen Querverbindung von Arad zur Straße nach Tel Aviv, unter Umgehung der Stadt, würde den gesamten Schwerlastverkehr von Sedom nach Ashdod oder Haifa an ihr vorbeiführen, zumindest einen Teil des Ex- und Imports über Elat desgleichen. Ob es danach noch zweckmäßig ist, Lastwagen, Garagen und Reparaturwerkstätten ausschließlich in Beer Sheva zu stationieren, ist zumindest fraglich. Andererseits tragen gerade die Straßenbauten, wie auch die Fortführung der Eisenbahn, dazu bei, die für die Rentabilität aller Betriebe im Negev ausschlaggebende Transportfrage zu lösen, die heute noch weit mehr als die Erweiterung der Produktion oder die Erhöhung der Produktivität den entscheidenden Engpaß für die weitere Entwicklung des Südens und damit auch Beer Shevas bildet.

Trotzdem muß jedes mögliche Freiwerden von Arbeitskräften in der Stadt den Blick auf die zweifellos unzureichende industrielle Basis lenken, die auch durch die Breite des Dienstleistungssektors nicht völlig aufgewogen werden kann. Die Stagnation auf diesem Gebiet gibt zu denken, mehr noch die Tatsache, daß auch eine Stadt von der Größe und Vitalität Beer Shevas noch nicht in der Lage ist, spontane Anziehungskraft auf neue Betriebe auszuüben. Gezielten Förderungsmaßnahmen aber schien sie längst entwachsen. Von seiten staatlicher Stellen wurden seit geraumer Zeit keine besonderen Anstrengungen mehr unternommen, in- oder ausländische Investoren nach Beer Sheva zu lenken. Die öffentlichen Kredite sind schon seit Jahren auf 50 % des Grundkapitals begrenzt. Die Lücke, die sich — mehr oder weniger unvorhergesehen — ergab, wurde aber auch nicht durch die Initiative der Stadt selbst ausgeglichen, die angesichts ihrer Einwohnerzahlen durchaus schon Einfluß und Möglichkeiten gehabt hätte, durch unglückliche parteipolitische Konstellationen aber längere Zeit ohne arbeitsfähigen Stadtrat war. Private Gelder, die in den letzten Jahren vor allem im Baugewerbe mit seinen Zulieferbetrieben und im Handel verdient wurden, wandern nach wie vor eher an die Küste ab, als daß sie — außer vielleicht wieder auf dem Bausektor — Anlagemöglichkeiten in der Stadt suchten.

are scores of small restaurants and cafés where navvies and lorry drivers, surveyors and prospectors, workers from Sedom and Oron and planners from Arad meet after work, and so do young people from remote settlements who happen to have something to do in Beer Sheva or who just want to escape the loneliness of the desert for a few hours.

More than any other of the new towns, Beer Sheva is truly and without question the economic, social, cultural, and pioneering centre of its region, its very heart. Whatever the composition of the population in town and country may be — however large the number of Israeli-born, of Vatiqim, and of Europeans — and whatever social and cultural institutions may be available either inside or outside the town (Dimona, for instance, has for some time already a good textile school): the superiority of the town is unquestionable. Every further development of the Negev, every extension of existing, every foundation of new towns, every expansion of old or establishment of new enterprises, can only be to its advantage, first directly, by its serving as the organizational and technical supply base, later indirectly, by an increase in central functions.

Whether and to what extent the town can maintain its position as the only transport and communication centre of the south, cannot be foreseen as yet. The construction of the planned cross-connection from Arad to the Tel Aviv road, by-passing the town, would divert the entire lorry traffic from Sedom to Ashdod or Haifa, and at least part of the export and import via Elat, too. Whether it is then expedient to station lorries, garages, and repair workshops exclusively in Beer Sheva is at least doubtful. On the other hand, any construction of new roads, as well as any extension of the railway, contributes to solving the transport problem which — far more than any expansion of output or raise of productivity — is essential to the profitability of all enterprises in the Negev, and which today forms the decisive barrier to the further development of the south and with it to the development of Beer Sheva.

Nevertheless, every possible release of manpower in the town must draw attention to the undoubtedly inadequate industrial base which is not sufficiently balanced even by the wide range of services. The stagnation in this field causes some concern, as does (even more) the fact that even a town of the size and vitality of Beer Sheva is not in a position to exert a spontaneous attraction on new enterprises. Long ago the town seemed to have outgrown public assistance and help. For some time now the government has not made any particular efforts to direct Israeli or foreign investments to Beer Sheva, and loans for Approved Enterprises, for instance, have been limited to 50 % of the capital invested. The gap which ensued more or less unexpectedly, was not filled by local initiative either, although, with its number of inhabitants, the town should have had opportunity and influence enough to take on its own fate. As a result of unfortunate political groupings, however, the municipal council was without a working majority for some time. Private money that has been earned in the last few years both by building contractors and sub-contractors and in commerce, is readily transferred to the coast rather than reinvested within the town — with the exception perhaps of the building sector.

If indeed — as is anticipated — the labour force will be doubled by 1970, and the industrial sector is to be increased from 24 % to 27 %, and the building sector decreased to 15 %, this will certainly not come to the town over night.[1] If it does not

___
[1] Cf. MIDUA-Report, op. cit., p. 393

Wenn etwa bis zum Jahre 1970 mit einer Verdoppelung der arbeitenden Bevölkerung gerechnet und dafür eine Vergrößerung des industriellen Sektors auf 24 % bis 27 %, eine Verkleinerung des Bausektors auf 15 % für nötig erachtet wird [1], so wird dieses Ziel der Stadt nicht ohne Anstrengung in den Schoß fallen. Will sie sich nicht auf staatliche Hilfe verlassen, die an anderen Orten noch dringlicher gebraucht wird, so bedarf es einiger Tatkraft und Phantasie, um Versäumtes nachzuholen und das auf dem Dienstleistungssektor längst erlangte Niveau auch auf dem industriellen Sektor zu erreichen und zu konsolidieren.

want to rely entirely on government help and subsidy (which is needed far more urgently in other places), considerable energy and imagination will be necessary to make up for lost time and opportunities, and to reach and consolidate in manufacturing the same standard that was reached and consolidated in services long ago.

Ashdod

Stadt und Hafen von Ashdod sind städtebaulich wie verkehrstechnisch das größte Projekt, das der Staat Israel seit seiner Gründung in Angriff genommen hat. Umfang und Struktur der Stadt waren zunächst für 150 000 Einwohner gedacht, heute wird mit 350 000 gerechnet. Der Hafen soll im Endstadium einen Warenumschlag von 4 Mill. to im Jahr ermöglichen, mehr als Haifa, das mit einer Kapazität von 3 Mill. to der bisher größte Hafen des Landes ist; die Kosten der Hafenanlagen allein werden auf 120 Mill. $ veranschlagt, für ein so kleines Land eine gewaltige Summe, die teilweise durch Kredite der „International Bank for Reconstruction and Development", teilweise aus anderen in- und ausländischen Quellen aufgebracht werden soll.

Der Standort

Die Gründe, die Israel bewogen, schon unmittelbar nach der Staatsgründung den Bau eines zweiten großen Tiefwasserhafens ins Auge zu fassen, liegen auf der Hand: Haifa, seit dem Niedergang Akkos um die Jahrhundertwende der bedeutendste Hafen Palästinas und während der Mandatszeit einer der wichtigsten Umschlagplätze des Vorderen Orients, liegt, von der Gesamtheit des Landes her gesehen, an der Peripherie, nur 40 km von der nördlichen, aber 450 km von der südlichen Grenze am Roten Meer entfernt. Für die Region Tel Aviv, deren weiteres Wachstum vorauszusehen war, für Jerusalem und für den Negev, dessen Entwicklung mit allen Mitteln gefördert werden sollte, schien ein günstiger gelegenes Verkehrs- und Transportzentrum erforderlich.

Auch verlagerte sich die Produktion der mengenmäßig ins Gewicht fallenden Exportgüter zunehmend nach dem Zentrum und dem Süden. Mehr als die Hälfte der Citruspflanzungen liegt heute schon südlich des Yarkon; werden weitere Gebiete des Negev landwirtschaftlich erschlossen, etwa die Gegend um Besor, so werden es noch mehr sein. Exportierbare Bodenschätze, Phosphate, Pottasche und andere Mineralien, sind sowieso auf den Süden beschränkt. Für alle diese Massengüter würde ein Hafen südlich Tel Aviv den Anfahrtsweg auf der Straße oder Schiene gegenüber Haifa um 100 bis 120 km verkürzen. Für den Export von Fertigprodukten wie auch für alle Importe waren die Vorteile weniger offensichtlich. Produktion und Absatz würden weiter zu einem großen Teil auf den Küstenstreifen zwischen Tel Aviv und Haifa konzentriert sein. Doch wäre der Großraum Tel Aviv in keinem Falle weit entfernt, und das Vorhandensein der neuen Hafenstadt selbst würde das Seine zu einer Verlagerung der Gewichte beitragen.

Ashdod

Town and port of Ashdod are one of the biggest projects the State of Israel has started since its foundation, from both the town planning and the engineering point of view. Size and structure of the town were originally designed for 150 000 inhabitants; today the target is 350 000. In the final stages the port is to handle cargoes totalling 4 million tons a year, more than Haifa which, with a capacity of 3 million tons, is the biggest port of the country up to now. The cost of the port alone is estimated at 120 million dollars — a tremendous sum for a small country, which is to be covered partly by loans from the "International Bank for Reconstruction and Development" and partly from other sources at home and abroad.

The Location

The reasons which persuaded Israel to contemplate the construction of a second deep-water port immediately after the foundation of the State are obvious: since the decline of Akko around the turn of the century, Haifa had been the major port of Palestine and, during the period of the Mandate, even one of the main trade centres of the Near East. In relation to the country as a whole, however, it is situated on the periphery, only 25 miles away from the northern border, but about 280 miles from the southern border at the Red Sea. A suitably located communications and transport centre seemed essential, for the region of Tel Aviv where further growth was envisaged as well as for Jerusalem and the Negev, the development of which was to be advanced by all available means.

Moreover, the production of quantitatively significant export goods had gradually shifted towards the centre and the south. Today more than half of the citrus groves lie to the south of the Yarkon; should further parts of the Negev be cultivated, such as the Besor region, this tendency may well increase. Any mineral resources suitable for export — phosphates, potash and other minerals — are limited to the south anyhow. For all these bulk goods a port to the south of Tel Aviv would shorten the route by road or rail by 62 to 75 miles, as compared with the route to Haifa. For the export of finished products as well as for all imports the advantages were somewhat less obvious. Production and sale would continue to be concentrated in the coastal zone, between Tel Aviv and Haifa. Greater Tel Aviv, however, would in no case be far away and the establishment of a new port would contribute its part to shifting the emphasis.

In addition, in the course of years the capacity of the existing ports proved to be inadequate for absorbing the increasing economic potential of the country. In Haifa during the period

[1] Vgl. MIDUA-Bericht, a. a. O., S. 393

Im Laufe der Jahre kam hinzu, daß die Kapazität der bisherigen Häfen der weiteren wirtschaftlichen Entwicklung nicht mehr gewachsen war. Der Warenumschlag von Haifa hatte sich zwischen 1951 und 1961 von 1513 000 to auf 2 694 000 to erhöht und betrug 1964 bereits 3 266 000 to. Mit dem Bau eines Ergänzungshafens an der Mündung des Qishon-Flusses in der Haifa Bay schienen die Erweiterungsmöglichkeiten erschöpft. Der kleinere Hafen von Tel Aviv/Jaffa bot die Schwierigkeit, daß größere Schiffe nur mit Leichtern be- und entladen werden konnten und bei höherem Seegang erhebliche Verzögerungen in Kauf genommen werden mußten. Elat schließlich kam in jedem Falle nur für Exporte nach Ostafrika, Asien und Australien in Frage. Allein bis 1970 wurde aber mit einer Erhöhung der exportorientierten Produkte des Negev um 700 000 to (Sedom) und 150 000 to (Oron) gerechnet. Für diese wie auch für die vermehrten Citrus- und Fertigwarenexporte mußten Verlademöglichkeiten geschaffen werden. An eine Verlagerung des Passagierverkehrs hingegen war vorerst nicht gedacht. Hierfür bot Haifa günstigere Voraussetzungen und auch noch Reserven.

Schließlich paßte die Errichtung eines neuen städtischen Zentrums außerhalb der stärksten Bevölkerungskonzentration in den umfassenden Plan einer gleichmäßigeren Besiedlung des Landes — wenn deren Schwerpunkte auch nach wie vor weniger an der Küste als im Landesinnern liegen sollten. Wichtiger schien daher in diesem Zusammenhang, daß der Erschließung des Südens insgesamt zusätzliche Antriebskräfte zugeführt werden würden.

Da die Küste südlich Tel Aviv keinerlei Anhaltspunkte für einen natürlichen Hafen bot, hatte die Planung bei der Auswahl des Ortes relativ freie Hand. Unter den bevorzugt in Frage kommenden Flußmündungen wurde schließlich die Mündung des Lakhish-Flusses, etwa auf halbem Wege zwischen Tel Aviv und der Grenze am Gaza-Streifen, bestimmt. Im Gegensatz zu der Strecke Tel Aviv — Haifa ist die Küste hier kaum besiedelt. Der sandige, fast vegetationslose Dünenstreifen, der sich in etwa 4 km Breite von Tel Aviv bis zur Landesgrenze und über diese hinaus hinzieht, wird nur an den Flußmündungen und bei Ashqelon durch schmale Keile landwirtschaftlich nutzbaren Bodens unterbrochen, in denen sich teils vor, teils nach der Staatsgründung einige wenige Kolonien angesiedelt haben, zwischen Tel Aviv und Ashdod nur der Kibbutz Palmahim, zwischen Ashdod und Ashqelon, etwas mehr landeinwärts, nur die Landwirtschaftsschule Nizzanim.

Trotzdem ist die Verkehrslage günstig. Unmittelbar hinter dem Dünenstreifen führen die große, alte Küstenstraße und die Bahnlinie vorbei, die in der Mandatszeit Tel Aviv/Jaffa über Gaza mit Port Said und Suez verbanden. Während die Bahnlinie heute weitgehend auf den Transport von Citrusfrüchten beschränkt ist, stellt die Straße die wichtigste Verbindung mit Ashqelon und dem nordwestlichen Negev dar. Von beiden Strecken führen 6 bis 7 km lange Abzweigungen nach Ashdod. Die Entfernung nach Tel Aviv beträgt heute noch 39 km, dürfte sich aber durch die geplante (gebührenpflichtige) Autobahn verkürzen; nach Ashqelon sind es 21 km. Unter den Verbindungen ins Landesinnere bedarf vor allem die Strecke nach Jerusalem (71 km), die zur Zeit noch erhebliche Umwege oder Straßen zweiter Ordnung in Kauf zu nehmen hat, des Ausbaus, während eine erste Querverbindung zu der großen Straße nach Beer Sheva (98 km) und in den Negev, die später die Hauptlast der Massengütertransporte aus Sedom (170 km) und Oron/Arad (etwa 150 km) zu tragen haben wird, bereits fertiggestellt ist. Auch zu der Eisenbahnstrecke Tel Aviv — Beer Sheva (Oron)

1951 to 1961 the movement of cargo rose from 1513 000 tons to 2 694 000 tons a year and by 1964 had reached nearly 3 266 000 tons. With the opening of a supplementary port at the mouth of the river Qishon in the Haifa bay expansion possibilities seemed exhausted. The smaller port of Tel Aviv/Jaffa offered the difficulty that larger ships could only be loaded or unloaded with barges, and at times of a heavy sea, considerable delays had to be taken into account. Elat, finally, was to be used only for exports to East Africa, Asia and Australia. As it was estimated that by 1970 export products from the Negev alone would rise by 700 000 tons (Sedom) and 150 000 tons (Oron), it was essential to find shipping possibilities both for these goods and for the increasing export of citrus fruits and finished products. A transfer of passenger traffic is not being considered yet; for this Haifa offers better conditions and has some reserves.

Finally, the establishment of a new urban centre beyond the areas of heaviest population concentration fitted into the overall plans for a more even settlement of the country — although properly speaking the new centres of gravity were to be located more in the interior than along the coast. Of greater importance in this respect seemed to be that the development of the south as a whole would receive new impetus.

As the coast south of Tel Aviv did not offer any natural harbour, planning had a relatively free rein in choosing the location of the new port. After careful examination of all possible sites the mouth of the Lakhish river was chosen, approximately half way between Tel Aviv and the border along the Gaza strip. In contrast to the stretch between Tel Aviv and Haifa, the coast here is sparsely populated. The sandy belt of dunes, almost without any vegetation, running 2 1/2 miles wide from Tel Aviv to the border and beyond, is broken up only along the wadis and near Ashqelon by narrow wedges of arable land. Along these wedges, partly before and partly after the foundation of the State a few small colonies have established themselves: between Tel Aviv and Ashdod only the Kibbutz Palmahim, and between Ashdod and Ashqelon the agricultural school of Nizzanim, situated somewhat further inland.

Nevertheless, communications are good. Immediately behind the dune belt run the big old coastal road and the railway which during the period of the Mandate joined Tel Aviv/Jaffa via Gaza to Port Said and Suez. Whereas the railway is used today mostly for citrus transports, the road forms the main connection with Ashqelon and the north-west Negev. From both of these routes there are branches 4 miles long to Ashdod. At present the distance from Tel Aviv is still 25 miles, but it will be shortened by a toll road of motorway standard which is being planned. Ashqelon, on the other side, is 13 miles away. Amongst the routes to the interior, the route to Jerusalem (44 miles) still includes considerable detours and second class roads and will need improvement. The first cross connection to the main route to Beer Sheva (60 miles) — which will later carry the main burden of the bulk goods transport from Sedom (106 miles) and Oron/Arad (about 95 miles) — has already been completed. A direct link to the railway line Tel Aviv — Beer Sheva is still missing, but is considered. The airport at Lod, finally, 24 miles distant, and certainly of interest to a town of this size, is to be reached only by a rather devious route. In all these cases, however, only relatively short cross-connections are needed.

The immediate hinterland of the town, beyond the dunes, is densely settled. A large number of agricultural settlements,

muß eine Abkürzung geschaffen werden. Der Flugplatz Lod schließlich (38 km), für eine Stadt dieser Größenordnung durchaus ein interessanter Verkehrsfaktor, ist ebenfalls vorerst nur auf Umwegen erreichbar. In allen diesen Fällen bedarf es jedoch nur relativ kurzer Zwischenglieder.

Das unmittelbare Hinterland der Stadt, jenseits der Dünen, ist dicht besiedelt. Eine große Anzahl landwirtschaftlicher Kolonien, in der Mehrzahl Moshavim, die erst zwischen 1948 und 1955 entstanden sind, betreiben in der Hauptsache Citruskulturen und Vieh- und Geflügelwirtschaft. An ihrem östlichen Rande liegt das Landstädtchen Gedera, als eine der ersten jüdischen Niederlassungen schon 1884 gegründet, heute mit etwa 5000 Einwohnern. Verwaltungs-, Wirtschafts- und Kulturzentrum dieser überwiegend landwirtschaftlich orientierten Region ist jedoch das 20 km nördlich gelegene Rehovot, ebenfalls schon im Zuge der ersten Aliya 1890 gegründet, heute mit 32000 Einwohnern Sitz der Bezirksverwaltung, der Landwirtschaftlichen Fakultät der Hebräischen Universität und, nicht zuletzt, des Weizmann-Instituts. Trotz eines etwas über dem Landesdurchschnitt liegenden Anteils an Neueinwanderern zählt der Bezirk Rehovot zu den ältesten und angesehensten im Lande. Ashdod selbst allerdings gehört bereits zum Bezirk Ashqelon, der hier einen schmalen Ausläufer an der Küste entlang nach Norden streckt und in der Zusammensetzung seiner Bevölkerung wesentlich jünger ist. Regionale Funktionen irgendwelcher Art waren der Stadt, wenn überhaupt, höchstens in bezug auf diese südlich gelegenen Gebiete zugedacht.

Am Rande dieses eher ländlich traditionellen Milieus entwickelt sich mit zunehmender Geschwindigkeit Ashdod. 1955 schon war mit dem Bau der ersten, noch halb provisorischen Häuser begonnen worden, kurz darauf mit dem Bau eines Kraftwerks, dessen Kapazität von zunächst 150000, heute 300000 kW das wachsende wirtschaftliche Potential des Südens widerspiegelt. 1957 erhielt eine private Gesellschaft von der Regierung eine Konzession auf 4000 ha Land südlich des zukünftigen Hafens mit dem Recht, 70% hiervon (2800 ha) zu einem vorherbestimmten, inzwischen allerdings mehrfach heraufgesetzten Preis zu erwerben, und der Pflicht, die gesamte Erschließung und Entwicklung zu übernehmen und in ebenfalls vorherbestimmten Etappen voranzutreiben. Diese Konzession, die den Konzessionären angesichts der rapide steigenden Grundstückspreise beträchtliche Gewinne sicherte, ist vielfach auf Kritik gestoßen und inzwischen etwas modifiziert worden. Vor allem wurde der Regierung rückwirkend eine 50%ige Beteiligung an Besitz, Interessen und Einkünften der „Ashdod Development Company" eingeräumt. In jedem Falle läßt sich kaum leugnen, daß der Aufbau der Stadt wesentlich schneller vorangeschritten ist als der der meisten anderen Neugründungen — für die man allerdings auch kaum private Interessenten gefunden hätte. Die Gesellschaft verfolgt dabei die Politik, einen Teil in eigener Regie durchzuführen, ganze Viertel aber auch anderen, privaten oder öffentlichen, Bauherren zu überlassen, die den Bau von Wohn- und Geschäftshäusern und die Anlage des inneren Wegenetzes in eigener Verantwortung übernehmen; dies alles jedoch im Rahmen eines umfassenden Generalplanes, der, in ihrem Auftrag erstellt, für Flächennutzung und Bebauung verbindliche Regeln setzt.

Flächennutzung und Bebauung

Dieser Generalplan umfaßt das gesamte Konzessionsgebiet, das sich in 12 km Länge und 2,5 bis 4 km Breite als längliches Rechteck an der Küste entlang erstreckt. Im Osten stimmt seine Grenze fast genau mit der des Dünenstreifens überein, jen-

mostly Moshavim founded between 1948 and 1955, are engaged mainly in citrus growing and cattle and poultry farming. The small country town of Gedera, lying along the eastern edge, was one of the first Jewish settlements in the country. Founded as early as 1884, it has today roughly 5000 inhabitants. Rehovot, about 12 1/2 miles to the north, founded in 1890 in the course of the First Aliya as well, is the administrative, economic and cultural centre for this predominantly agricultural region. It is the seat of the sub-district administration, the Faculty of Agriculture of the Hebrew University, and last but not least the Weizmann Institute. Although the proportion of new immigrants is slightly higher than on the national average, the sub-district of Rehovot is one of the oldest and most notable in the country. Ashdod itself belongs to the sub-district of Ashqelon, extending here as a narrow strip northwards along the coast, the population structure of which is considerably younger. Whatever regional functions the town was to have were related only to this southern area.

Along the edge of this traditionally rural area grows, with increasing rapidity, the town of Ashdod. As early as 1955 the first more or less temporary houses were started, followed shortly afterwards by a power station with a capacity of at first 150000, today 300000 kilowatts, reflecting the increasing economic potential of the south. In 1957 a private company obtained a concession from the Government for 10000 acres of land south of the future port, with the right to acquire 70% of this land (7000 acres) at a price decided in advance but raised several times since, and the obligation to promote the development of the area according to previously agreed stages. This concession which, in view of the rapidly increasing land prices, guaranteed the concessionaires respectable profits, has met with sharp criticism and has in the meantime been somewhat modified. Most important, the Government was conceded retroactively a 50% share in the ownership, interests and profits of the "Ashdod Development Company". All the same, it can hardly be denied that the construction of the town has proceeded much faster than the construction of most of the other new towns — for which, however, it would have been scarcely possible to find private developers. Generally the company follows the policy to carry out part of the development under its own management, part by leaving entire quarters to other public or private companies who assume responsibility not only for the building of housing and offices but also for the layout of the internal road system — all of this, however, only in full accordance with the master plan drawn up by the company's architects and with the rules for land use and building laid down in this plan.

Land Use and Layout

The master plan embraces the whole of the concession area, forming an oblong rectangle 7 miles long and 1 1/2 to 2 1/2 miles wide along the coast. The eastern boundary coincides almost exactly with the edge of the dune belt, the agricultural zone beyond which is to be preserved by all means. If the town were to expand beyond its present borders, this could only happen along the coast, with the industrial area northwards, towards Tel Aviv, and the residential areas southwards, towards Ashqelon. This old Philistine town with its pleasant bungalow quarters and its facilities for water sports already exerts far more attraction on the rising "upper class" of the new port than the sober, busy Ashdod, swarming with new immigrants.

seits dessen landwirtschaftlich genutztes Gebiet, das es auf jeden Fall zu schonen gilt, beginnt. Sollte sich die Stadt einmal über das ihr zur Zeit zugedachte Areal hinaus ausdehnen, so kann sie dies also nur an der Küste entlang tun, mit der Industriezone nach Norden, auf Tel Aviv zu, mit den Wohnbezirken nach Süden, auf Ashqelon zu. Mit ihren freundlichen Villenvierteln und Wassersportmöglichkeiten übt die alte Philisterstadt schon jetzt auf die anspruchsvollere Oberschicht des neuen Hafens weit mehr Anziehungskraft aus als das nüchtern geschäftige, von Neueinwanderern wimmelnde Ashdod.

In seiner derzeitigen Form ist der Plan auf 350 000 Einwohner zugeschnitten. Diese sind im wesentlichen auf 16 reine Wohnbezirke, die eine Art unregelmäßiges Schachbrettmuster bil-

Ashdod – Generalplan 1 : 40 000
Ashdod – general plan (scale 1 : 40 000)
Arch. Y. Perlstein

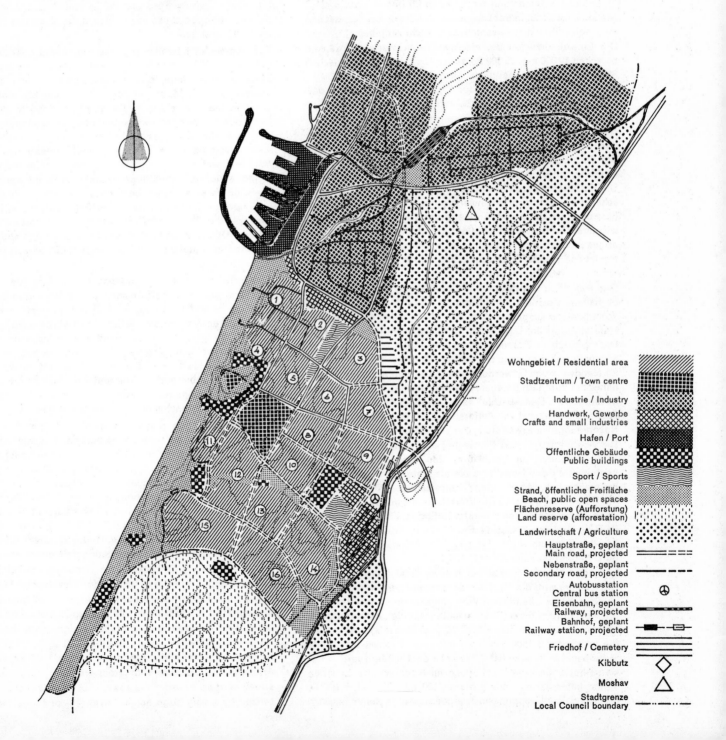

Wohngebiet / Residential area

Stadtzentrum / Town centre

Industrie / Industry

Handwerk, Gewerbe
Crafts and small industries

Hafen / Port

Öffentliche Gebäude
Public buildings

Sport / Sports

Strand, öffentliche Freifläche
Beach, public open spaces

Flächenreserve (Aufforstung)
Land reserve (afforestation)

Landwirtschaft / Agriculture

Hauptstraße, geplant
Main road, projected

Nebenstraße, geplant
Secondary road, projected

Autobusstation
Central bus station

Eisenbahn, geplant
Railway, projected

Bahnhof, geplant
Railway station, projected

Friedhof / Cemetery

Kibbutz

Moshav

Stadtgrenze
Local Council boundary

den, auf das Zentrum und auf ein Reservegebiet im Süden verteilt. Die verkehrsmäßige Erschließung erfolgt, dem entsprechend, durch ein Gitterwerk von mehrbahnigen Schnellstraßen, die die einzelnen Bezirke voneinander abgrenzen und sie gleichzeitig einerseits mit dem Zentrum und den anderen Schwerpunkten der Stadt, andererseits mit den Hauptausfallstraßen verbinden. Den unmittelbaren Zugang zu den eigentlichen Wohnzonen stellt ein zweites, inneres Wegenetz her, das auch den Verkehr zwischen benachbarten Vierteln übernehmen soll. Eine Sonderstellung nimmt eine breite Querachse ein, die etwa auf halber Höhe von der Autobus- und Eisenbahnstation im Osten durch einige Wohngebiete hindurch auf das in Küstennähe liegende Hauptgeschäftszentrum zuführt. Öffentliche Gebäude und Wohnhäuser für besonderen Bedarf, wie sie auch sonst in der Umgebung des Zentrums vorgesehen sind, sollen ihr ein repräsentatives Gesicht verleihen.

Die Einwohnerzahlen der einzelnen Wohnviertel schwanken zwischen 12 000 und 20 000 Personen, die Bruttodichte zwischen 36 und 60 WE/ha, wobei die niederen Werte den Außenbezirken (3, 7, 9, 14, vor allem aber 15 und 16), die höheren den zentrums- und küstennahen Gebieten zugeordnet sind. Jedes Wohnviertel verfügt über ein eigenes, seiner Größe entsprechendes Nebenzentrum mit reichlich Geschäfts- und Büroraum, dazu über die üblichen Gemeinschaftseinrichtungen. Höhere Schulen, Berufsfachschulen, Krankenhäuser und dergleichen sind eher am Rande der eigentlichen Wohnbezirke vorgesehen. Die Grünflächen wurden teilweise als längliche Streifen zwischen den einzelnen Wohnvierteln, teilweise als zusammenhängende Parks an der Peripherie der Stadt angeordnet. Das wichtigste Erholungsgebiet bildet jedoch die Küste selbst, die, abgesehen von den Hafenanlagen, von jeder anderen Nutzung frei ist und Hotels, Schwimmbädern, Sport- und Vergnügungsstätten vorbehalten sein soll.

Das Hauptindustriegelände, mit großem Verladebahnhof, Lagerhallen und allen Erfordernissen eines bedeutenden Umschlagplatzes ausgestattet, grenzt nördlich und östlich an die Hafenanlagen an. Dort sollen auch die unmittelbar mit dem Hafenbetrieb in Zusammenhang stehenden Büros und Kontore untergebracht sein. Ein zweites, kleineres Industriegebiet für Handwerk und Gewerbe, Werkstätten und Garagen schließt, näher bei der Stadt gelegen, unmittelbar an Bahnhof und Autobusstation an. Den Abschluß nach Süden bildet die weite Freifläche, die zunächst zur Aufforstung, auf lange Sicht aber als Reserve für eine Erweiterung der Wohnbezirke bestimmt ist.

Die Ausführung dieses Planes hat am nördlichen Rande der Stadt begonnen, im Anschluß an den Hafen und eine schon bestehende Behelfssiedlung, die als erstes der Sanierung anheimfallen soll. Mit weiteren Überresten aus früherer Zeit ist die Stadt nicht belastet. Die Viertel 1 und 2 mit den dazugehörigen Nebenzentren sind bereits fertiggestellt, 3, 5 und 6 sind im Bau, für 4 und 7 sind die Erschließungsarbeiten im Gange. Für das Zentrum wurde 1965 ein internationaler Wettbewerb durchgeführt (s. Tafel XXVI–XXIX).

Auch das Industriegebiet hat bereits Gestalt angenommen. Noch immer wird die Mehrzahl der Wohnungen im Rahmen der verschiedenen öffentlichen Wohnungsbauprogramme erstellt, der Rest durch private Gesellschaften wie die „Ashdod Development Company" selbst, RASSCO oder eine religiöse Gruppe, die im Viertel 3 1500 Einheiten mit einer Yeshiva-Schule als Mittelpunkt begonnen hat. Überall ist der Standard vergleichsweise hoch, auch die Wohnungen für Neueinwanderer haben selten unter 62 m², andere bis zu 120 m². Obwohl mit einigen Bungalow-Gruppen und zweigeschossigen Reihenhäusern

In its present form the plan is designed for a total of 350 000 inhabitants. These are distributed in 16 purely residential quarters forming a kind of irregular gridiron pattern, in the centre and in a reserve area to the south. Communication lines correspond to this pattern. There is a grid of arterial roads both delimiting the residential quarters and the various districts and connecting them on the one hand with the centre and other focal points of the town, on the other hand with the main highways of the region. A secondary network gives direct access to the actual housing districts, and is also to carry the traffic between adjacent quarters. Special standing is reserved for a broad lateral axis connecting the bus and railway station in the east with the main shopping centre in the west, close to the coast. Public buildings and residential housing for special use are to give it the character of a wide, imposing avenue.

The number of inhabitants of the residential quarters varies between 12 000 and 20 000; gross densities range from 14 to 24 dwellings per acre, lower densities being found in the outer quarters (3, 7, 9, 14, and in particular 15 and 16), higher densities in the centre and in the quarters close to the coast. Each quarter has its own sub-centre, corresponding to its size, with shops, offices, and the necessary community services. Provision for secondary schools, vocational schools, hospitals and similar institutions is made along the outskirts of the actual residential areas. Parks and public open spaces are sited partly between the various quarters, partly along the periphery of the town. The recreation area proper, however, is supplied by the coast which, apart from the port installations to the north, is to be kept clear of any other use and is to be reserved for hotels, swimming, sports facilities and places of entertainment.

The main industrial zone adjoins the port to the east and the north and is to be furnished with a large goods station, warehouses and all requirements of an important trade centre. Offices directly connected with the port will be accommodated in this area as well. A second and smaller industrial zone for crafts and workshops, garages and lorry depots is located closer to the town, immediately alongside the railway station and the central bus station. The southern outskirts are occupied by ample open spaces intended at first for afforestation, later on for further extension of the residential areas.

The implementation of this plan has started along the northern edge of the town, adjacent to the port and the existing temporary housing (the only remains from earlier periods) which is to be reconstructed as soon as possible. Quarters 1 and 2, together with their sub-centres, are already completed; 3, 5 and 6 are under construction; for 4 and 7 levelling is under way. The layout of the central area was subject of a competition early in 1965 (see plate XXVI–XXIX). The industrial area, too, has already taken shape. Even today, however, the majority of the dwellings under construction fall under the various public housing programmes, the remainder being built by private companies such as the Ashdod Development Company itself, RASSCO, or a religious group which in quarter 3 has made a start on 1500 units with a Yeshiva school as its focal point. The standard is comparatively high; even the housing for new immigrants is rarely less than 600 sq.ft., other housing in some instances reaches as much as 1100 square feet. Although interspersed with groups of bungalows and two-storey terrace houses, the townscape is at present characterized by a very large number of three- or four-storey point

durchsetzt, wird das Stadtbild zur Zeit bestimmt durch die Fülle der drei- bis viergeschossigen Punkthäuser und Blocks, die in kleineren oder größeren Gruppen gleicher Bauart angeordnet sind.

Während die Viertel 1 und 2 relativ zügig aufgefüllt werden konnten und bald eine kompakte Einheit bildeten, brachte der Beginn der folgenden Viertel, die zum Teil privaten — und damit auf spontane Käufer angewiesenen — Bauherren überlassen sind, eine erhebliche Streuung der Baustellen über den ganzen Norden des Stadtgebietes mit sich. Damit scheint eine zeitlich schwer abzugrenzende Phase eingeleitet, in der die Größe und Weiträumigkeit des Projekts bereits deutlich sichtbar, eine klare Struktur und Gestalt aber noch nicht (oder nicht mehr) zu spüren ist. Weitere Schwierigkeiten ergeben sich aus der provisorischen Unterbringung der zentralen Funktionen in den einzelnen Nebenzentren, die damit ein über ihre endgültige Aufgabe hinausgehendes Gewicht erhalten. Die Hafenbehörde, die „Ashdod Development Company", Banken, Gewerkschaft, Arbeitsamt und Krankenkasse für die ganze Stadt haben ihren Sitz im Zentrum des ersten Viertels, die Stadtverwaltung und zahlreiche andere Büros im Zentrum des zweiten. Bei einer laufenden Vermehrung der zentralen Funktionen, wie sie bei dem raschen Wachstum der Stadt unvermeidlich ist, werden sich diese auf die Zentren noch weiterer Viertel verteilen müssen. Bis die Stadt räumlich und wirtschaftlich ihre eigentliche City erreicht und mit Leben erfüllt hat, muß sie ohne eindeutigen Kristallisationskern bleiben. Ein radiales Vorgehen, von innen nach außen, hätte in dieser Hinsicht vielleicht manches erleichtert, die Stadt aber ohne sofortigen Anschluß an ihren Hafen gelassen.

Der Hafen

Für den Bau des Hafens selbst war noch umfangreiche technische und wissenschaftliche Vorarbeit zu leisten, bis Ende Juli 1961 der Grundstein gelegt werden konnte. Angesichts des Fehlens natürlicher Voraussetzungen mußte mit dem Bau eines mächtigen Wellenbrechers begonnen werden, der, zunächst 2,2, später 2,9 km lang, in weitem Bogen ins Meer hinausgetrieben wird und heute schon das eigentliche Wahrzeichen der Stadt darstellt.[1] Im Schutze dieser am Ende 9 m hohen Mole, die im Norden durch einen zweiten, 900 m langen Wellenbrecher ergänzt wird, entsteht das Hafenbecken mit seinen Kaianlagen, Ladevorrichtungen, Trockendocks, Werften, Silos, Lagerhäusern und Werkstätten.

Der Ausbau sollte zunächst in zwei Phasen vor sich gehen. Da Haifa allein den wachsenden Citrusversand nicht mehr zu meistern vermochte und auch die Phosphat- und Pottascheexporte aus dem Negev drängten, wurde jedoch noch eine weitere Phase, die sogenannte Citrus-Phase, vorgeschaltet. Sie soll, nachdem die ersten Schiffe schon im Herbst 1965 abgefertigt werden konnten, 1966 abgeschlossen sein und die Verschiffung von 350 000 to Früchten und 650 000 to anderen Massengütern, zusammen also 1 Mill. to im Jahr, ermöglichen. Mit dem Abschluß der ersten Gesamtphase, mit dem für 1970 gerechnet wird, soll der Hafen eine Kapazität von 2,5 Mill. to erreichen und Schiffe bis zu 32 000 to aufnehmen können. Mit Abschluß der zweiten und letzten Phase, für die weitere zehn Jahre veranschlagt sind, soll sich die Kapazität noch einmal, auf 4 Mill. to, erhöhen.

[1] Als Grundmaterial werden sogenannte Tetrapods benutzt, Panzersperren ähnliche Gebilde aus Beton, die aus einem mittleren Kern und vier kurzen Armen bestehen und nach einem französischen Patent am Strand gegossen werden.

blocks and ordinary blocks arranged in smaller or larger groups of similar design.

Whereas quarters 1 and 2 were filled up relatively speedily and soon formed a compact unit, the starts made in the subsequent quarters led to considerable scattering of building sites throughout the whole northern part of the urban area — mostly because these quarters were at least partly in the hands of private companies dependent on private demand. This development seems to have opened a phase — indefinite in length — during which the full size and dimensions of the project are already clearly visible while a distinct structure and form is not yet (or no longer) apparent.

Further difficulties arise from the central functions being provisionally located in the various sub-centres, which thus obtain greater weight than they should finally have. The Port Authority, "The Ashdod Development Company", banks, the Histadrut, the labour exchange and the health insurance office are sited in the centre of the first quarter, the town administration and numerous other offices in the centre of the second quarter. As such functions will inevitably increase as the town grows, they will have to be dispersed over still further subcentres. Until the town has spatially and economically reached the level of its central area — and has filled it with life —, it must remain without obvious focus. A radial development from the central area outwards might have avoided such difficulties, but would have left the town without immediate contact with its port.

The Port

Numerous technical and hydrological surveys had to be carried out before the first corner stone for the port could be laid in July 1961. As natural prerequisites were largely missing, the first stage had to consist in building the main breakwater, 1.4 miles long and to be extended to 1.8 miles, running in a wide arc into the sea and already forming the real landmark of the town.[1] This breakwater which reaches a height of 29 feet, and a lee breakwater in the north shelter the actual basin with its piers, dry-docks, wharves, silos, storage sheds and workshops.

Construction was to take place in two phases. However, as Haifa alone could not cope with the growing citrus exports, and as shipping of phosphates and potash from the Negev became equally urgent, an intermediate phase, the so-called citrus phase, was slipped in. This phase is to be completed in 1966 — in fact the first ships were already cleared late in 1965 — and is to allow shipping of 350 000 tons of fruit and 650 000 tons of other bulk cargo, a total of 1 million tons a year. With the completion of the first phase proper, scheduled for 1970, the port is to have a capacity of 2.5 million tons and is to be able to take in ships up to 32 000 tons. With the completion of the second and ultimate phase, scheduled for the following ten years, the capacity is to be raised to 4 million tons.

The Population

Although the port as the very reason for its existence consisted until recently only in a huge building site along its northern edge, the town has already developed its own dynamics, partly in advance of its genuine functions, partly quite independent of them. Started already in 1955, there were only

[1] The base material consists in so-called "tetrapods", giant four-limbed concrete bodies weighing between 12½ and 38½ tons each, which are cast on the beach according to a French patent.

Die Bevölkerung

Obwohl sich dieser Hafen als ihr eigentlicher Daseinsgrund bis vor kurzem nur als gewaltige Baustelle an ihrem nördlichen Rande bemerkbar machte, hat die Stadt bereits ihre eigene Dynamik entwickelt, teils im Vorgriff auf ihre künftigen Funktionen, teils unabhängig davon. 1955 begonnen, hatte sie am 22. 5. 1961 erst 4600 Einwohner, am Ende des gleichen Jahres schon 6200, des nächsten 11 700, Ende 1964 19 400. Am 1. 1. 1965 waren allein durch das Wohnungsbauministerium 2200 Wohnungen im Bau, mehr als in irgendeiner der anderen Neugründungen einschließlich Beer Sheva. Mehr als andernorts dürften daher auch die Ergebnisse der Volkszählung von 1961 überholt sein. An der Tatsache, daß auch Ashdod eine Neueinwandererstadt par excellence ist, wird sich trotzdem wenig geändert haben. Nur 20% der damals viereinhalbtausend Einwohner, überwiegend Kinder, waren bereits im Land geboren, nur 1,8% vor 1948 eingewandert. Unter den übrigen kamen fast drei Viertel aus orientalischen Ländern, 19,4% aus Europa. Der Zuzug von Israelis und „Vatiqim", die in der schnell um sich greifenden Stadt gute Verdienstmöglichkeiten und auch gewisse spekulative Chancen sehen, fällt quantitativ vorerst nur wenig ins Gewicht.

Beschäftigung und Industrie

Notstandsarbeiten, Halbtagsbeschäftigung, Arbeitslosigkeit kennt die Stadt nicht, nur über fehlende Beschäftigungsmöglichkeiten für Frauen wird geklagt. Dagegen ist der Facharbeitermangel auch hier deutlich zu spüren. Im Herbst 1965 waren rund 40% aller Erwerbstätigen in Industrie und Handwerk beschäftigt, etwa 30% bei Bau- und Erschließungsarbeiten, auch beim Hafenbau, der Rest verteilte sich auf die verschiedenen Dienstleistungszweige und, zum geringsten Teil, auf die Landwirtschaft der Umgebung. Die Hafenarbeiter selbst dürften vorerst zum größten Teil aus Tel Aviv/Jaffa kommen, wo mit der Schließung der dortigen Hafenanlagen etwa 300 Arbeiter frei wurden. Die Löhne sind überall hoch, es wird gut verdient und gern ausgegeben; die Auslagen der Geschäfte reichen bis zu Picknickkoffern, Angelruten und französischem Cognac.

Geförderte Betriebe mit 10 und mehr Beschäftigten (31. 12. 1964) [1]

	Beschäftigte	Kapital (in 1000 IL)
Kunstfasern	345	27 550.0
Kraftfahrzeuge	266	2 400.0
Wolle	170	4 131.5
Kunstfasern	105	8 637.0
Fruchtsäfte	65	1 050.0
Kosmetik	40	1 500.0
Eisenverarbeitung	40	590.0
Baumaterialien	28	520.5
Tischlerei	21	49.2
Holzprodukte	20	20.0
Metallerzeugnisse	20	141.0
Schlosserei	16	64.0
Kraftfutter	15	1 600.0
Kupfererzeugnisse	15	534.8
Zentralheizungskörper	13	240.0
Tischlerei	11	50.0
Konfektion	30	80.2
Diamantenschleiferei	80	—
Insgesamt	**1 300**	**49 158.2**

[1] Bericht über die Industrialisierung der Entwicklungsgebiete, a. a. O., S. 43

4600 inhabitants by May 22nd, 1961; by the end of the same year there were 6200, by the next year 11 700, and by the end of 1964, 19 400. On January 1st, 1965, dwellings under construction by the Ministry of Housing alone amounted to 2200

Einwohnerzahlen / Population figures

1956	219
1958	2 450
1960	3 400
1962	11 700
1964	19 400

units, more than in any other new town, including Beer Sheva. More than in any other place, therefore, the results of the population census of 1961 will be out of date. The fact, however, that Ashdod, too, is a new immigrant town par excellence will hardly have changed. Out of the four and a half thousand inhabitants on census day, only 20% (mostly children) were born in the country, and only 1.8% had immigrated before 1948. Of the remaining 78% almost three quarters came from Oriental countries, and 19.4% from Europe. The influx of Israelis and Vatiqim counting on good earning and on some chances for speculation in a town gaining ground so rapidly, is quantitatively of little importance yet.

Employment and Industry

Public relief work, part-time work or unemployment have never been known here; whatever complaints may be heard refer to insufficient employment possibilities for women. Instead, there is a considerable shortage of skilled workers and professionals. In autumn 1965, some 40% of all employed were in industry and crafts, 30% in construction and development work (including the construction of the port), the remainder being engaged either in service industries or, to a limited extent, in agriculture nearby. Up to now the workers in the port itself come mostly from Tel Aviv/Jaffa, where 300 dock-workers have been released as a result of the closing of that port. Wages are high, earnings are good, and there is little restraint on spending; goods displayed in the shops include picnic baskets, fishing tackle and French cognac.

Approved Enterprises with 10 or more Employees (31. 12. 1964) [1]

	Employees	Capital (in 1000 IL)
Synthetic fibres	345	27 550.0
Motor vehicles	266	2 400.0
Wool	170	4 131.5
Synthetic fibres	105	8 637.0
Fruit juices	65	1 050.0
Cosmetics	40	1 500.0
Iron constructions	40	590.0
Building materials	28	520.5
Joinery	21	49.2
Wood products	20	20.0
Metal goods	20	141.0
Locksmith	16	64.0
Concentrated feed	15	1 600.0
Copper processing	15	534.8
Radiators	13	240.0
Joinery	11	50.0
Ready-made clothing	30	80.2
Diamond cutting	80	—
Total	**1 300**	**49 158.2**

[1] Ministry of Commerce and Industry: Report on the Industrialization of Development Regions, op. cit., p. 43

Das Gerüst der industriellen Beschäftigung bilden drei größere Unternehmen, allen voran eine Kunstfaserfabrik (Nylon, Rayon) mit 345 Beschäftigten; dann eine Wollkämmerei, die erst 1963 mit australischem Kapital eröffnet wurde und importierte zusammen mit israelischer Wolle verarbeitet, schließlich eine Zweigfabrik der englischen Leyland-Werke, die Automobil- und Lastkraftwagenmotoren, Chassis und Aufbauten montiert. 1964 nahm eine weitere Kunstfaserfabrik mit 105 Beschäftigten die Arbeit auf. Daneben besteht bereits eine Reihe mittlerer und kleinerer Betriebe, darunter mehrere metallverarbeitende und einige auf die Produkte und Bedürfnisse der ländlichen Umgebung abgestellte Unternehmen. Schließlich unterhält und baut die „Ashdod Development Company" selbst laufend einige Dutzend Werkstätten für den eigenen Bedarf. Die Mehrzahl dieser Betriebe, ob groß oder klein, trägt sich mit Erweiterungsabsichten.

Obwohl die Regierung mit besonderen Förderungsmaßnahmen schon seit längerem zurückhaltender geworden war — Kredite für neue Unternehmen wurden zuletzt nur noch bis zur Höhe von 30% des Grundkapitals gewährt, kaum halb so viel wie in Qiryat Shemona oder Elat — und die Stadt inzwischen überhaupt keinen bevorzugten Status mehr genießt, läßt die wirtschaftliche Entwicklung schon jetzt nichts zu wünschen übrig. In der Kraftfahrzeugherstellung und in den — relativ — zahlreichen metallverarbeitenden Betrieben sind Ansätze zu einer vielseitigeren Branchenstruktur zu erkennen. Sonst nimmt auch hier die Textilindustrie den bedeutendsten Platz ein, mit dem Nachdruck allerdings auf der aussichtsreicheren Kunstfaserproduktion.

Kultur und Erziehung

Im Vergleich zu dieser wirtschaftlichen Dynamik zeigt das soziale und kulturelle Leben der Stadt noch kaum ein eigenes Gesicht. Zwar gibt es die üblichen höheren Schulen, eine religiös, eine allgemein, dazu zwei Berufsfachschulen, Kinos, Sportanlagen, einige Klubs und Vereine; eine weitergehende soziale Kristallisation steht jedoch noch aus. Zu schnell ist die Bevölkerung in den letzten Jahren gewachsen: Von den 19 400 Einwohnern am 31. 12. 1964 waren fast 40% noch weniger als zwei Jahre in Ashdod ansässig. Auch hat die Stadt erst im Sommer 1963 den ersten Gemeinderat gewählt. Irgendeine, positive oder negative, Beziehung zu ihrer unmittelbaren Umwelt ist ebenfalls kaum zu spüren; wie Ashdod von der Region nimmt die Region von Ashdod kaum Notiz. Bei aller Kraft und Betriebsamkeit wohnt der Stadt mitten in dem weiten Meer weißen Dünensandes noch eine seltsame Irrealität, ein Losgelöstsein von Zeit und Raum inne, ein schwacher Hauch von Wesenlosigkeit und Schein.

Wenn man Ashdod trotzdem unter allen Neugründungen das rascheste Wachstum und den sichersten Wohlstand, wenn nicht einen „Boom" voraussagen kann — die Grundstückspreise, die Ende 1962 18 IL pro m² betragen hatten, lagen Mitte 1963 schon bei 30 IL und sind inzwischen auf 40 bis 50 IL gestiegen —, so vor allem deswegen, weil in der Stadt einige besonders günstige Entwicklungslinien zusammentreffen: die wachsende Produktion von Citrusfrüchten und von Mineralstoffen, die hier ihren Sammel- und Verladeplatz haben werden; die Aussicht, auch als Importhafen für den Süden, wenn nicht für den Großraum Tel Aviv, Bedeutung zu gewinnen; die zunehmende Verdichtung des Großraums Tel Aviv selbst, die ein Ausweichen auf verkehrsgünstig gelegene und ausreichend Platz bietende andere Städte immer vorteilhafter werden läßt; die Anziehungskraft des Südens ganz allgemein, der hier zwar schon seinen

The bed-rock of industrial employment is supplied by three large factories; first a synthetic fibre factory for nylon and rayon with 345 employees, then a wool-carding plant established in 1963 with Australian capital, processing imported as well as Israeli wool; finally, a subsidiary factory of the British Leyland Works, assembling car and lorry motors, chassis and bodies. In 1964 a second synthetic fibre factory with 105 workers was opened. There are further many medium-sized and small concerns, several processing metal, several geared to the needs and products of the adjoining rural areas. Lastly, the Ashdod Development Company itself builds and maintains a large number of workshops for its own use. Whether large or small, the majority of these enterprises are planning extensions.

Although government assistance had been considerably reduced for some time already — loans for new enterprises amounted at last to only 30% of the capital invested — and in the meantime the town has lost any privileged status at all, the economic development leaves nothing to be desired. The vehicle assembly plant and the relatively numerous metal processing factories indicate a more diversified industrial structure. Nevertheless, here too, the textile industry is heading the list, with the emphasis, however, on the more promising synthetic fibre production.

Culture and Education

In contrast to these economic dynamics, the social and cultural life of the town has hardly any character of its own as yet. There are the usual secondary schools, one religious, one general, two vocational schools, a cinema, sports facilities, a few clubs and associations, but any form of social crystallization is still to come. The population has grown too fast in the last few years: of the 19 400 inhabitants on December 31st, 1964, almost 40% had been living in the town for less than two years. The first local council was elected only in summer 1963. A positive (or negative) relationship to the immediate vicinity is hardly existing either; as Ashdod takes little notice of the region, the region takes little notice of Ashdod. In spite of all its vigour and vitality, this town within the wide sea of white dunes is not without a strange detachment from time and space, a faint touch of unreality and make-believe.

All the same, among all the new towns Ashdod is to be predicted the fastest growth and even affluence, if not a boom. Land prices which at the end of 1962 were 1.7 IL per square foot, had risen to 3 IL by mid 1963 and to 4 or 5 IL by 1965. This promising future is based on several auspicious trends coinciding in the town: the growing production of citrus fruits and minerals to be collected and shipped here; the chance to become the major import port for the south, possibly for the Greater Tel Aviv region as well; the increasing congestion of this region which favours alternative places with good communications and sufficient land reserves; finally, the attraction of the south in general, displaying here all its nimbus, but hardly yet — and even less than in Qiryat Gat — its risks, let alone its severity. The initiative of an enterprising development company foreseeing these chances, is less the cause than the expression and the hinge of this boom. Whether in the long run Ashdod will contribute its share to another population concentration south of Tel Aviv, similar to that between Tel Aviv and Haifa, thus drawing away resources from the development regions proper, remains to be seen. The possibility cannot be dismissed.

Nimbus, aber kaum — weniger noch als in Qiryat Gat — sein Risiko, geschweige denn seine Härte zeigt. Die Geschäftstüchtigkeit einer rührigen Entwicklungsgesellschaft, die diese Chancen von vornherein erkannt hat, ist weniger Ursache als Ausdruck und Drehpunkt dieses „Booms". Inwieweit Ashdod auf längere Sicht hin dazu beitragen wird, daß sich bei wachsender Gesamtbevölkerung zwischen Tel Aviv und Ashqelon eine ähnliche Bevölkerungskonzentration bildet wie zwischen Tel Aviv und Haifa — und den eigentlichen Entwicklungsgebieten Kräfte entzieht —, muß vorerst dahingestellt bleiben. Die Möglichkeit jedenfalls ist kaum von der Hand zu weisen.

Elat[1]

Solange der Suez-Kanal israelischen Schiffen und Waren versperrt ist, bildet der schmale Küstenstreifen am Roten Meer, der dem Land durch den Teilungsbeschluß der Vereinten Nationen zufiel, das einzige Tor nach Ostafrika, Asien und Australien. Öffnung und Offenhaltung dieses Tores waren mit erheblichen Schwierigkeiten verknüpft. Erst im März 1949, fast ein Jahr nach der Staatsgründung, konnten israelische Truppen den noch aus der Mandatszeit stammenden, aber seit langem verlassenen Polizeiposten am Golf von Aqaba in Besitz nehmen. Erst nach Beendigung des Sinai-Feldzuges, 1957, wurden — eine Bedingung des Waffenstillstandes und der Rückgabe der Sinai-Halbinsel an Ägypten — die beiden Inseln Tiran und Sinnafir, die den Eingang zum Golf von Süden her beherrschen und die bis dahin von ägyptischen Batterien besetzt waren, den Vereinten Nationen übergeben und damit die freie Durchfahrt gesichert. Aber auch von der Landseite her nahm die Aufnahme der Verbindung mit der fernen Küste geraume Zeit in Anspruch. Eine Straße gab es nicht. Gleich nach der Besetzung, 1949, wurde zunächst eine primitive Wüstenpiste, die größtenteils in der Arava verlief, gebahnt. Sechs Jahre später folgte eine Straße quer über das Negev-Plateau, die erst wesentlich weiter südlich in die Arava hinabstieg. 1958 schließlich wurde die erste asphaltierte Straße fertiggestellt, die bis vor kurzem die einzige Landverbindung mit der Stadt bildete. Erst hiermit — und mit der bereits ein Jahr zuvor, kaum zwei Monate nach Eröffnung der Seefahrt, zusammen mit den ersten Hafenanlagen, in Betrieb genommenen Ölleitung, die dem Land den größten Teil seines wichtigsten Energieträgers zuführt — war Elat endgültig an das israelische Verkehrs- und Wirtschaftsnetz angeschlossen.

Geschichte und Geographie

Die Stadt, mit deren Bau man jedoch bereits 1954 begonnen hatte, steht in historischer Umgebung. Die Kupferminen bei Timna, nur 26 km nördlich und heute wieder in Betrieb, stellten einen der Hauptreichtümer des salomonischen Königreiches dar. Wichtige Verkehrs- und Handelswege kreuzten sich, von kurzen Ruheperioden abgesehen, seit dem Altertum und bis tief in die Neuzeit hinein in den jeweiligen Häfen am nördlichen Ufer des Golfes. Obwohl die korallenbewehrten Gestade des Roten Meeres und seiner Ausläufer der Schiffahrt nicht günstig waren, mündeten hier Seewege von Asien und Afrika in Landverbindungen durch die Wüste zum Mittelmeer. Aus römischer Zeit stammt eine schmale Paßstraße, die „Skorpions-

[1] Vgl. Y. K a r m o n : Eilath. Israel's Red Sea Port. Tijdschrift voor Econ. en Soc. Geografie. Mei 1963. S. 117–126
N. G l u e c k : Rivers in the Desert. A History of the Negev. New York, 1957, S. 153–168

Elat[1]

As long as the Suez Canal is closed to Israeli ships and merchandise, the narrow coastal strip along the Red Sea, which fell to the country as a result of the partition-decision of the United Nations, represents the only door to East Africa, Asia and Australia. Considerable difficulties were encountered in opening and keeping open this gateway. Only in March 1949, almost a whole year after the foundation of the State, was it possible for Israeli troops to occupy the police post in the Gulf of Aqaba, dating from the period of the Mandate, but deserted long ago. Only at the end of the Sinai campaign in 1957 — as a condition of the cease-fire and the return of the Sinai peninsula to Egypt — the two islands of Tiran and Sinnafir, which dominate the entrance to the Gulf from the south and which had been occupied by Egyptian batteries, were taken over by the United Nations, thus securing free transit. A land-approach was no less difficult to open. There was no road, so immediately after the occupation in 1949 a primitive desert route was pioneered, running mostly along the Arava. Six years later it was replaced by a road straight across the Negev plateau descending into the Arava only much farther to the south. Finally in 1958 the first metalled road was completed, until recently the only land-approach to the town. A year before, hardly two months after the opening of the sea route and together with the first port installations, an oil pipeline had been laid to carry the major part of the country's most important source of energy. With the opening of the Negev route and the pipeline Elat was definitely connected to the communications and economic network of the country.

History and Geography

Construction of the first houses, however, had begun already in 1954. The town is standing on historical ground. The copper mines at Timna, only 16 miles to the north and exploited again, were one of the main sources of wealth for the Kingdom of Solomon. Except for short periods of quiet, from Antiquity far into modern times important trade and communication lanes crossed in the ports on the northern shores of the Gulf. Although the coral reefs along the coast of the Red Sea were unfavourable to shipping, it was here that the sea routes from Asia and Africa joined with the land routes across the desert to the Mediterranean. Dating from the Roman period is a narrow pass known as the "Scorpion's Ascent", climbing in a winding route from the northern Arava to the Negev plateau. Even more important were the routes between Egypt and Arabia used by pilgrims and caravans from Suez and Alexandria to Mecca and Medina. As the flanks of the Arava, rising almost vertically on both sides, create a well-nigh insurmountable obstacle, the flat northern shore of the Gulf was practically the only land bridge between Palestine and the Holy places of Islam. With the opening of the Suez Canal the pilgrimage was deflected to the sea-route. Around the turn of the century there was a short-lived plan to build a branch-line of the Hejas-railway to Aqaba, which however was hastily dropped after British protests.

Today the land route between East and West has lost all significance. Instead the Gulf has gained once more in importance as a link to the main sea-routes to Asia and Africa — and this for both Israel and Jordan, with whom the northern

[1] Cf. Y. K a r m o n : Eilath. Israel's Red Sea Port. Tijdschrift voor Econ. en Soc. Geografie. Mei 1963, pp. 117–126
N. G l u e c k : Rivers in the Desert. A History of the Negev. New York 1957, pp. 153–168

steige", die von der nördlichen Arava aus in vielen Windungen das Negev-Plateau erklimmt. Wichtiger noch waren die Querverbindungen zwischen Ägypten und Arabien, auf denen Pilger und Karawanen von Suez und Alexandrien nach Mekka und Medina zogen. Da die auf beiden Seiten fast senkrecht emporsteigenden Randgebirge der Arava nahezu unüberwindliche Hindernisse darstellten, bildete das flache Nordufer des Golfes praktisch die einzige Landbrücke zwischen Palästina oder der Sinai-Halbinsel und den heiligen Stätten des Islam. Mit der Eröffnung des Suez-Kanals verlagerte sich der Pilgerverkehr auf den Seeweg; später wurde noch einmal der Bau einer Abzweigung von der Hedschasbahn nach Aqaba erwogen, auf britische Proteste hin aber eilig fallengelassen.

Heute hat die Landverbindung zwischen West und Ost jegliche Bedeutung eingebüßt, dafür hat der Golf als Zugang zu den großen Seewegen nach Asien und Afrika wieder Gewicht gewonnen, und zwar sowohl für Israel wie für Jordanien, mit dem es sich in das nördliche Ufer teilt. Für die beiden anderen Anliegerstaaten, Ägypten und Saudi-Arabien, hat der schmale Meeresarm mit seinen meist unzugänglichen Steilküsten dagegen eher militärische als wirtschaftliche Bedeutung.

Jordanien, das seit 1948 von den nächstgelegenen Häfen Haifa und Jaffa abgeschnitten und ohne anderen Zugang zum Meer ist, fiel auch der Flottenstützpunkt Aqaba zu, der, wie die ebenfalls meist am nordöstlichen Ufer gelegenen historischen Häfen Etzion Geber, Eilath und Aqaba, dem modernen israelischen Elat gegenüber den Vorteil eines weit günstigeren Terrains und einer ausreichenden Versorgung mit frischem Wasser hat. Lange Zeit neben seinen militärischen Funktionen nur ein bescheidenes Fischerdorf, hat Aqaba in den letzten Jahren erheblichen Aufschwung genommen. Bereits 1960 hatte es 6200 Einwohner, 1961 erreichte der Umschlag des Hafens fast 700 000 to. Deutlich sichtbar glänzen die silbrigen Erdöltanks und die auch dort zahlreich auf der Reede liegenden Schiffe herüber.

Auch für Israel war der Hafen die entscheidende Grundlage für den Bau einer Stadt. So entlegen und gefährdet die Küste ist, erspart sie doch dem israelischen Warenverkehr von und nach Ostafrika, Indien, Japan, Australien den Umweg über Gibraltar und die Südspitze Afrikas. Als Exportartikel kommt zunächst der in Timna gewonnene Kupferzement, zuletzt 9500 to im Jahr, der etwa zur Hälfte nach Japan ging, in Frage, dann Pottasche, Brom und Magnesium aus Sedom, Phosphate aus Oron, Citrusfrüchte, Zement und verschiedene Industrieprodukte aus dem Zentrum des Landes. Auf der Importseite spielt Rohöl die größte Rolle, dazu kommen tropische Erzeugnisse, Kaffee, Kautschuk, Hölzer, Häute, Wolle und Baumwolle. Im Jahr 1964 liefen 57 Schiffe den Hafen an, die Tonnageleistung (ohne Öl) betrug 201 000 to, davon 132 000 to Export und 69 000 to Import. Der Passagierverkehr ist demgegenüber unbedeutend. Zwar beträgt auch der Warenumschlag in Haifa, dem größten Hafen des Landes, ein Vielfaches (1964: Export 1 236 000 to, Import 2 030 000 to), doch liegt die Bedeutung hier weniger in der Quantität als in dem Monopol für den Handelsverkehr mit dem Osten.

Nur auf diesem Hintergrund sind alle Mühen und Kosten zu verstehen, die seit Jahren in die Sicherung und Verbesserung der Verbindungen und die Überwindung der beiden schwierigsten Hindernisse, der Entfernung und des Klimas, investiert werden. Von den Zentren des Landes, von Tel Aviv und Jerusalem, ist die Stadt rund 360 km entfernt, von Beer Sheva 250 km, von den Phosphatlagern in Oron ebenfalls 250 km, von Sedom sogar 280 km. Und jede Straße von Norden führt spä-

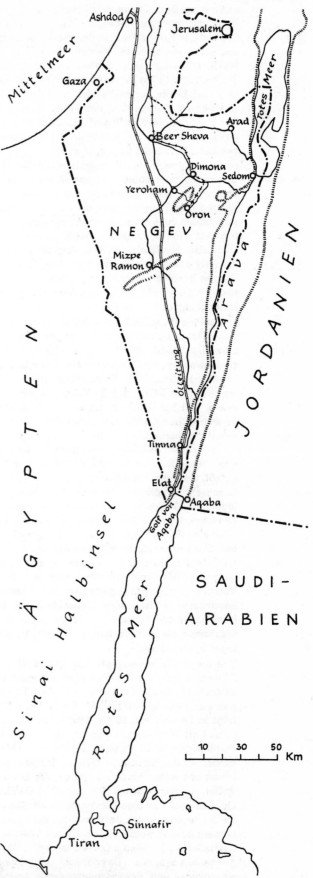

Elat – Verkehrslage und Verkehrswege / Elat – communication lines
Zeichenerklärung Seite 4 / Key page 4

testens ab Beer Sheva durch Hitze und Staub einer oasen-
losen, steinigen, unwegsamen Wüste, deren landschaftliche
Großartigkeit nur dem Fremden die Entfernung verkürzt. Wie
auch immer im einzelnen sie geführt wird, hat sie entweder den
Makhtesh Ramon, den „Großen Mörser", zu überwinden, den
300 bis 400 m tiefen ovalen Krater, der das Negev-Plateau fast
in ganzer Breite durchschneidet, oder die mindestens ebenso
zerklüfteten Randgebirge des Toten Meeres und der Arava.
Die bisherige, 1958 fertiggestellte Straße hat den ersten Weg
gewählt, die neue Verbindung über Sedom und die Arava den
zweiten. Diese neue Straße, etwa 185 km lang, hat den Transport der Pottasche und Phosphate, die bisher den Umweg über
Dimona nehmen mußten, um fast 100 km und erhebliche Höhenunterschiede verkürzt, die Kosten spürbar gesenkt. Auch für
die geplante Eisenbahnlinie, die sich langsam nach Süden vor-
schiebt und zur Entlastung der Straßen auf die Dauer unerläßlich sein wird, bedeutet der Abstieg in die Arava das größte
technische Hindernis. Mit dem Flugzeug dagegen ist Elat von
Tel Aviv aus in weniger als einer Stunde erreichbar. Verbindungen bestehen mehrmals täglich, doch sind sie kostspielig
und in jedem Falle nur zur Beschleunigung des Personenver-
kehrs geeignet.

Die beiden Wüstenstädtchen Yeroham und Mizpe Ramon, mit
deren Bau in den letzten Jahren begonnen wurde, und der Kibbutz Sede Boqer, der sich schon 1952 dort angesiedelt hatte,
sind Versuche, die Strecke mit Menschen und wirtschaftlichem
Leben zu füllen. Auch die noch unbestimmten Pläne für zwei
weitere neue Städte bei En Yahav, im nördlichen Drittel der
Arava, und bei Zihor, im mittleren, sind in diesem Sinne zu
verstehen, ebenso die zahlreichen Bemühungen, in der Arava
selbst das hier und da vorhandene brackige Grundwasser für
landwirtschaftliche Zwecke zu nutzen. Bis jetzt hat nur der 1951
gegründete Kibbutz Yotvata, 40 km nördlich Elat, festen Fuß
gefaßt, andere Siedlungen stecken noch in den Anfängen. Da
israelische Experten in der Arava noch erhebliche Mengen an
jedenfalls für Bewässerungszwecke geeignetem Grundwasser
vermuten, ist zumindest denkbar, daß in nicht allzuferner Zukunft eine dünne Reihe landwirtschaftlicher Siedlungen Sedom
und Elat verbindet, die mit ihren Frühgemüsen, Trauben, Dat-
teln, dazu Eiern und Milchprodukten die schwierige Versor-
gungslage der Stadt erleichtern und dank ihres klimatischen
Vorsprungs begehrte Exportartikel liefern könnten. Von der oft
beschworenen Vision einer Kette blühender Städte zwischen
Beer Sheva und Elat sind solche Versuche, so viel Opfer und
Idealismus sie auch fordern, noch weit. Vorerst ist Elat ent-
legener Vorposten.

Wie für die Entfernung gilt dies für das Klima. Von April bis
Oktober liegen die täglichen Maximaltemperaturen über 30°,
im Juni, Juli, August über 38°, die höchste Temperatur, die 1961
gemessen wurde, betrug 43,6°. Die jährliche Regenmenge beträgt im Durchschnitt 30 mm, 1959 waren es nur 8 mm, und sie
kommt oft in einem einzigen Wolkenbruch vom Himmel. Mil-
dernd wirken allein die stetig die Arava herabblasenden Nord-
winde, die der Stadt jedenfalls die feuchte Hitze der übrigen
Häfen des Roten Meeres ersparen; die Luftfeuchtigkeit liegt
im Sommer nur zwischen 20% und 40%. Da Elat keine eigenen
Quellen oder trinkbaren Grundwasservorräte besitzt, muß das
benötigte Wasser aus der Arava, aus bis zu 80 km Entfernung,
herbeigepumpt werden. Auch dieses Wasser bedarf jedoch
spezieller Aufbereitung. Die Verteilung erfolgt daher in zwei
getrennten Systemen: Das normale Leitungswasser ist nur für
Reinigungs- und Bewässerungszwecke geeignet, das Trink-
wasser, wesentlich teurer, wird in gesonderten Tanks aufbe-

shore is shared. For the two other adjoining states, Egypt
and Saudi Arabia, the narrow inlet with its mostly inaccessible
steep coasts is more of military than of economic interest.

As Jordan had been cut off from its nearest ports, Haifa and
Jaffa, in 1948, and had been left without any other access to
the sea, it was allocated the naval base of Aqaba. Situated on
the north-eastern shores, just as the historical ports of Etzion
Geber, Eilath and Aqaba, this port — unlike the modern Israeli
Elat — has the great advantage of a more suitable terrain and
adequate resources of fresh water. Apart from its military
functions for a long time only a modest fishing village, Aqaba
too has undergone great changes. By 1960 it counted already
6200 inhabitants, and the port handled nearly 700 000 tons
of cargo. The silvery shimmer of the oil tanks and the numerous
ships lying in the roads are clearly visible across the Gulf.

For Israel, too, the port was the decisive factor for building
a town. Although the coast is remote and exposed, it does
save the Israeli merchandise traffic to and from East Africa,
India, Japan and Australia the long way via Gibraltar and the
southern tip of Africa. One of the main items for export is the
copper cement mined in Timna, recently 9500 tons a year about
half of which was shipped to Japan; then potash, bromine
and magnesium from Sedom, phosphates from Oron, citrus
fruits, cement and a large variety of manufactured goods from
the centre of the country. On the import side crude oil was
most important, followed by tropical products such as coffee,
rubber, timber, skins, wool and cotton. During 1964 a total
of 57 ships anchored in the port, the tonnage (without oil)
being 201 000 tons, of which 132 000 tons were exports and
69 000 tons imports. Passenger services are insignificant. The
freight movements in Haifa, the biggest port of the country,
are actually far greater (1964: exports 1 236 000 tons, imports
2 030 000 tons); the assets of Elat, however, are to be measured
less in quantities than by its outstanding value for all trade
with the East.

Only against this background can all the expense and effort
be understood which for years have been invested in securing
and improving the approaches to the town, and in overcoming
the two major obstacles, the remoteness and the heat. The
distance from the centre of the country, from Tel Aviv and
Jerusalem, is about 225 miles, from Beer Sheva 156 miles,
from the phosphate deposits of Oron not much less, and from
Sedom even 175 miles. And from Beer Sheva onwards every
road from the north has to pass through the heat and dust of
a stony, waterless, barren desert the magnificence of which
shortens the route only for the stranger. Whichever course it
takes, the route has to cross either the Makhtesh Ramon,
ε ι oval crater 975 to 1300 feet deep, cutting the Negev plateau
almost in its whole width, or the equally rugged flanks of the
Dead Sea and the Arava. The first road, completed in 1958,
chose the former course, the new road via Sedom and the
Arava the latter. This new road, about 110 miles long, has
shortened the transport of the potash and phosphates which
hitherto had to go via Dimona, by almost 60 miles and considerable differences in height, thus lowering the cost appre-
ciably. For the planned railway line, too, which is advancing
slowly southwards and which is vital for relieving the burden
on the road, the descent into the Arava is the main technical
obstacle. By plane Elat can be reached from Tel Aviv in less
than an hour several times a day, but the flight is expensive
and suitable only for passenger service.

The two small desert towns of Yeroham and Mizpe Ramon
which were started during the last few years, and the Kibbutz

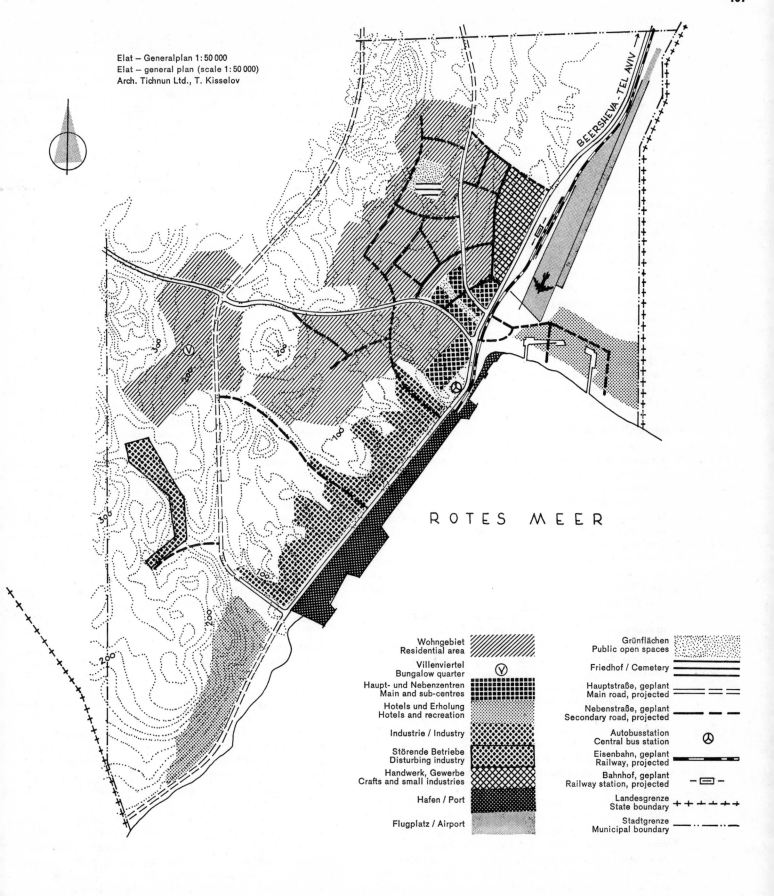

Elat – Generalplan 1:50 000
Elat – general plan (scale 1:50 000)
Arch. Tichnun Ltd., T. Kisselov

BEERSHEVA - TEL AVIV

ROTES MEER

Wohngebiet / Residential area		Grünflächen / Public open spaces
Villenviertel / Bungalow quarter (Y)		Friedhof / Cemetery
Haupt- und Nebenzentren / Main and sub-centres		Hauptstraße, geplant / Main road, projected
Hotels und Erholung / Hotels and recreation		Nebenstraße, geplant / Secondary road, projected
Industrie / Industry		Autobusstation / Central bus station
Störende Betriebe / Disturbing industry		Eisenbahn, geplant / Railway, projected
Handwerk, Gewerbe / Crafts and small industries		Bahnhof, geplant / Railway station, projected
Hafen / Port		Landesgrenze / State boundary
Flugplatz / Airport		Stadtgrenze / Municipal boundary

wahrt und von dort zu den Häusern getragen. Trotzdem wird, zuverlässigen Schätzungen zufolge, bei einem Anhalten des bisherigen Wachstums die Wasserversorgung nur für die nächsten 3 bis 5 Jahre ausreichen. Um so mehr gewinnen die beiden Versuchsbetriebe für Meerwasserentsalzung, die in Elat vorhanden sind und von denen der eine bereits 1500 m³ täglich liefert, an Bedeutung.

Flächennutzung und Bebauung

Der Generalplan, auf etwa 50 000 Einwohner zugeschnitten, der dem Aufbau der Stadt zugrunde liegt, hatte sich den verschiedensten Beschränkungen und Hindernissen anzupassen. Vor allem hatte er so sparsam und zweckmäßig wie möglich mit dem knappen und außerdem topographisch schwierigen Ufergelände umzugehen. Da die zwei wirtschaftlichen Eckpfeiler der Stadt, Hafen und Tourismus, beide auf die unmittelbare Nähe des Meeres angewiesen sind, kam eine Nutzung der Küste für Wohn- oder auch für Repräsentationszwecke nicht in Frage. Die einzig ebene Fläche, die Arava, eignete sich wegen ihres salzhaltigen Bodens und wegen der zwar nur selten, nach Wolkenbrüchen, dann aber mit großer Gewalt über sie hinwegbrausenden Sturzfluten ebenfalls nicht für eine intensive Bebauung. Außerdem verlaufen hier die Lebensadern, die Elat mit seinem Hinterland, mit Beer Sheva und Sedom, Tel Aviv und Haifa verbinden: die einzige Zugangsstraße von Norden, die Landebahn des Flugplatzes, eventuell später die Eisenbahnlinie, die vor allem dem Gütertransport dienen und — da im Hafengebiet kein Platz vorhanden ist — hier ihren Rangierbahnhof haben soll. Die Stadt selbst mußte sich also mit den unteren Hängen des Ufergebirges begnügen, die hier relativ sacht bis auf etwa 150 m Höhe ansteigen und aus losem Sedimentgestein bestehen, das leicht abgetragen und auch zur Planierung verwendet werden kann. Dahinter setzt der steil aufragende Granit jeder weiteren Ausbreitung unüberwindliche Schranken entgegen.

Trotzdem wurde versucht, die einzigartige Gunst der landschaftlichen Lage für die Stadt nutzbar zu machen. Das flache nördliche Ufer des Golfes, von der jordanischen Grenze bis zum Beginn der Hafenanlagen, ist als Hotel- und Erholungsgebiet und öffentlicher Badestrand reserviert und soll in seinen Möglichkeiten noch durch künstliche, etwa 400 m tief in das Land hineingreifende Lagunen erweitert werden. Das westliche, steilere Ufer dagegen ist, auf etwa 3½ km Länge, dem im Ausbau befindlichen Hafen vorbehalten. Südlich an diesen schließt sich noch ein zweites, kleineres Erholungsgebiet an. Die Korallenriffe mit ihrer fremdartigen Fauna und Flora, die hier das Ufer säumen, sind ein beliebtes Ziel für Sporttaucher und auch für den gewöhnlichen Touristen, der in Booten mit gläsernen Böden darüber hinweggleitet. Zwar läßt das felsige Gelände nur wenig Raum für Hotelbauten und für ein normales Strandleben — die Granitberge fallen fast unmittelbar ins Meer ab —, doch bildet gerade dieser südliche Streifen, gewissermaßen als Guckfenster in die üppige Pracht exotischer Meerestiefen, einen der Hauptanziehungspunkte Elats.

Damit sind die Möglichkeiten der Küste erschöpft, und der Bebauungsplan für die eigentliche Stadt kann sie sich nur noch mittelbar, als malerischen Vordergrund und als Blickziel, zunutze machen. Er entfaltet sich fächerförmig um das etwas oberhalb der nordwestlichen Ecke der Bucht gelegene, bereits leicht ansteigende Zentrum, in dem dem Fußgänger ein Netz von sonnengeschützten Durchgängen und Arkaden gesichert sein soll. Von der Bucht selbst ist das Zentrum jedoch durch die Hauptzugangswege zum Hafen getrennt. Die Verbindung

Sede Boqer, established already in 1952, are attempts to fill the route with people and economic life. Occasional plans for two additional new towns, one near En Yahav, in the northern third of the Arava, and one near Zihor, in the central part, can be understood only in this context, and so can the numerous efforts to use the brackish groundwater found here and there along the Arava for agricultural purposes. Hitherto only the Kibbutz Yotvata, founded in 1951, 25 miles north of Elat, has taken root; other settlements are still in their infancy. As Israeli experts expect further resources of ground water suitable at least for irrigation along the Arava, it may well be possible that in some time to come a thin line of agricultural settlements will link Sedom and Elat, growing early vegetables, grapes and dates, and providing eggs and dairy products to ease the difficult supply situation of the town. Thanks to the climatic advantage such items would also be highly appraised for export. However much sacrifice and idealism they exact, these attempts are still a long way from the often evoked vision of a chain of flourishing towns between Beer Sheva and Elat. For the time being the town is a remote outpost.

The climate is as uninviting as are the distances. From April to October, the daily maximum temperatures are about 30° C, in June, July and August, above 38° C. The highest temperature recorded in 1961 was 43.6° C. The yearly rainfall averages 1½ inches (in 1959 it was only half an inch), and often comes in one single cloudburst. Mitigating effects come only from the northerly winds blowing steadily down the Arava, at least saving the town the humid heat of the other ports of the Red Sea; humidity during the summer months is only between 20% to 40%. As Elat does not possess any springs or supplies of drinkable ground water, the necessary water has to be pumped down from the Arava up to a distance of about 50 miles. Even this water, rich in minerals, especially magnesium, needs expensive chemical treatment, thus requiring two separate systems of supply. The water piped to the houses is suitable only for cleaning and irrigation; the drinking water, much more expensive, is stored in special tanks, and has to be carried to the houses. According to reliable estimates, if the town continues to grow at the present rate, water resources will be sufficient only for the next 3—5 years. All the more important are the two experimental sea water desalination plants existing in the town, one of which is already supplying about 1700 cubic yards a day.

Land Use and Layout

The master plan, providing for about 50 000 inhabitants, had to be adapted to various limitations and obstacles. First of all it had to deal as carefully and economically as possible with the narrow and topographically difficult coastal strip. Since the two economic cornerstones of the town — port and tourism — are both dependent on immediate proximity to the sea, the shore could not be used for residential or other urban purposes. The only level area, the Arava, also proved unsuitable for intensive building, the ground being salty and prone to violent floods during occasional cloudbursts. Besides, this is where the main arteries connecting Elat with its hinterland, with Beer Sheva and Sedom, Tel Aviv and Haifa, are running: the approach road from the north, the landing strip for the airport and, eventually at a later date, the railway line with its marshalling yards (chiefly handling goods traffic) for which there is no room in the vicinity of the port. The town as such must content itself with the lower slopes of the mountains, rising relatively gently to about 500 feet and consisting mainly

zum Hotel- und Erholungsgebiet wird durch eine Querachse hergestellt, die später, etwa mittels einer Unterführung, kreuzungsfrei gehalten werden kann. Großzügiger, wenn auch etwas kostspieliger, schiene es, diese Verbindung umgekehrt unter Ausnützung der Höhendifferenz auf einer breiten Plattform über den Hafenverkehr hinwegzuführen, oder auch, vor allem bei Hinzukommen einer Eisenbahnlinie, diesen unter die Erde zu verlegen und damit der Stadt an dieser einen Stelle jedenfalls den unmittelbaren Zugang zum Meer zu erhalten. Der Einheit von Stadt, Ufer und Bucht würde es zugute kommen.

Vom Zentrum aus ziehen sich die einzelnen Wohnviertel, durch Straßenzüge oder schmale grüne Keile voneinander getrennt, im Halbrund am Berg hoch. Da Erholungsraum an der Küste ausreichend zur Verfügung steht, konnten die öffentlichen Freiflächen so sparsam wie möglich, und wie angesichts der klimatischen und wasserwirtschaftlichen Verhältnisse auch nötig, berechnet werden. Auch die Nebenzentren sind klein gehalten und beschränken sich auf Läden und Gemeinschaftseinrichtungen für den täglichen Bedarf. Für die fernere Zukunft besteht der Plan, ein Plateau südwestlich oberhalb der Stadt, das, 200 bis 250 m hoch gelegen, einen prachtvollen Ausblick auf den Golf und die gegenüberliegenden Berge bietet, als Wohnbezirk für gehobene Ansprüche zu entwickeln; bis dahin müßte die Stadt allerdings wesentlich über ihre bisherigen wirtschaftlichen und sozialen Grenzen hinausgewachsen sein.

Für leichtere Industrien und Handwerksbetriebe ist am nördlichen Eingang zur Stadt ein relativ ebenes, keilförmiges Gelände vorgesehen; für schwerere und solche, die mit dem Hafenbetrieb in Verbindung stehen, das Gebiet unmittelbar hinter den Kaianlagen. Hier sind jedoch erhebliche Planierungsarbeiten erforderlich, da das Sedimentgestein fast bis zur Straße reicht und erst abgetragen werden muß, allerdings gleichzeitig zum Ausbau und zur Auffüllung des Hafenbeckens verwandt werden kann. Besonders störenden Betrieben schließlich — zum Beispiel hofft die Stadt seit langem auf einen Schlachthof, in dem importierte Rinder verarbeitet werden sollen — ist ein länglicher Streifen oberhalb dieses Gebietes, in Richtung auf die ägyptische Grenze zu, vorbehalten.

Soweit der Plan, der sich bemüht, das Beste aus den schwierigen klimatischen und topographischen Gegebenheiten zu machen. Das derzeitige Bild der Stadt läßt das zukünftige Gesicht und die in ihm enthaltenen Möglichkeiten erst ahnen. Die Hotelzone ist mit zwei Luxushotels und einer Reihe mittlerer und kleinerer Hotels und Restaurants bereits relativ gut ausgestattet. Hier setzen auch alle Bemühungen an, den vorerst noch etwas kargen Strand durch die Anlage von Uferpromenaden, Spiel- und Sportplätzen, Bootshäfen und Vergnügungsstätten auch für ein verwöhntes internationales Reisepublikum anziehender zu gestalten. Das Äußere der Stadt selbst ist, hier wie überall, beeinträchtigt durch die eingeschossigen Einzel- und Reihenhäuser der ersten Jahre, dazu aber auch durch die etwas einförmigen, meist dreigeschossigen Konstruktionen aus vorfabrizierten Teilen, für die sich eine Fabrik am Ort befindet. Versuche, diesen Bauten jedenfalls farblich einige Abwechslung zu geben, sind im Gange. Wie sehr sich angesichts der lebhaften Farben der Natur, des tiefen Blaus der Bucht und des Himmels und des dunklen Rots der Ufergebirge, einige kräftige Akzente bewähren, zeigen einige in reinem Weiß gehaltene und mit bunten Simsen abgesetzte Punkthäuser, die kürzlich entstanden sind und wesentlich zur Verbesserung des Stadtbildes beitragen (s. Tafel XXX). Solche Akzente sind um so mehr am Platze, als der Stadt als einem Fremden- und Badeort eine heitere Note besser ansteht als die graue Eintönigkeit

of unconsolidated desert-sediment that can be removed comparatively easily and can also be used for levelling. The granite rocks, however, rising steeply immediately behind, form a definite and insurmountable barrier to any further expansion.

Nevertheless, every effort has been made to exploit the unique qualities of the site for the town. The flat northern shore of the Gulf, stretching from the Jordan border to the beginning of the port, was set aside for hotel and recreation purposes and as a public beach. The short sea-front is to be enlarged by artificial lagoons penetrating some 400 yards inland. About 2 miles of the steeper western shore has been reserved for the port the expansion of which is under construction. Adjoining to the south is a second smaller recreational zone. This is where the coast is edged with coral reefs full of a strange fauna and flora, a favourite goal both for skin divers and for the ordinary tourist gliding across the water in glass-bottomed boats. Although the rocky terrain with the granite mountains falling steeply into the sea, offers little room for the building of hotels and for a normal beach life, just this southern strip, allowing short glimpses of the lavish splendour of exotic deeps, is one of the main attractions of Elat.

This exhausts the possibilities of the coast, and the layout for the actual town can take advantage of it only as a picturesque foreground and as a viewpoint. The residential quarters are spread fan-like around the centre, situated on already slightly rising ground somewhat above the north-western corner of the Gulf. A network of passages and arcades is to protect the pedestrian from the sun. From the beach, however, the centre is cut off by the main access routes to the port. Connections to the hotel and recreation zone are to be created by a lateral axis which, if necessary, can avoid ground-level intersections by underpassing the north-south artery. Another alternative would be either to carry this axis — by utilizing the differences in height — on a broad platform over the port traffic or to put the latter (especially the railway line) underground, thus giving the town at this one point at least direct access to the sea. Costly as such solutions might be, they would exploit and stress the unity of town, shore and gulf.

Starting from the centre the residential quarters extend in a semi-circle up the slopes, separated from one another by a series of narrow green wedges. As there is generous provision of recreational facilities along the coast, public open spaces could be measured as economically as possible and as necessary in view of the prevailing climatic and water supply conditions. The sub-centres, too, have been kept rather small and are limited to shops and community services for daily needs. For later times it is planned to develop a plateau beautifully situated 650—800 feet south-west above the town, with a splendid view across the gulf to the opposite mountains, as a residential district for higher standards. However, before such plans, tempting as they are, can be carried out, the town would have to grow somewhat beyond its present social and economic boundaries.

Light industries and workshops are to be located in a relatively flat, wedge-shaped area at the northern entrance to the town, heavier industries and industries connected with the port in the area immediately behind the quays. Here however, large-scale levelling will be necessary to remove the unconsolidated sediments reaching almost to the road. At least part of the rock can be used for construction of the port basin. Particularly disturbing industries — such as the slaughter house processing imported cattle the town is hoping for —

massengefertigter Fassaden. Auch eine Reihe moderner Bungalow-Häuser zeugt für die Fortschritte der letzten Jahre. Eine weitere Verbesserung würde der Bau eines völlig neuen, im Entwurf bereits fertiggestellten Viertels in einem der südwestlichen Sektoren des „Fächers" bringen, das auf einem Gebiet von etwa 30 ha 3000 WE enthalten und in geschickter Anpassung an das Gelände die verschiedensten Haus- und Wohnungstypen miteinander verbinden soll (s. Tafel XXXII).

Da die meisten Bewohner nur mit einem Aufenthalt von einigen Jahren rechnen und wenig Neigung besteht, sich durch den Kauf einer Wohnung oder eines Hauses fester zu binden, werden von vornherein überwiegend Mietwohnungen gebaut. Der Standard ist heute relativ hoch, fast 40% aller im Bau befindlichen Wohnungen entsprechen dem Programm für „Vatiqim", die erwähnten Bungalows haben 75 m², einige Luxuswohnungen aber auch 84 m² und mehr. Neuerdings baut, als Vorläufer eines eigentlich privaten Wohnungsbaus, RASSCO einige Villen in bevorzugter Lage. Alle, auch die bescheidensten Häuser, sind mit sogenannten „Desert-Coolers" ausgestattet, die mittels eines Gebläses Luft durch ein feucht gehaltenes Gemisch von getrockneten Gräsern saugen und durch ein Röhrensystem in alle Räume verteilen. In der trockenen Hitze Elats wird dies System, mit dem die Innentemperatur um etwa 7° unter der Außentemperatur gehalten werden kann, dem üblichen und wesentlich kostspieligeren Air-Conditioning vorgezogen.

Da für die nächsten Jahre mit einer erheblichen Steigerung der Pottasche- und Phosphatexporte gerechnet wird, sind, südlich der bisherigen, ausgedehnte neue Hafenanlagen im Entstehen. Der erste Bauabschnitt, seit Herbst 1965 in Betrieb, hat die Kais um 550 m verlängert und Ankermöglichkeiten für Schiffe bis zu 30 000 to geschaffen, die Kapazität, bisher 250 000 to, fast verdoppelt. Zusätzliche Wellenbrecher und andere Schutzvorrichtungen waren bei der fast immer makellos glatten See nicht nötig, die Schiffe können eines hinter dem anderen längs der Küste ankern. An manchen Stellen mußte jedoch das Hafenbecken aufgefüllt und auf der Landseite Gestein abgetragen werden, um genügend ebene Flächen für Lagerhäuser, Schuppen und die angrenzenden Dienstleistungsbetriebe zu gewinnen. Für die späteren Bauabschnitte, die die Kailänge schließlich auf 1500 m bringen sollen, sind noch keine Daten festgesetzt. Eine Erweiterung des getrennt angelegten Ölhafens – zur Zeit werden im Jahr etwa 3 Mill. to Rohöl über Elat importiert – erfordert keine größeren Investitionen; das Öl wird von den auf der Reede ankernden Schiffen direkt in die Überlandleitung gepumpt.

Die Bevölkerung

Während die Stadt bis zur Fertigstellung der ersten dauerhaften Straßenverbindung im Jahr 1955 nur aus einigen Hundert Bauarbeitern und einer Handvoll Wissenschaftlern bestand und eher einem Arbeitslager glich, ist sie seither stetig gewachsen und hatte am 31. 12. 1964 8900 Einwohner erreicht. Die Fluktuation ist jedoch groß, von Monat zu Monat können erhebliche Schwankungen auftreten. Zwar vermittelt die Jewish Agency nur ausgesuchte Leute nach Elat, meist junge Ehepaare unter 40 Jahren, doch verließen oft 30% bis 40% der Neuankommenden, die sich weder mit den klimatischen Gegebenheiten noch mit der relativen Isolierung abfinden konnten, die Stadt bald wieder. Seit einiger Zeit ist die Zahl der Rückwanderer jedoch im Sinken, auch strömen der Stadt aus den verschiedensten Bereichen und Bezirken immer neue Reserven zu. Spürbare Vergünstigungen – Steuerfreiheit für Einkommen bis zu 300 IL, eine monatliche Wüstenzulage von 56 IL,

are to be concentrated farther above, in a narrow strip close to the Egyptian border.

Such is the outline of a plan clearly endeavouring to make the best of difficult climatic and topographic conditions. The present scene shows only a faint glimmer of the future townscape and its possibilities. The hotel zone, with two luxury hotels and a number of medium-sized and small hotels, is already relatively well furnished. In order to offer greater attractions for more demanding international tourists attempts are under way to improve the still somewhat bare beach by a seashore promenade, playgrounds and sports facilities, boating harbours and other places of entertainment. The appearance of the town itself is affected — here as everywhere else — by the single-storey detached, semi-detached and terrace houses of the first few years, and also by the somewhat uniform, mostly three-storey greyish blocks of flats prefabricated in a local factory. Experiments are being made to at least vary the colour of these blocks. In view of the lively colours of the scenery — the deep blue of the gulf and the sky and the dark red of the surrounding mountains — some strong accents would certainly prove a success — as illustrated by a few point blocks built recently, which with their pure white coating and coloured mouldings have helped to improve the townscape markedly (see plate XXX). Such accents giving the town a bright gay touch are far better suited to the character of a tourist and bathing resort than the grey uniformity of mass-produced facades. A number of modern bungalows also indicate the progress of the last few years. Further improvements would result from the realization of a new residential quarter in a south-west sector of the "fan" which is to provide 3000 dwellings on an area of 75 acres. The plan, already worked out in detail, skilfully adapts a rich variety of housing and building types to the special features of the terrain and topography (see plate XXXII).

As most of the inhabitants expect to stay only a few years and show little inclination to strengthen roots by buying a flat or house, the major part of the dwellings is intended for rental. Today the standard is relatively high; nearly 40% of all units under construction fall under the programme for "Vatiqim". The bungalows previously mentioned have some 800 square feet, and there are even a few "luxury" flats of 900 square feet and more. As a forerunner of private building proper RASSCO has made a start on a few villas in privileged sites. Each house, even the most modest one, is equipped with a so-called "desert-cooler": by means of a blower air is driven through a mesh that is constantly kept wet by running water and then is led by ducts into all rooms. In the dry heat of Elat this device, lowering temperatures by about 7 degrees C, has proved preferable to the usual and far more expensive air conditioning systems.

As a considerable rise in potash and phosphate exports is expected over the next few years, new port installations are being constructed to the south of the existing port. The first phase, operating since autumn 1965, has extended the wharfs to a total length of 540 yards, with berths for ships up to 30 000 tons. The capacity, 250 000 tons up to now, has been almost doubled. As the sea is usually completely calm and ships can anchor one behind the other along the coast, additional breakwaters or other safety devices were not needed. In some instances, however, the basin had to be filled up and thick layers of sediments had to be removed from behind the quays to create a sufficiently large level area for storage sheds, warehouses and whatever service industries would be

Einwohnerzahlen / Population figures

Jahr	Zahl
1952	275
1954	450
1956	920
1958	3200
1960	4900
1962	7000
1964	8900

niedrige Mieten, verbilligte Flugreisen, kostenlose Entbindungen im Norden — gleichen nicht nur die durch hohe Transportkosten verteuerte Lebenshaltung aus, sondern ermöglichen auch einige Ersparnisse. Trotzdem denkt kaum einer daran, sich auf die Dauer in Elat niederzulassen. Qualifizierte Berufsgruppen, Ärzte, Techniker, kaufmännische Angestellte, gehen sowieso meist nur für zwei- bis dreijährige Verträge nach Elat, manchmal mit, oft ohne ihre Familien.

Zusammensetzung und Herkunft der Bevölkerung weichen daher auch deutlich von denen anderer Neugründungen ab. Der Männerüberschuß ist erheblich — bei der Volkszählung kamen auf 100 Männer nur 81 Frauen —, die Familien sind relativ klein. Alte Leute gibt es in Elat kaum: Von den 5326 Einwohnern am 22. 5. 1961 waren nur 40 (0,7 %) älter als 65 Jahre. Die Anteile an Einwanderern europäischer Herkunft (44,6 %), geborenen Israelis (38,7 %) und „Vatiqim" (16,5 %) sind für eine Entwicklungsstadt außergewöhnlich hoch. Die Fortsetzung einer Pionierlaufbahn, für die im Norden keine Ansatzpunkte mehr zu finden scheinen, mag locken. Da gut verdient wird und man ein Ende absieht, herrscht wenig Unzufriedenheit. Die wichtigsten Dienste, höhere Schulen, Berufsschulen, ein kleines Krankenhaus, Klubs und Gemeinschaftseinrichtungen, sind vorhanden, im übrigen nutzt man die Bade- und Wassersportmöglichkeiten und das relativ ungebundene Leben eines Außenpostens — und spart für eine Wohnung in Tel Aviv. Das bunte Gemisch von unternehmenden, ein wenig abenteuerlustigen, aber auch hart arbeitenden jungen Leuten, ausländischen Matrosen und Abwechslung suchenden Touristen gibt der Stadt ein seltsam kosmopolitisches, ungezwungenes, jedenfalls ganz und gar nicht provinzielles Gepräge.

Beschäftigung und Industrie

Da grundsätzlich nicht mehr Neueinwanderer zugewiesen werden als Arbeitsplätze vorhanden sind, ist die Beschäftigungslage ausgeglichen. An Technikern, Facharbeitern, kaufmännischen Angestellten, die unter den Einwanderern selten zu finden sind und daher auf vertraglicher Basis herangezogen werden müssen, herrscht ein gewisser Mangel. Die reichlich gebotenen materiellen Vorteile vermögen die Entfernung und das Klima nicht immer wettzumachen. Dafür ist die Stadt angesichts des geringen Prozentsatzes an Alten und Invaliden durch Fürsorgefälle kaum belastet; im allgemeinen sind nicht mehr als 25 bis 30 Personen bei Notstandsarbeiten beschäftigt.

Wichtigster Arbeitgeber sind die staatlichen Kupferbergwerke in Timna, deren knapp 600 Arbeiter und Angestellte in Elat wohnen. In den Industrie- und Handwerksbetrieben der Stadt selbst stehen dagegen nur etwa 220 Arbeitsplätze zur Verfügung. Von einiger Bedeutung ist lediglich die Fabrik für vorgefertigte Bauteile mit 40 und eine Fabrik für Fischkonserven mit 15 Arbeitern, dazu kommen einige größere Werkstätten. Alle anderen Betriebe haben weniger als 10 Beschäftigte. Die große Transportgesellschaft, die den Güterverkehr nach Elat besorgt, hat ihren Sitz in Beer Sheva; dort sind auch die Ga-

needed. Later on the wharfs are to be extended to a total length of 1600 yards, but no dates have been fixed yet. The expansion of the separate oil-port handling about 3 million tons of crude oil a year will not require any large-scale investment: the oil is pumped from the ships anchoring in the roads directly into the overland pipes.

The Population

Until the first proper roads were completed in 1955, the town counted only a few hundred construction workers and a handful of scientists, and looked rather like a work camp. Since then it has grown steadily and had reached 8900 inhabitants by December 31st, 1964. Fluctuation however is great, and variations from month to month can be considerable. Immigrants sent to Elat by the Jewish Agency are carefully selected, mostly young couples under forty years of age, but even so often 30 % — 50 % of the new arrivals leave again after a short time, finding that they cannot cope either with the climatic conditions or with the isolation. For some time, however, the flowback has decreased, and there are newcomers from the most varied areas and activities. Numerous incentives and benefits — tax-free income up to 300 IL, a monthly desert-allowance of 56 IL, low rents, cheap flights, and free maternity care in the north — not only offset the high cost of living (resulting mainly from high transportation costs) but allow some saving. Nevertheless hardly anybody considers settling permanently in Elat. Professionals, doctors, technicians, and business employees, come only on two- or three-year contracts anyhow, sometimes with, more often without their families.

Structure and origin of the population differ therefore distinctly from conditions in other new towns. The surplus of men is considerable — at the last population census there were only 81 women to 100 men —, families are small and there are hardly any old people in Elat. Of the 5326 inhabitants on May 22nd, 1961, only 40 (0.7 %) were more than 65 years old. The proportions of immigrants of European origin (44.6 %), of Israeli-born (38.7 %) and of "Vatiqim" (16.5 %) are exceptionally high for a development town. Prospects of a pioneering career for which in the north opportunities are vanishing, may act as a magnet. As incomes are good and everybody sees an end to his stay, there is little discontent. The main services, secondary schools, vocational schools, a small hospital, clubs and community buildings are available; as for the rest, everybody enjoys swimming and water sports and the relatively unfettered life of an outpost — while at the same time saving for a home in Tel Aviv. The motley mixture of enterprising, somewhat adventurous but hardworking young people, foreign sailors and diversion-seeking tourists give the town a singularly cosmopolitan, unconventional and far from provincial character.

Employment and Industry

As on principle no more new immigrants are sent to the town than there are jobs available, the employment situation is balanced. As everywhere there is a shortage of technicians, skilled workers and commercial employees who are missing amongst the new immigrants and have to be engaged on contract. Even the most generous material advantages, however, do not always offset the distances and the climate. On the other hand, as the town has hardly any old people and invalids, it is not burdened with social welfare cases. On an average there are never more than 25 to 30 people on public relief work.

ragen und Reparaturwerkstätten zur Betreuung des Wagenparks stationiert.

Beschäftigung nach Branchen (1963) [1]

Fischerei		100
Industrie und Handwerk		820
davon Timna:	600	
Bau u. öffentl. Arbeiten		570
davon Hafenbau:	220	
Transport und Verkehr (Hafen)		200
Dienstleistungen		750
davon Fremdenverkehr:	250	
Insgesamt		2440

Geförderte Betriebe mit 10 und mehr Beschäftigten (31. 12. 1964) [2]

	Be-schäftigte	Kapital (in 1000 IL)
Vorfabrizierte Bauteile	40	1315,0
Wäscherei	18	380,0
Fischkonserven	15	300,0
Schlosserei	15	20,0
Goldschmiede	12	24,0
Tischlerei	11	40,0
Insgesamt	111	2079,0

Im bisherigen Hafen arbeiteten rund 200 Personen, beim Bau des neuen etwas mehr. Der Fischfang, der im historischen Elat immer eine Rolle spielte und bis vor wenigen Jahren Gewinn einbrachte, ist im Zurückgehen. Die wachsende Zahl der ankommenden und abfahrenden Schiffe und ein gewisser Raubbau haben dazu geführt, daß die Erträge binnen weniger Jahre von 250 to auf 30 to gesunken sind. Trotz der üblichen saisonalen Schwankungen hat daher das Hotelwesen für die Stadt zunehmende Bedeutung. Die übrigen Arbeitsplätze entfallen auf das Baugewerbe und auf öffenliche und andere private Dienstleistungen.

Diese Beschäftigungsverhältnisse spiegeln deutlich die wirtschaftliche Struktur, aber auch die Schwierigkeiten der Stadt wider. Besonders die Ansiedlung von Industriebetrieben hat beträchtliche Hindernisse zu überwinden. Angesichts der Entfernungen und des fehlenden Hinterlandes kommen in jedem Falle nur Branchen in Frage, deren Rohmaterial am Ort vorhanden ist oder deren Produkte am Ort Absatz finden. Beide Voraussetzungen sind nicht leicht zu erfüllen. Die Kupferwerke in Timna, die die einzigen lokalen Rohstoffe verarbeiten, haben zwar die seit langem geplante Erweiterung auf den Untertagebau vorgenommen, gleichzeitig jedoch ihre Belegschaft um 20 % vermindert. Auch alle anderen Betriebe sind durch hohe Lohn- und Transportkosten belastet. Trotz großzügiger Gewährung öffentlicher Kredite sind die Zuschläge zu den Tariflöhnen nur teilweise durch Regierungsbeihilfen gedeckt, die Transportkosten noch dadurch erhöht, daß sich wegen des ungleichen Export- und Importvolumens den meisten Fahrzeugen keine Rückfracht bietet. Es nimmt kaum wunder, daß angesichts solcher Belastungen auch bei den großen öffentlichen und halböffentlichen Konzernen wenig Neigung besteht, die Eröffnung eines Zweigbetriebes in Elat in Erwägung zu ziehen. Der Hafen allein vermag keinen Ausgleich zu schaffen. Die Steigerung der Pottasche- und Phosphatexporte in den näch-

The most important employer is the state-owned copper mine at Timna, employing nearly 600 workers and employees all living in Elat. Local industries and workshops provide only another 220 jobs. Of some importance are only the factory for prefabricated building parts with 40 workers, a fish-canning factory with 15 workers, and one or two larger workshops. All other establishments have less than 10 employees each. The transport company handling most of the goods traffic to Elat has its seat in Beer Sheva where the depots, garages and repair workshops servicing the lorries are concentrated.

Employment According to Branches (1963) [1]

Fishing		100
Industry and crafts		820
in Timna	600	
Building and public works		570
in port construction	220	
Transport and communications		200
Service industries		750
tourist industry	250	
Total		2440

Approved Enterprises with 10 or more Employees (31. 12. 1964) [2]

	Em-ployees	Capital (in 1000 IL)
Prefabricated building parts	40	1350.0
Laundry	18	380.0
Canning of fish	15	300.0
Locksmith	15	20.0
Goldsmith	12	24.0
Joinery	11	40.0
Total	111	2079.0

Hitherto about 200 persons have been employed in the existing port, and somewhat more in the construction of the new port. Fishing, which was always of importance in historic Elat and which was profitable till a few years ago, is declining. The growing number of ships coming and going and a certain amount of overfishing have resulted in the catch dropping from 250 tons to 30 tons a year. Despite considerable seasonal fluctuations, the hotel business is of increasing significance. The remaining jobs are divided among the building industry and public and private services.

These employment conditions clearly reflect the economic structure of as well as the difficulties faced by the town. Any establishment of industrial enterprises has to overcome considerable handicaps. In view of the long distances and the lack of a hinterland, suitable industries should be based either on raw material found on the spot, or on local demand. Both conditions are difficult to fulfil. The copper mined at Timna constitutes the only mineral resource, and in spite of the long planned expansion into underground mining being under way, the company has reduced the number of workers by 20 %. All other industries are burdened with high transport costs, in addition to the high cost of wages. Although public loans are generously granted, the extras to the standard wages are not fully covered by government subsidies. Moreover, due to the unbalanced export and import volume, most vehicles have no

---

[1] Angaben der Stadtverwaltung
[2] Bericht über die Industrialisierung der Entwicklungsgebiete, a. a. O., S. 60

[1] Figures from the town administration
[2] Ministry of Commerce and Industry: Report on the Industrialization of Development Regions, op. cit., p. 60

sten Jahren wird zwar zusätzliche technische Einrichtungen, aber nur wenig zusätzliche Arbeitskräfte erfordern. Eine erhöhte Ausfuhr industrieller Fertigprodukte aus dem Zentrum des Landes fällt quantitativ nicht allzusehr ins Gewicht, mit einer Zunahme des bescheidenen Passagierverkehrs ist vorerst nicht zu rechnen. Auch seit der Erweiterung des Hafens wird daher nur mit einer Vermehrung der Beschäftigten um etwa 100 Personen gerechnet.

Es ist daher der Vorschlag gemacht worden, in Elat einen internationalen Freihafen einzurichten, in dem Produkte der Anliegerstaaten des Roten Meeres und der ostafrikanischen Küste — tropische Hölzer, Häute, Rinder — verarbeitet und wieder exportiert würden.[1] Eine Verwirklichung dürfte jedoch nicht zuletzt von der Entwicklung der politischen Lage in diesem Teil der Welt abhängen.

Es bleibt der Tourismus. Elat ist vor allem als Winterkurort geeignet, auch in den Monaten Dezember, Januar, Februar sinken die Temperaturen tagsüber selten unter 20°, ein Vorzug, der sonst erst wesentlich südlicheren Breiten eigen ist. Auch wird das trockene Klima für Asthma- und Rheumakuren empfohlen. Die nahen Gebirgszüge längs der ägyptischen Grenze mit ihren phantastischen Farb- und Formvariationen — schiefergraue, dunkelrote und schwefelgelbe Höhenzüge wechseln einander ab — müssen dagegen erst als Tourengebiet erschlossen werden. In anderen Jahreszeiten locken vor allem die exotische Fauna und Flora des Golfes und das ungewöhnlich reizvolle Panorama Besucher in die Stadt, die dann allerdings selten länger als 2 bis 3 Tage bleiben. Zur Zeit stehen etwa 700 Betten in einem guten Dutzend Hotels verschiedenster Kategorien zur Verfügung, deren Mehrzahl nicht älter als 2 bis 3 Jahre ist. Durch Dauerverträge mit ausländischen, vor allem skandinavischen Reiseunternehmen wird eine gleichmäßigere Ausnutzung der Kapazität angestrebt. Engpässe liegen heute weniger in den Unterbringungsmöglichkeiten als in den sonstigen, für ein verwöhntes Reisepublikum selbstverständlichen Zugaben: eine komfortablere Ausstattung des Strandes, Sportanlagen, bequeme Ausflüge, Vergnügungen und Unterhaltung. Anspruchsvollste Luxushotels und spartanische Bräuche bilden zuweilen noch seltsame Kontraste, deren Reiz nicht jedermann sichtbar ist. Überall bemüht man sich jedoch, den Anschluß an die internationale Reisekonjunktur zu finden. Gelingt er, so sind auf diesem Sektor zweifellos Expansionsmöglichkeiten vorhanden.

Trotzdem kann man der Stadt kaum verargen, wenn sie angesichts ihrer exponierten Lage und der jedenfalls potentiellen Gefährdung der Zufahrtswege — überall sind die Grenzen nahe und Infiltranten häufig — ihr Wohl und Wehe nicht ausschließlich auf den in dieser Hinsicht besonders empfindlichen Tourismus gegründet sehen will. Sie strebt nach mehr Industrie. Anders ist auch kaum ersichtlich, wie die Grundlage für eine Verdoppelung oder gar Verdreifachung der Bevölkerung — im neuesten Bevölkerungsverteilungsplan ist die Stadt mit 32 000 Einwohnern eingesetzt — geschaffen werden soll. Wie die Dinge liegen, wird eine Ansiedlung größerer Betriebe jedoch nur mit noch größeren steuerlichen und sonstigen Vorteilen, wenn nicht mit direkten Zuschüssen zu erreichen sein. In dieser Beziehung wird Elat, auch bei Verbesserung der Verkehrswege und einer gewissen Verdichtung der Besiedlung im Negev, auf absehbare Zeit hinaus ein subventionierter Vorposten bleiben, dessen Rentabilität nicht unmittelbar, sondern nur nach seinem Nutzen für die gesamte israelische Volks- und vor allem Außenwirtschaft beurteilt werden kann.

return freight whereby the already high transport costs are further increased. In view of such charges it is small wonder that even large public and semi-public trusts have little inclination to open subsidiaries in Elat.

The port alone does not offer sufficient compensation. The increase in potash and phosphate exports over the next few years will require additional loading facilities but only a few additional workers. A rise in exports of manufactured goods from the centre of the country will hardly count quantitatively, not any more than an increase in the modest passenger services. Even the expansion of the port will therefore create no more than 100 additional jobs.

More than once, therefore, the suggestion has been made to turn Elat into a free port processing and reexporting products of the states adjoining the Red Sea and the East African coast, such as tropical timber, skins, palm oil and cattle.[1] Realization of such projects is, however, dependent on the development of the political situation in this part of the world.

There remains tourism. Elat is particularly suitable as a winter resort. Even in December, January and February, daytime temperatures are rarely lower than 20° C, an advantage met usually only in much more southerly latitudes. The dry climate is also recommended for curing asthma and rheumatism. The nearby mountain ranges along the Egyptian border with their bizarre colours and forms — slate grey, dark red and sulphur yellow ridges follow one after another — could offer further attractions but would have to be developed as touring areas first. In other seasons visitors are attracted primarily by the exotic fauna and flora of the gulf and by the splendid panorama, but they rarely stay longer than two or three days. In 1965 there were about 700 beds, distributed in a dozen hotels of various categories, the majority of them not more than two or three years old. To obtain a more balanced use of these capacities, permanent contracts with foreign, especially Scandinavian, tourist agencies have been entered upon. Whatever bottlenecks remain concern less accommodation in general than the extras taken for granted by pampered tourists: more comfortable equipment of the beaches, sports facilities, easily reached excursions, entertainment and diversity. Occasionally pretentious luxury hotels and spartan customs make strange contrasts the charm of which is not obvious to everybody. But every effort is made to keep abreast of the international travel boom which doubtless holds ample possibilities for expansion.

Nevertheless, the town is exposed, and so are the approach roads — everywhere the borders are close and infiltrators frequent —, and it can hardly be blamed for not wanting to stake its fate exclusively on the particularly delicate tourist trade; it strives for additional industries. In fact, if the population is to be doubled or even tripled — according to the newest population distribution plan the town is to have 32 000 inhabitants — there is scarcely any other alternative. As things stand, however, any establishment of larger enterprises can be reached only by further incentives and benefits, either in the field of taxation or in any other field, if not by direct subsidies. Even if communications improve and the population density in the Negev increases, Elat will remain for some time to come a subsidized outpost, the profitability of which cannot be reckoned directly but only by its value to the Israeli economy in general, particularly to foreign trade.

[1] Vgl. Y. Karmon, a. a. O., S. 125

[1] Cf. Y. Karmon, op. cit., p. 125

Arad[1]

Nach mehreren Jahren der Pause, in denen der Einwanderungsdruck nachgelassen und das Land sich wirtschaftlich und sozial konsolidiert hatte, war Arad das erste städtebauliche Projekt, bei dem die positiven und negativen Erfahrungen der Vergangenheit voll ausgewertet und berücksichtigt werden sollten. Vor allem galt dies für die gründliche Vorbereitung und Organisation der Planung, für die Zusammensetzung der Bevölkerung und für die zeitliche Koordination zwischen dem Einzug der ersten Bewohner und der Bereitstellung der erforderlichen Arbeitsplätze, die bisher fast überall zu wünschen übriggelassen hatte.

Unmittelbaren Anlaß zum Bau einer weiteren Stadt im Negev, in dem noch völlig unerschlossenen Wüstenstreifen zwischen der jordanischen Grenze und der Straße Beer Sheva – Sedom, gab die Notwendigkeit, für die Arbeiter und Angestellten der „Dead Sea Works" Wohnmöglichkeiten zu schaffen. Die Ufer des Toten Meeres selbst sind wegen der extremen klimatischen Bedingungen für menschliche Ansiedlungen nicht geeignet: Von Mai bis Oktober sinken die Temperaturen auch in den frühen Morgen- und in den Abendstunden kaum unter 25°, um die Mittagszeit liegen sie zwischen 33° und 38°; regelmäßige Winde, die Erleichterung schaffen könnten, gibt es nicht. Beer Sheva, das zunächst diese Funktion übernommen hatte, ist zu weit. Bei einer Entfernung von 70 km und starken Steigungen muß mit einem Arbeitsweg von 1½ Stunden gerechnet werden. Dimona, etwa auf der Hälfte des Weges gelegen und 1955 im wesentlichen zu diesem Zwecke gegründet, entwickelte bald eine eigene Industrie, in die die als Arbeitskräfte für die „Dead Sea Works" vorgesehenen Neueinwanderer nur allzugern überwechselten. Eine weitere Stadt in diesem Bezirk, der inzwischen durch die Entdeckung neuer Mineral- und Erdgasvorkommen noch größeres Gewicht erhalten hatte, schien daher notwendig.

Als Ort wurde ein mäßig hügeliges Gelände fast genau auf der Wasserscheide zwischen Mittel- und Totem Meer ausgewählt, in der Luftlinie rund 12 km von der jordanischen Grenze, 40 km von Beer Sheva und 25 km von Sedom entfernt.[2] Das Negev-Plateau steigt hier langsam auf eine Höhe von 650 m an, um dann auf wenigen Kilometern um mehr als 1000 m zu den 400 m unter dem Meeresspiegel gelegenen Ufern des Toten Meeres abzufallen. Dieser Höhenunterschied bedingt die klimatischen Vorzüge der Stadt. Die Temperaturen liegen kaum über denen von Beer Sheva[3] und werden durch stetige westliche und nordwestliche Winde gemildert. Die Luftfeuchtigkeit beträgt im allgemeinen nicht über 40%. Trotz zahlreicher tiefer Bohrungen sind ausreichende natürliche Wasserquellen bisher nicht gefunden worden; das für häusliche und industrielle Zwecke benötigte Wasser muß über eine aus der Yarkon-Linie gespeiste Leitung, die zwischen Beer Sheva und Dimona abzweigt, herbeigeführt werden. Da auch die Niederschläge gering sind, etwa 100 mm im Jahr, ist spontane Vegetation nicht vorhanden.

Arad[1]

After a pause of several years, during which the pressure of immigration abated and the country could consolidate socially and economically, Arad was the first town-planning project where the positive and negative experiences of the past were to be fully assessed and allowed for. This applied in particular to the thorough preparation and organization of planning, the composition of the population and, last but not least, the careful coordination between the arrival of the first settlers and the provision of the necessary places of work, something that had been missing in almost all previous attempts.

The immediate cause for building another new town in the Negev, in the still largely untouched desert strip between the Jordan border and the Beer Sheva – Sedom road, was the necessity to supply additional housing for the workers and employees of the "Dead Sea Works". Due to extremely difficult climatic conditions the shores of the Dead Sea itself are not suitable for human settlement. From May to October temperatures hardly sink below 25° C even early in the mornings and in the evenings, while towards noon they are between 33° C and 38° C, and there are no steady winds to ease the heat. Beer Sheva which had at first harboured most of the Dead Sea Works personnel is too far away. With a distance of 44 miles and considerable differences in altitude, the journey to work takes rarely less than 1½ hours. Dimona, about half way along the route and created mostly for this purpose, soon developed its own industry, readily absorbing the new immigrants originally sent there to work in Sedom. An additional town in this region which in the meantime had gathered momentum by the discovery of new mineral resources and natural gas, seemed necessary.

A suitable site was found in a gently hilly area, almost exactly on the watershed between the Mediterranean and the Dead Sea, as the crow flies about 8 miles from the Jordan border, 25 miles from Beer Sheva and 16 miles from Sedom.[2] Here the Negev plateau rises slowly to a height of 2000 feet and then over a few miles drops for more than 3300 feet to the shores of the Dead Sea, 1300 feet below sea level. Temperatures are hardly higher than in Beer Sheva, and are mitigated by steady westerly and north-westerly winds.[3] The humidity is as a rule not above 40%. Despite extensive borings sufficient natural water resources have not been found yet; the water needed for domestic and industrial purposes has to be brought along a branch of the Yarkon line, running between Beer Sheva and Dimona. As precipitation is low, about 4 inches a year, there is no spontaneous vegetation.

In the light of experience gained while developing the Lakhish region, to begin with a rather independent team was set up for the preparation and implementation of planning, serving at the same time as a kind of development body. In addition, as the highest authority for all questions concerning the town, an inter-ministerial committee was formed, composed of the Director-Generals in the Ministries of Labour and Housing,

[1] Vgl. H. Darin-Drabkin: Patterns of Cooperative Agriculture in Israel, a. a. O., S. 224 ff.; State of Israel, Ministry of Housing: Arad Development Project. 1962; Yitzhak Pundak (Director of the Arad Region): First Year of New Experiment. Jerusalem Post v. 21. 11. 1963

[2] Das biblische Arad, auf das der Name der Stadt Bezug nimmt – eine der wichtigsten Festungen des östlichen Negev in kanaanitischer und israelitischer Zeit, die die großen Handelsstraßen nach Edom und Elat kontrollierte – wird etwa 12 km weiter westlich, auf dem Tel Arad, vermutet.

[3] Durchschnittliches tägliches Maximum im August 1963 33,4°, Minimum 18,3°, im Januar 14,8° bzw. 6,9°

[1] Cf. H. Darin-Drabkin: Patterns of Cooperative Agriculture in Israel, op. cit., pp. 224 ff.; State of Israel, Ministry of Housing: Arad Development Project. 1962; Yitzhak Pundak (Director of the Arad Region): First Year of New Experiment. Jerusalem Post, 21. 11. 1963

[2] It is assumed that the biblical Arad, after which the town was named – one of the main fortresses of the eastern Negev in Canaanite and Israelitic times, controlling the big trade routes to Edom and Elat –, is about 8 miles further west, on the Tel Arad.

[3] Average daily maximum in August 33.4° C, minimum 18.3° C; in January 14.8° C and 6.9° C resp.

Aufgrund der bei der Erschließung des Lakhish-Gebietes gemachten Erfahrungen wurde für die Vorbereitung und Durchführung der Planung zunächst ein relativ unabhängiger Arbeitsstab zusammengestellt, der gleichzeitig als Entwicklungsbehörde diente. Zusätzlich wurde, als höchste Instanz für alle die Stadt betreffenden Fragen, ein interministerielles Komitee gebildet, das sich aus den Staatssekretären im Arbeits- und Wohnungsbauministerium und dem Leiter des Planungsstabes, der selbst etwa den Rang eines Unterstaatssekretärs (Deputy Director General) im Arbeitsministerium innehatte, zusammensetzte. Diese Konstruktion, die institutionell noch auf dem früheren engen Zusammenhang zwischen öffentlichem Wohnungsbau und Arbeitsministerium, personell auf Rang und Ansehen des Leiters des Planungsstabes, der der Stadt gleich zu Beginn viel Publizität und öffentliches Interesse zu sichern wußte, basierte, ist inzwischen aufgegeben und die Planung, wie die der anderen Neugründungen auch, allein dem Wohnungsbauministerium unterstellt worden. Anders als bei diesen wurde jedoch, um einen unmittelbareren Kontakt mit der Landschaft und dem Klima, dem die Stadt sich anzupassen haben würde, herzustellen, die gesamte Detailplanung an Ort und Stelle durchgeführt. So groß die Schwierigkeiten beim Aufbau und der Arbeitsgestaltung eines komplizierten technischen Büros in unwegsamer Einöde, rund 160 km von den Zentren des Landes entfernt, gewesen sein mögen — der Geist der ersten Monate im Angesicht der Wüste, im Gefühl einer großen und mitreißenden Aufgabe, ist Architekten, Ingenieuren, Zeichnern und allen jenen, die sich als freiwillige Helfer dazugefunden hatten, unvergeßlich geblieben.

Der Planungsraum
Als Planungsraum von Arad, als künftiges Hinterland der Stadt also, wurde, vielleicht etwas kühn, im Hinblick auf die funktionalen Zusammenhänge aber sicher nicht zu unrecht, das gesamte Gebiet zwischen jordanischer Grenze im Norden, Totem Meer im Osten und der Straße Beer Sheva — Sedom im Süden bzw. Südwesten umrissen, insgesamt etwa 50 000 ha; ein Gebiet also, in dem ein großer Teil der bisher bekannten Bodenschätze des Negev konzentriert ist: die Mineralien des Toten Meeres, die neuentdeckten Phosphatlager zwischen Arad und Dimona, etwa 15 km südlich der Stadt, und die Erdgasquellen bei Rosh Zohar, in unmittelbarer Nachbarschaft; dazu einige Vorkommen an weißem Zement und farbigem Marmor, neuerdings auch Glassand.

Hieraus bereits ergeben sich die wichtigsten Funktionen, die Arad zugedacht sind: Wohnstadt für die Arbeiter und Angestellten der „Dead Sea Works" und des geplanten petrochemischen Kombinats Oron/Arad, wo auch immer im einzelnen dies errichtet wird; Verarbeitungsstätte für die Zement- und Marmorvorkommen zu Baumaterial, Blöcken, Platten, Kacheln. Weitere Chancen werden in den medizinisch hochwirksamen Schwefelquellen bei En Boqeq am Toten Meer, kaum 20 km entfernt, gesehen, wo zur Zeit nur sehr einfache, fast provisorische Badeanlagen und Unterkünfte zur Verfügung stehen. Von Sanatorien und Erholungsheimen in Arad aus, die En Boqeq selbst gegenüber unschätzbare klimatische Vorzüge hätten, wären sie in einer halben Autostunde erreichbar. Auch für asthmatische und allergische Erkrankungen wird das trokkene Klima als heilkräftig angesehen. Einem Kur- und Erholungszentrum — dem allerdings eine allzu nahe Nachbarschaft petrochemischer Großbetriebe nicht zum Vorteil gereichen würde — käme schließlich der bizarre Reiz der Randgebirge des Toten Meeres zugute, die touristisch noch kaum erschlos-

and the director of the planning team, who himself held the rank of a Deputy Director General in the Ministry of Labour — an arrangement based partly on the former incorporation of public housing in the Ministry of Labour, partly on the status and prestige of the director of the planning team who right from the outset knew to assure public interest and publicity for the town. This set-up has been abandoned in the meantime and planning, as in other new towns too, falls under the sole responsibility of the Ministry of Housing. Contrary to the usual practice, however, to ensure thorough appreciation of the landscape and the climate the town has to be adapted to, even detailed planning is all carried out on the spot. However great the difficulties may have been in establishing and running a modern technical office in a remote wilderness, 100 miles from the centres of the country, nevertheless, the spirit of the first months face to face with the desert, and absorbed by a grand and inspiring task, has remained unforgettable for the architects, engineers, draughtsmen and all voluntary helpers coming along.

The Planning Region
The planning region of Arad, the future hinterland of the town, was outlined as including the whole area between the Jordan border in the north, the Dead Sea in the east, and the road from Beer Sheva to Sedom in the south and south-west, a total of 125 000 acres or about 200 square miles — somewhat bold perhaps, but probaly not incorrect in view of the functional relationships to be expected. In this area the bulk of the known mineral resources of the Negev are concentrated: the minerals of the Dead Sea, the newly discovered phosphate deposits between Arad and Dimona (about 10 miles south of the town), and, in the immediate neighbourhood, the gas fields near Rosh Zohar; in addition, some occurences of white cement and coloured marble, and, recently, glass sand.

From this already follow the main functions anticipated for Arad: serving as a dormitory town for the workers and employees of the "Dead Sea Works" and the proposed Oron/Arad petro-chemical complex (whatever its actual location may be), processing the cement and marble into building materials, blocks, slabs and tiles. Further chances are seen in the medically highly efficacious sulphur springs near En Boqeq on the Dead Sea, hardly 12½ miles away, where hitherto only somewhat primitive and provisional bathing facilities were available. From sanatoria and convalescent homes in Arad which would benefit by the far better climatic conditions they could be reached within half an hour by bus or by car. The dry climate is recommended for asthma and allergies as well. A spa and holiday centre — for which, however, too close a proximity to petro-chemical industries would hardly be of advantage — would further profit by the bizarre charm of the Dead Sea mountains and by the archaeological interest of the region, especially the recent excavations at Massada with their worldwide echo.

Agricultural colonization, on the other hand, is out of the question unless there is a fundamental change in water supply conditions. The area has fertile loess soil in the west, suitable — as the above-average rainfall of the winter 1963/1964 has proved — for arable farming and pasture land, but the natural water resources are inadequate. Experiments with unirrigated sisal, olive and almond trees carried out by the Jewish National Fund have not yet shown profitable yields. Equally uncertain are the prospects for the town becoming a shopping, trade or even integration centre for the 20 000 Bedouins of the

sen sind, ebenso das archäologische Interesse der Gegend, das durch die weltweite Resonanz der Ausgrabungen in Massada neue Nahrung bekommen hat.

An eine landwirtschaftliche Kolonisation ist dagegen vor einer grundlegenden Änderung der wasserwirtschaftlichen Verhältnisse nicht zu denken. Zwar enthält das Gebiet im Westen fruchtbaren Lößboden, der, wie die überdurchschnittlichen Regenfälle des Winters 1963/64 bewiesen haben, als Acker- und Weideland durchaus geeignet ist, doch sind die normalen Wasservorräte ungenügend. Unbewässerte Versuchspflanzungen von Sisal, Oliven- und Mandelbäumen, die der „Jewish National Fund" angelegt hat, lassen ebenfalls noch keine lohnenden Erträge erwarten. Unsicher scheinen schließlich auch die Aussichten als Einkaufs-, Handels- oder gar Integrationszentrum für die rund 20000 Beduinen des Negev, deren Mehrzahl im Westen des Planungsraumes konzentriert ist. Beer Sheva ist kaum weiter entfernt und seit Jahrhunderten vertraut. Zur Ergänzung der regionalen Funktionen wurden daher auch hier von vornherein standortungebundene Industrien, in erster Linie wieder Textilbetriebe, ins Auge gefaßt.

Im Hinblick auf die der Stadt zugedachten Aufgaben war ein baldiger Anschluß an das bestehende Straßennetz vordringlich. Die wichtigsten Strecken sind bereits fertiggestellt: 1963 die Hauptverbindungsstraße von Westen, die 14 km nordöstlich Beer Sheva von der alten Kammstraße nach Hebron und Jerusalem abzweigt und bis auf einige provisorische Wadi-Übergänge den meisten anderen Straßen des Negev qualitativ überlegen ist;[1] 1964 die Straße nach Sedom, die den Höhenunterschied von mehr als 1000 m auf knapp 30 km bei maximalen Steigungen von 6% bis 7% überwindet, im Gegensatz zu der Strecke Dimona—Sedom (12%) also auch für Schwerlastwagen keine allzugroßen Schwierigkeiten bietet. Fest geplant ist der Ausbau der Querverbindung von der Straße Tel Aviv—Beer Sheva her, die den Weg von der Küste und von Norden um 20 bis 25 km auf rund 140 km verringern und Arad zu einer wichtigen Station auf der kürzesten Strecke von Tel Aviv bzw. Ashdod nach Sedom und weiter nach Elat machen würde, auf die sich in Zukunft ein großer Teil des Güterverkehrs im Negev konzentrieren dürfte. Ebenfalls vorgesehen ist eine direkte Verbindung nach Süden zur Straße Beer Sheva—Sedom, die für den Anschluß an die Phosphatlager als der Rohstoffbasis des zukünftigen Kombinats unerläßlich, angesichts der topographischen Verhältnisse aber mit einigen Schwierigkeiten verknüpft ist.

Flächennutzung und Bebauung

Der Plan für die Stadt selbst, bei einer Gesamtfläche von 1700 ha vorerst auf etwa 50000 Einwohner berechnet, sieht als Kernstadt ein von einer Ringstraße umschlossenes, an den Ecken etwas abgerundetes Rechteck vor, das mit seiner Mittelachse nach Nordnordwest, auf das judäische Bergland zu, orientiert ist. Dieses Rechteck, als Zone dichtester Bebauung, enthält sechs symmetrisch angeordnete Wohnviertel für je etwa 5000, zusammen also 30000 Einwohner, bei denen mit einer Dichte von 100 bis 140 WE/ha gerechnet wird. Innerhalb dieser Viertel, und meist mit den innerstädtischen Ringstraßen verbunden, liegen kleine Nebenzentren mit Schule, Synagoge, Ambulatorium, Jugendklub und einigen Geschäften für den täg-

[1] Da die Wadis nur im Winter, und nur an wenigen Tagen, Wasser führen, werden im allgemeinen sogenannte „Irish Bridges" als ausreichend angesehen, die das Wadibett durchkreuzen und zur Markierung des Wasserstandes mit einem Meßstab versehen sind. Bei starken Regenfällen können diese Übergänge allerdings für mehrere Tage blockiert sein, die Straßen und Orte, zu denen sie führen, desgleichen.

Negev the majority of whom is concentrated in the western parts of the planning region; Beer Sheva is hardly any farther away and has been familiar for centuries. To supplement the regional functions, here too hope was pinned from the outset on footloose industries, in the first place once again, textiles.

In view of the tasks the town was to fulfil, rapid connection to the existing road network was imperative. The main routes are already completed: first, in 1963, the approach from the west, branching off the old ridge road to Hebron and Jerusalem 9 miles north-east of Beer Sheva, except for a few temporary wadi crossings of higher standard than any other road in the Negev;[1] next, in 1964, the road to Sedom covering the difference in altitude of 3250 feet over a distance of 19 miles with a maximum grade of 6%—7%. In contrast to the route Dimona—Sedom, with a gradient of 12%, this road does not offer great difficulties even for bulk transports. Definitely planned is a cross-connection from the road Tel Aviv—Beer Sheva, shortening the route from the north by 12—15 miles to about 88 miles and turning Arad into one of the main stops on the shortest route from either Tel Aviv or Ashdod to Sedom and on to Elat. In future the greater part of the goods transport from the Negev may be concentrated on this route. A direct connection southwards to the road Beer Sheva—Sedom—essential as a link to the phosphate deposits as the basis for the future industrial complex—is also envisaged, but has to overcome considerable topographical difficulties.

Land Use and Layout

The plan for the town itself, allowing for a total of 4200 acres and 50000 inhabitants, envisages an inner town of almost rectangular shape, only slightly rounded at the corners and surrounded by a ring road, with a central axis running north-north-west towards the Judaean mountains. This inner town, the zone of highest densities, is to contain 6 symmetrically arranged residential areas, each with about 5000 inhabitants (a total of 30000) and with a proposed density of 40 to 55 dwellings per acre. Within these areas, and connected to the inner ring road, there are small sub-centres including schools, synagogues, clinics, youth clubs and a few shops for daily needs. Larger sub-centres are proposed only in the outer districts. The central axis itself is understood as a sort of linear centre, and is reserved for public and semi-public institutions, offices, commerce and shops. In the north-west it penetrates beyond the inner town into zones of lower densities. These zones are laid out around the inner town in accordance with topographical conditions and ultimately are to provide housing for a further 20000 inhabitants. Adjoining to the east is a residential quarter of higher standard, and, still farther east, an area for hotels and recreation which, thanks to its elevated site, has a splendid view of the Dead Sea and the Jordan mountains, especially on clear days. To the south and south-west, close to the approach road from Beer Sheva, provision is made for industries and workshops. The bus station occupies the southern end of the central axis. Secondary schools, hospitals, sports facilities and similar institutions lie outside the ring road, but are directly connected to the inner town.

Apart from the outer districts the layout of which is determined by topographical conditions, the plan, in common with other

[1] As the wadis carry water only in winter and then only on very few days, so-called „Irish-Bridges" are considered sufficient for crossing the bed of the wadi; to mark the water level they are supplied with a measuring yardstick. Heavy rainfall, however, can block these crossings for several days, cutting off the roads as well as the places they lead to.

lichen Bedarf. Größere Nebenzentren sind nur in den Außenbezirken vorgesehen. Die Mittelachse selbst ist zu einer Art
linearem Zentrum erweitert und öffentlichen und halböffentlichen Institutionen, Verwaltung, Handel und Geschäften vorbehalten. Im Nordwesten stößt sie über das Kerngebiet hinaus
in Zonen lockerer Bebauung vor, die, den topographischen Gegebenheiten entsprechend, um die Kernstadt herum angeordnet sind und im Endstadium weitere 20 000 Einwohner aufnehmen sollen. Im Osten schließt zunächst ein Villenviertel an, an
dieses das Hotel- und Erholungsgebiet, das sich aufgrund seiner erhöhten Lage bei klarer Sicht einer großartigen Aussicht
auf das Tote Meer und die jordanischen Berge erfreut. Industrie und Handwerk sind im Süden und Südwesten vorgesehen,
dicht neben der Hauptzufahrtsstraße von Beer Sheva, die Autobusstation am südlichen Pol der Mittelachse. Höhere Schulen,
Krankenhaus, Sportanlagen und ähnliches liegen außerhalb
der Ringstraße, sind aber unmittelbar mit der Kernstadt verbunden.

Von den durch die topographischen Verhältnisse bedingten
Außenbezirken abgesehen, zeigt der Plan die für die Entwürfe
der letzten Jahre typische Streckung des Zentrums und eine
Verdichtung der Wohnzonen, die in Arad wegen der stetigen,
immer sandbeladenen Winde und der mühsamen und teuren
Vegetation besonders dringlich ist. Versuche, sich mehr als bisher den Gegebenheiten des Klimas anzupassen, kommen auch
in der Gestaltung des ersten, zur Zeit im Bau befindlichen Viertels zum Ausdruck. Hier ist für reichlich wind- und sonnen-
geschützte kleinere und größere Innenräume gesorgt, auch die

Arad – Generalplan 1 : 30 000
Arad – general plan (scale 1 : 30 000)
Arch. A. Sher, Y. Feitelson

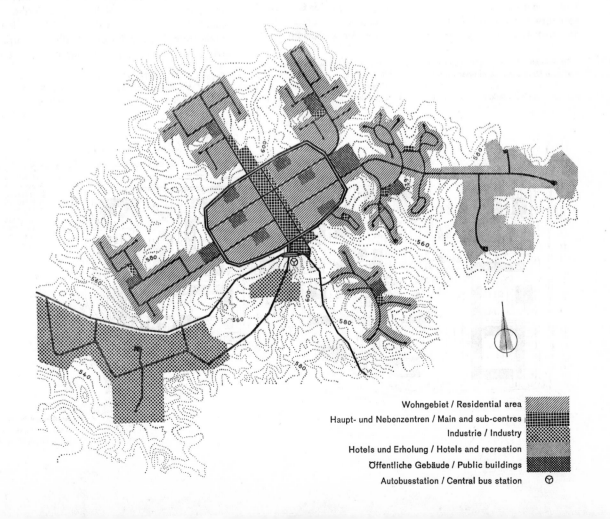

Wohngebiet / Residential area
Haupt- und Nebenzentren / Main and sub-centres
Industrie / Industry
Hotels und Erholung / Hotels and recreation
Öffentliche Gebäude / Public buildings
Autobusstation / Central bus station

Treppenhäuser und die weit vorragenden Balkone der viergeschossigen Punkthäuser, die sich fast berühren, bilden geschützte Durchgänge.[1] Der östliche Teil dieses Viertels ist bereits fertiggestellt und hat die Familien der ersten Siedler, die seit ihrer Ankunft im Herbst 1962 in Behelfsheimen am südlichen Rande der Stadt untergebracht waren, aufgenommen.

Da Arad auch in bezug auf Zusammensetzung und Herkunft seiner Bewohner neue Wege gehen sollte, handelt es sich bei diesen wie auch bei den später Hinzugekommenen — zur Zeit wohnen etwa 400 Familien in der Stadt — ausschließlich um geborene Israelis oder schon länger im Lande ansässige „Vatiqim", junge Ehepaare in besonders gutem Gesundheitszustand und mit abgeschlossener Berufsausbildung, die aus einer großen Zahl von Bewerbern sorgfältig ausgewählt werden konnten. Der mit großem Nachdruck geführte Appell an den Pioniergeist, den Opferwillen, aber auch den Stolz und das Sendungsbewußtsein der jungen Generation hatte Früchte getragen. Neueinwanderer, Fürsorgefälle, alte Leute blieben zunächst fern, Arbeitslosigkeit oder Notstandsarbeiten sind unbekannt. Dieser Vorhut steht nun als eine ihrer wichtigsten Aufgaben die Einführung, Anpassung und Integration der Neueinwanderer bevor, die letzten Endes auch das Schicksal Arads bestimmen werden. Mit der Fertigstellung weiterer Wohnungen werden wieder 200 Familien erwartet, darunter die ersten 80 Neueinwandererfamilien, überwiegend aus Osteuropa. Mit ihrer Ankunft wird die Stadt knapp 2500 Einwohner erreichen und aus den Anfängen eines Pionierlagers in die erste Phase einer Entwicklungsstadt hineinwachsen. Nach weiteren 3 bis 4 Jahren wird mit 10 000 Einwohnern gerechnet.

Trotz seiner Isolierung und Behelfsmäßigkeit war der Ort von vornherein mit allen Erfordernissen des täglichen Lebens ausgerüstet: Kindergarten, Schule, Synagoge, Ambulatorium mit

[1] Zusammen mit der Technischen Hochschule in Haifa werden laufend systematische Untersuchungen über Unterschiede der Wärmeisolierung bei den einzelnen Baumaterialien und über die optimale Gestaltung von Fenstern und Fensterläden bei starker Sonneneinstrahlung durchgeführt.

designs of the last few years, shows the typical elongation of the centre and increased densities in the residential areas. Such higher densities are imperative in Arad where the prevailing winds carry the desert into the houses, and where vegetation is difficult to maintain and very expensive. Attempts to adapt building to the realities of the climate are also reflected in the design of the first residential area, now under construction. Ample provision is made for inner courtyards, both small and large, protected against wind and sun. Four-storey point blocks, specially designed for Arad, have entrance halls and projecting balconies almost touching one another, thus forming sheltered underpasses.[1] The eastern part of this quarter is completed and the first settlers, who had lived in temporary homes along the southern edge of the town ever since their arrival in the autumn of 1962, have moved in.

As Arad was to take a new course with respect to the structure and origin of its population, too, these settlers are exclusively Israeli-born or "Vatiqim" who were carefully selected from a large number of applicants, mostly young couples in particularly good health and with some kind of vocational training. The emphatic appeal to the pioneering spirit, the pride and missionary zeal of the young generation had borne fruit. Among the 400 families living in the town today there are neither new immigrants nor social welfare cases and old people. Unemployment and public relief work is unknown. Sooner or later, however, this vanguard, too, will be faced with the task of assimilating and integrating the new immigrants who, after all, will decide the fate of Arad too. On completion of additional housing a further 200 families are expected, amongst them the first 80 new immigrant families, mostly from Eastern Europe. With their arrival the town will have grown from the beginnings of a pioneer camp into the

[1] Together with the Technion in Haifa systematic surveys are conducted to test the heat insulating value of different building materials and the best designs for windows and shutters in strong sunlight.

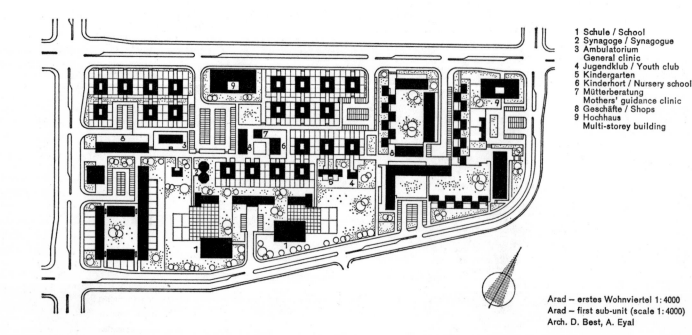

1 Schule / School
2 Synagoge / Synagogue
3 Ambulatorium
  General clinic
4 Jugendklub / Youth club
5 Kindergarten
6 Kinderhort / Nursery school
7 Mütterberatung
  Mothers' guidance clinic
8 Geschäfte / Shops
9 Hochhaus
  Multi-storey building

Arad — erstes Wohnviertel 1: 4000
Arad — first sub-unit (scale 1: 4000)
Arch. D. Best, A. Eyal

ständigem Arzt, Bank, Post, Bücherei, Geschäfte, gelegentlich Kino-, Theater- und Musikabende. Die seit Eröffnung der Straße täglich herbeiströmenden Touristen und Besucher aus aller Welt bringen zusätzliche Abwechslung. Die Lebenshaltungskosten sind infolge der auf allen Waren lastenden Transportspesen relativ hoch, auch die Löhne liegen jedoch mit durchschnittlich 500 IL im Monat erheblich über dem Landesüblichen. Die Verwaltungsaufgaben wurden zunächst durch den Planungsstab wahrgenommen, im Frühjahr 1965 wurde der erste Gemeinderat eingesetzt.

Von den bisherigen Bewohnern ist die Mehrzahl bei der Planung und Verwaltung und bei Dienstleistungen in der Stadt selbst beschäftigt, nur wenige jedoch beim Bau. Die hierfür benötigten ungelernten Kräfte kommen entweder aus Beer Sheva, oder es sind Beduinen. Etwa 170 Personen arbeiten in Sedom, zum Teil unmittelbar bei den „Dead Sea Works", zum Teil beim Bau des Deiches und der anderen Erweiterungsanlagen. Industrielle Arbeitsplätze in Arad selbst sind noch kaum vorhanden, lediglich eine Fabrik für vorfabrizierte Bauteile, die auch Beer Sheva beliefern soll, ein Marmorverarbeitungsbetrieb und einige Werkstätten haben mit der Arbeit begonnen. Eine weitere Fabrik für Baumaterialien ist im Bau, eine Strickerei mit 280 Arbeitsplätzen geplant. Eine Großbäckerei und Biskuitfabrik hat sich ebenfalls um Niederlassung beworben. Da damit gerechnet wird, daß auch der Bedarf der „Dead Sea Works" an Arbeitskräften in der nächsten Zeit steigen und von den in Dimona oder Beer Sheva wohnenden ein Teil nach Arad übersiedeln wird, sieht man auch für die zunächst erwartete Zahl von 2500 Einwohnern die Beschäftigung als gesichert an.

Für eine kritische Beurteilung der zukünftigen Chancen der Stadt scheint es jedoch noch sehr früh. Dimona, das sich weder ähnlicher landschaftlicher und klimatischer Vorzüge noch einer derart sorgfältigen Planung erfreute, hat sich allein aufgrund seiner guten Beschäftigungslage zu einer kräftigen Stadt entwickelt. Arad hat in vieler Hinsicht günstigere Voraussetzungen. Von entscheidender Bedeutung wird jedoch auch hier die Schaffung ausreichender und gut bezahlter Arbeitsplätze sein, die nur zum Teil bereits durch die „Dead Sea Works" gesichert sind. Insofern wird die Verwirklichung des geplanten Kombinats Oron/Arad zum Schlüsselpunkt für die Entwicklung der Stadt und auch für die Anziehungskraft, die sie auf weniger standortgebundene Betriebe ausüben kann.

Karmiel

Nachdem sich seit Jahren fast die gesamte Siedlungstätigkeit — und ein großer Teil der finanziellen, wirtschaftlichen und menschlichen Energien des Landes — auf den Süden konzentriert hatte, stellen Planung und Bau von Karmiel den ersten Versuch dar, Aufmerksamkeit und Kräfte wieder nach Norden zu lenken, und zwar auf ein Gebiet, das, zwischen libanesischer Grenze im Norden, Küstenebene im Westen, Emeq Yizre'el im Süden und dem Umland des See Genezareth im Osten gelegen, oft mit einem gewissen Unbehagen als „geopolitisches Vakuum" bezeichnet wird: das mittlere Galiläa.

Das mittlere Galiläa

Im Norden landschaftlich überaus reizvoll, mit hohen, teilweise bewaldeten Gebirgszügen, unter denen der 1200 m hohe Berg

first phase of a development town. After another three to four years the first 10 000 inhabitants are estimated to have moved in. Despite its isolation and its makeshift character the place was supplied right from the outset with all requirements of daily life: kindergarten, school, synagogue, a clinic with a resident doctor, bank, post office, library, shops, and occasional cinema, theatre or music nights. Tourists and visitors from all over the world streaming into the town since the main road was opened are bringing further relief. Due to the transport costs forcing up the price of all goods the cost of living is relatively high. On the other hand wages, too, are higher than usual — on average 500 IL a month. Administrative tasks were carried out first by the planning team, then by a local council appointed early in 1965.

The majority of the present inhabitants are employed in planning and administration and in various services, only a few in actual building; unskilled construction workers come either from Beer Sheva, or are Bedouins. About 170 persons work in Sedom, partly in the "Dead Sea Works" proper, partly on the construction of the dyke and the extension of the factory buildings and installations. In Arad itself hardly any industrial jobs are available as yet. Work has begun only in a factory for prefabricated building parts (which is to supply Beer Sheva too), a factory for processing marble, and a few workshops. Another factory for building materials is under construction, and a knitting factory offering 280 jobs is being planned. A large bakery and biscuit factory has also applied for public loans. As the demand by the "Dead Sea Works" for manpower is supposed to increase in the near future, and as some of the workers living in Dimona or Beer Sheva will move to Arad, employment for the expected 2500 inhabitants is considered to be assured.

A critical evaluation of the future chances of the town would be premature. Dimona, without similar advantages of landscape and climate, and without equally careful planning, has managed to develop into a healthy town only on the basis of a good employment situation. Arad has in many ways more favourable conditions. Here too, however, the creation of sufficient and well-paid jobs will be decisive, jobs that are only partly assured by the "Dead Sea Works". All the more the realization of the proposed Oron/Arad complex will be the key to the development of the town, to be complemented, however, by the attraction it can exert on concerns less tied to any specific location.

Karmiel

For many years almost all settlement activity and the greater part of the financial, economic and human resources of the country had been concentrated in the south. Planning and building of Karmiel are the first attempt to draw attention and strenght northwards once more, that is, to an area situated between the Lebanese border in the north, the coastal plain in the west, the Emeq Yizre'el in the south and the surroundings of the Sea of Galilee towards the east. This part of the country is often called, with a certain amount of uneasiness, a "geopolitical vacuum": Central Galilee.

Central Galilee

In the north scenically most attractive, with high, partly wooded mountain ranges dominated by Mount Hermon (3900 ft.), to-

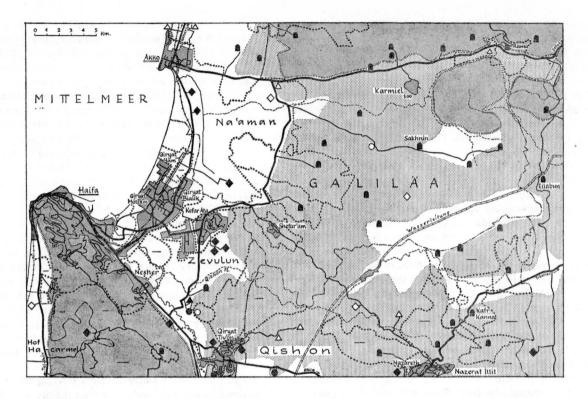

Meron hervorragt, im Süden flacher, jedoch auch hier hügelig und von zahlreichen Wadis durchzogen, zählt dieser Teil Galiläas zu den wenigen, auch heute noch fast rein arabisch besiedelten Gegenden des Landes. Im Zentrum dieses Gebietes, um die zukünftige Stadt Karmiel herum, leben unter mehr als 50 000 Andersgläubigen knapp 650 Juden (1,3 %), nördlich davon, wo gegen die libanesische Grenze hin eine Reihe von Kibbutzim und Moshavim Fuß gefaßt hat, sind es 29,8 %, südlich 19,7 %. Unter den Nichtjuden herrschen im Norden Drusen vor, ein Volksstamm, von dessen rund 25 000 in Israel lebenden Angehörigen fast die Hälfte hier konzentriert ist, in der Mitte und im Süden mohammedanische und christliche Araber, überwiegend seßhaft, jedoch auch einige Beduinenstämme. Die Bevölkerungsdichte reicht von 63 Einwohnern je km² in den grenznahen Gebirgsgegenden über 129 E/km² im Zentrum bis zu 241 E/km² im Süden und liegt damit erheblich über der des übrigen Nordens mit Ausnahme der Küste.[1] Die nichtjüdische Bevölkerung ist überdies in starkem natürlichem Wachstum begriffen: Allein die Einwohnerschaft der 18 arabischen Dörfer im Umkreis von 10 km um Karmiel herum hat sich von 27 500 im Jahre 1951 auf 37 000 im Jahre 1961 vermehrt.

Diese Verhältnisse sind im Auge zu behalten, wenn man die Pläne für eine intensivere jüdische Besiedlung der gesamten Region, wie sie neuerdings immer wieder gefordert wird, beurteilen will. Zwar befinden sich etwa 60 % der auf insgesamt 100 000 ha veranschlagten Fläche in Staatsbesitz, gerade nicht jedoch die Mehrzahl der landwirtschaftlich nutzbaren Böden, auf denen Drusen und Araber neben bescheidenem Ackerbau auf oft in Terrassen angelegten Feldern vor allem Rinder-, Schaf- und Ziegenherden halten und Oliven ernten. Die 35 neuen jüdischen Dörfer, an die gedacht ist und die ihren Unterhalt aus Obstplantagen, Pelztierfarmen, Geflügelhaltung und Schafzucht beziehen sollen, dürften es in jeder Beziehung schwer haben.

[1] Zum Vergleich: Emeq Yizre'el 92 E/km², Emeq HaYarden 71 E/km², Hula-Gebiet 83 E/km², Küstenzone bei Nahariyya 290 E/km²

Karmiel und der Großraum Haifa / Karmiel and the Greater Haifa area
Zeichenerklärung Seite 4 / Key page 4

wards the south flatter although still hilly and dissected by numerous wadis, even today this part of Galilee is one of the few areas in the country inhabited almost entirely by Arabs. In the centre of the area, around the future town of Karmiel, amongst 50 000 inhabitants of other faiths there are barely 650 Jews (1.3 %), towards the north, near the Lebanese border where a number of Kibbutzim and Moshavim have taken root, there are 29.8 %, to the south 19.7 %. In the north the non-Jewish population is made up predominantly of Druses, a tribe nearly half of whose 25 000 members living in Israel are concentrated here. In the centre and in the south, Mohammedan and Christian Arabs prevail, some of them Bedouins, the majority living in large villages. The population density ranges from 163 inhabitants per square mile in the mountainous areas near the border, to 334 inhabitants per square mile in the centre and 624 inhabitants per square mile in the south, exceeding considerably the density in other parts of Galilee, with the exception of the coast.[1] Moreover, the non-Jewish population has an exceptionally high rate of natural increase: the population of the eighteen villages within a radius of 6 miles from Karmiel, for instance, has increased from 27 500 in 1951 to 37 000 in 1961.

Such conditions have to be borne in mind while assessing the proposals for a more intensive Jewish settlement of the whole region, as is lately demanded. Of a total of about 250 000 acres, 60 % is in public ownership; just not, however, the bulk of agricultural land, often terraced fields, which is in the hands of Druses and Arabs raising cattle, sheep and goats and growing olives. The 35 new Jewish villages which are intended to make a living out of fruit groves, fur-farms and poultry and sheep raising will not have an easy start.

[1] To compare: Emeq Yizre'el 238 inhabitants per square mile, Emeq HaYarden 184 inhabitants per square mile, Hula region 218 inhabitants per square mile, Coastal Zone near Nahariyya 751 inhabitants per square mile.

Verwaltungsmäßig gehört das mittlere Galiläa größtenteils zum Bezirk Akko des Norddistrikts, nur einige am südlichen und östlichen Rande gelegene Dörfer gehören zu den Bezirken Yizre'el und Kinneret. Ländliche Selbstverwaltungsorgane, wie sie in anderen Teilen Galiläas eine hervorragende Rolle spielen, gibt es kaum. Lediglich im Norden und Nordwesten, der libanesischen Grenze zu, haben sich die jüdischen Siedlungen zu einigen kleineren Kreisen zusammengeschlossen. Die arabischen Dörfer, die bis zu 5000 Einwohner zählen, sind entweder direkt der Distriktsverwaltung unterstellt, oder sie haben eigene Gemeinderäte. Als städtische Zentren dienen Akko, im Süden das arabische Nazareth, oder Shefar'am, auf halbem Wege nach Haifa.

Karmiel, der „Weinberg Gottes", liegt fast genau in der geographischen Mitte dieses Gebiets, in der Luftlinie von der Küstenebene 15, von Zefat 17 km entfernt, von der libanesischen Grenze 20 km und von Nazareth 24 km. Es liegt überdies genau auf der Grenze zwischen den steilen Gebirgszügen des Nordens und dem flacheren Hügelland des Südens, in einem 1000 bis 1500 m breiten, heute von keinem Flußlauf mehr durchzogenen Tal, dem Biq'at Bet Kerem, das langsam von der Küstenebene bis zur Wasserscheide zwischen Mittelmeer und See Genezareth östlich Rama ansteigt. In diesem Tal verläuft auch die gut ausgebaute Hauptstraße von Akko nach Zefat und weiter ins obere Jordantal, mit einer Abzweigung nach Tiberias. Diese Straße stellt die wichtigste (und einzige) Verbindung der Stadt einerseits mit der Küste, andererseits mit dem Landesinnern dar. Die Entfernung nach Akko beträgt 23 km, nach Zefat 30 km, nach Tiberias 35 km. Wichtiger noch erscheint die Nähe Haifas (43 km), das in weniger als einer Stunde zu erreichen ist. Eine direkte Verbindung nach Süden, etwa nach Nazareth und Afula, gibt es in dieser Gegend nicht. Auch Tel Aviv (139 km) oder Jerusalem (200 km) sind am besten auf dem Umweg über Haifa zu erreichen. In die arabischen Dörfer diesseits und jenseits des Tales führen nur Feldwege, die nach winterlichen Regenfällen schwer passierbar sind; der Weg nach Sakhnin, dem größten dieser Dörfer (1964 6100 Einwohner), etwa 7 km südlich, soll ausgebaut werden. Zur Zeit jedoch verlaufen die Lebensadern der Stadt in ost-westlicher Richtung; von ihrem nördlichen und südlichen Hinterland ist sie weitgehend isoliert.

Die klimatischen Verhältnisse, vor allem im Vergleich zur Haifa Bay, sind gut. Auch im Hochsommer steigen die Temperaturen selten über 30°, die Niederschläge, im Durchschnitt 675 mm jährlich, liegen etwa 100 mm über denen an der Küste. Quellen, aus denen die Wasserversorgung gespeist werden kann, sind ausreichend vorhanden.

Flächennutzung und Bebauung
Die Stadt selbst wird sich, in 200 bis 320 m Höhe, in sanftem Halbkreis an der Ost- und Südflanke eines flachen Hügels emporziehen. Der erste Generalplan, bei einer Fläche von 550 ha auf 40 000 bis 50 000 Einwohner zugeschnitten, ordnet die Wohngebiete rechts und links eines 80 bis 100 m breiten linearen Zentrums an, das die Stadt in ganzer Länge (etwa 1700 m) durchschneidet. Dieses Zentrum, das sich in der Mitte zu einer rund 200 m breiten, beinahe rechteckigen „City" erweitert, ist eingefaßt durch zwei kreuzungsfrei verlaufende Längsachsen, deren eine, als die wichtigste Verkehrsader der Stadt, mehrbahnig angelegt ist, während die zweite, etwas schmaler, den Zulieferverkehr und die Parkflächen aufnimmt. Gelegentliche Querstücke stellen die Verbindung her.

Administratively the larger part of Central Galilee belongs to the sub-district Akko in the Northern District. Only a few villages along the southern and eastern outskirts belong to the sub-districts of Yizre'el and Kinneret. Rural self-government bodies, such as have played an essential role in other parts of Galilee, hardly exist. Only in the north and the northwest towards the Lebanese border have the Jewish settlements formed one or two small regional councils. The Arab villages, counting up to 5000 inhabitants, are either directly subordinate to the district administration or they have their own local councils. Their urban centres are Akko, to the south the Arab Nazareth, and Shefar'am, half way to Haifa.

Karmiel, the "Vineyard of God", lies almost exactly in the geographical centre of the area, as the crow flies 10 miles from the coastal plain, 11 miles from Zefat, 12½ miles from the Lebanese border and 15 miles from Nazareth. Moreover, it lies right between the steeper mountain ranges of the north and the flatter hilly land of the south, in a dry valley (Biq'at Bet Kerem) 1100 to 1650 yards wide, which rises gently from the coastal plain to the watershed between the Mediterranean and the Sea of Galilee, east of Rama. Along this valley runs the main road from Akko to Zefat and on towards the upper Jordan valley, with a branch road to Tiberias. This road is the main, and the only, connection of the town with both the coast and the interior of the country. The distance to Akko is 15 miles, to Zefat 19 miles, to Tiberias 22 miles. Even more important seems the proximity of Haifa, 27 miles away, and to be reached in less than an hour. There is no direct road to the south, for instance to Nazareth or Afula. Even the shortest route to Tel Aviv and Jerusalem goes via Haifa. The Arab villages on either side of the valley can be reached only by dust roads difficult to pass after the winter rains. The route to Sakhnin, the largest of these villages (1964: 6100 inhabitants), about 5 miles towards the south, is to be properly built up. For the time being, however, the main communication lines run in an east-western direction; from its northern and southern hinterland the town is largely isolated.

As compared with the Haifa bay the climatic conditions are good. Even in midsummer temperatures rarely rise above 30° C; precipitation, on average 27 inches a year, is about 4 inches more than on the coast. There are adequate springs to feed the local water supply.

Land Use and Layout
The town itself is to stretch at an altitude of 650 to 1000 feet in a semi-circle along the eastern and southern flanks of a gentle hill. The first master plan, allowing for a total of 1375 acres and 40 000 to 50 000 inhabitants, envisages residential areas on both sides of a linear centre 260 to 320 feet wide, bi-secting the town in its entire length (1850 yards). In the very midst this central axis widens to an almost rectangular "city". On the western side it is bounded by the main traffic artery of the town, multi-lane and without ground-level crossings, on the eastern side by a secondary road which is to carry the merchandise and service traffic and to give access to the parking areas. Occasional links are to connect these two main routes.

This arrangement, assuring all residential areas equal access to the various central facilities, obviates additional sub-centres, with the only exception of a small sub-centre on the north-westerly heights where topographical conditions and distances require a separate focus. Traffic to the residential areas is distributed by a kind of ring road, with access

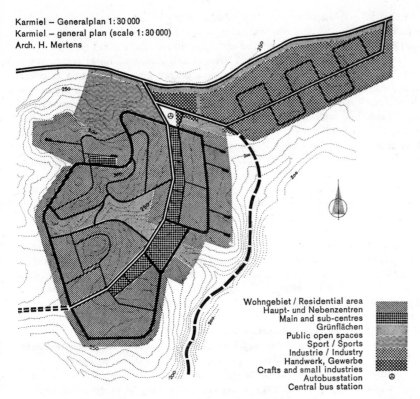

Karmiel – Generalplan 1:30 000
Karmiel – general plan (scale 1:30 000)
Arch. H. Mertens

Wohngebiet / Residential area
Haupt- und Nebenzentren
Main and sub-centres
Grünflächen
Public open spaces
Sport / Sports
Industrie / Industry
Handwerk, Gewerbe
Crafts and small industries
Autobusstation
Central bus station

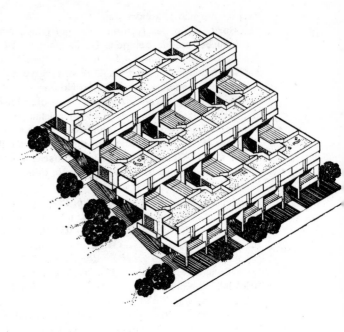

Karmiel – Terrassenhäuser
Karmiel – terraced houses

Diese Anordnung, die allen Wohnbezirken gleichmäßigen Zugang zu den verschiedenen zentralen Funktionen sichert, machte besondere Nachbarschaftszentren entbehrlich, mit der einen Ausnahme eines kleinen Nebenzentrums auf einer der Kuppen des Hügels, deren Bewohner schon wegen der topographischen Verhältnisse und der Entfernung eines eigenen Kristallisationspunktes bedurften. Verkehrsmäßig werden die Wohnbezirke durch eine Ringstraße erschlossen, von der Verbindungs- und Stichstraßen zu den einzelnen Vierteln und Häusergruppen führen. Die Nettodichte liegt bei etwa 100 WE/ha.

Der Stadtpark ist als grüne Querachse zu der Längsachse des Verwaltungs- und Geschäftsbezirks gedacht und ebenso wie dieser von den meisten Wohngebieten aus gleichmäßig zugänglich. Er zieht sich als breites Band in einem sanften Einschnitt am Berg hoch und kreuzt das Zentrum etwa auf der Höhe der City. An dieser Stelle sollen, um die Attraktivität der eigentlichen „Stadtkrone" zu erhöhen, östlich Stadthalle, Jugendzentrum, Museen und andere wichtige Kultur- und Bildungsstätten angeordnet sein, dazu das Stadion und kleinere Sportanlagen, westlich ein Amphitheater, das Schwimmbad, Spielplätze und ähnliches — beide Komplexe verbunden durch eine breite Unterführung unter dem Geschäftsbezirk hindurch, die eventuell zu einem späteren Stadium die zentrale Autobusstation aufnehmen kann.

Das Industriegebiet, etwa 100 ha, erstreckt sich in 600 m Breite und reichlich 1500 m Länge an der Hauptstraße Akko — Zefat entlang, mit den Wohn- und Geschäftsbezirken durch eine mehrbahnige Straße verbunden, die unmittelbar am Eingang zur Stadt von der Zufahrtstraße abzweigt. An dieser Stelle befinden sich vorerst auch die Autobusstation, auf die sich der gesamte öffentliche Verkehr konzentriert, und ein kleineres Areal für Handwerk und Gewerbe, vielleicht später ein regionaler Markt.

Nachdem im Sommer 1963 mit den vorbereitenden Straßenbau- und Planierungsarbeiten begonnen worden war, konnte im Herbst des gleichen Jahres der Grundstein zu dem ersten

and service roads branching off to the individual quarters and housing groups. The net density is about 40 dwellings per acre.

The central park, stretching as a broad band along a gentle valley up the mountain, forms a green lateral axis running at a right angle to the linear centre, and is equally easily accessible from the residential areas. It crosses the main axis at the level of the "city". This particular intersection is to be the actual "crown" of the town, the principal square, and is to contain the town hall, a youth centre, a museum, and other cultural, public and administrative buildings. Further below are the sports and educational institutions, an amphitheatre, a swimming pool and similar facilities, to be connected with the central park and the recreational area by a broad underpass running below the deck of the main square.

The industrial area, some 250 acres in extent, ranges in a length of 1650 yards and a width of about 650 yards along the Akko — Zefat road, and is connected with the residential and business areas by a multi-lane road branching off from the approach road at the entrance to the town. This is also where the central bus station, handling all public transport to and from the town, is to be situated, together with repair and service stations, a small area for crafts and workshops and perhaps at a later date, a regional market.

After road construction and levelling had begun in summer 1963, the cornerstone for the first residential area, immediately to the east of the main axis, was laid in the autumn of the same year. The housing groups started with consist mainly of one- and two-storey houses with inner courtyards, rising gently up the slopes and laid out in a closely interwoven ("carpet") pattern. They are framed by elongated blocks and by groups of point blocks of various heights and shapes. While the primary school is situated within the residential area proper, kindergartens, synagogue, clinic and shops supplying daily needs have been drawn closer towards the central axis.

Tafel XVII / Plate XVII:
Qiryat Shemona von Osten – im Vordergrund das Sportzentrum
Qiryat Shemona from east – in the foreground the sports centre

Qiryat Shemona – Gesamtansicht von Südwesten
Qiryat Shemona – general view from south-west

Verwaltungsgebäude des Kreises Ober-Galiläa am Stadtrand
von Qiryat Shemona
Regional Council building on the outskirts of Qiryat Shemona

Afula Illit

Stadtzentrum von Alt-Afula
Old Afula — the town centre

Tafel XX / Plate XX:
Verwaltungssitz des Kreises Yizre'el bei Tel Adashim
Regional Council building near Tel Adashim

Einzelhöfe in einem Moshav im Lakhish-Gebiet
Moshav farm units in the Lakhish Region

Mizpe Ramon am Rande des „Großen Mörsers" 1963
Mizpe Ramon on the edge of the Makhtesh Ramon 1963

Modell Stadtzentrum von Qiryat Gat. Arch. M. Kuhn
Model view of town centre for Qiryat Gat. Arch. M. Kuhn

Qiryat Gat – Luftbild von Nordwesten
Qiryat Gat– aerial view from north-west

Beduinenzelte zwischen Beer Sheva und Arad
Bedouin tents between Beer Sheva and Arad

Erweiterungsbauten der „Dead Sea Works" bei Sedom
Extension of the "Dead Sea Works" near Sedom

Die neue Straße Sedom-Elat durch die Arava
The new road Sedom-Elat

Beer Sheva 1953

Straßenzug in der Altstadt von Beer Sheva
Beer Sheva — street corner in the old town

Mustersiedlung in Beer Sheva
Model neighbourhood at Beer Sheva

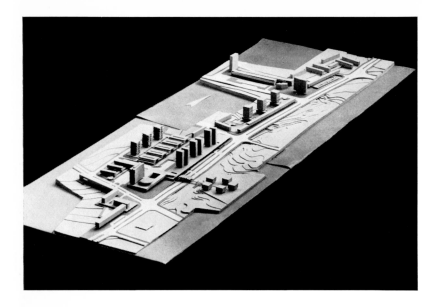

Beer Sheva – das neue Stadtzentrum
Beer Sheva – the new town centre

Entwurf für einen neuen Geschäftsbezirk in Beer Sheva.
Modell und Ausschnitt 1:4000. Arch. M. Rosner, B. Comforti
Layout of new business area for Beer Sheva.
Model view and section (scale 1:4000). Arch. M. Rosner, B. Comforti

1 Stadthalle mit Kino, Leseräumen, Gaststätte
 Community centre with cinema, library, restaurant
2 Hotel, Büros / Hotel, offices
3 Geschäfte / Shops
4 Büros / Offices
5 Wohnungen / Housing
6 Fußgängerbrücke mit Café, Restaurant
 Pedestrian bridge with café, restaurant
7 Park
8 Schwimmbad / Swimming pool

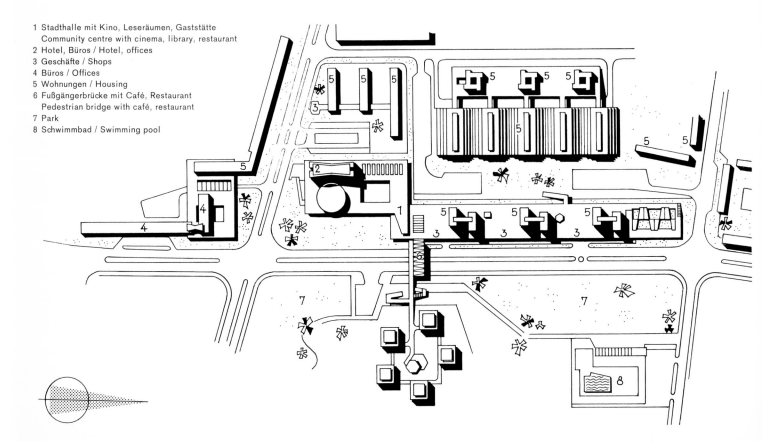

Stadt und Hafen von Ashdod 1963
Town and port of Ashdod 1963

Ashdod – Viertel 2 von Westen
Ashdod – neighbourhood No. 2 from west

Nebenzentrum in Ashdod
Neighbourhood centre at Ashdod

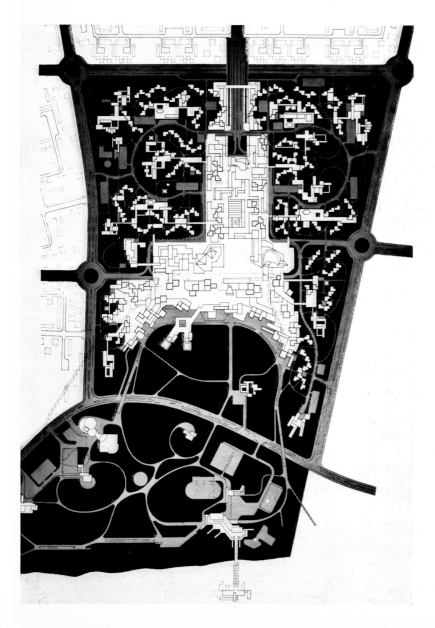

Wettbewerb für das Zentrum von Ashdod, 1965
Competition for the development of the central area of Ashdod, 1965

Erster Preis / First prize:
J. Ginsberg, P. Vago, mit / in association with: M. van Treeck
Bebauungsplan und Modell
Site layout and model view

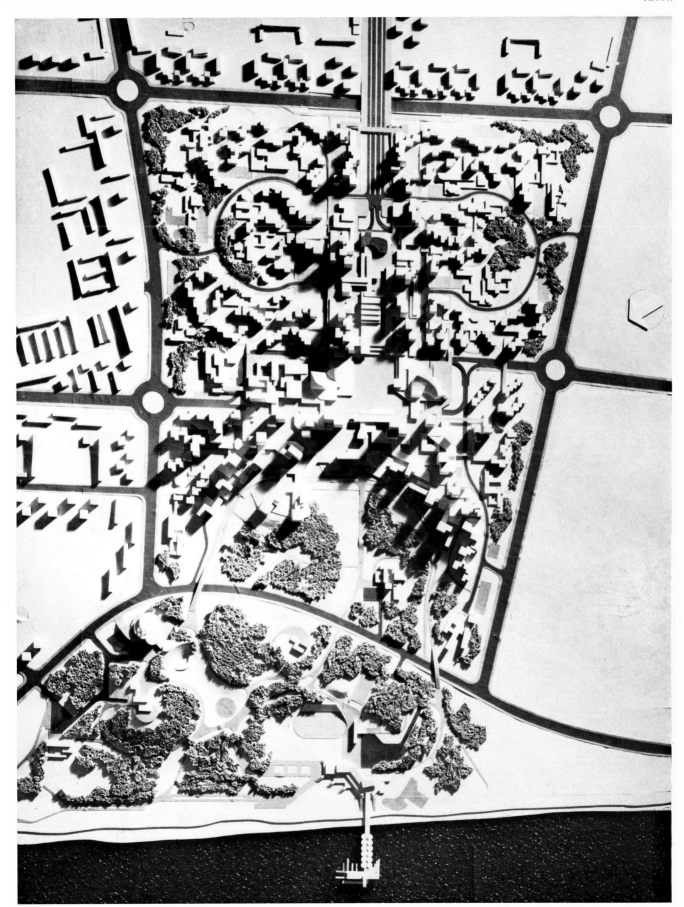

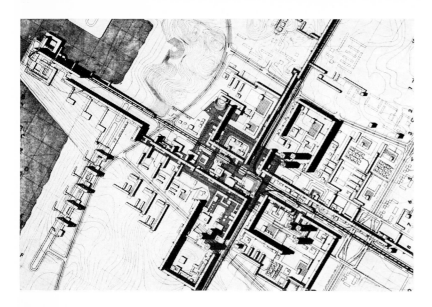

Zweiter Preis / Second prize:
J. H. van den Broek, J. B. Bakema,
unter Mitarbeit von / in collaboration with: A. Eidelmann
Bebauungsplan und Modell
Site layout and model view

Tafel XXIX / Plate XXIX:
links / left
Dritter Preis / Third prize:
Fridstein & Fitch, J. Rieger
Bebauungsplan und Modell
Site layout and model view

rechts / right
Dritter Preis / Third prize:
Carmy & Partners
Bebauungsplan und Modell
Site layout and model view

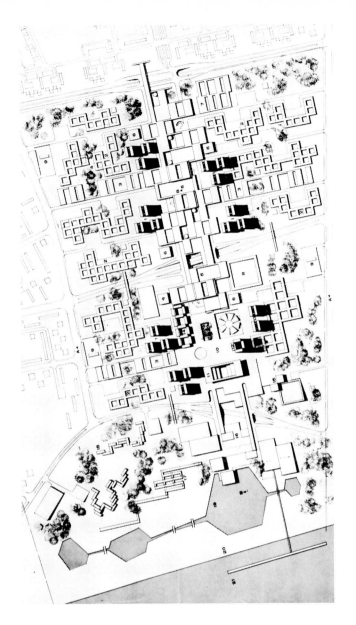

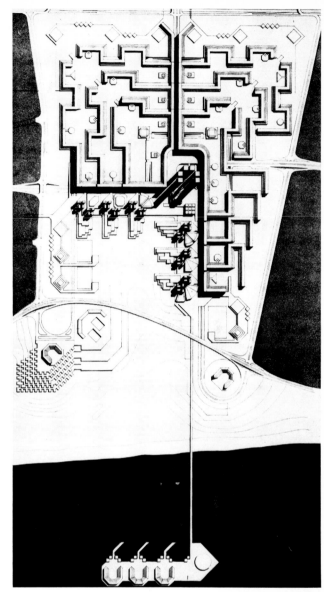

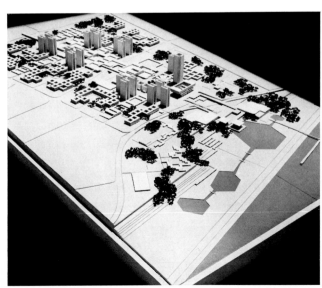

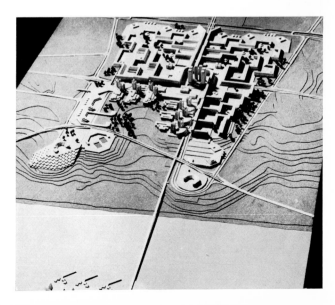

Elat 1953

4-geschossige Punkthäuser in Elat
4-storey point blocks at Elat

Der Golf von Elat und Aqaba
The gulf of Elat and Aqaba

Elat — Wohngruppen aus vorfabrizierten Bauteilen
Elat — prefabricated housing groups

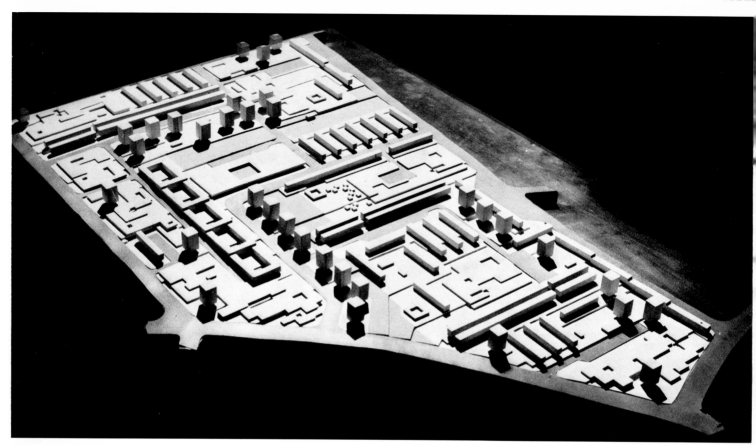

Elat – Entwurf für ein neues Wohnviertel (Modell). Arch. Tichnun Ltd.,
T. Kisselov
Elat – model view of a new neighbourhood. Arch. Tichnun Ltd., T. Kisselov

Häusergruppe aus vorfabrizierten Bauteilen in Elat
Prefabricated housing group at Elat

Elat – der alte Hafen
Elat – the old port

Die Kupferwerke bei Timna
The copper mines at Timna

Arad 1963

Die Randgebirge des Toten Meeres bei En Gedi
The flanks of the Dead Sea near En Gedi

Karmiel und der Großraum Haifa
Karmiel an the Greater Haifa area

Karmiel – Ansicht des ersten Wohnviertels von Osten
Karmiel – the first sub-unit from east

Wohnviertel unmittelbar östlich der Hauptachse gelegt werden. Die Wohngruppen bestehen hier vor allem aus ein- und zweigeschossigen Atriumhäusern in Teppichbebauung, die sich in sanfter Steigung am Hang hochziehen und von langgestreckten Blocks eingefaßt sind, dazu einigen Punkthäusern verschiedener Höhe und Gestalt. Die Volksschule liegt noch innerhalb des Wohnbezirks, Kindergärten, Synagoge, Ambulatorium und Läden des täglichen Bedarfs nähern sich dagegen schon dem Zentrum. Dieses soll hier, dem Grundprinzip des Generalplanes entsprechend, auch bereits Büro- und Verwaltungsgebäude, Kultur- und Vergnügungsstätten aufnehmen, ebenfalls in sehr verschiedenen, zum Teil eng miteinander verzahnten Typen, vom ebenerdigen Pavillon bis zum vielgeschossigen Turm. Für den Fußgängerverkehr sind neben einer durchgehenden Längs-

In accordance with the basic principles of the master plan, the axis is to include here already offices and administrations, cultural and recreational facilities in various, often closely interlocked building types, from single-storey pavilions to multi-storey towers. Pedestrians are reserved a continuous foot-path system alongside the main community buildings, and numerous access routes to the individual housing groups. Ground-level intersections with the two main arteries will be avoided by occasional overpasses.

The first inhabitants having moved in late in 1964, by autumn 1965 there were already 300 families, about half of them "Vatiqim" and half "Olim", chiefly of European origin. By the time the first building phase is completed, about 5 to 6 years in all, the population is to be roughly 10 000. Here too, just as

Karmiel – erster Bauabschnitt 1:3000
Karmiel – first sub-unit (scale 1:3000)
Arch. H. Mertens, Sh. Horwitz, A. Glikson, Ch. Sharon

verbindung, an der die unmittelbar wichtigen Gemeinschaftseinrichtungen aufgereiht sind, zahlreiche Zugänge zu den einzelnen Wohngruppen vorgesehen. Der Übergang zum eigentlichen Zentrum kann durch Brücken gesichert werden.

Im Herbst 1964 sind hier die ersten Bewohner eingezogen, im Herbst 1965 waren es bereits 300 Familien, etwa zur Hälfte „Vatiqim", zur Hälfte „Olim", jedoch vorwiegend europäischer Herkunft. Bis zum Ende des ersten Bauabschnitts, der auf 5 bis 6 Jahre veranschlagt ist, soll die Bevölkerung rund 10 000 Einwohner erreichen. Da auch hier, ähnlich wie in Arad, an eine planmäßige Steuerung der Zusammensetzung gedacht ist — 20 % geborene Israelis, 40 % Einwanderer aus Europa, 40 % aus Afrika und Asien —, sind die Wohnungen bereits auf unterschiedliche Haushaltsgrößen berechnet, 3,4 Personen bei Israelis, 3,2 bei Europäern, 4,8 bei Orientalen.

Da die Stadt vorerst kaum mit regionalen Aufgaben rechnen kann — Pläne und Aussichten, sie zu einem Verwaltungs- und Dienstleistungszentrum für das arabische Hinterland auszubauen, scheinen noch ungewiß —, ist sie fast mehr noch als die anderen Neugründungen für Unterhalt und Beschäftigung ihrer Bewohner auf die Ansiedlung von Industriebetrieben angewiesen. Die Firmen, die sich bis jetzt um Niederlassung und Kredite für Karmiel beworben haben, lassen irgendeine Schwerpunktbildung noch nicht erkennen. Eine Fabrik für Plastikrohre, eine Jerseystrickerei, eine Schneiderei für Damenledermäntel, eine kleine Schuhfabrik, eine Bautischlerei, schließlich einige Werkstätten haben die Arbeit bereits aufgenommen, beschäftigen jedoch in keinem Falle mehr als 15 bis 20 Arbeiter. Geplant ist eine Fabrik für vorfabrizierte Bauteile nach einem dänischen Patent, die etwa 100 Arbeitsplätze vorsieht. Von den 420 Arbeitern, die beim Bau der Stadt selbst beschäftigt sind, kommen nur 70 aus Karmiel, die übrigen aus den benachbarten arabischen Dörfern. Dafür arbeiten 60 % der Einwohner noch außerhalb, in erster Linie in Akko. Für später wird gelegentlich der Aufbau eines Erziehungszentrums mit verschiedenartigen Schulen und Internaten für möglich gehalten, konkrete Gestalt haben diese Pläne jedoch noch nicht angenommen.

Prognosen über zukünftige Entwicklung und Möglichkeiten der Stadt haben es angesichts des Fehlens jeglicher „natürlichen" Funktionen schwer. Auf der positiven Seite hat Karmiel, neben den Vergünstigungen, die alle Entwicklungsstädte bieten, eine landschaftlich reizvolle Umgebung — die allerdings erst noch erschlossen werden muß — und vielversprechende städtebauliche Qualitäten in die Waagschale zu werfen, dazu gute Verkehrsverbindungen zumindest zur Küste; auf der negativen vor allem die Isolierung inmitten eines dichtbesiedelten arabischen Raumes. Ihre Zukunft dürfte vor allem von dem Verhältnis, das sie zur Küste und zum Großraum Haifa gewinnt, abhängen. Die dortigen Wohn- und Industriebezirke, Haifa selbst, seine Vorstädte und die gesamte Haifa Bay müssen mit der Zeit zuwachsen, der Karmel, zur Zeit noch die wichtigste Baulandreserve der Stadt, soll als Landschaftsschutzgebiet erhalten bleiben. In einer Satellitenfunktion mögen daher auf längere Sicht hin Chancen liegen. Mehr noch als Arad, dem ideell der Nimbus, materiell die Bodenschätze des Negev zugute kommen, wird die Stadt jedoch energischer, weitsichtiger und koordinierter Förderung bedürfen.

in Arad, the composition of the population is to be carefully controlled so as to provide for 20 % Israeli-born, 40 % immigrants from Europe and 40 % immigrants from Africa and Asia. Dwellings have already been graded according to the anticipated sizes of family: 3.4 persons for Israeli-born, 3.2 persons for European, and 4.8 persons for Oriental immigrants.

As for the time being the town can hardly count on any regional functions — plans and hopes to turn it into an administrative and service centre for the Arab hinterland seem somewhat uncertain — livelihood and employment of the inhabitants are to be secured mainly by industry, the attraction of which is even more important here than in most of the other new towns. The firms which so far have applied for public loans are as motley a mixture as everywhere else. A factory for plastic pipes and a jersey knitting concern have already started work, and so have a tailor's shop for women's leather coats, a small shoe factory, a builder's joinery, and a few workshops. None of these establishments, however, employ more than fifteen to twenty workers. A plant for prefabricated houses (according to a Danish patent) will supply another 100 jobs. Of the 420 workers engaged in construction in the town itself, only 70 are from Karmiel; the remainder come from neighbouring Arab villages. On the other hand, about 60 % of the present population work outside, mostly in Akko. For a later time there are some ideas of developing a comprehensive educational centre including all kinds of secondary and boarding schools, but these plans do not have taken any concrete form as yet.

"Natural" functions missing entirely, any forecast as to the future development and prospects of the town must meet with considerable uncertainties. On the positive side of the balance, apart from the advantages afforded by all development towns, Karmiel has to offer exceptionally fine surroundings (difficult to reach as they might be), promising town planning qualities and good communications at least with the coast. On the negative side of the balance there is not least the isolation in the middle of a densely settled Arab region. The future of the town will depend primarily upon the relationship it gains to the coast and to the Greater Haifa area. The residential and industrial areas there, Haifa itself, its suburbs, and the whole of the Haifa bay will ultimately form one large agglomeration. Mount Karmel, hitherto the main extension area of the town, is to be made into a nature reserve. Thus, there may be a chance of Karmiel acquiring some satellite functions. Even more than Arad, however, which benefits by the nimbus as well as by the mineral resources of the Negev, the town will be in need of energetic, far-sighted and well coordinated development.

Schlußfolgerungen

Voraussetzung, Sinn und Ziel aller israelischen Siedlungspolitik seit der Staatsgründung liegen in einer möglichst gleichmäßigen Verteilung der jüdischen Bevölkerung über das Staatsgebiet. Dieses Gleichgewicht, das für die innen- und außenpolitische Sicherung des Landes und für seine soziale und wirtschaftliche Stabilisierung als unerläßlich angesehen wird und dem sich daher alle anderen Gesichtspunkte und Interessen unterzuordnen haben, sollte und soll die räumlich und strukturell einseitige Konzentration der Bevölkerung in der Küstenzone und in den großen Städten, die sich im Zuge der vorstaatlichen Einwanderung herausgebildet hatte und auf die auch heute noch fast alle eindeutig spontanen Wanderungsbewegungen hinzielen, ablösen und das Land mit einem dichten Netz vielfältig abgestufter Siedlungstypen überziehen. Als Strukturmodell diente dabei die in den meisten europäischen Ländern vorherrschende hierarchische Siedlungsordnung, als Funktionsmodell die Theorie der zentralen Orte, die die einzelnen Stufen dieser Ordnung miteinander verbindet und gleichzeitig ihre soziale und wirtschaftliche Basis sichert. Neben die primäre Forderung nach einer intensiveren Besiedlung und Entwicklung der bisher vernachlässigten nördlichen und südlichen Landesteile trat also, sekundär, in Anwendung dieser Modelle, die Forderung nach Auffüllung des bisher bestehenden Vakuums zwischen Großstadt und ländlicher Siedlung durch eine Fülle von Mittel- und Kleinstädten verschiedener Größenordnung.

Zu diesen zunächst vorwiegend teils politisch, teils sozial- und wirtschaftstheoretisch begründeten Forderungen kam im Laufe der Jahre die Notwendigkeit einer Entlastung der Küstenzone vor allem im Umkreis von Tel Aviv und Haifa, die mit ihren Vor- und Schwesterstädten in sorgsam gehütete Landwirtschaftsgebiete überzugreifen drohten und auch sonst einen Teil jener Sättigungserscheinungen zu zeigen begannen, die die großen Agglomerationen auf der ganzen Welt kennzeichnen. Da damit gerechnet werden muß, daß sich die Verdichtung und damit die Sättigungserscheinungen in diesen Bezirken bei einem weiteren Anwachsen der Bevölkerung — etwa von den bisherigen 2,5 Mill. auf die für 1980 bis 1985 erwarteten 4 Mill. — noch erheblich verstärken werden, gewinnt diese Notwendigkeit zunehmend an Bedeutung, und es scheint zweckmäßig, die Siedlungsstruktur des Hinterlandes schon jetzt auch unter diesem Aspekt zu sehen.

Vor und während der Mandatszeit war die Besiedlung des Landesinnern fast ausschließlich durch die landwirtschaftliche Kolonisation getragen worden. Auch in den ersten Jahren nach der Staatsgründung nahm diese, bedingt durch die Übernahme verlassenen arabischen Grundbesitzes und durch die Umstellung auf ein überregionales Bewässerungssystem, noch einmal einen kräftigen Aufschwung und trug damit das Ihre zu einer gleichmäßigeren Verteilung der Bevölkerung bei. Etwa seit 1956/57 ist sie jedoch — von der Gründung einiger vorgeschobener Posten, die quantitativ nur wenig ins Gewicht fallen, abgesehen — weitgehend zum Stillstand gekommen. Wesentliche neue Impulse dürften sich erst durch den Einsatz wirtschaftlich tragbarer Verfahren der Meerwasserentsalzung ergeben, doch werden die damit erschließbaren Reserven und Möglichkeiten leicht überschätzt. Einmal sind landwirtschaftlich nutzbare und rentabel nutzbare Böden auch in den bisher ariden Gebieten, die die wichtigste Landreserve des Staates bilden und auf die sich die Hoffnungen daher vor allem stützen, in größerem Ausmaß nur im nordwestlichen und nördlichen Negev vorhanden, zum anderen ist, selbst bei wachsender Bevölkerung, die Aufnahmefähigkeit der Binnen- und auswärtigen

Conclusion

All basic assumptions, purposes and aims of Israeli settlement policy since the foundation of the State focus in a more balanced distribution of the Jewish population throughout the country. This balance, which is considered essential both for the internal and external security of the country and for its economic and social stability and to which all other principles and interests have to be subordinated, is to replace the spatially and structurally one-sided concentration of population in the coastal zone and in the big cities. While having developed already in the course of the pre-State immigration waves, such concentration tendencies are still visible in nearly all spontaneous population movements even today. Instead the country is to be covered with a dense network of a carefully graduated variety of settlement types. Structurally this network is modelled on the hierarchy of settlements found in most European countries; functionally it is based on the theory of central places which, while connecting the various levels of this hierarchy, is securing their social and economic basis. Thus to the primary demand of intensifying settlement and development of the northern and southern parts of the country (which had hitherto been neglected) was added the secondary demand of creating a large number of medium-sized and small towns to fill the vacuum between big cities and rural settlements.

These demands, originally based partly on political and partly on social and economic theories, were soon accentuated by the very practical necessity to reduce pressure on the coastal zone, especially in the vicinity of Tel Aviv and Haifa. These two cities, together with their suburbs and neighbouring towns, began showing the first signs of saturation typical for big agglomerations all over the world and threatened to expand into carefully guarded agricultural land. As the present population of 2.5 million is expected to grow to 4 million between 1980 and 1985, allowance has to be made for the fact that densities and saturation in this area will further, and considerably, increase. It therefore seems only appropriate to consider the settlement structure of the hinterland with this increase in mind.

Before and during the period of the Mandate, colonization of the interior had been carried on almost exclusively by the rural settlements. During the first few years after the foundation of the State agricultural colonization received a new impetus, first by taking over deserted Arab land, later on by the installation of a supra-regional water supply system, and in fact helped in creating a more even distribution of population throughout the country. Since 1956/1957, however, apart from a few numerically insignificant outposts agricultural colonization came to a stop. A decisive new impulse could result only from the introduction of economical processes of sea water desalination, but even so the extent of the reserves and possibilities available is easily over-estimated. On the one hand, even in the so far arid regions (which form the main land reserve of the State and the basis for all future hopes) agriculturally arable, and profitably arable, land is found to any large extent only in the northern and north-western Negev. On the other hand, even with an increase in population the amount of agricultural produce that can be marketed both in the country and abroad is limited. Already now temporary or longer-lasting restrictions on farming and production have to be issued. Finally, it is often overlooked that despite comparatively high productivity agriculture too is still open to rationalization, especially in the new Moshavim and villages with their very small farms. With raising standards of living

Märkte für landwirtschaftliche Erzeugnisse begrenzt. Schon jetzt müssen auf den verschiedensten Gebieten vorübergehende oder längerdauernde Anbau- und Produktionsbeschränkungen erlassen werden. Schließlich wird oft übersehen, daß trotz seiner vergleichsweise hohen Produktivität auch der landwirtschaftliche Sektor vor allem im Bereich der neuen Moshavim und Dörfer mit ihren sehr kleinen Höfen noch zu Rationalisierungsmaßnahmen gezwungen sein kann. Mit wachsendem Lebensstandard und -ansprüchen und zunehmendem Arbeitskräftemangel in anderen Wirtschaftsbereichen dürfte es hier eher zu einer Freisetzung von Arbeitskräften kommen, die eine etwaige Vermehrung durch Neusiedler zumindest ausgleicht. Es ist kaum zu erwarten, daß ein sich rasch und im allgemeinen in Übereinstimmung mit den Erfahrungen und Tendenzen der westlichen Industrienationen entwickelndes Land wie Israel auf die Dauer einen wesentlich größeren Anteil seiner Bevölkerung in der Landwirtschaft und auf dem Lande wird halten können als andere Länder mit einem wesentlich günstigeren Verhältnis zwischen Staatsgebiet und landwirtschaftlicher Nutzfläche, nämlich maximal 12% bis 14%. Allen Forderungen nach einer Erhöhung dieses Anteils durch eine Industrialisierung des flachen Landes selbst muß mit um so größerer Skepsis begegnet werden, als sie — fast rein ideologisch begründet — in den seltensten Fällen ökonomisch vertretbar sind und nur zu einer weiteren Streuung, und Zerstreuung, von Kräften und Mitteln führen, die an den für die wirtschaftliche Stabilisierung des Landes entscheidenden Schwerpunkten dringend benötigt werden.

Zur Erreichung ihrer Ziele war und ist die Bevölkerungsverteilungspolitik daher mehr und mehr auf die Ergänzung und Erweiterung des städtischen Sektors angewiesen. Städte und städtische Kristallisationskerne, deren sie sich dabei hätte bedienen können, waren in den in Frage kommenden Gebieten ursprünglich nur sehr spärlich vorhanden; eine Auffüllung und Verstädterung der überwiegend genossenschaftlich oder kollektivistisch organisierten landwirtschaftlichen Siedlungen kam ebenfalls nicht in Frage, es blieb nur die Gründung und Entwicklung neuer Städte. Diese erfolgte größtenteils bereits in den Jahren 1948 bis 1956, oft in Abständen von wenigen Monaten, wobei weniger auf Vollständigkeit an einigen wenigen Orten als auf eine möglichst breite Streuung einer großen Zahl von Ansatzpunkten, wie rudimentär auch immer sie sein mochten, Wert gelegt wurde. Die 11 Städte, die im Anschluß an vorhandene Stadtkerne, die 19 Städte, die „auf der grünen Wiese" entstanden sind, stellen heute eine Wirklichkeit dar. Erhebliche Mittel sind in sie investiert, sie beherbergen 16% der israelischen Bevölkerung, ihnen nicht zuletzt ist es zu danken, wenn sich seit der Staatsgründung der Bevölkerungsanteil der peripheren Distrikte und der Mittel- und Kleinstädte mehr als verdoppelt hat. Schon Entwurf, Planung und Bau einer derartigen Anzahl neuer städtischer Gemeinwesen stellen angesichts der Kleinheit des Landes und angesichts der Umstände, unter denen sie stattfanden — Krieg, Masseneinwanderung, eine erst in den Anfängen stehende Wirtschaft — eine Leistung dar, deren Ausmaß und Qualität Rechtens weniger an den gleichzeitigen Stadtgründungen westlicher Industriestaaten zu messen ist als an den Formen, die Bevölkerungswachstum und Verstädterung in den meisten Entwicklungsländern annehmen: Slums, Barackenstädte, Höhlenwohnungen am Rande der Großstädte.

Obwohl kaum geleugnet werden kann, daß die gartenstädtischen Anfänge als schwere Hypothek auf den meisten Neugründungen lasten und das Ihre zu dem oft beklagten Fehlen

and higher demands, and with a growing shortage of labour in other economic sectors, any possible influx of new immigrants is very likely to be balanced by a shift of manpower from agriculture to other occupations. It is hardly to be expected that a country like Israel, developing rapidly and generally in line with most western industrial nations, can in the long run keep a larger part of its population in agriculture and on the land than other countries with a far more favourable ratio of total area to agriculturally suitable area, i.e., at best 12% to 14%. All demands to increase this proportion by industrialization of the countryside itself have to be met with even greater scepticism, as such attempts — based almost entirely on ideology — are very rarely economically feasible and would lead only to further scattering and dissipation of energies and resources desperately needed in a few focal points which are decisive for the economic stabilization of the country.

Thus, in order to achieve its aims, the population distribution policy was, and is, depending more and more on additions to, and extension of, the urban sector. Towns or urban nuclei suitable for such development were, however, hardly existing in the areas concerned. Extension and urbanization of the predominantly cooperative or collective agricultural settlements was likewise impossible. What remained was the founding and development of new towns. This took place to a large extent already in the years 1948 to 1956, often with intervals of only a few months. In all cases it was considered more important to plant a large, and widely scattered, number of nuclei than to reach completion in one or two places. Today the 8 towns built adjoining existing cores, and the 22 towns created in the open countryside are a reality. Considerable funds have been invested, they harbour 16% of the Israeli population, and at least partly due to them the population in the peripheral areas and in medium-sized and small towns has more than doubled since the foundation of the State. In view of the smallness of the country and the circumstances under which building took place — war, mass immigration and an economy only in its infancy — the planning, design and building of such a number of new urban communities represents an achievement the scope and quality of which can hardly be measured against similar attempts of western industrial nations, but rather against the forms population growth and urbanization takes in the majority of developing countries, with slums, shanty-towns and cave dwellings on the outskirts of the big cities.

It can scarcely be denied that the initial garden city pattern lies as a heavy burden on most of the new towns and is certainly responsible to some extent at least for the much bewailed lack of a lively varied "urban" atmosphere. These beginnings, however, were subseded by such steady and logical progress that the quality of town planning, together with the extremely favourable conditions whereby housing is provided in the development regions, is one of the greatest assets especially in the newer places, objectively as well as subjectively. The aura of activity, achievement and sound reality emanating from the creation of a new town or even of a new quarter, often in empty desert or bare mountain-side, leaves an impression of vitality, dynamics and strong will which nobody, neither native nor foreigner, can resist.

Neither unlimited acknowledgement of the achievement, however, nor the impact of the physical result, nor the constantly increasing number of inhabitants, can or should blind one to the fact that the new towns, with very few exceptions, are far from being able either to exist or to grow by themselves. So-

einer lebendigen, abwechslungsreichen, „urbanen" Atmosphäre beitragen, hat die städtebauliche Entwicklung doch seither einen so stetigen und folgerichtigen Verlauf genommen, daß sie, zusammen mit den äußerst günstigen Bedingungen, zu denen Wohnungen in den Entwicklungsgebieten vergeben werden, eine der größten Aktiva und Anziehungspunkte vor allem der neueren Orte bildet, objektiv wie subjektiv. Kaum jemand, ob Einheimischer oder Fremder, kann sich dem Eindruck von Vitalität, Dynamik und Zielstrebigkeit entziehen, den der stets überraschend schnelle, mit einer Aura von Aktivität, Leistung, handfester Faktizität umgebene Aufbau einer neuen Stadt, oder auch nur eines neuen Viertels, noch dazu in menschenleerer Wüste oder kahler Berglandschaft, auslöst.

Weder die uneingeschränkte Anerkennung der Leistung noch der starke Eindruck der baulichen Wirklichkeit noch die ständig zunehmenden Einwohnerzahlen können und dürfen jedoch darüber hinwegtäuschen, daß diese Städte, von wenigen Ausnahmen abgesehen, noch weit davon entfernt sind, aus eigener Kraft zu bestehen, geschweige denn zu wachsen. Sozial wie wirtschaftlich bedürfen sie zunächst und vor allem der Konsolidierung.

Sowohl die Prinzipien, die dieser Konsolidierung zugrunde gelegt, als auch die Maßnahmen, die in ihrem Sinne getroffen werden, sollten davon ausgehen, daß die bisherige funktionale Konzeption der neuen Städte als regionaler Zentren in den wenigsten Fällen, und auch in ihnen nur sehr partiell, aufrechterhalten werden kann. Auch unabhängig von der wirtschaftlichen, zivilisatorischen und ideologischen Unterlegenheit, die heute das Bild beherrscht und das gewohnte Verhältnis Stadt — Region in sein Gegenteil umkehrt (die sich aber im Laufe der Zeit ausgleichen kann), sind weder die geographischen und geopolitischen noch die strukturellen Voraussetzungen des Landes einer solchen Konzeption günstig.

Die geringe Größe, mehr noch die langgestreckte Form und das Fehlen topographischer Barrieren bringen es mit sich, daß fast das gesamte Hinterland, mit Ausnahme einiger östlicher Randgebiete Galiläas und des östlichen und südlichen Negev, in einem unmittelbaren Verhältnis zur Küste steht. Nicht umsonst ist es nur der Negev, der das einzige echte Zentrum jenseits der Küste trägt: Beer Sheva. Diese Situation wird akzentuiert und erschwert durch die hermetische Abriegelung aller Landgrenzen, die den Staat aus dem natürlichen Zusammenhang des Vorderen Orients gelöst, die ihm von alters her eigenen übergeordneten Handels- und Verkehrsfunktionen abgeschnitten und sein Gesicht erst recht dem Meer zugewandt hat. Da die Küste überdies aufgrund der vergangenen und der zu erwartenden künftigen Entwicklung eindeutig den wirtschaftlichen und sozialen Schwerpunkt des Landes bildet, muß und wird das gesamte Landesinnere zunehmend den Feldkräften dieser Küste ausgesetzt und auf sie ausgerichtet sein.

Strukturell kommt dem sowohl die kollektivistische und genossenschaftliche Organisationsform der Landwirtschaft, die auf Großabnehmer und Großlieferanten eingestellt ist, wie auch ihre Exportorientiertheit (Citrusfrüchte) zu Hilfe. Zumindest die Genossenschaftsbewegung wird sich nicht abschwächen, sondern verstärken, das heißt, sie wird innerhalb der bisher schon genossenschaftlich organisierten Siedlungen weitere Bereiche erfassen, und sie wird auf bestimmte Gebiete der privatwirtschaftlichen Siedlungen übergreifen — eine Entwicklung, wie sie durchaus den Tendenzen in den fortgeschrittensten Agrarländern entspricht. Auch dort, wo solche genossenschaftlichen Assoziierungen auf lokaler oder regionaler Ebene stattfinden, werden sie jedoch weitgehend alle theoretisch mög-

cially as well as economically, they need above all to be consolidated.

Both the principles underlying such consolidation and the measures to be taken to realize them, must start from the fact that the present functional concept of the new towns as regional centres can be maintained only in a very few cases and even there only partially. Quite independent of the economic, civilizational and ideological inferiority inverting the usual relationship of town and region, which dominates the scene today (but which can correct itself over a period of time), neither the geographical and geopolitical nor the structural conditions of the country favour such a concept.

The small size, even more the elongated shape and the absence of topographical barriers result in the entire hinterland being intimately related to the coast, with the exception perhaps of the eastern parts of Galilee and the eastern and southern Negev. It is not by chance that the Negev sustains the only real centre beyond the coast: Beer Sheva. This situation is accentuated and aggravated by the political borders being hermetically sealed. As a result the natural connections with the Near East have been severed, the age-old trade and communication functions have been lost and the face of the country has been turned even more towards the sea. Past as well as future development tend at turning the coast into the definite economic and social focus of the country, a focus the forces and energies of which will increasingly affect the entire interior.

Such tendencies are furthered and reinforced both by the collective and cooperative structure of agriculture, providing for wholesale marketing and supply, and by the predominant role of exports (citrus fruits). The cooperative movement at least will grow stronger rather than weaker, i.e., it will enlarge its scope within settlements already organized on a cooperative basis and it will encroach at least on some sectors in the ordinary villages — a development entirely in accordance with the trends prevailing in some of the most advanced agricultural countries. Even where new cooperatives will be set up on a local or regional level, however, they will largely bypass all theoretically possible intermediate links and will deal directly with the centres of highest order.

If such conditions and tendencies were to be reversed in pursuance of a more consistent regionalization (for which, however, in the Jewish sector at least there is no tradition from earlier times), a complete reorganization of the administrative, economic and social system of the country would be needed. Such a reorganization would be expensive, slow, burdened with many irrational drags, and, in view of the prevailing geographical and geopolitical conditions, its success would even be doubtful. More reasonable and more realistic would it seem not to reckon primarily with any regions or regional functions beyond the three main zones — North (Haifa and Galilee), Centre (Tel Aviv and the Central District, with an extension to Jerusalem) and South (Negev) —, but to develop and to consolidate the towns independent of their immediate surroundings, solely from the expansive forces of the coast.

This does not exclude the possibility that at a later date, when civilizational standard and facilities are better adapted to the standard and needs of the hinterland, the towns could fulfil a number of secondary functions which to have in close proximity is no necessity but still convenient, and could in this way achieve a closer contact with their surroundings. This is particularly true for towns and regions in somewhat greater

lichen intermediären Glieder überspringen und direkt mit den Zentren höchster Ordnung verhandeln.

Eine Umkehrung dieser Voraussetzungen und dieser Entwicklung im Sinne einer konsequenten Regionalisierung (die überdies im jüdischen Sektor auf keinerlei Traditionen aus einer weniger kommunikationsbereiten Zeit zurückgreifen könnte) würde eine Umstrukturierung des gesamten administrativen, wirtschaftlichen und sozialen Gefüges des Landes erfordern, die kostspielig, langwierig, mit mancherlei irrationalen Hemmschuhen belastet und — eben wegen der geographischen und geopolitischen Gegebenheiten — in ihrem Erfolg noch sehr zweifelhaft wäre. Sinnvoller und realistischer scheint es, primär nicht mit Regionen und regionalen Zentralfunktionen irgendwelcher Art zu rechnen, die über die drei großen Zonen Norden (Haifa/Galiläa), Mitte (Tel Aviv/Zentrum, mit einem Ausläufer nach Jerusalem) und Süden (Negev) hinausgehen, sondern die Städte unabhängig von ihrem unmittelbaren Umland und allein von den Kräften der Küste her zu entwickeln und zu konsolidieren.

Dies schließt nicht aus, daß sie nicht zu einem späteren Zeitpunkt, zu dem sie in ihrem zivilisatorischen und Dienstleistungsniveau dem Standard und den Bedürfnissen ihres Umlandes besser angepaßt sind, sekundär einige Funktionen übernehmen, die in dichter Nachbarschaft zu haben zwar keine Notwendigkeit, aber eine Bequemlichkeit darstellt, und auf diesem Weg in den erwünschten engeren Kontakt mit ihrer Umgebung hineinwachsen. Vor allem gilt dies für Orte und Gegenden in etwas größerer Entfernung von der Küste — etwa Qiryat Shemona und Ober-Galiläa, Bet She'an und das Emeq HaYarden. Ein nennenswerter Beitrag zur sozialen und wirtschaftlichen Konsolidierung der Städte selbst wird sich hieraus jedoch schon deswegen nicht ergeben, weil das dafür erforderliche Niveau erst mit Einwohnerzahlen und einer Bevölkerungsstruktur erreicht werden kann, die weit über die Tragfähigkeit dieser Gebiete hinausgehen.

Hier wie überall setzt die Konsolidierung daher zunächst eine Verbesserung bzw. Angleichung der Bevölkerungsstruktur, eine Verminderung der Fluktuation und — in Anbetracht der breiten Streuung und der geringen Größe der meisten Neugründungen — auch eine Erhöhung der Einwohnerzahlen voraus. Die Erfüllung dieser Voraussetzungen ist von vier Faktoren abhängig, die untereinander eng verbunden, jedoch schwer berechenbar und sehr unterschiedlich zu beeinflussen sind:

1. Der natürliche Zuwachs
2. Die Zuweisung von Neueinwanderern
3. Die Abwanderung
4. Der Zuzug von „Vatiqim" oder „Sabras"

Aufgrund des hohen Anteils an orientalischen Neueinwanderern konnte der natürliche Zuwachs in den Neugründungen bisher sehr hoch, mit 2,5 % bis 3 % jährlich, veranschlagt werden. Da jedoch gerade in dieser Hinsicht eine relativ rasche Anpassung an die Gewohnheiten der übrigen Bevölkerung zu beobachten ist, dürfte sich diese Rate — trotz der Verlagerung der Altersstruktur zugunsten der Jahrgänge im reproduktionsfähigen Alter — binnen des nächsten Jahrzehnts auf höchstens 2 % bis 2,5 % reduzieren. Trotzdem werden im ganzen mit zunehmenden Einwohnerzahlen der natürliche Zuwachs und damit die endogenen Wachstumsfaktoren an Gewicht gewinnen. Gleichzeitig wird sich, da die heranwachsenden Söhne und Töchter der orientalischen „Olim" bereits israelische Schulen besucht und eine entsprechende Ausbildung erhalten haben,

distance from the coast, e.g. Qiryat Shemona and Upper Galilee, Bet She'an and the Emeq HaYarden. However, a significant contribution to the economic and social consolidation of the towns themselves can hardly result from such functions, for the very reason that the standard necessary for fulfilling them can be reached only on the basis of a total population and a population structure far beyond the capacity of these regions.

Here, as everywhere else, any consolidation presupposes an improvement of the population structure, a decrease in fluctuation and, in view of the dispersion and relative smallness of most of the new towns, an increase in the number of inhabitants. The realization of these objectives depends on four factors, closely connected but difficult to assess, and to be influenced only to a limited degree:

1. Natural increase
2. Allocation of new immigrants
3. Emigration
4. Settling of "Vatiqim" or "Sabras"

In view of the large number of Oriental immigrants the rate of natural increase in the new settlements is very high, about 2.5 % to 3 % a year. As, however, in this respect even more than in any other, customs are adjusted relatively rapidly to those of the rest of the population, this rate is likely to drop during the next decade to at most 2.0 % to 2.5 % — notwithstanding the fact that the age structure will shift towards a larger proportion of reproductive age groups. On the whole, however, with an increase in the number of inhabitants, natural increase and, consequently, endogenous growth factors will gain in importance. Moreover, though ethnic differences will persist, the fact that the maturing sons and daughters of the Oriental "Olim" have attended Israeli schools and have received an adequate education will lead to a considerable rise in civilizational standard and in vocational qualification. Consequently, demands for suitable employment, services and recreational facilities will increase as well, and so will mobility in case these demands are not met.

The number of new immigrants coming into the new towns in the next few years depends both on the size and on the composition of future immigration and is still more difficult to estimate. Hopes for an increase in immigrants from the Western world, especially from South America, have not yet materialized to any extent. The main potential emigration areas are still the Arab countries of North Africa and the Middle East, Eastern Europe and, not least, the Soviet Union. In both of the latter, however, the granting of exit visas depends on political decisions which are hardly assessable. Indications as to the future volume of immigration can, therefore, be obtained only from the size of immigration in the past (which, however, has been subject to considerable fluctuations and at the moment is diminishing again) as well as from the number of Jewish people remaining in these areas. For the Arab countries this number is estimated at about 250 000, and for the Eastern block at 2.5 to 2.6 million. Thus, all that can be said with some certainty is that if immigration is to continue over a longer period at the present rate, an increasing number of immigrants must come from Eastern Europe. As it is at least doubtful whether the communist countries of the eastern block will allow emigrants to take any kind of property with them, most of these, too, will enter the country at the expense of the Jewish Agency and for their start will need help and

trotz Fortbestehens der ethnischen Unterschiede das zivilisatorische Niveau beträchtlich erhöhen, damit aber auch die berufliche Qualifikation, die Ansprüche an Arbeitsplatz, Dienstleistungen, Möglichkeiten der Freizeitgestaltung — und die Beweglichkeit, falls diese Ansprüche nicht befriedigt werden.

Weit schwerer abzuschätzen, da nicht nur von der Höhe, sondern auch von der Zusammensetzung der zukünftigen Einwanderung abhängig, ist die Zahl der den neuen Städten in den nächsten Jahren zufließenden Neueinwanderer. Da sich die Hoffnungen auf einen wachsenden Zustrom aus der westlichen Welt, insbesondere aus Südamerika, bisher nicht erfüllt haben, kommen als wichtigste potentielle Emigrationsgebiete nach wie vor die arabischen Länder Nordafrikas und des Vorderen Orients und Osteuropa, nicht zuletzt die Sowjetunion in Frage. In beiden Fällen ist die Erteilung von Ausreisegenehmigungen jedoch von politischen Entscheidungen abhängig und daher kaum vorauszusehen. Als Anhaltspunkte bieten sich lediglich die Höhe der bisherigen Immigration an, die indessen starken Schwankungen unterworfen und zur Zeit wieder im Sinken ist, und die Höhe der in diesen Gebieten verbliebenen jüdischen Bevölkerung, die für die arabischen Länder auf 250 000 und für den Ostblock auf 2,5 bis 2,6 Mill. geschätzt wird. Mit einiger Sicherheit läßt sich also nur sagen, daß, wenn die Einwanderung über längere Zeiträume hinweg in der bisherigen Höhe anhalten soll, ein wachsender Teil dieser Einwanderung aus Osteuropa kommen muß. Da zumindest zweifelhaft ist, ob die kommunistischen Länder des Ostblocks etwaigen Emigranten die Mitnahme vielleicht vorhandener Vermögenswerte gestatten, werden auch diese Einwanderer auf Kosten der Jewish Agency ins Land kommen, zunächst jedenfalls auf staatliche Hilfe und Unterstützung angewiesen sein und daher in die Entwicklungsgebiete gelenkt werden können. Ungleich der Mehrzahl der Orientalen werden sie aber weder Analphabeten noch ganz ohne Ausbildung sein, sie werden sich schneller und leichter orientieren, und sie werden in vielen Fällen bereits Verwandte oder Bekannte im Land haben. Wenn auch inzwischen die Lebensbedingungen, vor allem die verfügbaren Wohnungen, in vielen der Neugründungen auf höhere Ansprüche zugeschnitten sind, muß also nach wie vor damit gerechnet werden, daß von den europäischen Einwanderern ein weit geringerer Teil endgültig in den neuen Städten verbleibt bzw. daß noch wesentlich stärkere Anstrengungen unternommen werden müssen, sie dort zu halten. Auch im günstigsten Falle scheint daher, von den vorliegenden Erfahrungen her gesehen, die Möglichkeit einer Ansiedlung von 40% bis 60% aller Neueinwanderer in den peripheren Distrikten, wie sie oft gefordert wird, überschätzt; schon 30%, also selbst bei einem Anhalten der Einwanderung auf der bisherigen Höhe maximal 15 000 im Jahr, dürften die obere Grenze darstellen.

Für die Höhe der Abwanderung, die theoretisch sehr wohl erfaßbar wäre und die in ihrer Zusammensetzung, ihren Motiven und ihren Zielorten zu kennen gerade für die Ausarbeitung von Vorschlägen und Möglichkeiten zu ihrer Verhinderung außerordentlich wertvoll wäre, sind wir ebenfalls auf Umwege und Hypothesen angewiesen. Diese geben jedoch einigermaßen zuverlässig zu erkennen, daß sie beträchtlich sein muß, nicht nur im Norden, wo sie manifest ist, sondern auch in den meisten Städten des Südens, wo sie durch immer neue Einwandererschübe ausgeglichen wird. Zwar ist eine überdurchschnittliche Fluktuation Merkmal aller Einwanderungsstaaten, doch ist sie in Israel fast ausschließlich auf die Neugründungen beschränkt. Wer einmal, sofort oder nach einer gewissen Karenzzeit, in Tel Aviv oder Haifa untergekommen ist, fluktuiert nicht

support from the Government, which is granted preferably in the development regions. Unlike the majority of the Oriental immigrants, however, they will be neither illiterate nor without all training. They will adapt themselves more easily and more quickly and in many cases they will have friends and relatives already in the country. Even though in the meantime living conditions in the new towns, especially housing, have been tailored to higher demands, it must still be reckoned that of the European immigrants far fewer will settle there permanently or that much greater efforts will have to be made to keep them there. Judging by previous experience, hopes to direct 40% to 60% of all new immigrants to the peripheral districts — as is often postulated — seem somewhat exaggerated. Even if the present volume of immigration is maintained, 30%, i.e., at best 15 000 persons a year, might be the upper limit.

For the volume, composition and motives of internal migration as well as for the places and locations preferred, estimates and hypotheses have to be recurred to again — even though a better knowledge of such data would be essential for finding ways and means to prevent detrimental movements. Whatever figures are available indicate that the exodus from the new towns must be considerable, not only in the north where it is manifest, but also in most places in the south, where it is constantly balanced by allocation of new immigrants. Above average fluctuation is characteristic for all immigrant countries; in Israel, however, it is confined almost exclusively to the new towns. Anybody settled in Tel Aviv or Haifa, either immediately or after a certain period of waiting, does not fluctuate any more. This fluctuation would be less precarious if it were not, as is known from experience, connected with some degree of selection, by which the more intelligent, better educated and enterprising elements soon leave the towns again, leaving behind them a sediment of needy and indigent, of illiterates, unskilled workers and large families difficult to transplant. With each wave of new immigrants this sediment is likely to increase, augmenting the danger of social depreciation which is already the hall-mark of the "immigrant towns". Curtailing fluctuation is essential both qualitatively and quantitatively — in many towns of the north the continuous exodus is absorbing nearly half of the potential growth from natural increase and allocation of new immigrants. Coercive measures, such as limiting freedom of movement, are scarcely acceptable in a free country whose citizens have suffered from similar regulations throughout the centuries. But even any restriction of internal migration by other means implies the danger of frightening off new immigrants the majority of which do not come any longer as refugees but of their own free will. A country for which immigration is still a question of its very existence (it may be sufficient to remember the growth rate of the non-Jewish population of 4.5%), and which must further immigration by all available means, can hardly afford to stipulate conditions likely to keep potential immigrants off its shores.

Nevertheless, there are more liberal measures still to be tried. At present the housing and rental policy of the government and the differential prices even in the free housing market constitute the main incentive for staying in or moving to the new towns. Differences in rents for new immigrants between development areas and the coastal region, however, are very small, mostly between 5 and 10 IL a month. As even the normally working immigrant does not pay the full rent in the first few years, the difference can hardly be noticeable in

mehr. Auch wäre sie weniger bedenklich, wenn sie nicht erfahrungsgemäß mit einem Selektionsprozeß einherginge, der die intelligenteren, besser ausgebildeten und unternehmenderen Elemente den Städten relativ bald wieder entzieht und sie mit einer Bürde von Angeschlagenen und Hilfsbedürftigen, von Fürsorgefällen, Analphabeten, unausgebildeten Hilfsarbeitern und kinderreichen und daher schwer beweglichen Familien zurückläßt, die mit jeder neuen Welle wächst und die Gefahr der sozialen Abwertung, die in der Tatsache der „Einwandererstadt" an sich schon angelegt ist, noch erhöht.

Mindestens ebensosehr wie aus quantitativen Gründen — in vielen Städten des Nordens hat die Abwanderung immerhin fast die Hälfte des potentiellen Zuwachses durch natürliche Vermehrung und Neueinwanderung abgesogen — scheint also aus qualitativen eine Herabsetzung der Fluktuation unbedingt erforderlich. Zwangsmaßnahmen, etwa in Form einer Einschränkung der Freizügigkeit, kommen in einem freiheitlichen Staat, dessen Bürger überdies durch jahrhundertelange Behinderungen dieser Art wahrlich genug gezeichnet sind, schwerlich in Frage. Aber auch eine Erschwerung der Abwanderung auf anderen Wegen birgt die Gefahr einer Abschreckung der Einwanderer überhaupt in sich, die um so stärker wirkt, je weniger diese als Flüchtlinge, je mehr sie freiwillig kommen. Ein Land, für das die Einwanderung vorläufig noch eine Existenzfrage darstellt — es genügt, auf die natürliche Zuwachsrate der nichtjüdischen Bevölkerung in Höhe von 4,5% hinzuweisen — und das sie daher mit allen Mitteln fördern will und muß, kann sich kaum leisten, die Immigration an Bedingungen zu knüpfen, die präsumtive Einwanderer von ihrem Entschluß abhalten könnten.

Trotzdem scheinen auch „marktgerechte" Mittel noch nicht erschöpft. Zur Zeit stellen die Wohnungs- und Mietenpolitik der Regierung und die unterschiedlichen Preise auch auf dem freien Wohnungsmarkt das stärkste Anreizmittel für einen Verbleib oder eine Übersiedlung in die neuen Städte dar. Gerade bei den Mieten für Einwandererwohnungen ist die Differenz zwischen den Entwicklungs- und den Küstengebieten jedoch sehr gering, meist beträgt sie nur 5 bis 10 IL im Monat. Da auch der normal arbeitsfähige Einwanderer diese Miete in den ersten Jahren nicht voll bezahlt, verbleibt ein Unterschied, der kaum in seinem monatlichen Budget spürbar sein kann. Eine stärkere Differenzierung, d. h. eine kräftige Anhebung der Mieten in der Küstenzone, würde die Vorteile einer gleichwertigen Wohnung in den Entwicklungsdistrikten zweifellos in ein anderes Licht rücken. Zu prüfen wäre aber auch, ob nicht längere Arbeitskontrakte, die bereits vor der Einreise abzuschließen wären, zum gewünschten Erfolg führen. Die Minderung an Bewegungsfreiheit, die sie mit sich brächten, würde ausgeglichen durch die wirtschaftliche Sicherheit, die sie garantierten.

Der geringe Zuzug von „Vatiqim" und „Sabras" schließlich, der weit mehr als die starke Abwanderung öffentlich diskutiert wird, gibt immer wieder zu Mahnungen und Appellen Anlaß, in denen Altsiedler und geborene Israelis aufgerufen werden, sich auf die Dauer, oder jedenfalls für einige Jahre, in den neuen Städten niederzulassen und damit ihren Pionierpflichten Genüge zu tun. Diese Appelle haben zweifellos in manchen Fällen zu Erfolg geführt, der Zuzug aus dem Lande selbst hat wenigstens in einigen Städten zugenommen und trägt wesentlich zu ihrer Integration in das bestehende Sozialgefüge bei. Quantitativ fällt er vorerst nur wenig ins Gewicht, und nur dort, wo gleichzeitig berufliche und wirtschaftliche Chancen gesehen werden. Es handelt sich ja nicht nur darum, einige wenige Führungspositionen — Verwaltungsbeamte, Ärzte, Lehrer, Sozial-

his monthly budget. A more substantial differentiation (that is, a considerable rise of rents in the coastal zone) would put the advantages of an equivalent dwelling in the development areas into quite a different light. Longer contracts of work, to be signed before entering the country, might achieve a similar result. The reduction in freedom of movement this could bring about would be balanced by the economic security such a contract would guarantee.

The difficulty to attract "Vatiqim" or "Sabras" to the new towns — which has received much more publicity than the actual exodus of thousands of new immigrants — gives rise to constant admonition and appeals to the veteran and the Israeli-born population to settle permanently or at least for a few years in the development areas, thus fulfilling their pioneering duties. In some cases at least these appeals have borne fruit. A certain movement from other parts of the country into some of the new towns has in fact contributed to a better integration into the existing social system. Quantitatively, however, this movement is hardly significant, and if at all, only in those places where good economic chances and promising careers were to be expected. It is, moreover, not only a matter of filling a few leading positions with "Vatiqim" or "Sabras", such as civil servants, doctors, teachers, social workers, and experts of all kinds — which are held by them anyway —, but of supplying a wide selection of average white-collar and technical jobs. If these are not available or if they cannot be supplied within the near future, then even with the best will on the part of those called upon all appeals must remain without lasting effect.

Every reduction in internal migration, every improvement in the structure of population — this cannot be sufficiently emphasized — is fundamentally dependent on the creation of more and better jobs. Longer contracts of work can only be concluded, better educated or trained workers can only be enlisted or held, if the available jobs are not only equal to but even better than those offered in the coastal regions, concerning quality and payment as well as chances of promotion. Seasonal agricultural work, road construction and excavation, semi-skilled work in the building industry, as is considered characteristic of the labour market in most of the new settlements even today, can hardly meet these demands. No doubt some of the inhabitants are not suitable for other work, but the "image" they have created over the years even overshadows the actual lack of skilled workers noticeable here and there at least in the more advanced places.

As the analysis of the economic and employment structure of the new towns has shown, the additional jobs required must be primarily in industry. Such jobs do not turn up by themselves. For many years already it has been clear that a spontaneous movement of industry towards the reservoirs of labour in the development regions would not take place, however much such movement had been expected and had indeed — although not always and everywhere — taken place in Europe, as a result of the ever more growing over-employment in the main urban agglomerations. On the one hand the coastal zone itself still contains reserves of labour, space and potential rationalization; on the other hand the immediate hinterland offers much better targets for a move. How selective the process still is, can be seen by the fact that it affects particularly favourable places like Ashdod and recently, though to a lesser extent, Qiryat Gat, but neither Ramla or Lod (barely 12 miles from the gates of Tel Aviv) nor Beer Sheva

arbeiter, Berater und Experten aller Art — durch „Vatiqim" und „Sabras" zu besetzen (die sowieso meist mit ihnen besetzt sind), sondern eine breite Auswahl von Angestellten- und Facharbeiterstellen. Sind diese nicht vorhanden oder können sie nicht binnen Kürze in Aussicht gestellt werden, müssen, auch bei gutem Willen der Aufgerufenen, alle Appelle wirkungslos bleiben.

Jede Verminderung der Abwanderung, jede Verbesserung der Bevölkerungsstruktur setzt also — wie nicht genug betont werden kann — die Schaffung von mehr, und besseren, Arbeitsplätzen voraus. Längere Arbeitskontrakte können nur abgeschlossen, gründlicher ausgebildete Arbeitskräfte nur gehalten oder angeworben werden, wenn die zur Verfügung stehenden Arbeitsplätze denen der Küstengebiete in Qualität, Bezahlung, Aufstiegschancen zumindest nicht nachstehen, besser: sie übertreffen. Saisonale landwirtschaftliche Hilfsdienste, Straßen- und Erdarbeiten, auch angelernte Arbeit im Baugewerbe, wie sie mancherorts auch heute noch einen großen Teil der Beschäftigung in den Neugründungen stellen, vermögen diesen Anspruch kaum zu erfüllen. Gerade weil manche der inzwischen dort seßhaft gewordenen Einwanderer für andere Tätigkeiten nicht in Frage kommen, haben sie überdies im Laufe der Jahre ein „image" geschaffen, das den vor allem in aufstrebenden Orten hier und da spürbaren Mangel an Facharbeitern entschieden übertönt.

Wie die Analyse der Wirtschafts- und Beschäftigungsstruktur in den neuen Städten ergeben hat, müssen die zusätzlich erforderlichen Arbeitsplätze in erster Linie industrielle Arbeitsplätze sein. Diese Arbeitsplätze entstehen nicht von selbst. Schon seit Jahren steht fest, daß eine spontane Wanderung der Industrie nach den Arbeitskräftereservoiren der Entwicklungsgebiete, wie sie erwartet wurde und wie sie in Europa aufgrund der immer stärker spürbar werdenden Überbeschäftigung in den Ballungszentren gelegentlich (aber durchaus nicht überall und immer) zu beobachten ist, nicht stattfindet. Zum einen sind in den Agglomerationen selbst durchaus noch Arbeitskräfte-, Raum- und Rationalisierungsreserven vorhanden, zum anderen sind in ihrer unmittelbaren Umgebung erst recht weit bequemere Ausweichmöglichkeiten gegeben. Wie selektiv der Prozeß noch ist, zeigt sich darin, daß er zwar auf besonders begünstigte Orte übergreift wie etwa Ashdod und, in bescheidenerem Umfang, auch Qiryat Gat, keinesfalls aber schon auf Ramla und Lod, kaum 20 km vor den Toren von Tel Aviv, oder auf Beer Sheva, dessen Vitalität weit herausragt.[1] Schließlich sind diese Reservoire — nicht zuletzt wegen ihrer Streuung — zu klein, um das für mittlere und kleinere Betriebe ohne eigenes Absatz- und Zuliefersystem erforderliche Dienstleistungsniveau zu garantieren.

Die bisherigen Förderungsmaßnahmen vermochten zwar die Städte mit einer gewissen industriellen Grundausstattung zu versehen und damit die schlimmsten Mißstände zu beheben, diese Grundausstattung ist jedoch relativ einseitig (Textil), und sie reicht nicht aus. Die für die Erhaltung und Weiterentwicklung der neuen Städte lebenswichtige Industrialisierung bedarf nicht weniger der umfassenden Planung und einer aktiven Politik als die Bevölkerungsverteilung und die Stadtgründungen selbst. Es kann nicht mit einer derartigen Zähigkeit und Konsequenz auf einer Bevölkerungsverteilungspolitik bestanden werden, deren Unerläßlichkeit und Lebenswichtigkeit

with its outstanding vitality.[1] And, finally, the expected reservoirs of labour — not least because of their wide dispersion — are too small to guarantee an adequate standard of services for small and medium-sized factories which do not have their own marketing and supply systems.

The incentives and privileges granted in the past may indeed have helped the towns to get a certain basic stock of industry and thus meet the worst grievances; this stock, however, is relatively one-sided (textiles) and it is insufficient. Industrialization, which is absolutely fundamental for the survival and further growth of the new towns, requires comprehensive planning and active policies not less than population distribution and the foundation of the towns themselves. It can hardly be concealed that the population distribution policy — imperative and vital as it is for the security and welfare of the State — is swimming against the tide. If, nevertheless, this policy is to be insisted on with determination and consistency, everything possible must be done to create employment for the deliberately distribution population. Government planning and initiative in one field requires an equal amount of government planning and initiative in other fields.

In some cases the responsible authorities may find themselves in a certain dilemma when negotiating with private and mostly foreign investors: too rigorous regulations against further investments in the agglomerations (as are becoming customary even in much less socialist-minded European countries) must bring about the danger that such investments do not take place at all. A state in the very process of establishing itself, and dependent on capital import, cannot afford any such losses. But in the public sector itself which, including the Histadrut, is responsible for almost 75% of all investment, possibilities of re-routing capital flows towards the development regions cannot yet be entirely exhausted. In this respect it may be considered an asset that at the moment growth opportunities for the Israeli economy are seen less in the extension of existing than in the foundation of new enterprises. This implies that in most cases expensive relocations could be avoided if only additional plants were systematically directed towards the new areas.

Any new investment, however, should be preceded by thorough and detailed research into a number of factors, above all the regional distribution of the factors of production, the possible advantages of different locations, the long-term chances of marketing the products of industries under consideration (both at home and abroad), and the overall interdependences of the national economy. The additional necessity for individual plans for the various industries and for at least the main regions of the country — North, Centre and South — has already been indicated.

Experience gained in other development regions, for instance in Southern Italy, shows that it is not expedient to distribute investments more or less evenly (or according to areas of greatest need) over a large number of locations. Spontaneous impulses which after all are essential for any further growth, are much more likely to be generated by concentrated investment in a few focal points. Even if a population potential of 200 000 to 300 000 inhabitants, as it is considered desirable in any such point, is still beyond Israeli dimensions, it at least indicates the difficulties brought about by too extensive

---

[1] Von seiner Lage an einer der beiden Hauptverbindungsstraßen nach Süden und innerhalb des neu entstehenden Spannungsfeldes zwischen Tel Aviv und Ashdod profitiert offenbar auch der kleine Ort Yavne, in den vor kurzem eine große Textilfabrik aus Bene Beraq übergesiedelt ist.

[1] The small town of Yavne seems to profit from its position alongside one of the main routes to the south and within easy reach of both Tel Aviv and Ashdod: recently a large textile factory from Benei Beraq has been relocated there.

für Sicherheit und Wohlfahrt des Staates zwar unermüdlich betont wird, die aber, wie niemandem verborgen bleiben kann, in erheblichem Ausmaß gegen den Strom schwimmt, ohne daß gleichzeitig, besser schon vorher, aber auch alles dazu getan wird, die zur Beschäftigung einer solchermaßen künstlich verteilten Bevölkerung erforderlichen Arbeitsplätze zu schaffen. Planung und staatliche Initiative auf der einen Seite setzen mindestens ebensoviel Planung und staatliche Initiative auf der anderen Seite voraus.

Zwar mögen sich die verantwortlichen Stellen privaten, meist ausländischen Investoren gegenüber oft insofern in einem gewissen Dilemma befinden, als allzu rigorose Maßnahmen zur Verhinderung weiterer Investitionen in den Agglomerationen (wie sie in weit weniger sozialistisch orientierten europäischen Ländern allmählich gebräuchlich werden) die Gefahr heraufbeschwören, daß diese Investitionen überhaupt unterbleiben — eine Gefahr, der sich ein im Aufbau befindlicher und auf derartige Kapitalzufuhren dringend angewiesener Staat keinesfalls aussetzen kann. Dafür können im öffentlichen Sektor selbst, der, einschließlich der Histadrut, fast 75 % aller Investitionen trägt, kaum schon alle Möglichkeiten der Umleitung stärkerer Kapitalströme in die Entwicklungsgebiete erschöpft sein. Dem kommt zu Hilfe, daß die Wachstumschancen der israelischen Industrie zur Zeit weniger in einer Vergrößerung vorhandener als in der Gründung neuer Unternehmen gesehen werden, daß es also durchaus nicht der notwendig kostspieligen Verlagerung bereits bestehender, sondern nur der planmäßigen Ansiedlung zusätzlicher Betriebe bedarf.

Allen diesbezüglichen Investitionen sollte jedoch eine sehr gründliche und detaillierte Untersuchung der bisherigen regionalen Verteilung der Produktionsfaktoren, der etwa wirksamen Standortvorteile, der langfristigen Absatzchancen der in Frage kommenden Branchen auf in- und ausländischen Märkten, der gesamtwirtschaftlichen Interdependenzen, um nur einiges zu nennen, vorausgehen. Auf die Notwendigkeit qualitativer Einzelpläne für die einzelnen Branchen wie zumindest für die Hauptregionen des Landes — Nord, Mitte, Süd — wurde ebenfalls schon hingewiesen.

Die in anderen Entwicklungsgebieten, etwa in Süditalien, gemachten Erfahrungen lassen dabei bereits erkennen, daß es nicht zweckmäßig ist, Investitionen mehr oder weniger gleichmäßig (oder nach dem Ruf der gerade größten Not) über eine Vielzahl von Orten zu verteilen. Spontane Wachstumsimpulse, wie sie letzten Endes alle weitere Entwicklung tragen müssen, werden weit eher durch den massierten Einsatz an einigen wenigen Schwerpunkten ausgelöst. Das im allgemeinen im Bereich solcher Schwerpunkte für notwendig erachtete Bevölkerungspotential (200 000 bis 300 000 Einwohner) geht zwar vorerst erheblich über israelische Größenordnungen hinaus, zeigt aber die Schwierigkeiten, die sich aus einer zu weitgehenden Streuung von Menschen und Mitteln ergeben müssen. Die bisherige Verteilungspolitik hat zwar für derartige Schwerpunktbildungen nicht die günstigsten Vorbedingungen geschaffen, doch sind angesichts der geringen Entfernungen Zusammenfassungen auch ohne erneute Umsiedlung schon ansässiger Bevölkerungsteile leicht möglich.

Für die Zukunft und für die zukünftige Siedlungs- und Entwicklungspolitik ergibt sich hieraus vor allem die Forderung nach Zurückstellung aller weiteren Neugründungen, deren jede nur eine Verminderung der Wachstums-, wenn nicht der Überlebenschancen der bereits vorhandenen bedeuten kann. Dies gilt nicht nur für weitere Projekte im Negev oder gar in Galiläa, sondern auch für gelegentliche Pläne für eine Entlastungs-

scattering of people and resources. The distribution policy followed in the past has not created too favourable a set-up for the formation of such potentials. However, in view of the relatively small distances a certain amount of coordination and condensation could be achieved easily without relocating already settled population groups.

For the future, and for the future settlement and development policy, this implies that all aspirations for additional new towns should be adjourned as they would only contribute to slowing down the growth and reduce the chances of survival of the existing ones. This holds true not only for any further projects in the Negev or even in Galilee, but also for eventual satellite towns for Tel Aviv. Even if they would not receive the privileged status of a "new town", the inhabitants of such satellites, together with their places of work, could after all come only from one and the same reservoir.

It further implies the necessity of systematically encouraging the growth of such places as are suitable as focal points up to a number of at least 50 000, better 80 000 to 100 000 inhabitants. At the first sight such a demand seems contrary to the concept of a maximum distribution of population; however, an all too literal interpretation of this concept might well be disastrous. Emphasizing the point: three viable and vigorous towns with 100 000 inhabitants each, or at least six towns with 50 000 inhabitants, would contribute far more to the social and economic stability of the interior of the country than thirty towns with 10 000 inhabitants which need subsidizing in every possible way — in times especially in which (for better or for worse) people over the whole world consider the big cities the magic foci of life. A temporary neglect of the smaller places can be accepted all the more readily since they will doubtless profit very soon from the advancement of the whole region. Most of them, moreover, are close enough to all possible larger centres that they would benefit by an increase in the number of jobs and an improvement in the working conditions there. In Europe a journey to work of up to an hour's length is considered if not desirable so at least personally and economically tolerable.

To present a programme of urban growth (which presupposes the results of detailed regional analyses) is beyond the scope of this report. One or two general considerations must suffice: the only new towns developing more or less spontaneously into larger centres are Beer Sheva and Ashdod — Beer Sheva on the basis of its central functions for the Negev, Ashdod on the basis of its port. Further nuclei may exist in Ashqelon and in Qiryat Gat. Ashqelon, with already 32 000 inhabitants and a certain amount of industry, is favoured by its position along the coast and within easy reach of Ashdod and its "boom". Qiryat Gat benefits by excellent communications, ample publicity, an active town administration and good opportunities as a first station on a cautious move of industry towards the south. If the petrochemical works planned for Oron/ Arad become reality, together with Sedom and the existing plants at Oron they might serve as an adequate basis for Arad which, however, for some time to come will feel the competition of Dimona, which is already well established. A concentration on these places, which if assisted consistently will in any case absorb a considerable part of the development potential of the country for the next few years, seems sufficient, especially as none of the smaller towns are more than 20 miles away from one of them. All settlements south of Beer Sheva can only be considered as bases for the route to Elat and must therefore, like Elat itself, be subsidized socially

stadt für Tel Aviv, die zwar vielleicht nicht den bevorzugten Status einer „Neuen Stadt" erhalten würde, deren Einwohner mitsamt ihren Arbeitsstätten jedoch in jedem Falle nur ein und demselben Reservoir entnommen werden könnten.

Es ergibt sich weiter die Notwendigkeit einer planmäßigen Auffüllung der als Schwerpunkte bevorzugt in Frage kommenden Orte auf mindestens 50 000, besser 80 000 bis 100 000 Einwohner. Zwar scheint eine derartige Forderung dem Prinzip einer möglichst gleichmäßigen Verteilung der Bevölkerung zu widersprechen, doch kann sich hier eine allzu buchstabengetreue Interpretation als verhängnisvoll erweisen. Überspitzt ausgedrückt: drei kräftige und lebensfähige Städte mit je 100 000 Einwohnern, oder zumindest sechs Städte mit 50 000 Einwohnern, dürften weit mehr zu einer sozialen und wirtschaftlichen Stabilisierung des Landesinnern beitragen als 30 in jeder Hinsicht subventionsbedürftige Orte mit je 10 000 Einwohnern — in einer Zeit zumal, in der, zu Recht oder zu Unrecht, auf der ganzen Welt die Menschen die großen Städte als die magischen Mittelpunkte des Lebens empfinden. Die hierfür notwendige, zumindest zeitweise, Zurückstellung der kleineren Zentren muß und kann um so eher in Kauf genommen werden, als sie sekundär zweifellos von einer Belebung der gesamten Region profitieren und überdies in keinem Fall so weit von einem der möglichen Schwerpunkte entfernt sind, als daß eine Mehrung der Arbeitsplätze und eine Verbesserung der Arbeitsbedingungen an diesen Schwerpunkten ihnen nicht ebenfalls zugute käme. In Europa werden Arbeitswege bis zu einer Stunde heute zwar nicht für optimal, aber für individuell zumutbar und volkswirtschaftlich tragbar gehalten; diese Grenze würde in den wenigsten Fällen erreicht.

Die Vorlage eines derartigen Schwerpunktprogramms, das überdies die Ergebnisse detaillierter Regionalanalysen voraussetzt, geht über den Rahmen dieses Berichtes hinaus. Einige allgemeine Überlegungen müssen genügen. Die einzigen Neugründungen, die sich mehr oder weniger spontan auf solche Schwerpunkte zu entwickeln, sind Beer Sheva und Ashdod, Beer Sheva auf der Basis seiner zentralen Funktionen für den Negev, Ashdod auf der Basis seines Hafens. Weitere Ansatzpunkte mögen bestehen in Ashqelon, das bereits 35 000 Einwohner und eine gewisse Industrie aufweisen kann, durch seine Lage an der Küste begünstigt ist und auf längere Sicht auch aus dem „Boom" Ashdods Vorteil ziehen wird, und in Qiryat Gat, dem seine gute Verkehrslage, seine Publizität, eine aktive Stadtverwaltung und seine Chancen als erste Station auf einer vorsichtigen Wanderung der Industrie nach Süden zugute kommen. Sollte das geplante petrochemische Kombinat Oron/Arad Wirklichkeit werden, so ist damit, in Verbindung mit Sedom und den schon bestehenden Anlagen in Oron, die Grundlage für einen Schwerpunkt in Arad selbst gegeben, der allerdings auf längere Zeit hinaus die Konkurrenz des bereits kräftig entwickelten Dimona zu spüren haben wird. Eine Konzentration auf diese Zentren, die, bei konsequenter Förderung, sowieso schon einen beträchtlichen Teil des Entwicklungspotentials des Landes für die nächsten Jahre beanspruchen dürfte, scheint um so eher ausreichend, als keiner der kleineren Orte mehr als 30 km von einem dieser Schwerpunkte entfernt ist. Alle Städte südlich Beer Sheva können nur als Stützpunkte für die Strecke nach Elat verstanden werden und müssen daher, wie dieses, sozial und wirtschaftlich subventioniert werden, und zwar auf der Basis einer Bevölkerungszahl, die für die Erfüllung dieser Funktionen ausreicht, aber auch nicht wesentlich darüber hinausgeht.

and economically, on the basis of a number of inhabitants necessary to fulfil these functions but, for the moment at least, not more.

In Galilee conditions are much more difficult. On the one hand Haifa is far more closely connected with the north than Tel Aviv is with the south, and the transfer of central functions to intermediate levels is less natural. On the other hand, many places are relatively isolated by their very geographical position, and chain reactions are less likely to happen. It is at least doubtful whether a large new centre of higher order would have a decisive impact on, for instance, Qiryat Shemona, Tiberias, Zefat or Bet She'an, nor do any of these towns themselves provide conditions suitable for becoming such a centre. From the coast, on the other hand, they are too far away to profit by its development, while this could possibly be reflected in Karmiel. All the same, they need consolidating not less than do the towns in the south, as is emphasized by the relatively large exodus and the unsatisfactory employment situation as well as the social isolation. Here only individual assistance and support can help — which again must be based on new industries. Tiberias, for instance, with more than 23 000 inhabitants, has barely 200 jobs in approved enterprises in the town itself. Perhaps a stronger support of the new Nazareth might give an additional impulse at least to southern Galilee. The central position of the town, easily reached from the south, its existing functions as seat of the district administration, the proposed establishment of large factories, the tourist trade, finally the possibility of directly influencing Afula and Migdal HaEmeq are all factors rendering Nazareth more suitable as a new focus than any other town in the north.

Even if the distribution of population and additional investments are concentrated in future on a smaller number of places, this would still imply a carefully calculated and coordinated use of all available means and resources. The need for a more effective collaboration of all planning authorities was recognized long ago and has often been emphasized. It is absolutely vital that all political and social forces understand the significance of the new towns for the future development of the country. The fundamentally anti-urban approach of Zionism is still noticeable. Nobody would belittle the merit of the rural settlements for creating and building the State nor their role in all future agricultural colonization. It must be clear, however, that if the growing population is not to be limited to the coast and the big agglomerations, nor is constantly to flood back to them, but is to lead to a genuine overall settlement of the interior, this can be achieved only with the help of the new towns, and large new towns.

In Galiläa liegen die Verhältnisse schwieriger. Auf der einen Seite ist Haifa dem Norden weit enger und unmittelbarer verbunden als Tel Aviv dem Süden, die Übertragung zentraler Funktionen höherer Ordnung an Zwischenglieder daher weniger natürlich. Auf der anderen Seite sind viele Orte schon durch ihre geographische Lage relativ isoliert, Kettenreaktionen daher weniger zu erwarten. Qiryat Shemona, Tiberias, Zefat, Bet She'an zumindest scheinen kaum durch übergeordnete Schwerpunkte zu beeinflussen, noch bringt irgendeine dieser Städte selbst die Voraussetzungen zu einem derartigen Schwerpunkt mit. Von der Küste wiederum sind sie zu weit entfernt, um direkt von deren Wachstumskräften, die Karmiel etwa noch erreichen können, zu profitieren. Trotzdem bedürfen sie, wie die starke Abwanderung, die unbefriedigende Beschäftigungslage und auch die soziale Isolierung zeigen, mindestens ebensosehr der Konsolidierung wie die Städte im Süden. Hier kann nur individuelle Förderung helfen, die jedoch ebenfalls vor allem auf die Heranziehung geeigneter Industriebetriebe ausgerichtet sein muß — Tiberias zum Beispiel hat bei mehr als 23 000 Einwohnern in der Stadt selbst kaum 200 geförderte Arbeitsplätze in Industrie und Handwerk. Unter Umständen wird auch die starke Stützung des neuen Nazareth zumindest dem südlichen Galiläa zusätzliche Antriebskräfte zuführen. Die zentrale Lage bei guter Erreichbarkeit auch von Süden, die bereits vorhandenen Funktionen als Sitz der Distriktsverwaltung, die geplante Ansiedlung von Großbetrieben, die touristische Attraktion, schließlich die Möglichkeit der Einbeziehung von bzw. Ausstrahlung auf Afula und Migdal HaEmeq sind Faktoren, die Nazareth zumindest mehr als andere Städte des Nordens als Schwerpunkt geeignet erscheinen lassen.

Selbst wenn die planmäßige Verteilung der Bevölkerung und zusätzlicher Investitionen in Zukunft auf eine geringere Zahl von Orten konzentriert wird, bedarf doch gerade dies eines koordinierten und gezielten Einsatzes aller verfügbaren Mittel und Stützen; die Notwendigkeit einer wirksameren Zusammenarbeit aller planenden Instanzen ist längst erkannt und oft genug betont worden. Es bedarf aber auch der Einsicht a l l e r politischen und sozialen Kräfte in die Bedeutung der städtischen Neugründungen für die zukünftige Entwicklung des Landes. Die primär anti-städtische Grundhaltung des Zionismus ist noch immer deutlich spürbar. Niemand wird die Verdienste der ländlichen Siedlungen für Entstehung und Aufbau des Staates und ihre Rolle im Rahmen aller noch bevorstehenden landwirtschaftlichen Kolonisationsaufgaben schmälern. Es muß jedoch klar sein, daß, soll die wachsende Bevölkerung nicht auf die Küste und die großen Agglomerationen beschränkt bleiben oder immer wieder in sie zurückfluten, sondern zu einer Intensivierung der inneren „Landnahme", wie sie allen Verteilungsplänen unausgesprochen zugrunde liegt, führen, dies nur mit Hilfe der neuen Städte, und großer neuer Städte, geschehen kann.

Fotografenverzeichnis / Photographers
Soweit feststellbar, stammen die Aufnahmen von folgenden Fotografen:
As far as it was traceable the photographs were made by the following photographers:
Ami SOLEL BONEH (30); Dr. Bach (2); Gvt. Press Office (26); Herz (2); Orient Press — P. Gross (8); Dr. Spiegel (7)

Quellennachweis / Bibliography

Abeles, Sawitzky, Weiler, Levine: A Development Plan for Kfar-Yeruham, Tel Aviv 1961

Abeles, Sawitzky, Weiler, Levine: A Redevelopment Study for Migdal Ashkelon, Tel Aviv 1962

Alweyl, A.: A Comparative Study of Housing Costs for Different Building Types and Densities, Research Paper No. 3, Building Research Station, Technion, Israel Institute of Technology, Haifa 1961

Alweyl, A.: A Comparative Cost Analysis of Multistorey Housing, Research Paper No. 9, Building Research Station, Technion, Israel Institute of Technology, Haifa 1961

Alweyl, A.: Development of Building Techniques in Israel, United Nations Conference on the Application of Science and Technology for the Benefit of Less Developed Areas, E/Conf. 39/D/143, 10. Oct. 1962

Architecture d'Aujourd'hui, Mai 1963, Sonderheft Israel

Bach, Y.: Die Gemüsevermarktung in Israel, Neukolonisation und Marktentwicklung, Diss. Freiburg 1956

Bachi, R.: Trends of Population and Labour Force in Israel, in: The Challenge of Development (A Symposium Held in Jerusalem June 26—27, 1957), Jerusalem 1958

Baker, H. E.: The Legal System of Israel, London 1961

Bein, A.: The Return to the Soil, Jerusalem 1957

Brutzkus, E.: Report on Problems of Geographical Distribution of Population in Israel, Unveröffentl. Manuskript

Brutzkus, E.: Physical Planning in Israel, Problems and Achievements, Jerusalem 1964

Brutzkus, E.: Planung einer neuen Siedlungsstruktur in Israel, in: „Plan", Schweizer. Ztschr. für Landes-, Regional- u. Ortsplanung, Nr. 1/1964

Cohen, E., Shamgar, L., and Levy, Y.: Absorption of Immigrants in a Development Town — Final Research Report, Department of Sociology, The Hebrew University, Two Volumes, Jerusalem 1962 (hebräisch)

Cohen, E., Shamgar, L., and Levy, Y.: Development Towns — Social Dynamics of „Planted Communities" in Israel
Social Images in Development Towns, in Vorbereitung

Darin-Drabkin, H. (ed.): Public Housing in Israel, Surveys and Evaluations of Activities in Israel's First Decade (1948—1958), Tel Aviv 1959

Darin-Drabkin, H.: Patterns of Cooperative Agriculture in Israel, Tel Aviv 1962

Darin-Drabkin, H.: Housing in Israel, Economic and Sociological Aspects, Tel Aviv 1957

Dash, J., Efrat, E.: The Israel Physical Master Plan, Ministry of Interior, Planning Department, Jerusalem 1964

Eisenstadt, S. N.: The Absorption of Immigrants, London 1954

Fischler, G.: Energiewirtschaft in Israel, Veröffentlichungen der List Gesellschaft Bd. 42, Basel/Tübingen 1965

Freudenheim, Y.: Die Staatsordnung Israels. Ihre Vorgeschichte und ihre rechtlichen Grundlagen, München 1963

Frey, R.: Strukturwandlungen der israelischen Volkswirtschaft — Global und Regional — 1948 bis 1975. Veröffentlichungen der List Gesellschaft Bd. 39, Basel/Tübingen 1965

Gevirtz, Y.: Rural Local Government in Israel, International Seminar for Local Government Administration, 1962

Glikson, A.: Some Problems of Combined Town and Country Development in Israel, Bulletin Review of the International Union of Local Authorities, Vol. 5, No. 1, 1954

Glikson, A.: Towards Regional Landscape Design: in: News Sheet, International Federation for Housing and Town Planning, May 1954

Glikson, A.: Regional Planning in Israel, Leiden 1955

Glikson, A.: Fragen der Stadt- und Landesplanung in Israel, in: „Werk", Schweizer Monatszeitschrift für Architektur, Kunst, künstl. Gewerbe, Heft 4, April 1958 („Bauen in Israel")

Glikson, A.: Two Case Studies of Rural Planning and Development in Israel (Ministry of Labour, Housing Administration), Tel Aviv 1961

Glikson, A.: Urban Design in New Towns and Neighbourhoods, in: Landscape Architecture Vol. 52, No. 3, April 1962

Glikson, A.: L'Unité d'Habitation Intégrale, in: Le Carré Bleu I, 1962

Glikson, A.: Humanisation du Milieu, in: Le Carré Bleu IV, 1963

Glueck, N.: Rivers in the Desert. A History of the Negev, New York 1957

Gordon, A. D.: Auswahl aus seinen Schriften, Berlin 1937

Granott, A.: The Land System in Palestine. History and Structure, London 1952

Halperin, H.: Agrindus. Integration of Agriculture and Industries, London 1963

Housing, Building Industry and Building Materials Industry. Sonderhefte des „Israel Economic Forum", Vol. X, No. 1—2, April 1960, No. 3—4, June 1960

Institute of Social and Economic Research (MIDUA): Beer Sheva, Tel Aviv 1963 (hebräisch)

International Seminar Conference on Housing 4th—31st May 1960 (Summary of Lectures), Tel Aviv 1960

International Seminar for Local Government Administration March—May 1962, 2 vols. Jerusalem o. J.

Israel Association of Engineers and Architects — Technical Council: The Size and Location of Development Towns, Tel Aviv 1963 (hebräisch)

Israels Industrial Future 1960—1965. Published by the Ministry of Commerce and Industry. Prepared by the Industrial Planning Bureau, Jerusalem 1960

Kahane, A.: Die raumordnerischen Probleme der Zentralregion im Staate Israel, in: Raumforschung und Raumordnung, 22. Jg. 1964, Heft 2, S. 57 ff.

Kahane, A.: Aufgaben und Einfluß der räumlichen Planung bei der wirtschaftlichen und sozialen Entwicklung Israels, in: Raumforschung und Raumordnung, 21. Jg. 1963, Heft 2, S. 93 ff.

Karmon, Y.: The Drainage of the Huleh Swamps, in: Geographical Review, Vol. L, No. 2, New York 1960, S. 169—193

Karmon, Y.: Eilath. Israel's Red Sea Port, in: Tijdschrift voor Econ. en Soc. Geografie, Mei 1963, S. 117—126

Klein, A.: New Planning and Housing Methods for Israel, Technion Yearbook 11 (1952/53), S. 102—108

Landau, J. M. (Herausgeb.): Israel. Kultur der Nationen Bd. 13, Nürnberg 1963

Ministry of Housing — State of Israel: Housing and Economic Development in Israel, Tel Aviv 1962

Ministry of Housing — State of Israel: Residential Housing and Public Institutions, Types 1962—64, Tel Aviv 1963 (hebräisch)

Ministry of Housing — State of Israel: Karmiel — A New Town in Western Galilee, Tel Aviv 1963 (hebräisch)

Ministry of Housing — State of Israel: Housing Policy in Regions of Rapid Population Growth in Israel, prepared by J. Ben-Sira, A. Berler, H. Mertens, Y. Tamir for the 27th World Congress for Housing and Planning, Jerusalem 1964

Pirker, Th.: Die Histadrut, Gewerkschaftsprobleme in Israel. Veröffentlichungen der List Gesellschaft Bd. 45, Basel/Tübingen 1965

Planen und Bauen in Israel, „Baumeister", Heft 1, 1962

Planning Department, Ministry of Interior: National Planning for the Redistribution of Population and the Establishment of New Towns in Israel. Report prepared for the 27th World Congress for Housing and Planning, Jerusalem 1964

Prime Minister's Office, Economic Planning Authority: Proposed Directives for preparing a Five Year Development Plan for the National Economy 1965/66 —1969/70, Jerusalem 1963

Rau, H.: Landschaftsplanung nur in Entwicklungsländern?, in: Bauwelt 46/1962

Regling, D., Voss, R.: Die Bahn der drei Meere. Veröffentlichungen der List Gesellschaft Bd. 31, Basel/Tübingen 1963

Ruppin, A.: Three Decades of Palestine, Jerusalem 1936

Schaafhausen, Irma: Entwicklung durch Selbsthilfe am Beispiel Israel, Hamburg 1963

Sharon, A.: Physical Planning in Israel, Tel Aviv 1951

Shuval, J.: Immigrants on the Threshold. New York 1963

Town Planning Ordinance 1936, with amendments to 1. 1. 1962, compiled by Gad Landau, Technion, Haifa o. J.

Trifon, R., Tchetchik, I.: Prospects of Economic Development of the Towns of Qiryat Shemona and Hazor, Haifa 1963 (hebräisch)

Weinryb, B.: The Impact of Urbanization in Israel, in: Mid. East Journal, 11 (1) 1947, S. 23—26

Weitz, R.: Agricultural and Rural Development in Israel: Projection and Planning, Rehovot 1963

Jahrbücher und statistische Quellenwerke
Yearbooks and Statistics

Israel Government Yearbook

The Israel Yearbook (Jewish Agency ed.)

Facts about Israel (Government Press Office ed.)
Department of Statistics, Palestine Government: Vital Statistics Tables 1922—1945, Jerusalem 1947

Statistical Abstract of Palestine 1944—45, 8th ed., 1946
Central Bureau of Statistics:

Statistical Abstracts

Atlas of Settlements in Israel, Population and Housing Census 1961, Public. No. 14, Jerusalem 1963

The Settlements of Israel, Part I, II, III, IV, Population and Housing Census 1961, Public. No. 10, 11, 12, 18, Jerusalem 1963, 1964

Demographic Characteristics of the Population, Part I, II, IV, Population and Housing Census 1961, Public. No. 7, 8, 22, Jerusalem 1962, 1964

Labour Force, Part I, II, Population and Housing Census 1961, Public. No. 9, 21, Jerusalem 1963, 1964

Housing, Part I, Population and Housing Census 1961, Public. No. 16, Jerusalem 1964

Languages, Literacy and Educational Attainment, Population and Housing Census 1961, Public. No. 15, Jerusalem 1963

Internal Migration, Part I, Population and Housing Census 1961, Public. No. 19, Jerusalem 1964

Labour Force Surveys 1963, Special Series No. 176, Jerusalem 1965

List of Settlements, their Population and Codes (Data per 31. 12. 1964), Technical Publication No. 20, Jerusalem 1965 (hebräisch)

Ministry of Housing — Economic, Sociological and Statistical Research Division: Statistical Abstract of Housing and Construction, Tel Aviv 1964

Ministerium für Industrie und Handel, Abt. Industrie: Bericht über die Industrialisierung der Entwicklungsgebiete 30. 10. 1955 bis 31. 12. 1964, Tel Aviv 1965 (hebräisch)

Ministerium für Industrie und Handel, Abt. Industrie: Anleihen zur Entwicklung der Industrie und des Handwerks (Stand 31. 12. 1964), Jerusalem 1965

Ministry of Labour — Manpower Planning Authority: Manpower in Development Towns, December 1964

Ministry of Labour and Ministry of Interior: Survey of Population and Employment in Development Towns, Jerusalem 1960 (hebräisch)

Darüber hinaus hatten die nachstehend angeführten Personen die Freundlicnkeit, die vorliegende Arbeit durch die Mitteilung von Tatsachen und die Überlassung von Material aus ihrem Arbeitsgebiet und dem Arbeitsgebiet ihrer Mitarbeiter zu fördern.

In addition, the persons listed below were kind enough to support this work by providing facts and making available material from their and their collaborators' fields of work.

Innenministerium / Ministry of Interior
Mr. Y. Dash
Mr. E. Brutzkus
Mr. A. Kahane
Mr. E. Karin
Mr. Arion
Mr. Sh. Amitai
Mr. D. Arbit
Mr. G. Landau
Mr. D. Rosen
Mr. Y. Gevirtz
Dr. Schlesinger

Wohnungsbauministerium / Ministry of Housing
Mr. D. Tanne
Mr. A. Alweyl
Mr. Y. Tamir
Mr. J. Slijper
Mr. A. Doudai
Mr. Sh. Shaked
Mr. M. Yaron
Mr. M. Rosner
Dr. H. Darin
Dr. A. Berler
Mr. M. Landau
Mr. Markowicz

AMIDAR
Mr. J. Neufeld

Industrie- und Handelsministerium / Ministry of Commerce and Industry
Mr. Gil
Dr. M. Cohen
Mrs. M. Landau

Arbeitsministerium / Ministry of Labour
Mr. Y. Pundak
Mr. D. Kochavi
Mr. Fedeorowicz

Meteorologischer Dienst / Meteorological Service
Mr. M. Thaller

Hebräische Universität / Hebrew University
Prof. Y. Karmon
Dr. N. Halevy
Mr. Erik Cohen

Technion — Israel Institute of Technology
Prof. R. Shalon
Prof. Horwitz
Prof. Eilon
Dr. Watson
Dr. R. Trifon
Dr. Mannheim

Central Bureau of Statistics
Mr. D. Neumann

Stadt- und Kreisverwaltungen / Local Authorities
Mr. Garin, Ashdod
Mr. Y. Levi, Elat
Mr. D. Moreh, Qiryat Shemona
Mr. G. Naor, Qiryat Gat
Mr. A. Meyer, Qiryat Gat
Mr. Stubb, Qiryat Gat
Mr. Zarisi, Beer Sheva
Mr. Laor, Beer Sheva
Mr. Reifer, Beer Sheva
Mr. Stiassnie, Akko
Mr. Rubinstein, Regional Council of Upper Galilee
Mr. M. Lanir, Regional Council of Gilboa
Mr. Amarant, Regional Council of Yizre'el
Mrs. Arnat, Regional Council of Yizre'el

Bank Leumi Le-Israel B. M.
Dr. Lehmann
Dr. Pikielny
Mr. Bleimann
Mr. Costi
Mr. Dehan
Mr. Grünbaum
Mr. Toueg
Mr. Vigorsin

RASSCO
Mr. J. Mahrer

Jewish Agency
Dr. L. Berger

Architekten und Stadtplaner / Architects and Town Planners
Mr. R. Bannet
Mr. Y. Ben Sira
Mr. A. Glikson †
Dr. G. Kaminka
Mr. T. Kisselov
Mr. E. Lavie
Mr. Y. Perlstein
Mr. H. Rau †
Mr. A. Sharon
Mr. Shilon

ferner / further
Dr. R. Frey, Zürich
Mr. M. Rothschild, Darmstadt
Miss H. Shapira, Tel Aviv

Aussprache der wichtigsten Ortsnamen

Pronunciation of Place Names

Afula	Afúla	Afula	ʌfˈuːlə
Akko	Ákko	Akko	ˈʌkɔ
Arad	Arád	Arad	ʌrˈaːd
Ashdod	Aschdód	Ashdod	ʌʃdˈɔd
Ashqelon	Áschkelon	Ashqelon	ˈʌʃkələn
Beer Sheva	Beer Schéwa	Beer Sheva	ber ʃˈevʌ
Bene Beraq	Bné Brák	Bene Beraq	bnˈei brˈʌk
Besor	Bsór	Besor	bsˈɔr
Bet She'an	Bet Sche'án	Bet She'an	bet ʃəˈˈaːn
Bet Shemesh	Bet Schémesch	Bet Shemesh	bet ʃˈemeʃ
Dimona	Dimóna	Dimona	dimˈonʌ
Elat	Elát	Elat	elˈʌt
Emeq Yizre'el	Emek Jisre'él	Emeq Yizre'el	emek jisrəˈˈel
En Harod	En Charód	En Harod	en xʌrˈɔd
Hadera	Chadéra	Hadera	xʌdˈeːrʌ
Hazor	Chatsór	Hazor	xʌtsˈɔr
Holon	Cholón	Holon	xɔlˈɔn
Hula	Chúle	Hula	xˈuːlə
Karmiel	Karmi'él	Karmiel	kʌrmiˈel
Lakhish	Lachísch	Lakhish	lʌxˈiːʃ
Lod	Lod	Lod	lɔd
Ma'alot	Ma'alót	Ma'alot	mʌʌlˈɔt
Makhtesh Ramon	Machtésch Ramón	Makhtesh Ramon	mʌxtˈeʃ rʌmˈɔn
Migdal HaEmeq	Mígdal HaÉmek	Migdal HaEmeq	mˈigdʌl hʌˈˈemek
Mizpe Ramon	Mítspe Ramón	Mizpe Ramon	mˈitspə rʌmˈɔn
Nazerat Illit	Natserát Illít	Nazerat Illit	nʌtsərˈʌt ilˈit
Netivot	Netivót	Netivot	netivˈɔt
Ofaqim	Ofakím	Ofaqim	ɔfʌkˈiːm
Or Aqiva	Or Akíwa	Or Aqiva	ɔr ʌkˈiːvʌ
Oron	Orón	Oron	ɔrˈɔn
Petah Tiqwa	Pétach Tíkwa	Petah Tiqwa	pˈetʌx tˈiːkvʌ
Qiryat Gat	Kirjat Gát	Qiryat Gat	kiːrjʌt gˈʌt
Qiryat Malakhi	Kirjat Maláchi	Qiryat Malakhi	kiːrjʌt mʌlˈʌxi
Qiryat Shemona	Kirjat Schmóna	Qiryat Shemona	kiːrjʌt ʃmˈɔnə
Ramla	Rámle	Ramla	rˈʌmlə
Rehovot	Rechówot	Rehovot	rexˈɔvɔt
Sede Boqer	Sdé Bokér	Sede Boqer	sdˈei bɔkˈer
Sedom	Sdóm	Sedom	sdˈɔm
Sederot	Schderót	Sederot	ʃderˈɔt
Shefar'am	Schfar'ám	Shefar'am	ʃfʌrˈˈʌm
Shlomi	Schlómi	Shlomi	ʃlˈɔmi
Ta'anakh	Ta'anách	Ta'anakh	tʌʌnˈʌx
Tiberias	Tibérias	Tiberias	tibˈeriʌs
Yavne	Jáwne	Yavne	jˈʌvnə
Yeroham	Jerochám	Yeroham	jerɔxˈʌm
Zefat	Tsfát	Zefat	tsfˈʌt